8
9
10
11
12
13
14
15
(LAND OF GREAT DREAD)
DOR-DAE-DELOTH
read (71) Dor-na-Daerachas
Battle of Fire
R-NA-FAUGLITH
[Ard-galen]
Lothland
Riders of the Folk of Fëanor
Angrod
Drûn
Egnor
Gorlim
Folk of Bëor & Barahir
Dor-Thonion
Ladros
Aeluin
AUR-NA-FUIN
Maedros
Eryd Orgorath
Pass of Aglond
Marches of Maedros
Hill of Himring
Mt.Rerir
Dungortheb
Goroth
Dor Dinen
Ford
Celegorm & Curufin
Maedros
Little Gelion
Maglor
Greater Gelion
L.Helevorn
Melian
Himlad
Dor Caranthir
R. Celon
Nan Elmoth
Gladuial
north road of Dwarves
Caranthir
later Folk of Uldor
DORETH
MENEGROTH
R. Aros
Radrim
Eglador
FOREST OF REGION
Estoland
R. GELION
Thargelion
Eredlindon
Garthurian
Diriel
Belegost
Mt. Dolmed

# "Dangweth Pengoloð"

the

Answer

of

Pengolod

to Aelfwine who asked him how came it that the tongues of the Elves changed and were sundered

Now you question me, Ælfwine, concerning the tongues of the Elves, saying that you wonder much to discover that they are many, akin indeed and yet unalike; for seeing that they die not and their memories reach back into ages long past, you understand not why all the race of the Quendi have not maintained the language that they had of old in common still one and the same in all their kindreds. But behold! Ælfwine, within Eä all things change, even the Valar; for in Eä we perceive the unfolding of a History in the unfolding: as a man may read a great book, and when it is full-read it is rounded and complete in his mind, according to his measure. Then at last he perceives that some fair thing that long endured: as some mountain or river of renown, some realm, or some great city; or else some mighty being, as a king, or maker, or a woman of beauty and majesty, or even one, maybe of the Lords of the West: that each of these is, if at all, all that is said of them from the beginning even to the end. From the spring in the mountains to the mouths of the sea, all is Sirion; and from its first upwelling even to its passing away when the land was broken in the great battle, that also is Sirion, and nothing less. Though we, who are set to behold the great History, reading line by line, may speak of the river changing as it flows and grows broad, or dying as it is spilled or devoured by the sea. Yea, even from his f[illegible] coming into Eä from the side of Ilúvatar, and from [illegible]

# A HISTÓRIA
## DA TERRA-MÉDIA
## XI
# A GUERRA DAS JOIAS

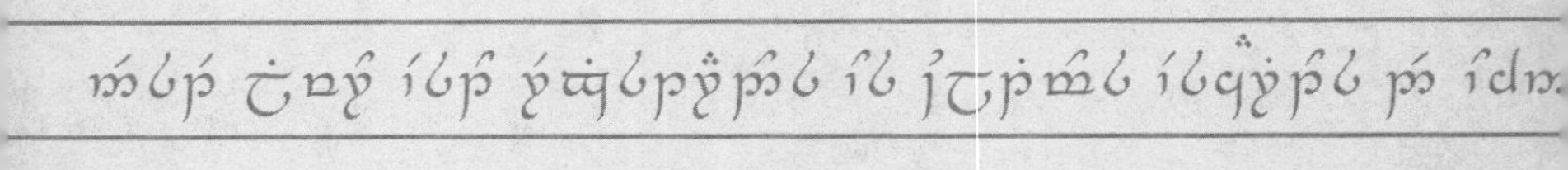

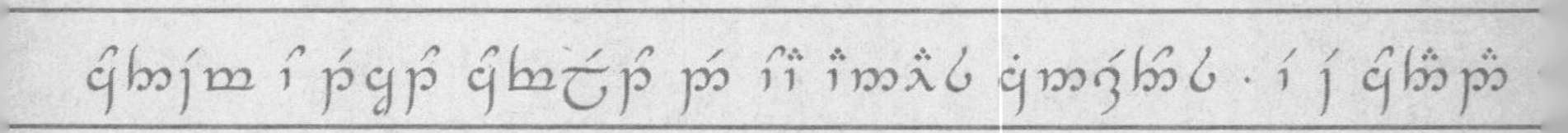

# J.R.R. TOLKIEN

# A HISTÓRIA DA TERRA-MÉDIA

# XI

# A GUERRA DAS JOIAS

*Editado por* CHRISTOPHER TOLKIEN

*Tradução de*
GABRIEL OLIVA BRUM

Harper Collins
Rio de Janeiro, 2025

Título original: *The War of the Jewels*



COPIDESQUE Leonardo Dantas do Carmo
REVISÃO Eduardo Boheme, Leticia Oliveira e Renata Litz
DESIGN DE CAPA Alexandre Azevedo
DIAGRAMAÇÃO Sonia Peticov

Dados Internacionais de Catalogação na Publicação (CIP)
(Câmara Brasileira do Livro, SP, Brasil)

T649g
1. ed. A Guerra das Joias / J.R.R. Tolkien; tradução Gabriel Oliva Brum. – 1.ed. – Rio de Janeiro: HarperCollins, 2025.
544 p.; 13,5 × 20,8 cm. – (História da terra-média, box 4; 11)

Título original: The war of the Jewels.
ISBN 978-65-5511-720-2 (capa dura)

1. Ficção de fantasia. I. Brum, Gabriel Oliva. II. Título. III. Série.

05-2025/15 CDD 823

Índice para catálogo sistemático: 1. Ficção de fantasia: Literatura inglesa 823
Bibliotecária responsável: Aline Graziele Benitez – Bibliotecária – CRB-1/3129

HarperCollins Brasil é uma marca licenciada à Casa dos Livros Editora Ltda.
Todos os direitos reservados à Casa dos Livros Editora LTDA.

Rua da Quitanda, 86, sala 601A - Centro
Rio de Janeiro/RJ - CEP 20091-005
Tel.: (21) 3175-1030
www.harpercollins.com.br

# Sumário

Prefácio 7

PARTE UM: Os Anais Cinzentos 13

PARTE DOIS: O *Quenta Silmarillion* Tardio 211
9. Dos Homens 213
10. Do Cerco de Angband 216
11. De Beleriand e seus Reinos 222
12. De Turgon e da Construção de Gondolin 245
13. Acerca dos Anãos 248
14. Da Vinda dos Homens para o Oeste 265
15. Da Ruína de Beleriand e da Queda de Fingolfin 292
Os Últimos Capítulos do Quenta Silmarillion 298

PARTE TRÊS: As andanças de Húrin e outros escritos que não fazem parte do *Quenta Silmarillion* 305
I. As Andanças de Húrin 307
II. Ælfwine e Dírhaval 374
III. Maeglin 380
IV. Dos Ents e das Águias 411
V. O Conto dos Anos 414

PARTE QUATRO: Quendi e Eldar 433

Índice Remissivo 507

# Prefácio

*A Guerra das Joias* complementa e continua *O Anel de Morgoth*, Volume 10 de *A História da Terra-média*. Conforme expliquei naquele livro, os dois volumes combinados contêm praticamente todos os escritos narrativos de meu pai acerca dos Dias Antigos dos anos após *O Senhor dos Anéis*, mas a divisão em dois é "transversal": entre a primeira parte de "O Silmarillion" ("as Lendas de Aman") e a segunda ("as Lendas de Beleriand"). Naturalmente, uso o termo "Silmarillion" em um sentido bastante amplo: apesar de potencialmente confuso, impõe-se pela relação extremamente complexa das diferentes "obras" — especialmente, mas não somente, aquelas do *Quenta Silmarillion* e dos *Anais*; e meu próprio pai empregava o nome dessa maneira. A divisão do corpus inteiro em duas partes é de fato uma divisão natural: o Grande Mar as separa. O título desta segunda parte, *A Guerra das Joias*, é uma expressão que meu pai usou com frequência para os últimos seis séculos da Primeira Era: a história de Beleriand após o retorno de Morgoth à Terra-média e a vinda dos Noldor, até o seu final.

No prefácio de *O Anel de Morgoth*, enfatizei a distinção entre o primeiro período de composição que se seguiu, no início dos anos 1950, ao término efetivo de *O Senhor dos Anéis,* e as obras posteriores que se seguiram à sua publicação; portanto, neste livro duas "fases" distintas também são documentadas.

É espantosa a quantidade de novas obras iniciadas por meu pai naquela primeira "fase", altamente criativa, mas por demais breve. Havia a nova *Balada de Leithian*, da qual tudo o que ele escreveu antes de abandoná-la foi publicado em *As Baladas de Beleriand*; os *Anais de Aman* e novas versões do *Ainulindalë*; os *Anais Cinzentos*, abandonados no final do conto de Túrin; o novo *Conto de Tuor e a Queda de Gondolin* (publicado em *Contos Inacabados*), abandonado antes de Tuor de fato entrar na cidade; e todo o novo conto de

Túrin e Niënor, do retorno de Túrin a Dor-lómin até as suas mortes em Brethil (ver p. 176 neste livro). Havia também uma saga em prosa abandonada de Beren e Lúthien (ver V. 352–3); a história de Maeglin; e uma extensa revisão do *Quenta Silmarillion*, a obra central do último período antes de *O Senhor dos Anéis*, interrompido próximo ao início do conto de Túrin em 1937 e jamais concluído.

Expressei a opinião no prefácio de *O Anel de Morgoth* de que "despair of publication, at least in the form that he regarded as essential" (isto é, com *O Silmarillion* e *O Senhor dos Anéis* combinados numa só obra) foi a causa fundamental do colapso dessa nova empreitada; e que essa interrupção destruiu todas as perspectivas de conclusão daquilo que pode ser chamado de "o Silmarillion mais antigo". Documentei em *O Anel de Morgoth* a imensa reformulação, nos anos que se seguiram, da sua concepção dos antigos mitos: uma reformulação que jamais apareceu numa forma nova e segura. Mas chegamos agora à última época dos Dias Antigos, quando o cenário muda para a Terra-média e o elemento mítico é deslocado para o fundo: os Altos-elfos retornam do outro lado do Grande Mar para fazer guerra a Morgoth, Anãos e Homens atravessam as montanhas e entram em Beleriand, e, interligados com essa história do movimento de povos, das políticas de reinos, de batalhas importantes e derrotas desastrosas, encontram-se os contos heroicos de Beren Uma-Mão e Túrin Turambar. Contudo, em *A Guerra das Joias* completa-se o registro de todo o trabalho adicional de meu pai naquela história nos anos que se seguiram à publicação de *O Senhor dos Anéis*; e mesmo com todo o labor empregado na elaboração de partes da "Saga de Túrin", é óbvio que ela não se compara com seus objetivos ou mesmo suas realizações no início dos anos 1950.

Na Parte Dois deste livro, ver-se-á que nessa fase tardia de sua obra o *Quenta Silmarillion* praticamente não passou por qualquer outra reescrita ou acréscimo significativo, além da introdução do novo capítulo *Da Vinda dos Homens para o Oeste* com a história inicial dos Edain em Beleriand radicalmente alterada; e que (o fato mais notável em toda a história de *O Silmarillion*) os últimos capítulos (o conto de Húrin e o ouro do dragão de Nargothrond, o Colar dos Anãos, a ruína de Doriath, a queda de Gondolin, os Fratricídios) permaneceram na forma do *Quenta Noldorinwa* de 1930 e nunca foram tocados novamente. Encontramos apenas pistas escassas em escritos tardios.

Não há uma explicação simples para tal, mas me parece que um elemento importante era a centralidade que meu pai atribuía à história de Húrin e Morwen e seus filhos, Túrin Turambar e Niënor Níniel. Creio que essa se tornou para ele a história predominante e cativante do final dos Dias Antigos, na qual a complexidade de motivos e personagens, presos ao misterioso desenrolar da maldição de Morgoth, a diferenciava de forma singular. Ele jamais concluiu em definitivo passagens importantes da vida de Túrin; mas expandiu a "grande saga" (como ele a chamava, merecidamente) até "as Andanças de Húrin", seguindo a história antiga de que Húrin foi libertado por Morgoth de seu aprisionamento em Angband após as mortes de seus filhos, e foi primeiro aos salões arruinados de Nargothrond. A predominância do tema subjacente levou a uma nova história, uma nova dimensão à ruína que a libertação de Húrin viria a ocasionar: a sua entrada catastrófica na terra do Povo de Haleth, a Floresta de Brethil. Não existem quaisquer antecedentes desse conto; mas antecedentes do modo de sua narrativa são encontrados em partes da "saga" em prosa dos Filhos de Húrin (*Narn i Chîn Húrin*, publicada em *Contos Inacabados*), da qual "Húrin em Brethil" é uma outra extensão. Aquela "saga" remontava às origens em *O Livro dos Contos Perdidos*, mas sua grande elaboração pertence em grande parte ao período após a publicação de *O Senhor dos Anéis*; e no seu desenvolvimento tardio foi inserido um imediatismo na narrativa e uma plenitude no registro de eventos e diálogos que devem ser descritos como um novo impulso narrativo: em relação ao modo do "Quenta", é como se o foco da lente através da qual as eras remotas eram vistas tivesse sido mudado de forma drástica.

Mas com a partida sombria e mesmo aparentemente sardônica de Húrin da ruína de Brethil e com o moribundo Manthor deixado para trás, esse impulso cessou — ao que parece. Húrin jamais retornou a Nargothrond e Doriath; e nos é negado um relato, nesse modo de narração, do que deveria ser o momento culminante da saga após as mortes de seus filhos e de sua esposa: a sua confrontação com Thingol e Melian nas Mil Cavernas.

É possível, então, que meu pai não estivesse inclinado a retornar ao *Quenta Silmarillion*, e ao seu modo característico, até que tivesse contado em uma escala ampla, e com o mesmo imediatismo visto em sua estada em Brethil, a história completa das "andanças" trágicas e destrutivas de Húrin — assim como as consequências delas: pois é preciso lembrar que o ato de levar o tesouro de Nargothrond para Doriath viria a causar o assassinato de Thingol pelos Anãos, o saque de Menegroth e toda a sequência de eventos que resultaram no ataque dos Fëanorianos a Dior, herdeiro de Thingol, e, por fim, a destruição dos Portos do Sirion. Se meu pai tivesse feito isso, suponho então que daí teriam surgido novos capítulos do *Quenta Silmarillion*, e um retorno àquela qualidade nas composições mais antigas que tentei descrever no meu prefácio a *O Livro dos Contos Perdidos*: "A forma e a maneira compendiosa ou epitomante de *O Silmarillion*, tendo por trás uma sugestão de eras de poesia e 'saber', evoca fortemente um senso de 'contos não contados', mesmo enquanto contados ... Não há urgência narrativa, nem pressão ou medo do evento imediato e desconhecido. Não vemos as Silmarils da forma que vemos o Anel."

Mas é algo completamente especulativo, pois nada disso se realizou: nem a "grande saga", nem o *Quenta Silmarillion* foram concluídos. Por mais liberalmente que meu pai com frequência escrevesse sobre sua obra, ele em nenhum momento deu qualquer indicação de suas intenções mais significativas no tocante à estrutura do todo. Creio que seja preciso dizer que, no fim, não podemos chegar a uma conclusão a esse respeito.

"O Silmarillion", mais uma vez no sentido mais amplo, é de forma bastante evidente uma entidade literária de natureza singular. Eu diria que ele só pode ser definido em termos de sua história; e essa história basicamente é concluída com este livro ("basicamente" porque não esmiucei ainda mais as complexidades do conto de Túrin naquelas partes que meu pai deixou confusas e incertas, como explicado em *Contos Inacabados*, p. 19). É, de fato, a única "conclusão" possível, pois ela estava sempre "em andamento"; a obra publicada não é de maneira alguma uma "conclusão", mas, sim, uma construção elaborada com os materiais existentes. Esses materiais são disponibilizados agora, com exceção apenas de alguns detalhes e da matéria de "Túrin" mencionada acima; e, com eles, a crítica do *Silmarillion* "construído" torna-se possível. Não entrarei no mérito dessa questão; mas ficará claro neste livro que há aspectos da obra que vejo com arrependimento.

Incluí em *A Guerra das Joias*, como a Parte Quatro, um longo ensaio de natureza muito diferente: *Quendi e Eldar*. Embora não houvesse possibilidade de também tornar *A História da Terra-média* uma história das línguas, não quis evitá-las por completo, mesmo quando não são essenciais à narrativa (como o adunaico é em *Os Documentos do Clube Notion*); eu quis fornecer pelo menos algum indício em diferentes estágios da presença desse elemento vital e em evolução, especialmente com relação ao significado de nomes — daí os apêndices de *O Livro dos Contos Perdidos* e as *Etimologias* em *A Estrada Perdida*. *Quendi e Eldar* talvez ilustre mais do que qualquer outra obra de meu pai a importância dos nomes, e da mudança linguística que afeta os nomes, em suas histórias. O texto também fornece um relato de muitas coisas que não se encontram em nenhum outro lugar, como o idioma gestual dos Anãos, e tudo o que será possível saber, creio, sobre o valarin, o idioma dos Valar.

Aproveito esta oportunidade para apresentar o texto correto de uma passagem em *O Anel de Morgoth*. Embora seja um erro introduzido em um estágio tardio e que não foi percebido, uma linha foi omitida e outra foi repetida na nota 16 na página 395; o texto correto é o seguinte:

> Apareceram sugestões anteriormente no Athrabeth de que Andreth estava vislumbrando períodos muito anteriores quando fala do despertar dos Homens (ela fala, por exemplo, de "lendas de dias em que a morte vinha menos rapidamente e o tempo que nos cabia ainda era muito maior", p. 379); nas palavras dela aqui, "um rumor que veio a traves de anos incontáveis", parece claro que ha uma profunda alteração nesses conceitos.

Recebi comentários do Sr. Patrick Wynne acerca do Volume IX, *Sauron Derrotado*, os quais gostaria de registrar aqui. Ele chamou atenção para o fato de que vários dos nomes no relato de Michael Ramer de suas experiências ao Clube Notion "não só são húngaros em estilo como de fato são palavras húngaras reais" (Ramer nasceu e passou a infância na Hungria, e ele faz referência à influência do magiar no seu "gosto linguístico", *Sauron Derrotado*, pp. 200, 250). Assim, o mundo da história que ele escreveu e leu para o Clube teve inicialmente o nome *Gyönyörü* (*ibid.* p. 265, nota 28), que significa "adorável". O seu nome para o planeta Saturno é dado primeiro como *Gyürüchill* (p. 272, nota 60), derivado do húngaro *gyürü* "anel" e *csillag* "estrela" (onde *cs* é pronunciado como o *ch* inglês em *church*); *Gyürüchill* foi então alterado para *Shomorú*, provavelmente do húngaro *szomorú* "triste" (embora essa palavra seja pronunciada "*somorú*"), e, assim sendo, uma alusão à crença astrológica no temperamento frio e soturno daqueles que nascem sob a influência desse planeta. Subsequentemente, esses nomes foram substituídos por outros (*Emberü*, e *Eneköl* para Saturno) que não podem ser explicados dessa maneira.

Em relação a isso, o Sr. Carl F. Hostetter comentou que o nome élfico de uma estrela, *Lumbar*, atribuído a Saturno (se meu pai sempre pretendeu isso ou não, ver *O Anel de Morgoth*, pp. 523-4), pode ser explicado do mesmo modo que o *Shomorú* de Ramer, em vista da palavra quenya *lumbë*, "treva, sombra" registrada nas *Etimologias* élficas (*A Estrada Perdida e Outros Escritos*, p. 448).

O Sr. Hostetter também chamou atenção para o fato de que o nome *Byrde* dado a Míriel, primeira esposa de Finwë, nos *Anais de Aman* (*O Anel de Morgoth*, pp. 121, 229) não é, como eu disse (p. 124), uma palavra do inglês antigo que significa "bordadeira", pois não se encontra tal palavra em inglês antigo. O nome na verdade depende de um argumento exposto por meu pai (com base em evidências muito boas) segundo o qual a palavra *byrde* "bordadeira" deve de fato ter existido na língua antiga, e que sobreviveu no inglês médio *burde* "dama, donzela", cujo sentido específico original desapareceu e foi esquecido. A discussão encontra-se em seu artigo *Some Contributions to Middle-English Lexicography* [Algumas contribuições à Lexicografia do inglês-médio] (*The Review of English Studies* 1.2, abril de 1925).

Sou muito grato à Dra. Judith Priestman por seu generoso auxílio ao me fornecer cópias de textos e mapas que se encontram na Biblioteca Bodleiana. A precisão do intricado texto deste livro foi aprimorada em muito pelo trabalho do Sr. Charles Noad, oferecido de maneira irrestrita e muitíssimo apreciado. Ele leu a primeira prova com extremo cuidado e compreensão crítica, e fez muitas melhorias; entre essas há uma interpretação da maneira pela qual o caminho estreito, seguido por Túrin e posteriormente por Brandir, o Coxo, descia através das matas acima do Taeglin até Cabed-en-Aras: uma interpretação que justifica expressões de meu pai que eu havia considerado como meramente errôneas (pp. 195, 196).

Resta uma série de escritos de meu pai, além daqueles expressamente filológicos, que, acredito, deveria ser incluída nesta *História da Terra-média*, e espero poder publicar mais um volume dentro de dois anos.

# PARTE UM

# Os Anais Cinzentos

A história dos *Anais de Beleriand* teve início por volta de 1930, quando meu pai escreveu a primeira versão ("AB 1") junto com a dos *Anais de Valinor* ("AV 1"). Esses textos foram publicados no Vol. IV, *A Formação da Terra-média*; comentei lá que "os Anais começaram, talvez, em paralelo com o *Quenta* como uma forma conveniente de fazer avançar em conjunto e de rastrear os diferentes elementos de uma teia narrativa cada vez mais complexa". Segundas versões de ambos os grupos dos *Anais* foram compostas na segunda metade dos anos 1930, como parte de um conjunto de textos do qual também fazem parte o *Lhammas* ou Relato de Línguas, uma nova versão do *Ainulindalë* e a obra central daquela época: uma nova versão de "O Silmarillion" propriamente dito, o *Quenta Silmarillion* inacabado ("QS"). Essas segundas versões, junto com os outros textos daquele período, foram publicadas no Vol. V, *A Estrada Perdida e Outros Escritos*, com os títulos *Os Anais Tardios de Valinor* ("AV 2") e *Os Anais Tardios de Beleriand* ("AB 2").

Quando meu pai retornou, em 1950–1, à Matéria dos Dias Antigos após o término de *O Senhor dos Anéis*, ele começou um novo trabalho nos *Anais* ao pegar os manuscritos AV 2 e AB 2 de cerca de 15 anos antes e usá-los como meios para revisões e novos materiais. No caso do AV 2, a correção do texto antigo limitou-se aos anais iniciais, e os primórdios de uma nova versão escrita no verso em branco das páginas desse manuscrito da mesma forma foram abandonados muito rapidamente, de modo que não havia necessidade de levar em consideração esse trabalho preliminar (X. 67). No AB 2, por outro lado, os estágios preparatórios foram muito mais extensos e substanciais.

Em primeiro lugar, a revisão do texto original do AB 2 continua muito além — embora na prática isso possa em grande parte ser ignorado, visto que o conteúdo da revisão aparece nos textos subsequentes. (Em alguns casos, como observado em V. 150, não é fácil separar revisões e acréscimos "iniciais" (pré-*Senhor dos Anéis*) dos "tardios" (aqueles do início dos anos 1950).) Em segundo lugar, o início de uma nova versão muito mais completa dos *Anais de Beleriand* no verso em branco das páginas do AB 2 estende-se por uma distância considerável (13 páginas manuscritas) — e a primeira parte foi escrita numa letra tão cuidadosa, antes de começar a vacilar, que é possível se pensar que meu pai a princípio não pretendia que fosse um rascunho. Esse texto é intitulado "Os Anais de Beleriand", e por essa razão poderia ser chamado "AB 3", mas vou chamá-lo "AC 1" (ver abaixo).

O texto final é um manuscrito bom e claro, com o título "Os Anais de Beleriand, ou os Anais Cinzentos". Optei por chamar essa obra de *Anais Cinzentos*, abreviada "AC", para destacar a sua natureza distintiva em relação às formas anteriores dos *Anais de Beleriand* e sua associação estreita com os *Anais de Aman* ("AAm"), que também possui um título diferente daquele de seus predecessores. É mais adequado, então, chamar a primeira versão abandonada recém-mencionada de "AC 1" do que de "AB 3", visto que na maior parte de sua extensão ela foi seguida muito de perto no texto final, e deve ser considerada uma variante um pouco mais antiga: será preciso fazer referências a essa versão e citar passagens do texto, mas não há necessidade de apresentá-la na íntegra. Onde for necessário distinguir o texto final daquele da versão interrompida, chamarei o primeiro de "AC 2".

Há algumas evidências de que os *Anais Cinzentos* seguiram-se aos *Anais de Aman* (em sua forma primária), mas tenho certeza de que as duas obras eram de estreita associação com relação à época de composição. Para a estrutura da história de Beleriand, os *Anais Cinzentos* constituem o texto primário, e embora boa parte da segunda metade da obra tenha sido usada no *Silmarillion* publicado com poucas alterações, apresento-a na íntegra. Isso é realmente essencial por razões práticas, mas também está de acordo com as minhas intenções com esta "História", na qual tracei o desenvolvimento da Matéria dos Dias Antigos desde o seu início até o seu final no âmbito dos escritos de meu pai: desse ponto de vista, a obra publicada não é o resultado final, e não trato os seus escritos tardios principalmente em relação ao que foi usado, ou como foi usado, em "*O Silmarillion*". — É de fato uma infelicidade que ele tenha abandonado os *Anais Cinzentos* na morte de Túrin, apesar de ter acrescentado elementos de uma continuação em algum momento posterior, como se verá subsequentemente (pp. 307 ss.).

Ao contrário do que fiz com os *Anais de Aman*, não dividi os *Anais Cinzentos* em seções, e o comentário, com referências aos parágrafos numerados, segue-se ao final do texto (p. 124). Subsequentes alterações no manuscrito, que em determinados pontos são consideráveis, estão indicadas como tais.

No alto da primeira página do antigo texto rotulado AB 2, sem dúvida antes de começar a trabalhar na nova versão em muito aumentada, meu pai fez estas anotações: "Tornar esses os Anais Sindarin de Doriath e omitir a maior parte do ..." (há duas palavras aqui que provavelmente são "material nold[orin]"); e "Inserir notas sobre Denethor, Thingol, etc. dos AV".

Resta mencionar dois outros elementos do conjunto de papéis que constitui os *Anais Cinzentos*. Há diversas páginas separadas e descuidadas, com as palavras "Material antigo dos Anais Cinzentos" (ver p. 43); e há um texto datilografado com o original e cópia em papel carbono que claramente tem seu lugar com o dos *Anais de Aman*, que cautelosamente datei de 1958 (X. 67).

# OS ANAIS DE BELERIAND
# OU
# OS ANAIS CINZENTOS

§1 Estes são os Anais de Beleriand conforme foram compostos pelos Sindar, os Elfos Cinzentos de Doriath e dos Portos, e aumentados com os registros e lembranças do remanescente dos Noldor de Nargothrond e Gondolin nas Fozes do Sirion, donde foram levados de volta ao Oeste.

§2 Beleriand é o nome da região que se situava dos dois lados do grande rio Sirion antes que os Dias Antigos chegassem ao fim. Esse nome ela tem nos registros mais antigos que foram preservados, e é aqui mantido nessa forma, embora agora seja chamada Belerian. O nome significa na língua daquela terra: o país de Balar. Pois esse nome os Sindar deram a Ossë, que vinha amiúde àquelas costas, e lá fez amizade com eles. A princípio, portanto, esse nome foi dado à terra das costas, de ambos os lados das fozes do Sirion, que dão para a Ilha de Balar, mas seu uso foi ampliado até incluir toda a antiga costa do Noroeste da Terra-média ao sul do Estreito de Drengist e todas as terras do interior ao sul de Hithlum até os pés das Eryd Luin (as Montanhas Azuis). Mas ao sul das fozes do Sirion ela não possuía fronteiras definidas; pois havia florestas ínvias naqueles dias entre as costas despovoadas e as águas a jusante do Gelion.

### AV 1050

§3 Para cá, diz-se, nessa época veio Melian, a Maia, de Valinor, quando Varda fez as grandes estrelas. Nessa mesma época os Quendi despertaram às margens de Kuiviénen, como é contado na Crônica de Aman.

### 1080

§4 Por volta dessa época os espiões de Melkor descobriram os Quendi e os afligiram.

### 1085

§5 Nesse ano Oromë encontrou os Quendi, e fez amizade com eles.

### 1090

§6 Nessa época os Valar vieram para cá de Aman para seu ataque a Melkor, cuja praça-forte ficava no Norte além das Eryd Engrin (as Montanhas de Ferro). Nessas regiões, portanto, foram travadas as primeiras batalhas dos Poderes do Oeste e do Norte, e toda essa terra foi muito destroçada, e passou a ter então a forma que teria até a vinda de Fionwë. Pois o Grande Mar avançou sobre as costas, abrindo um grande golfo no rumo sul, e muitas baías menores se fizeram entre o Grande Golfo e Helkaraxë, no Norte distante, onde a Terra-média e Aman ficavam mais próximas. Dessas baías, a Baía de Balar era a principal; e nela o grande rio Sirion desaguava, vindo dos planaltos recém-elevados ao norte: Dorthonion e as montanhas à volta de Hithlum. Inicialmente essas terras de ambos os lados do Sirion ficaram arruinadas e desoladas por causa da Guerra dos Poderes, mas não tardou a começar lá um crescimento, enquanto a maioria da Terra-média dormia no Sono de

Yavanna, pois os Valar do Reino Abençoado haviam pisado lá; e havia matas jovens sob as estrelas brilhantes. Essas Melian, a Maia, cultivava; e ela habita mormente nas clareiras de Nan Elmoth à margem do Rio Celon. Lá também habitavam os seus rouxinóis.

**1102–5**

§7 Ingwë, Finwë e Elwë foram levados a Valinor por Oromë como embaixadores dos Quendi e contemplaram a Luz das Árvores e ansiaram por ela. Ao retornarem, aconselharam os Eldar a irem para a Terra de Aman, com a convocação dos Valar.

**1115**

§8 Assim como os Valar haviam pela primeira vez chegado a Beleriand ao seguirem o rumo leste, posteriormente Oromë, conduzindo as hostes dos Eldar no rumo oeste em direção a Aman, as trouxe às costas de Beleriand. Pois ali o Grande Mar era menos amplo e ainda se encontrava livre dos perigos do gelo que ficava mais ao norte. Portanto, nesse ano dos Valar, as companhias mais adiantadas dos Vanyar e dos Noldor atravessaram o vale do Sirion e chegaram ao litoral entre Drengist e a Baía de Balar. Porém, devido ao medo que tiveram do Mar, que antes não haviam visto nem imaginado, os Eldar recuaram para as matas e os planaltos. E Oromë partiu e foi para Valinor e os deixou lá por um tempo.

**1128**

§9 Nesse ano os Teleri, que haviam se demorado na estrada, por fim também passaram por sobre as Eryd Luin e entraram no norte de Beleriand. Lá se detiveram e habitaram por um tempo entre o Rio Gelion e as Eryd Luin. Naquela época muitos dos Noldor habitavam a oeste dos Teleri, naquelas regiões onde mais tarde se situaram as florestas de Neldoreth e Region. Finwë era seu senhor, e Elwë, senhor dos Teleri, tinha com ele grande amizade; e Elwë tinha o costume de visitar Finwë amiúde nas moradas dos Noldor.

**1130**

§10 Nesse ano o Rei Elwë Singollo dos Teleri perdeu-se nos ermos. Ao regressar para casa de um encontro com Finwë, ele passou por Nan Elmoth e ouviu os rouxinóis de Melian, a Maia, e os seguiu até as clareiras nas profundezas das matas. Lá avistou Melian sob as estrelas, e havia uma bruma branca ao redor dela, mas a Luz de Aman estava em seu rosto. Assim teve início o amor de Elwë Manto-gris e Melian de Valinor. De mãos dadas permaneceram em silêncio nas matas, enquanto as estrelas que giravam mediam muitos anos, e as jovens árvores de Nan Elmoth cresciam altas e escuras. Por muito tempo o seu povo buscou Elwë em vão.

### 1132

§11 Ora, Ulmo, por ordem dos Valar, veio às costas de Beleriand e convocou os Eldar a se encontrarem com ele; e ele lhes falou, e fez música em suas conchas, e alterou o medo de todos que o ouviam para um grande desejo pelo Mar. Então Ulmo e Ossë tomaram uma ilha, que ficava ao largo no Mar, e a moveram, e a trouxeram, como se fosse uma nau magna, para a Baía de Balar; e os Vanyar e os Noldor embarcaram nela, e foram levados através do Mar, até que chegaram por fim à Terra de Aman. Mas uma parte daquela ilha, que estava presa ao fundo de bancos de areia ao largo das fozes do Sirion, soltou-se e permaneceu; e essa era a Ilha de Balar, à qual depois Ossë vinha amiúde.

§12 Pois os Teleri não haviam embarcado, e ficaram para trás. Muitos de fato habitavam naquela época longe dali no leste de Beleriand e não ouviram os chamados de Ulmo até que fosse tarde demais; e muitos outros ainda procuravam por Elwë, seu rei, e não estavam dispostos a partir sem ele. Mas quando os Teleri tomaram conhecimento de que sua parentela, os Vanyar e os Noldor, haviam partido, a maior parte apressou-se rumo à costa e habitou dali em diante próximo às fozes do Sirion, saudosos dos amigos que os haviam deixado. E fizeram de Olwë, irmão de Elwë, seu senhor. Então Ossë e Uinen vieram até eles, e habitaram na Ilha de Balar, e se tornaram amigos dos Teleri e lhes ensinaram toda maneira de saber-do-mar e de música-do-mar.

### 1149–50

§13 Nesse ano Ulmo retornou a Beleriand. Para tal foi tocado mormente pelos rogos dos Noldor e de Finwë, seu rei, os quais, entristecidos por sua separação dos Teleri, pediram a Ulmo que trouxesse Elwë e seu povo para Aman, se quisessem vir. E todos aqueles que seguiam Olwë estavam agora dispostos a partir, mas Ossë estava triste em seu coração. Pois ele ia pouco às costas de Aman, e amava os Teleri, e pouco lhe agradava que suas belas vozes não mais fossem ouvidas nas praias da Terra-média, que eram seus domínios.

§14 Ossë, portanto, persuadiu muitos a ficar em Beleriand e, quando o Rei Olwë e sua hoste embarcaram na ilha e atravessaram o Mar, eles continuaram a habitar as costas; e Ossë retornou para o meio deles, e continuou em amizade com eles. E ensinou-lhes a arte da construção de navios e da navegação; e tornaram-se uma gente de marinheiros, os primeiros da Terra-média, e tinham belos portos em Eglarest e Brithombar; mas alguns ainda habitavam na Ilha de Balar. Cirdan, o Armador, era o senhor desse povo, e toda aquela terra costeira entre Drengist e Balar que ele governava era chamada de Falas. Mas entre os Teleri não havia ainda alguém tão destemido de coração e, entre seus navios, nenhum tão veloz e resistente para que pudessem desafiar as profundezas do Grande Mar ou contemplar mesmo de longe o Reino Abençoado e a Luz das Árvores de Valinor. Donde aqueles que ficaram para trás eram chamados Moriquendi, Elfos da Escuridão.

**1150**

§15 Os amigos e a parentela de Elwë também permaneceram; mas de bom grado teriam partido para Valinor e para a Luz das Árvores (que Elwë de fato vira), se Ulmo e Olwë estivessem dispostos a se demorar ainda mais enquanto continuavam a buscar por Elwë. Mas, quando Ulmo havia se demorado por um Ano inteiro (e um Ano dos Valar é em comprimento quase que dez de como os anos agora são), ele partiu, e os amigos de Elwë foram deixados para trás. Portanto, chamaram a si mesmos de Eglath, o Povo Abandonado; e embora habitassem nas matas e nos montes em vez de à beira do Mar, que os enchia de tristeza, no fundo de seus corações ansiavam sempre pelo rumo Oeste.

**1152**

§16 Nessa época, como se conta, Elwë Singollo despertou de seu longo transe. E saiu de Nan Elmoth com Melian, e eles habitaram, dali por diante, nas matas no centro da região; e ainda que grandemente Elwë desejasse ver de novo a luz das Árvores, no rosto de Melian, a bela, contemplava a Luz de Aman como num espelho que jamais embaçava, e naquela luz estava contente.

Então sua gente se reuniu à volta dele em júbilo; e estavam pasmados, pois, belo e nobre como fora, agora parecia como que um senhor dos Maiar, mais alto que todos os Filhos de Ilúvatar, seu cabelo feito prata gris, e seus olhos como estrelas. Rei dos Eglath ele se tornou, e Melian era sua Rainha, mais sábia do que qualquer filha da Terra-média.

### 1200

§17 Não é conhecido por ninguém entre Elfos ou Homens quando Lúthien, filha única de Elwë e Melian, veio ao Mundo, mais bela de todos os Filhos de Ilúvatar que existiram ou jamais existirão. Mas é considerado que foi ao fim da primeira era do Acorrentamento de Melkor, quando toda a Terra tinha grande paz e a glória de Valinor chegara a seu zênite, e embora a Terra-média jazesse, na maior [parte], no Sono de Yavanna, em Beleriand, sob o poder de Melian, havia vida e regozijo, e as estrelas luzentes brilhavam como fogos de prata. Na Floresta de Neldoreth é dito que ela nasceu sob as estrelas do céu, e as flores brancas de *niphredil* brotaram a saudá-la, feito estrelas vindas da terra.

### 1200–50

§18 Nessa época o poder de Elwë e Melian estendeu-se por toda Beleriand. Elu Thingol ele era chamado na língua de seu povo, Rei Manto-gris, e todos os Elfos de Beleriand, dos marinheiros de Cirdan aos caçadores que vagavam nas Montanhas Azuis o tinham como seu senhor. E, portanto, são chamados de Sindar, os Elfos Cinzentos de Beleriand estrelada. E, embora fossem Moriquendi, sob o senhorio de Thingol e os ensinamentos de Melian, tornaram-se os mais belos, e mais sábios, e mais hábeis de todos os Elfos da Terra-média.

### 1250

§19 Nesse ano a Gente-Norn pela primeira vez atravessou as montanhas e entrou em Beleriand. Esse povo os Noldor mais tarde chamaram de Naugrim, que alguns Homens chamam de Anãos. Suas habitações mais antigas ficavam muito a Leste, mas tinham cavado para si mesmos grandes salões e mansões, à maneira de sua gente, na encosta leste das Eryd Luin, ao norte e ao sul do Monte Dolmed; naqueles lugares que os Eldar chamavam Belegost e Nogrod (mas eles os chamavam Gabilgathol e Tumunzahar). De lá saíram e deram-se a conhecer aos Elfos; e os Elfos ficaram assombrados, pois tinham se julgado os únicos seres vivos da Terra-média que falavam com palavras ou construíam com mãos e que todos os demais eram apenas feras e aves.

§20 Entretanto, não conseguiam entender palavra da língua dos Naugrim, a qual, para seus ouvidos, era desjeitosa e pouco amável; e poucos dos Eldar jamais chegaram ao domínio dela. Mas os Anãos eram rápidos ao aprender (de certo modo), e, de fato, eram mais desejosos de aprender a língua-élfica do que de ensinar a estranhos a sua própria; e logo houve muita parlamentação entre os povos. Sempre tíbia era a sua amizade, embora muito proveito tivessem uns dos outros. Mas, naquele tempo, aqueles rancores que surgiram entre eles ainda não tinham chegado a acontecer, e foram bem recebidos pelo Rei Thingol.

§21 Como os Anãos vieram ao mundo os Eldar não sabem ao certo, embora os mestres-do-saber tenham registrado alhures as histórias dos próprios Naugrim (o que delas revelavam) acerca de seus primórdios. Eles dizem que Aulë, o Criador, a quem chamam Mahal, trouxe-os à existência; e, seja como for, o que é certo é que eles eram grandes ferreiros e pedreiros, embora em tempos antigos houvesse pouca beleza em suas obras. O ferro e o cobre eles amavam trabalhar, mais que a prata ou o ouro, e a pedra mais do que a madeira.

## 1300

### *Da construção de Menegroth*

§22 Ora, Melian, à maneira dos Maiar, o povo de Valinor, muito podia prever. E, quando duas das eras do Acorrentamento de Melkor tinham passado, ela avisou em conselho a Thingol que a Paz de Arda não duraria para sempre; e ele se pôs a pensar, portanto, em como poderia fazer para si uma habitação régia e um lugar que fosse forte, se o mal despertasse de novo na Terra-média. Portanto, convocou os Enfeng, os Barbas-longas de Belegost, com quem fizera amizade, e buscou seu auxílio e conselho. Eles os deram de boa vontade, pois não estavam cansados naqueles dias e eram ávidos por novos trabalhos. E, embora os Anãos sempre exigissem um preço por tudo o que faziam, seja com deleite ou esforço, dessa vez se consideraram pagos. Pois Melian lhes ensinou muito saber, que estavam ávidos por obter, enquanto Thingol os recompensou com muitas pérolas lindas. Estas Cirdan lhe dera, pois podiam ser obtidas em grande número nas águas rasas em volta da Ilha de Balar; mas os Naugrim não tinham visto coisa semelhante antes e lhes eram caras. E uma havia tão grande quanto o ovo de uma pomba, e seu brilho era como a luz de estrelas na espuma do mar; Nimphelos era seu nome, e um chefe dos Enfeng a prezava mais do que uma montanha de riquezas.

§23 Portanto, os Naugrim labutaram longa e alegremente para Thingol e fizeram para ele mansões à moda de sua gente, escavadas no fundo da terra. Onde o Rio Esgalduin corria para baixo, dividindo Neldoreth de Region, havia em meio à floresta uma colina rochosa, e o rio passava a seus pés. Ali fizeram os portões dos salões de Thingol e construíram uma ponte de pedra sobre o rio, pela qual, apenas, os portões podiam ser adentrados. Mas além dos portões, amplas passagens desciam até salões altivos e câmaras profundas que tinham sido escavadas na pedra viva, tantas e tão grandes que aquela habitação recebeu o nome de Menegroth, as Mil Cavernas.

§24 Mas os Elfos também tomaram parte naquele labor, e Elfos e Anãos, juntos, cada qual com seus engenhos, lá esculpiram as visões de Melian, imagens de assombro e beleza de Valinor além do Mar. Os pilares de Menegroth eram entalhados à semelhança das faias de Oromë, tronco, galho e folha e iluminados com lanternas de ouro. Os rouxinóis cantavam lá como nos jardins de Lorien; e havia fontes de prata, e bacias de mármore, e pavimentos de pedras de muitas cores. Figuras esculpidas de feras e de aves corriam pelas paredes, ou escalavam os pilares, ou olhavam por detrás dos ramos entrelaçados com muitas flores. E, conforme os anos passavam, Melian e suas donzelas enchiam os salões com tecidos de muitos matizes, nos quais se podiam ler os feitos dos Valar, e muitas coisas que tinham acontecido em Arda desde seu princípio, e sombras de coisas que ainda haviam de ser. Aquela era a mais bela habitação de qualquer rei que já existiu a leste do Mar.

### 1300–50

§25 Após a construção de Menegroth ser terminada, houve paz no reino de Thingol. Os Naugrim ainda vinham de quando em vez através das montanhas e visitavam Menegroth e faziam comércio pelas terras, embora fossem pouco à Falas, pois odiavam o som do Mar e temiam contemplá-lo; mas, de outro modo, não chegavam a Beleriand rumores ou notícias do mundo de fora. Mas veio a acontecer que os Anãos ficaram preocupados e falaram ao Rei Thingol, dizendo que os Valar não tinham arrancado de todo os males do Norte, e agora os remanescentes, tendo por muito tempo se multiplicado no escuro, estavam aparecendo uma vez mais e vagando por toda parte. "Há feras cruéis", disseram, "na terra a leste das montanhas, e os elfos-escuros que lá habitam, vossa antiga parentela, estão fugindo das planícies para os montes."

## 1330

§26 E, logo depois (no ano 1330, de acordo com os anais que foram feitos em Doriath), as criaturas malignas chegaram até mesmo a Beleriand, pelos passos das montanhas ou subindo do sul, através das florestas escuras. Lobos havia, ou criaturas que caminhavam em forma de lobo, e outros seres cruéis de sombra.

§27 Entre esses estavam os Orkor de fato, os quais, mais tarde, levaram ruína a Beleriand; mas eles eram ainda poucos e medrosos e apenas farejavam os caminhos da terra, aguardando o retorno de seu Senhor. Donde vinham, ou que eram, os Elfos não sabiam então, julgando que fossem os Avari, quiçá, que tinham se tornado maus e selvagens nas matas. No que chegavam perto demais da verdade, diz-se.

§28 Portanto, Thingol planejou obter armas, das quais antes sua gente não tivera necessidade, e essas, a princípio, os Naugrim forjaram para ele. Pois tinham grande engenho nesse tipo de trabalho, embora nenhum entre eles ultrapassasse os artífices de Nogrod, dos quais Telchar, o Ferreiro, era o maior em renome. Uma raça guerreira desde outrora foi a de todos os Naugrim, e lutavam ferozmente com qualquer um que lhes fizesse agravo: gente de Melkor, ou Eldar, ou Avari, ou feras selvagens, ou, não raro, com sua própria gente, Anãos de outras mansões e senhorios. A arte do ferreiro, de fato, os Sindar logo aprenderam deles; contudo, na têmpera do aço apenas, entre todos os ofícios, os Anãos nunca foram superados nem mesmo pelos Noldor, e, na criação de cotas de malha com anéis interligados (que os Enfeng primeiro imaginaram), seu trabalho não tinha rival.

§29 Nesse tempo, portanto, os Sindar estavam bem armados, e lançaram longe todas as criaturas do mal, e tiveram paz de novo;

mas os arsenais de Thingol estavam abastecidos com machados (as principais armas dos Naugrim, e dos Sindar), e com lanças e espadas, e com altos elmos e longas armaduras de cota de malha luzente: pois as couraças dos Enfeng eram de tal feitio que não enferrujavam e luziam sempre, como se tivessem acabado de ser polidas. Isso se mostrou ser bom para Thingol no tempo que havia de vir.

## 1350

*A vinda de Denethor*

§30 Ora, como em outro lugar é recontado, um certo Dân, da hoste de Olwë, abandonou a marcha dos Eldar naquele tempo em que os Teleri tinham se detido nas margens do Grande Rio, perto das fronteiras das terras do oeste da Terra-média. E liderou um povo numeroso e rumou para o sul, descendo o rio, e das andanças daquele povo, os Nandor, pouco agora se sabe. Alguns, dizem, viveram por eras nas matas do Vale do Grande Rio, alguns chegaram, por fim, às fozes do Anduin e ali habitaram à beira do Mar, e outros, atravessando as Montanhas Brancas, chegaram ao norte de novo e entraram nas terras selvagens de Eriador, entre as Eryd Luin e as distantes Montanhas de Névoa. Ora, esses eram uma gente de florestas e não tinham armas de metal, e a vinda das feras cruéis do Norte os atemorizou sobremaneira, como os Naugrim relataram. Portanto, Denethor, o filho de Dân, ouvindo rumores do poder de Thingol e sua majestade e da paz de seu reino, reuniu, como pôde, uma hoste de sua gente dispersa e a levou através das montanhas até Beleriand. Lá foram bem recebidos por Thingol, como parentes havia muito perdidos que retornavam, e habitaram em Ossiriand, no sul de seu reino. Pois era uma grande região, e ainda pouco povoada; e tinha esse nome, a Terra dos Sete Rios, porque ficava entre a magna correnteza do Gelion e as montanhas, de onde corriam para o Gelion os velozes rios: Ascar, Thalos, Legolin, Brilthor, Duilwen e Adurant. Naquela região as florestas, em dias que vieram depois, eram altas e verdes, e o povo de Denethor lá habitou com cautela e raramente era visto, por causa de sua vestimenta da cor das folhas; e eram chamados, portanto, de Elfos-verdes.

§31 Dos longos anos de paz que se seguiram depois da vinda de Denethor há pouco a contar; pois embora nessa época Dairon, o menestrel, dizem, que era o principal mestre-do-saber do reino de Thingol, tenha criado suas Runas,* [*acrescentado posteriormente na margem*: Cirth] eram pouco usadas pelos Sindar para manter registros até os dias da Guerra, e muito do que ficava na memória pereceu na ruína de Doriath. Mas, em verdade, sobre a ventura e a vida contente, há pouco a ser dito até que acabem; assim como belas e maravilhosas obras, enquanto ainda subsistem para que olhos as vejam, são seu próprio registro e apenas quando estão em perigo ou são destruídas para sempre passam às canções. Em Beleriand, naqueles dias, os Elfos caminhavam, e os rios corriam, e as estrelas brilhavam, e as flores da noite exalavam seus perfumes; e a beleza de Melian era como o meio-dia, e a beleza de Lúthien era como a aurora na primavera. Em Beleriand, o Rei Thingol em seu trono era como os filhos dos Valar, cujo poder é repouso, cujo júbilo é como um ar que respiram em todos os seus dias, cujo pensamento flui em maré imperturbável das alturas às profundezas. Em Beleriand, ainda, por vezes, cavalgava Oromë, o grande, passando como um vento por sobre as montanhas, e o som de sua trompa atravessava as léguas estreladas, e os Elfos o temiam pelo esplendor de seu semblante e pelo grande estrondo do avanço de Nahar; mas, quando a Valaróma ecoava nos montes, sabiam bem que todas as coisas malignas tinham fugido para longe.

## 1495

§32 Mas veio a acontecer, afinal, que o término da Ventura estava perto, e o zênite de Valinor se aproximava do crepúsculo. Pois, como é conhecido de todos, estando escrito alhures em livros de saber e cantado em muitas canções, Melkor matou as Árvores dos Valar com o auxílio de Ungoliantë, e escapou, e voltou ao norte da Terra-média. E daqui por diante ele há de ser conhecido por aquele nome que Fëanor lhe deu, o Inimigo Sombrio, Morgoth, o Maldito.

*Essas, dizem, ele elaborou pela primeira vez antes da construção de Menegroth, e depois as aprimorou. Os Naugrim, de fato, que vinham a Thingol aprenderam as Runas de Dairon, e agradaram-se muito daquela arte, estimando o engenho de Dairon mais do que o faziam os Sindar, sua própria gente; e pelos Naugrim elas [*posteriormente* > as Cirth] foram levadas para o leste, através das montanhas, e passaram a ser conhecidas por muitos povos.

§33 No extremo Norte sobreveio a contenda de Morgoth e Ungoliantë; mas o grande grito de Morgoth ecoou através de Beleriand, e toda a sua gente se encolheu de temor; pois, embora poucos soubessem o que aquilo prenunciava, ouviram então o arauto da morte.

§34 Logo depois, de fato, Ungoliantë fugiu do Norte e entrou nos domínios do Rei Thingol, e um terror de escuridão estava à volta dela. Mas, pelo poder de Melian, ela se deteve e não entrou em Neldoreth, mas habitou por longo tempo sob a sombra dos precipícios, a partir dos quais Dorthonion descia para o sul. Portanto, eles se tornaram conhecidos como Eryd Orgoroth, as Montanhas de Terror, e ninguém ousava ir até lá ou passar perto delas; e, mesmo depois que a própria Ungoliantë partiu e foi aonde queria de volta para o Sul esquecido do mundo, sua prole imunda morou ali em forma de aranhas e teceu lá suas teias horrorosas. Ali luz e vida eram estranguladas, e ali todas as águas eram envenenadas.

§35 Morgoth, entretanto, não foi pessoalmente a Beleriand, mas foi às Montanhas de Ferro, e lá, com o auxílio de seus serviçais que vieram encontrá-lo, escavou de novo seus vastos porões e masmorras. Esses os Noldor mais tarde chamaram de Angband: a Prisão de Ferro; e, acima dos portões deles, Morgoth ergueu os picos tríplices e vastos das Thangorodrim, e um grande fedor de fumaça escura estava sempre em volta deles.

**1497**

§36 Nesse ano Morgoth fez o seu primeiro ataque a Beleriand, que ficava ao sul de Angband. É dito de fato que os portões de Morgoth ficavam a apenas cento e cinquenta léguas de distância da ponte de Menegroth; longe e, ainda assim, perto demais.

§37 Então os Orques que haviam se multiplicado nas entranhas da terra se tornaram fortes e temíveis, e seu senhor sombrio os encheu com uma luxúria de ruína e morte; e eles saíram dos portões de Angband sob as nuvens que Morgoth enviou e passaram em silêncio para as terras altas do norte. De lá, repentinamente, um grande exército chegou a Beleriand e atacou o Rei Thingol. Ora, em seu grande reino, muitos Elfos vagavam livres pelas matas ou viviam em paz em pequenos clãs de gente pacífica muito espaçados. Apenas ao redor de Menegroth, na região central da terra, e ao longo da Falas, no país dos marinheiros, havia povos numerosos; mas os Orques caíram sobre ambos os lados de Menegroth e, a partir de acampamentos no leste, entre o Celon e o Gelion, e no oeste, nas planícies entre o Sirion e o Narog, saquearam por toda parte; e Thingol foi separado de Cirdan em Eglarest.

§38 Por isso, ele convocou Denethor, e os Elfos vieram em ordem de Region através do Aros e de Ossiriand, e lutaram a primeira batalha das Guerras de Beleriand. E a hoste oriental dos Orques foi apanhada entre os exércitos dos Eldar, ao norte de Andram e a meio caminho entre o Aros e o Gelion, e ali foi derrotada por completo, e aqueles que fugiram da grande matança para o norte foram emboscados pelos machados dos Naugrim que saíam do Monte Dolmed: poucos, de fato, retornaram a Angband.

§39 Mas a vitória dos Elfos foi custosa. Pois os Elfos de Ossiriand armavam-se de forma leve e não eram páreo para os Orques, que estavam calçados de ferro, tinham escudos de ferro e traziam grandes lanças com lâminas largas. E Denethor foi separado dos demais e cercado sobre o monte de Amon Ereb; e ali ele tombou, e todos os seus parentes mais próximos à sua volta, antes que a hoste de Thingol pudesse vir em seu auxílio. Embora a queda dele tenha sido vingada duramente, quando Thingol atacou a retaguarda dos Orques e os matou aos montes, os Elfos-verdes lamentaram sua morte para sempre depois disso e não tiveram mais rei algum. Depois da batalha, alguns retornaram a Ossiriand, e as notícias que trouxeram encheram os remanescentes de sua gente com grande medo, de modo que, dali em diante, nunca mais saíram a guerrear abertamente, mas se protegeram por meio de cautela e segredo. E muitos foram para o norte, e entraram no reino protegido de Thingol, e se mesclaram à sua gente.

§40 E, quando Thingol voltou a Menegroth, descobriu que a hoste dos Orques no oeste tinha sido vitoriosa, empurrando Cirdan para a beira do Mar. Portanto, recuou com todos os membros de sua gente que suas convocações podiam alcançar para dentro da região fortificada de Neldoreth e Region, e Melian lançou seu poder e cercou todo aquele domínio com uma muralha invisível de sombra e desnorteio: o Cinturão de Melian, que ninguém, dali em diante, podia atravessar contra a vontade dela ou a vontade do Rei Thingol (a menos que viesse alguém com poder maior que o de Melian, a Maia). Portanto, essa terra no interior, que por muito tempo tivera o nome de Eglador, depois disso foi chamada de Doriath, o reino protegido, Terra do Cinturão. Dentro de Doriath havia ainda uma paz vigilante; mas, fora dali, havia perigo e grande temor, e os serviçais de Morgoth andavam à vontade, salvo nos portos murados da Falas.

### *Da Vinda dos Noldor*

§41 Mas notícias inesperadas estavam por chegar, as quais ninguém na Terra-média previra, nem Morgoth em suas fossas, nem Melian em Menegroth; pois nova alguma viera de Aman, seja por mensageiro, ou por espírito, ou por visão em sonho, depois da morte das Árvores e da ocultação de Valinor. Nesse mesmo ano dos Valar (mas cerca de sete anos depois na contagem de tempo tardia), Fëanor atravessou o Mar nos navios brancos dos Teleri, e desembarcou no Estreito de Drengist, e queimou os navios em Losgar.

§42 Ora, as chamas daquele incêndio foram vistas não apenas por Fingolfin, de quem Fëanor desertara, mas também pelos Orques e pelas sentinelas de Morgoth. Nenhuma história conta o que Morgoth pensou em seu coração diante das notícias de que Fëanor, seu inimigo mais amaro, trouxera uma hoste do Oeste. Quiçá o temesse pouco, pois ainda não tinha provas das espadas dos Noldor, e logo se viu que pretendia lançá-los de volta ao Mar.

§43 Drengist é um longo estreito que corta os Montes Ressoantes das Eryd Lómin, que são a barreira oeste do grande país de Hithlum. Assim, a hoste de Fëanor passou das costas para as regiões interiores de Hithlum, e, marchando pela extremidade norte das Montanhas de Mithrim, montaram acampamento naquela parte que era chamada Mithrim e ficava em volta do grande lago em meio às montanhas que tinha o mesmo nome.

§44 Mas a hoste de Melkor, orques e lobisomens, veio pelos passos das Eryd-wethrin e atacou Fëanor de repente, antes que seu acampamento estivesse de todo pronto ou com defesas. Ali, nos campos cinzentos de Mithrim, lutou-se a segunda batalha das Guerras de Beleriand, e deu-se o primeiro encontro do poderio de Morgoth com o valor dos Noldor. *Dagor-nuin-Giliath* é como a chamam, a Batalha sob as Estrelas, pois a Lua ainda não nascera. Naquela batalha, apesar de em menor número e atacados de surpresa, os Noldor foram rapidamente vitoriosos. Fortes e belos ainda eram eles, pois a luz de Aman ainda não esmaecera em seus olhos; rápidos eram, e mortais em sua ira, e longas e terríveis eram suas espadas. Os Orques fugiram diante deles, e foram expulsos de Mithrim com grande matança, e caçados através daquela grande planície que ficava a norte de Dorthonion, e era então chamada de Ardgalen. Ali, os exércitos de Morgoth que tinham ido para o sul, entrando nos vales do Sirion e sitiando Cirdan, subiram ao socorro deles, e foram apanhados em sua ruína. Pois Celegorn, filho de Fëanor, tendo notícias dos reforços, emboscou-os com uma parte da hoste-élfica e, descendo sobre eles vindo dos montes perto de Eithel Sirion, empurrou-os para o Pântano de Serech. Más, de fato, foram as notícias que chegaram por fim a Angband, e Morgoth ficou aturdido. Dez dias aquela batalha durou e dela retornaram, de todas as hostes que ele tinha preparado para a conquista dos reinos dos Eldar, não mais que um punhado de folhas.

§45 Contudo, motivo Morgoth tinha para grande regozijo, embora lhe ficasse oculto por algum tempo. Pois o coração de Fëanor, em sua ira contra o Inimigo, ardia como fogo, e ele não queria parar, mas continuava atacando os remanescentes dos Orques, pensando, diz-se, assim em chegar ao próprio Morgoth. E ria em alta voz enquanto empunhava sua espada, e se regozijava por ter ousado enfrentar a ira dos Valar e os males da estrada para que pudesse ver aquela hora de sua vingança. Ele nada sabia de Angband ou da grande força de defesa que Morgoth tinha tão rapidamente preparado; mas, se soubesse, isso não haveria de detê-lo, pois parecia fadado a morrer, consumido pela chama de sua própria ira. Assim foi que se pôs muito adiante da vanguarda de sua hoste, e, vendo isso, os servos de Morgoth pararam de fugir, e saíram de Angband Balrogs para ajudá-los. Ali, nos confins de Dor Daedeloth, a terra de Morgoth, Fëanor foi cercado, com poucos amigos à sua volta. Logo ficou sozinho; mas longamente seguiu lutando, e ria sem desanimar, embora ficasse envolto em fogo, machucado com muitas feridas. Mas, ao final, Gothmog,* Senhor dos Balrogs, golpeou-o e o lançou ao chão, e ali teria perecido, mas Maidros e três outros de seus filhos, naquele momento, vieram em seu auxílio, e os Balrogs fugiram de volta para Angband.

§46 Então seus filhos ergueram o pai e começaram a carregá-lo de volta a Mithrim. Mas, conforme chegavam perto de Eithel

*[*Nota marginal*:] a quem Ecthelion depois matou em Gondolin.

Sirion e tomavam o caminho elevado para o passo através das montanhas, Fëanor mandou que parassem. Pois suas feridas eram de morte, e ele sabia que sua hora era chegada. E, olhando das encostas das Eryd-wethrin, com sua última vista, contemplou ao longe os picos das Thangorodrim, mais poderosas das torres da Terra-média, e soube, com a presciência da morte, que nenhum poder dos Noldor jamais sobrepujá-las-ia; mas amaldiçoou o nome de Morgoth três vezes e ordenou que seus filhos mantivessem seu juramento e vingassem seu pai. Então morreu; mas não teve nem enterro, nem tumba, pois tal fogo havia em seu espírito que, quando morreu, seu corpo se fez cinza e foi levado embora como fumaça, e sua semelhança nunca mais apareceu em Arda, nem seu espírito deixou o reino de Mandos. Esse foi o fim do mais poderoso dos Noldor, de cujos feitos vieram tanto seu maior renome como suas dores mais sofridas.

§47 Notícias desses grandes feitos chegaram a Menegroth e a Eglarest, e os Elfos-cinzentos ficaram cheios de assombro e esperança, pois aguardavam ter grande auxílio em sua defesa contra Morgoth de seus poderosos parentes que assim retornavam inesperadamente do Oeste na sua hora mesma de necessidade, acreditando de fato, no início, que vinham como emissários dos Valar para libertar seus parentes do mal. Ora, os Elfos-cinzentos eram da raça teleriana, e Thingol era o irmão de Olwë de Alqualondë, mas nada ainda era sabido do fratricídio, nem da maneira do exílio dos Noldor e do juramento de Fëanor. Porém, embora não tivessem ouvido a Maldição de Mandos, ela não tardou a agir em Beleriand. Pois entrou no coração do Rei Thingol lamentar os dias de paz quando era o senhor supremo de toda a terra e seus povos. Vastas eram as regiões de Beleriand, e muitas despovoadas e agrestes, e ainda assim ele não acolheu de todo coração a chegada de tantos príncipes poderosos vindos do Oeste, ávidos por novos domínios.

§48 Assim, houve desde o início uma frieza entre ele e os filhos de Fëanor, enquanto a amizade mais próxima era necessária, se Morgoth fosse ser enfrentado; pois os [a Casa >] filhos de Fëanor eram sempre avessos a aceitar a soberania de Thingol, e não pediam permissão para onde poderiam habitar ou passar. Portanto, quando em pouco tempo (por traição e malquerença, como se conta mais tarde) a história completa dos atos em Valinor tornou-se conhecida em Beleriand, houve antes inimizade do que aliança entre

Doriath e a Casa de Fëanor; e essa amargura Morgoth avidamente inflamou por todos os meios que pôde encontrar. Mas esse mal ainda se encontrava nos dias por vir, e o primeiro encontro dos Sindar com os Noldor foi ávido e alegre, apesar de o colóquio, no começo, não ser fácil entre eles, pois, por sua longa separação, a língua dos Kalaquendi, em Valinor, e dos Moriquendi, em Beleriand, tinha se afastado muito.

*Excurso acerca dos idiomas de Beleriand*

Interrompo o texto aqui, visto que o complexo material variante que se segue nos dois manuscritos não pode ser acomodado de maneira satisfatória no comentário.

No lugar de AC 2 §48 apresentado acima, o AC 1 (sem fazer referência à hostilidade ativa que se desenrolou entre Thingol e os Fëanorianos) possui apenas o seguinte trecho (após as palavras "ávidos por novos domínios"):

> Ademais, por sua longa separação, as línguas dos Sindar e dos Noldor tinham se afastado, e, no começo, o colóquio não era fácil entre eles.

Essa frase é seguida por um longo "excurso" (marcado no manuscrito como uma intrusão ao texto principal) acerca do desenvolvimento e das relações do noldorin e do sindarin em Beleriand, cujo final também é o final do AC 1. Essa discussão reaparece, reescrita, no AC 2, e então essa própria forma revisada foi alterada de modo substancial. Parece proveitoso apresentar todas as versões dessa passagem, de central importância na história linguística da Terra-média. As notas numeradas a essa seção encontram-se na p. 42-3.

A versão original no AC 1 diz o seguinte.

Passaram-se de fato, com o desembarque de Fëanor, trezentos e sessenta e cinco longos anos dos Valar[1] desde que os Noldor haviam atravessado o Mar e deixado os Teleri para trás. Ora, aquele tempo em extensão era quase três mil e quinhentos anos do Sol. Em tal era, as línguas dos Homens mortais que estivessem muito separadas de fato mudariam sem deixar vestígios, a menos que esses fossem como registros de canções e sabedoria. Mas em Valinor, nos dias das Árvores, havia pouca mudança a ser percebida, exceto aquela que vinha da vontade e do desígnio, enquanto na Terra-média, sob o Sono de Yavanna, ela também era lenta, embora antes do Nascer da Lua todas as coisas tivessem sido despertadas em Beleriand, como se contou antes.[2] Portanto, enquanto a língua dos Noldor havia variado pouco da antiga língua dos Eldar durante a marcha — e sua variação na maior parte vinha da criação de novas palavras (para coisas antigas e novas) e da suavização e harmonização dos sons e padrões da língua quendiana a formas que pareciam aos Noldor mais belas —, o idioma dos Sindar mudara muito, mesmo num crescimento despercebido, como uma árvore pode mudar de maneira imperceptível sua forma: quiçá tanto quanto uma língua mortal não escrita poderia mudar em quinhentos anos ou mais.[3] Já era, antes do Nascer do Sol, uma fala muito diferente do noldorin ao ouvido e, após o Nascer, todas as mudanças foram rápidas, por um tempo na segunda Primavera de Arda velocíssimas de fato. Dizemos "ao ouvido" porque embora Dairon, o menestrel e mestre-do-saber de Menegroth, já tivesse criado suas Runas em A.V. 1300 (e depois em muito as aprimorou), não era costume dos Sindar colocar por escrito suas canções ou registros, e as Runas de Dairon (salvo em Menegroth) eram usadas principalmente para nomes e inscrições breves entalhadas em madeira, pedra ou metal. (Os Naugrim[4] aprenderam as Runas de Dairon em Menegroth, agradando-se muito daquela arte e estimando Dairon mais do que [o fazia] sua própria gente; e pelos Naugrim elas foram trazidas para o leste, através das Montanhas.)[5]

Em pouco tempo, entretanto, veio a acontecer que os Noldor no uso diário adotaram a língua sindarin, e essa língua, enriquecida por palavras e padrões do noldorin, tornou-se a língua de todos os Eldar em Beleriand (exceto na terra dos [Elfos-]verdes) e o idioma de todos os Eldar, quer na Terra-média, quer por aqueles (como será contado) que voltaram do exílio para o Oeste e habitaram e agora habitam em Eressëa. Em Valinor, a antiga fala-élfica é mantida, e os Noldor jamais a abandonaram; mas não se tornou mais para eles uma língua-de-berço, uma língua materna, e, sim, um idioma de saber aprendido, e de canções elevadas e usos nobres e solenes. Poucos dos Sindar a aprendiam, salvo na medida em que, fora de Doriath, se mesclavam num único povo com os Noldor e seguiam seus príncipes; como de fato não tardou a acontecer, exceto por algumas poucas companhias dispersas de Sindar em matas montanhosas, e exceto também pelo senhorio de Cirdan e pelo reino protegido de Thingol.

Ora, essa mudança de línguas entre os Noldor ocorreu por muitas razões diferentes. Primeiro, ainda que os Sindar não fossem numerosos, eles em muito superavam em número as hostes de Fëanor e Fingolfin que no fim sobreviveram suas terríveis jornadas e chegaram a Beleriand. Segundo, e não menos importante: os Noldor, tendo eles próprios abandonado Aman, começaram a ficar sujeitos a mudanças impremeditadas enquanto ainda estavam na marcha, e com o Nascer do Sol essa mudança tornou-se ligeira — e a mudança na sua fala diária foi tal que, quer por causa do clima, solo e sortes similares, quer por causa de relações e mistura de sangue, ela se alterava dos mesmos modos que o sindarin, e as duas línguas se aproximaram. Assim se deu que palavras levadas do noldorin para o telerin entraram não nas formas verdadeiras da alta fala, mas, por assim dizer, foram alteradas e adequadas ao caráter da língua de Beleriand. Terceiro: porque após a morte de Fëanor a soberania dos Exilados (como será recontado) passou a Fingolfin, e ele, sendo de outra disposição que Fëanor, reconheceu a alta-realeza de Thingol e Menegroth, tendo de fato em grande reverência aquele rei, o mais poderoso dos Eldar depois de Fëanor, e não menos Melian. Mas embora Elu-Thingol, grande em memória, conseguisse se lembrar da língua dos Eldar como fora antes de, ao partir do acampamento de Finwë, ouvir os pássaros de Nan Elmoth, em Doriath apenas a língua sindarin era falada, e aprendê-la deviam todos os que quisessem tratar com o rei.

É dito que foi após a Terceira Batalha, Dagor Aglareb,[6] que os Noldor pela primeira vez por toda parte começaram a adotar o sindarin conforme se fixavam e estabeleciam reinos em Beleriand; embora seja possível que o noldorin tenha sobrevivido (especialmente em Gondolin) até a Dagor Arnediad[7] ou até a Queda de Gondolin — isto é, sobreviveu na forma falada que possuía em Beleriand, diferente tanto do quenya (ou noldorin antigo) como do sindarin: pois o quenya jamais pereceu e é conhecido e ainda usado por todos que cruzaram o Mar antes de as Árvores serem mortas.

Essa é a primeira declaração linguística geral desde o *Lhammas*, escrito muito tempo antes, e não houve grandes mudanças em relação à teoria mais antiga. A terceira versão do *Lhammas*,

"*Lammasethen*", a mais tardia e mais curta das três, fornece uma declaração clara do que é expresso de forma mais difusa nas versões mais longas, e cito uma parte dela (de V. 229):

> Ora, o noldorin antigo, como inicialmente usado, e escrito nos dias de Fëanor em Tûn, permaneceu falado pelos Noldor que não partiram de Valinor em seu obscurecer, e ainda reside lá, não muito mudado, e não muito diferente do lindarin. Ele é chamado *kornoldorin*, ou *finrodiano*, pois Finrod e muitos de seu povo retornaram a Valinor e não foram a Beleriand. Mas a maioria dos Noldor foi a Beleriand, e nos 400 anos de suas guerras com Morgoth sua língua muito mudou. Por três razões: porque não se encontrava em Valinor; porque havia guerra e confusão, e muitas mortes entre os Noldor, de modo que sua língua ficou sujeita a tribulações similares àquelas dos Homens mortais; e porque em todo o mundo, mas especialmente na Terra-média, a mudança e o crescimento foram muito grandes nos primeiros anos do Sol. Também em Beleriand a língua e os dialetos dos Ilkorins telerianos eram correntes, e seu rei Thingol era muito poderoso; e o noldorin em Beleriand tomou muito do beleriândico, especialmente de Doriath. A maioria dos nomes e lugares naquela terra eram dados na forma doriathrin. O noldorin retornou, após a derrubada de Morgoth, para o Oeste, e vive ainda em Tol-eressëa, onde agora muda pouco; e essa língua deriva-se mormente da língua de Gondolin, de onde veio Eärendel; mas possui muito do beleriândico, pois Elwing, sua esposa, era filha de Dior, herdeiro de Thingol; e possui um tanto de Ossiriand, pois Dior era filho de Beren, que viveu por muito tempo em Ossiriand.

Havia também a língua dos livros, "latim-élfico", quenya, acerca da qual o *Lammasethen* fornece um relato diferente daquele nas outras versões (ver V. 230–1). É dito que o "latim-élfico" (V. 203), foi levado à Terra-média pelos Noldor, veio a ser usado por todos os Ilkorindi "e todos os Elfos o sabem, mesmo aqueles que ainda permanecem nas Terras de Cá".

Assim, no relato do *Lhammas*, lidamos essencialmente com três línguas em Beleriand após o Retorno dos Noldor:

*Quenya*, o alto idioma e língua dos livros, trazido de Valinor pelos Noldor;

*Noldorin*, o idioma dos Noldor em Kôr, muito alterado em Beleriand e muito influenciado pela fala ilkorin, especialmente a de Doriath. (É dito no *Lhammas*, V. 204–5, que a língua noldorin de Kôr, *korolambë* ou *kornoldorin*, foi ela própria muito alterada desde tempos antigos pela inventividade peculiar dos Noldor.)

*Beleriândico*, a língua ilkorin de Beleriand, que com o passar de longas eras se tornara muito diferente das línguas de Valinor.

A fala noldorin de Gondolin foi o idioma que sobreviveu em Tol Eressëa após o fim dos Dias Antigos, embora influenciado por outras falas, especialmente o ilkorin de Doriath durante a estada nas Fozes do Sirion (ver V. 208–9).

No AC 1, ainda temos a concepção de que o idioma dos Noldor em Valinor foi alterado pela inventividade noldorin, embora seja enfatizado que havia variado pouco "da antiga língua dos Eldar durante a marcha"; e a profunda diferença entre o noldorin dos Exilados recém-chegados de Valinor e a antiga língua teleriana de Beleriand (agora chamada sindarin) da mesma forma permanece — de fato, é a afirmação de que no início a comunicação entre Noldor e Sindar não foi fácil que leva a esse excurso. Mas no AC 1 é dito que, apesar de a língua sindarin ter sido "enriquecida por palavras e padrões do noldorin", *o sindarin, contudo, tornou-se o idioma de todos os Eldar da Terra-média e era o idioma de Tol Eressëa após o Retorno*; ao passo que o noldorin de Valinor tornou-se uma língua "erudita" — equivalente em posição ao "latim-élfico" ou quenya do *Lhammas*, mas aprendido por poucos entre os Sindar; e, de fato, o "noldorin antigo" é equiparado ao quenya (p. 36, ao final do texto). Entre as razões dadas para esse desenvolvimento está a de que o noldorin falado em Beleriand e o sindarin "se aproximaram", e fica claro no último parágrafo do texto que, ao final dos Dias Antigos, havia uma profunda diferença entre o noldorin falado de Beleriand, onde ele sobrevivera, e o "noldorin antigo" ou quenya.

A afirmação de que Fingolfin, como "soberano" dos Exilados "reconheceu a alta-realeza de Thingol e Menegroth", tendo "em grande reverência aquele rei", é notável (cf. QS §121: "e por mais magnos que fossem os Reis do Noldor naqueles dias … o nome de Thingol era tido em reverência entre eles"). Essa é, de fato, uma das razões dadas para a adoção do sindarin pelos Noldor em Beleriand — pois nos domínios de Thingol somente o sindarin podia ser usado; mas está claro que a ideia de uma real proibição do uso da fala noldorin entre os Sindar ainda não havia surgido.

No final dessa passagem linguística no AC 1, meu pai escreveu rapidamente a lápis:

Alterar isso. Deixar os Sindar e os Noldor falarem praticamente a mesma língua devido (a) à imutabilidade em Valinor, (b) à mudança lenta na Terra-média, (c) às longas memórias dos Elfos. Mas havia diferenças, é claro — palavras novas em noldorin e sindarin. Em ambos os casos mais por invenção do que por um processo involuntário. Mas, após o Nascer do Sol, a mudança foi súbita e ligeira — e os Noldor trouxeram uma maldição especial de mutabilidade com eles (planejada para impedir o colóquio com Valinor?). As duas línguas mudaram e tornaram-se similares lá. De modo geral, em Beleriand falava-se um sindarin (levemente) noldorizado. Em Doriath, menos noldorin, se é que era falado. [?Ossiriand] para ser como o beleriândico.

A diferença aqui em relação ao texto primário está em uma negação de qualquer diferença significativa entre a língua de Beleriand e a língua dos Noldor que chegavam, com a história subsequente (ao que parece, pelas palavras breves e apressadas) sendo antes uma de coalescência das línguas em vez do abandono do noldorin.

O excurso acerca dos idiomas no AC 2, escrito numa letra muito menor do que a do corpo principal do texto, diz o seguinte.

Passaram-se de fato, com o desembarque de Fëanor, trezentos e sessenta e cinco longos anos dos Valar desde que os Noldor haviam atravessado o Mar e deixado os Sindar para trás. Ora, aquele tempo em extensão era quase três mil e quinhentos anos do Sol. Em tal era, as línguas dos Homens mortais que estivessem muito separadas de fato mudariam sem deixar vestígios, exceto as que fossem escritas como registros de canções e sabedoria. Mas em Valinor, nos dias das Árvores, havia pouca mudança a ser percebida, exceto aquela que vinha da vontade e do desígnio, enquanto na Terra-média, sob o Sono de Yavanna, a mudança de crescimento também era lenta. Entretanto, em Beleriand o Sono antes do Nascer do Sol fora interrompido (como é contado alhures) e o idioma dos Sindar nos longos anos mudara muito, mesmo num crescimento despercebido, como uma árvore pode mudar de maneira imperceptível sua forma: quiçá tanto quanto uma língua mortal não escrita dos dias posteriores poderia mudar em quinhentos anos ou mais. Ao passo que a língua noldorin, embora ainda muito mais próxima na maioria dos aspectos à antiga fala comum dos Eldar, havia sido alterada pela vontade (a formas que pareciam àqueles em Aman mais doces na língua ou ao ouvido) e pela invenção de muitas novas palavras desconhecidas dos Sindar. Mas o colóquio entre as duas gentes tornou-se fácil e livre do seguinte modo. Primeiro que, após o Nascer do Sol, a mudança de todas as coisas em Arda foi súbita e ligeira, e nos dias das Guerras tanto a língua dos Noldor como a dos Sindar mudaram sobremaneira: ademais, quer pelo clima, solo e sortes similares, quer por causa de relações e mistura dos povos, as duas línguas mudaram de maneiras similares e tornaram a se aproximar. Segundo porque, com o tempo, veio a acontecer que a maioria dos Noldor de fato abandonou a própria língua no uso diário e adotou a língua de Beleriand, embora a tenham enriquecido com muitas palavras de sua própria feitura. Somente em Gondolin, que há muito fora povoada (apenas por Noldor)[8] e deixara de se comunicar com outros, a língua noldorin perdurou até o fim da cidade; enquanto apenas em Doriath a língua sindarin permaneceu intocada pelo noldorin e menos alterada do que a língua daqueles de fora. Ora, essa mudança na fala dos Noldor deu-se do seguinte modo. Primeiro: ainda que os Sindar não fossem numerosos, eles em muito superavam em número as hostes de Fëanor e Fingolfin que sobreviveram suas terríveis jornadas. Segundo: devido à mistura dos povos, pela qual em todas as regiões, salvo apenas em Doriath, embora os príncipes dos Noldor fossem os reis, seus seguidores eram em grande parte sindarin de raça. Terceiro: porque após a morte de Fëanor a soberania dos Exilados passou a Fingolfin (exceto entre os seguidores dos filhos de Fëanor), e ele reconheceu a alta-realeza de Thingol, tendo de fato em reverência aquele rei, o mais poderoso dos Eldar depois de Fëanor, e não menos Melian. Mas Thingol, devido ao ressentimento dos Teleri pelos Noldor, não desejava falar a língua noldorin e proibiu que seus súditos assim o fizessem. Ademais, veio a acontecer que os Noldor, tendo de própria vontade abandonado Aman em rebelião, ficaram sujeitos a mudanças impremeditadas numa medida além mesmo daquelas dos Sindar, e sua própria língua no uso diário tornou-se diversa da alta língua de Valinor. Porém, os Noldor, por serem mestres-do-saber, preservaram aquela alta língua em tradição, e não deixaram de usá-la para propósitos nobres e nem de ensiná-la aos seus filhos. Portanto, a forma de sua fala no uso diário veio a ser considerada corrompida, e os Noldor usavam a alta língua como um idioma aprendido, e no trato diário e em todos os assuntos que diziam respeito a todos os Eldar de Beleriand em geral, eles usavam antes a língua daquela terra. É dito que foi após a Terceira Batalha, Dagor Aglareb, que os Noldor pela primeira vez por toda parte começaram a adotar a língua sindarin, conforme se fixavam e estabeleciam seus reinos em Beleriand.

Essa reestruturação e reescrita parcial do texto não muda de maneira substancial as ideias expressadas na forma anterior deste: meu pai não adotou sua anotação a lápis das alterações planejadas fornecidas na p. 38. A passagem acerca de Dairon e das Runas foi omitida, mas fora introduzida anteriormente no AC 2 (§31). Agora enfatiza-se o fato de que o sindarin de Doriath era em certo grau arcaico, e "intocado" pelo noldorin: isso não foi afirmado no AC 1, embora seja dito lá que "em Doriath apenas a língua sindarin era falada". O reconhecimento de Fingolfin da "alta-realeza" de Thingol foi mantido (com a ressalva "exceto entre os seguidores dos filhos de Fëanor"), mas aparece agora a proibição da língua noldorin imposta por Thingol aos seus súditos quando tomou conhecimento do Fratricídio em Alqualondë como uma das razões para os Noldor abandonarem sua própria língua. É dito agora que o noldorin mudou ainda mais rapidamente na Terra-média após o Nascer do Sol do que o sindarin, e isso é associado à rebelião deles em Aman (cf. as palavras nos comentários a lápis ao final do texto do AC 1, p. 38: "os Noldor trouxeram uma maldição especial de mutabilidade com eles"); enquanto a opinião que os Noldor passaram a ter entre si mesmos de que sua língua falada era corrompida fornece uma explicação adicional para o abandono desta.

Meu pai então (provavelmente depois um curto intervalo) rejeitou todo esse segundo texto após as palavras "e pela invenção de muitas novas palavras desconhecidas dos Sindar" (p. 38) e o substituiu pelo seguinte:

Mas veio a acontecer, passado não muito tempo, que os Exilados adotaram a língua de Beleriand como o idioma de uso diário, e sua antiga língua foi preservada somente como uma alta fala e um idioma de saber, especialmente nas casas dos senhores noldorin e entre os sábios. Ora, essa mudança de fala foi feita por muitas razões. Primeiro, os Noldor eram em menor número que os Sindar e, salvo em Doriath [*riscado posteriormente:* e Gondolin],[9] os povos logo se tornaram muito misturados. Segundo, os Noldor aprendiam a língua sindarin muito mais facilmente do que os Sindar conseguiam aprender a antiga fala; ademais, após o fratricídio tornar-se conhecido, Thingol não se dispunha a manter colóquio com qualquer um que falasse a língua dos assassinos de Alqualondë, e proibiu sua gente de fazê-lo. Assim foi que a fala comum de Beleriand após a Terceira Batalha, Dagor Aglareb, era a fala dos Elfos-cinzentos, ainda que de certa forma enriquecida por palavras e padrões tirados do noldorin (exceto em Doriath, onde o idioma permaneceu mais puro e menos alterado pelo tempo). [*Riscado posteriormente:* Somente em Gondolin a língua dos Noldor permaneceu em uso diário até o fim daquela cidade; pois há muito fora povoada por Turgon apenas com Noldor, do Noroeste da terra, e por muito tempo ficara oculta e deixara de se comunicar de todo com outros.[10] *A seguinte passagem substituta foi escrita na margem*:] mas os Noldor sempre preservaram a alta-fala do Oeste como um idioma de saber, e naquele idioma ainda davam nomes a homens magnos ou a lugares de renome. / Mas todos os dias das Guerras de Beleriand, [quase que >] mais de seiscentos anos, foram tempos de grande mudança, não só devido aos labores e preocupações daqueles anos, mas porque nos primeiros anos do Sol e da segunda Primavera de Arda o crescimento e a mudança de todos os seres vivos foram súbitos e ligeiros. Muito diferentes ao final das Guerras eram [tanto a língua sindarin como a noldorin *posteriormente* >] as línguas de Beleriand[11] do que eram com o desembarque de Fëanor, e somente a alta fala, que era reaprendida através da escrita, permaneceu inalterada. Mas esses tratados históricos foram compostos após a Última Batalha e o fim dos Dias Antigos, e, portanto, foram compostos na língua do remanescente dos Elfos como então se encontrava, antes que passasse de novo para o Oeste, e os nomes daqueles que eles registram e dos lugares que são lembrados possuem, em sua maioria, a forma que tinham na língua falada ao final.

Aqui termina aquela parte que foi retirada dos Anais Cinzentos, e segue-se a matéria retirada em poucas palavras do *Quenta Noldorinwa*, e combinada com as tradições de Doriath.[12]

Nessa versão revisada nada é dito acerca de o sindarin e o noldorin tornarem a se "aproximar", e não há indicação de que a língua tardia dos Noldor veio a ser considerada como "corrompida"; o noldorin falado perdurou (como a passagem foi escrita originalmente) na cidade inteiramente noldorin de Gondolin até a queda desta. O conceito inteiro, na verdade, torna-se muito mais simples: os Noldor mantiveram sua própria língua como uma alta fala, mas o sindarin tornou-se o seu idioma de uso diário (e isso foi devido à inferioridade numérica dos Noldor e à mistura de povos fora de Doriath, à dificuldade que os Sindar tinham em aprender a alta fala e à proibição imposta por Thingol). O sindarin recebeu "empréstimos" do noldorin, mas não em Doriath, onde o idioma permaneceu em certa medida arcaico. Por meio de alterações tardias no texto (ver notas 8–11), a ideia de que o noldorin permaneceu em uso diário em Gondolin foi abandonada.

É interessante ler, no final dessa última versão, que "estes tratados históricos" foram compostos "*após* a Última Batalha e o fim dos Dias Antigos, e, portanto, foram compostos na língua do remanescente dos Elfos como então se encontrava, *antes* que passasse de novo para o Oeste".

## NOTAS

1 365 anos dos Valar: 1132–1497 (ver AC §11).

2 Quanto ao despertar de Beleriand do Sono de Yavanna, ver §§6, 17 e o comentário a §§6, 10.

3 Um rascunho dessa passagem foi preservado, e este possui aqui o seguinte texto:

Portanto, enquanto a língua dos Noldor havia mudado, na maior parte, somente na feitura de novas palavras (para coisas novas e antigas) e na alteração intencional da língua antiga dos Quendi a formas e padrões que pareciam aos Eldar mais belos — nos quais Vanyar,

Noldor e Teleri diferiam e se distanciaram —, a língua dos Sindar mudara como os seres vivos mudam pelo crescimento — contudo, somente tal como no mundo tardio ocorreria em 400 anos.

[4] Anteriormente no AC 1, a forma é *Nauglath*: ver o comentário a §19.

[5] Quanto a essa passagem acerca das Runas de Dairon, ver §31 e comentário.

[6] *Dagor Aglareb*, a Batalha Gloriosa, fora anteriormente a Segunda Batalha (ver comentário a §§36 ss.).

[7] *Dagor Arnediad*: a Batalha das Lágrimas Inumeráveis (*Nírnaith Arnediad*).

[8] Isso representa a ideia original de meu pai de que não havia Elfos-cinzentos entre o povo de Gondolin; ver nota 9.

[9] A remoção das palavras "e Gondolin" indica a inserção da concepção tardia (ver nota 8) de que muitos Sindar que habitavam em Nivrost quando da chegada dos Noldor aceitaram Turgon como seu senhor e de que, na verdade, havia mais Elfos de origem sindarin do que noldorin no povo de Gondolin; ver §§107, 113 e comentário.

[10] Essa passagem foi removida na mesma época e pela mesma razão que as palavras "e Gondolin" anteriormente nesse texto revisado (nota 9).

[11] A alteração de "tanto a língua sindarin como a noldorin" para "as línguas de Beleriand" foi feita posteriormente às alterações mencionadas nas notas 9 e 10, mas presumivelmente pela mesma razão, visto que a referência era ao noldorin falado de Gondolin. O plural "línguas" no fraseado revisado é um tanto intrigante; talvez meu pai estivesse pensando na fala dos Elfos-verdes de Ossiriand, ou possivelmente quis dizer as variedades (dialetos) de sindarin.

[12] O termo *Quenta Noldorinwa* aparece no título do Q (IV. 95). Não sei dizer que concepção da tradição histórica meu pai elaborara quando ele escreveu essas palavras de encerramento.

Como eu disse, o manuscrito AC 1 não continua após a discussão dos idiomas, mas, para a seção seguinte do AC 2, há um texto em páginas soltas que pode ser considerado uma continuação do AC 1. Ele faz parte do material rotulado "Material antigo dos Anais Cinzentos" mencionado na p. 16. Esse texto vai do (segundo) início do anal 1497 ("Ora, Morgoth, aturdido...") até o final do anal AS 20 (e, para os anais 6 e 7, também há um rascunho preliminar muito rudimentar). O manuscrito do AC 2 segue muito de perto esse texto, e é pouco mais do que uma cópia dele passada a limpo, com alterações de fraseado num ou noutro ponto; alguns pontos interessantes de diferença são mencionados no comentário.

Retorno agora ao texto do AC 2, que agora não precisa ser distinguido por um número.

## 1497

§49 Ora, Morgoth, aturdido pela derrota de seus exércitos e pelo valor inesperado dos Noldor, e desejoso de tempo para novos desígnios, enviou emissários a Maidros, e fingiu estar disposto a tratar com ele. E Maidros fingiu que, de sua parte, também estava disposto, e um pretendia o mal ao outro. Portanto, contrário à promessa, cada um foi em grande força ao debate, mas a de Morgoth era maior, e Maidros foi derrotado e feito prisioneiro.

§50 Então Morgoth manteve Maidros como refém, e jurou somente libertá-lo se os Noldor marchassem de volta para Valinor, se pudessem, ou então para longe de Beleriand, para o Sul do mundo; e, caso não fizessem isso, ele então submeteria Maidros a tormentos. Mas os outros filhos de Fëanor sabiam que Morgoth havia de traí-los e não soltaria Maidros, o que quer que fizessem; e sentiam, também, o peso de seu juramento, e não podiam, por causa alguma, abandonar a guerra contra seu Inimigo.

## 1498

§51 Portanto, Morgoth tomou Maidros e, pondo uma tira de aço forjado em seu pulso direito, pendurou-o por ela acima de um precipício na torre oeste das Thangorodrim, onde ninguém podia alcançá-lo. Mas seus irmãos recuaram e fortificaram um grande acampamento em Hithlum.

## 1500

§52 Nessa época, Fingolfin e aqueles que o seguiam atravessaram o gelo pungente de Helkaraxë, e, assim, chegaram enfim com grande pesar e perdas ao Norte de Endar; e seus corações estavam cheios de amargura. E, no momento em que puseram os pés na Terra-média, as eras das Estrelas chegaram ao fim, e o tempo do Sol e da Lua teve início, como é contado na Crônica de Aman.

## AS 1

§53 Aqui a Lua e o Sol, feitos pelos Valar após a morte das Duas Árvores, ergueram-se novos no céu. Primeiro a Lua apareceu, e, na hora em que se ergueu acima da escuridão no Oeste, Fingolfin mandou que soassem suas trombetas de prata, e começou sua marcha pela Terra-média; e as sombras de sua hoste seguiam longas e negras diante dela.

§54 Os Elfos da Terra-média contemplaram com esperança e deleite essa nova coisa; mas os serviçais de Morgoth ficaram assombrados; e Morgoth enviou espíritos de escuridão para atacar Tilion, o guardião da lua, e houve contenda no céu. Mas logo depois veio a primeira Aurora do Sol, e foi como um grande fogo sobre as torres das Pelóri, e as nuvens da Terra-média acenderam-se, e todas as brumas do mundo fumegaram e reluziram como ouro. Então Fingolfin desfraldou suas bandeiras azuis e prateadas, e flores despertaram do Sono de Yavanna e brotaram sob os pés de sua hoste.

§55 Então Morgoth ficou de fato atemorizado, e desceu às últimas profundezas de Angband, e fez sumirem seus servos, lançando fora grande fedor e nuvens escuras para encobrir sua terra da luz da Estrela-do-dia. Portanto, Fingolfin marchou do Norte sem oposição pelos recônditos do reino de Morgoth, e passou por Dor-Daedeloth, e seus inimigos esconderam-se sob a terra; mas os Elfos golpearam os portões de Angband, e o desafio de suas trombetas abalou as torres das Thangorodrim. E Maidros os ouviu em meio a seu tormento e gritou, mas sua voz se perdeu nos ecos da pedra.

§56 Desse tempo em diante foram contados os Anos do Sol. Mais velozes e breves eram eles do que os longos Anos das Árvores em Valinor. Eis que naquele tempo o crescimento e o mudar e o envelhecer de todas as coisas apressou-se sobremaneira; e todos os seres vivos se espalharam e se multiplicaram na Segunda Primavera de Arda, e os Eldar aumentaram em número, e Beleriand vingou verde e bela.

§57 Ao primeiro Nascer do Sol, diz-se, os Homens, os filhos mais novos de Ilúvatar, despertaram em Hildórien, nas regiões centrais do mundo. Atani é o nome que receberam; mas os Eldar também os chamaram de Hildi, os Seguidores. Na história de Beleriand eles entraram antes do fim.

## 2

§58 Ora, Fingolfin, sendo de temperamento diverso do de Fëanor, e preocupado com os ardis de Morgoth, após fazer seu desafio recuou de Dor-Daedeloth e voltou na direção de Mithrim, pois ouvira notícias de que lá havia de achar os filhos de Fëanor, e desejava também ser escudado pelas montanhas, enquanto sua gente descansava e recuperava forças; pois vira o poder de Angband, e cria que ela não cairia ao som de trombetas apenas. Portanto, chegando enfim a Hithlum, montou seu primeiro acampamento e morada na margem norte do Lago Mithrim.

§59 Mas nenhum amor havia nos corações de Fingolfin e de sua gente pelo povo de Fëanor; e, apesar de Fingolfin saber que Fëanor estava morto, ele considerava os filhos cúmplices do pai, e houve perigo de guerra entre as duas hostes. Embora tivessem sido terríveis as perdas na estrada, o povo de Fingolfin e Inglor, filho de Finrod, ainda era mais numeroso que o dos seguidores de Fëanor; donde recuaram diante de Fingolfin e mudaram suas moradas para a margem sul; e o Lago ficou entre os povos.

§60 Muitos, de fato, da gente de Fëanor arrependeram-se profundamente do feito em Losgar, e estavam espantados diante do valor que trouxera, através do Gelo do Norte, os amigos que abandonaram, e queriam tê-los acolhido com humildade, caso tivessem ousado, por vergonha. Assim, por causa da maldição que jazia sobre eles, os Noldor nada conseguiram, enquanto Morgoth estava aturdido e seus serviçais ainda se encontravam acuados pela luz súbita. E Morgoth fez com que fossem produzidos vastas fumaças e vapores nas fossas de Angband, e eles saíram dos cimos fétidos das Montanhas de Ferro, e o vento leste os carregou por sobre Hithlum, e escureceu o novo sol, e eles desceram, enrolando-se à volta de campos e vales, e pairaram sobre as águas do Mithrim, mofinos e venenosos.

## 5

§61 Aqui Fingon, o Valente, resolveu-se a sanar a rixa que dividia os Noldor, antes que seu Inimigo estivesse pronto para a guerra; pois o solo tremia nas terras do norte com o trovão das forjas de Morgoth. Ademais, pensar em sua antiga amizade com Maiðros lhe feria o coração com pesar (embora não soubesse ainda que Maidros não se esquecera dele no incêndio dos navios). Portanto, ousou uma façanha que tem justo renome entre os feitos dos príncipes dos Noldor: sozinho e sem aconselhar-se com ninguém, partiu em busca de Maidros; e, ajudado pela própria escuridão que Morgoth criara, chegou sem ser visto ao domínio de seus inimigos. No *Quenta* é contado como, por fim, ele encontrou Maidros ao cantar uma canção de Valinor, sozinho nas montanhas escuras, e foi auxiliado por Thorondor, a Águia, que o carregou até Maidros; mas a tira de aço de modo algum ele conseguiu soltar, e teve de cortar a mão que ela prendia. Assim, ele resgatou o amigo de outrora do tormento, e seu amor foi renovado; e o ódio entre as casas de Fingolfin e Fëanor foi amainado. Dali em diante, Maidros empunhou sua espada na mão esquerda.

## 6

§62 Ora, os Noldor, estando de novo unidos, puseram guarda sobre as fronteiras de Dor-Daedeloth, e mantiveram sua força principal no norte da terra, mas mandaram mensageiros por toda a parte para explorar os países de Beleriand e para tratar com a gente que os habitava.

§63 Para além do Cinturão de Melian, só os da casa de Finrod tinham permissão para passar, pois podiam falar de seu parentesco próximo com o próprio Rei Thingol (já que a mãe deles, Ëarwen, era filha do irmão deste). Ora, Angrod foi o primeiro dos Exilados a vir a Menegroth como mensageiro de Inglor, e falou longamente ao Rei, contando-lhe dos feitos dos Noldor no norte, e de seus números, e do ordenamento de sua força; mas, sendo leal e de coração sábio, e julgando que todos os rancores estavam agora perdoados, nada disse acerca dos feitos de Fëanor, exceto de sua valente morte.

§64 E o Rei Thingol escutou, e disse a Angrod antes que partisse: "Assim hás de falar por mim àqueles que te enviaram. Em Hithlum, de fato, os Noldor têm licença para fazer o que desejarem, e em Dor Thonion podem habitar, e nas terras a leste de Doriath, mesmo aos pés das montanhas das Eryd Luin, há espaço de sobra. Mas em outras partes há muitos de minha gente, e não desejo que sejam tolhidos em suas liberdades, menos ainda privados de seus lares. Cuidai-vos, portanto, no modo em que vós, príncipes do Oeste, haveis de vos portar, pois eu sou o Senhor de Beleriand, e todos os que buscam lá habitar devem ouvir minhas palavras. Em Doriath ninguém há de vir a habitar além dos que eu chamar como hóspedes ou que me buscarem em grande necessidade."

## 7

§65 Ora, os Noldor se reuniram em conselho em Mithrim para ponderar todas essas questões, e resolver como haveriam de lidar em amizade com os Elfos-cinzentos, e, ainda assim, melhor reunir suas forças e dispô-las para a guerra a Morgoth. Por esse motivo eles tinham vindo à Terra-média; contudo, a muitos as terras do norte pareciam frias e as regiões do sul, mais belas, e eles desejavam grandemente novos lares, onde sua gente pudesse aumentar em paz, longe dos campos de guerra nos planaltos.

§66 A esse conselho chegou Angrod, vindo de Doriath, trazendo as palavras do Rei Thingol, e sua acolhida pareceu fria aos Noldor. Os filhos de Fëanor de fato ficaram irados por isso; e Maidros riu, dizendo: "É rei aquele capaz de guardar o que é seu ou, do contrário, seu título é vão. Thingol não faz mais que dar-nos terras onde seu poder não vale. De fato, Doriath apenas seria seu reino neste dia, não fosse pela vinda dos Noldor. Portanto, em Doriath deixai que ele reine e que se contente por ter os filhos de Finwë por seus vizinhos, e não os Orques de Morgoth que achamos. Alhures há de ser como nos parecer bom."

§67 Mas Cranthir, que não amava os filhos de Finrod e era o mais rude dos irmãos e o mais rápido para a raiva, gritou em alta voz: "Sim e mais! Não deixeis que os filhos de Finrod corram de lá para cá, contando histórias para esse Elfo-escuro em suas cavernas! Quem os fez nossos arautos para lidar com ele? E, embora tenham vindo, de fato, a Beleriand, que não esqueçam tão rápido que seu pai era um senhor dos Noldor, ainda que sua mãe fosse doutra gente."

§68 Então Angrod, por demais iracundo, deixou o conselho. Maidros, de fato, repreendeu a Cranthir; mas a maior parte dos Noldor, de ambos os séquitos, ouvindo as palavras dele, perturbaram-se em seu coração, temendo o espírito cruel dos filhos de Fëanor, que parecia sempre pronto a estrondar em palavra desatinada ou em violência.

§69 Portanto, quando o conselho tratou da escolha de alguém para ser o soberano dos Exilados e o líder de todos os seus príncipes, a escolha de todos, salvo uns poucos, recaiu sobre Fingolfin. E, na hora em que a escolha foi conhecida, todos os que a ouviram lembraram-se das palavras de Mandos de que a Casa de Fëanor haveria de ser chamada os Despossuídos para sempre. Entretanto, não de bom grado os filhos de Fëanor aceitaram essa escolha, salvo apenas Maidros, embora ela mais lhe dissesse respeito. Mas ele pôs freio a seus irmãos, dizendo a Fingolfin: "Se não houvesse desavença alguma entre nós, senhor, ainda assim a escolha, por direito, caberia a vós, o mais velho aqui da casa de Finwë, e não o menos sábio."

§70 Mas os filhos de Fëanor partiram então do conselho, e logo depois deixaram Mithrim e foram para o leste aos países vastos e selvagens entre Himring e o Lago Helevorn, sob o Monte Rerir. Aquela região foi chamada, dali em diante, de Marca de Maidros; pois ao norte havia pouca defesa ali de monte ou rio contra o assalto vindo do Norte; e ali Maidros e seus irmãos montavam guarda, reunindo toda a gente que desejasse vir a eles e tinham pouco trato com seus parentes a oeste, salvo em necessidade.

§71 Diz-se, de fato, que o próprio Maidros tivera a ideia desse plano, para diminuir os riscos de contenda, e porque desejava muito que o principal perigo de ataque (ao que parecia) caísse sobre si mesmo; e permaneceu, de sua parte, em amizade com as casas de Fingolfin e Finrod, e vinha em meio a eles, às vezes, para conselhos comuns. Contudo, também estava preso ao Juramento, embora esse então repousasse por algum tempo.

**20**

§72 Neste ano Fingolfin, Rei dos Noldor, convocou um grande conselho e fez uma festa grandiosa, que por muito tempo depois foi lembrada como Mereth Aderthad, a Festa da Reunião. E ela aconteceu perto das belas lagoas de Ivrin (onde o rápido rio Narog nascia), pois ali as terras eram verdejantes e belas, aos pés das montanhas que as escudavam do Norte. Para lá foram muitos dos chefes e do povo de Fingolfin e Inglor; e, dos filhos de Fëanor, Maidros e Maglor, com guerreiros da Marca; e lá se uniram a eles Cirdan e muita gente dos Portos, e uma grande congregação dos Elfos-cinzentos de matas e campos distantes e próximos, e mesmo de Ossiriand vieram alguns dos Nandor em nome de sua gente. Mas Thingol não veio pessoalmente de Doriath, e enviou apenas dois mensageiros, Dairon e Mablung, levando suas saudações. Em Mereth Aderthad, muitos conselhos foram dados de boa vontade, e se fizeram juramentos de liga e amizade, e houve muito júbilo e boa esperança; e, de fato, seguiu-se depois um belo tempo de paz, de crescimento e florescimento, e toda a terra estava contente, embora a Sombra ainda pairasse no Norte.

§73 (Nessa festa, está registrado que a língua dos Elfos-cinzentos foi muito falada até mesmo pelos Noldor, pois enquanto os Noldor aprendiam facilmente a fala da terra, os Sindar eram lentos para dominar a língua de Aman.)

**50**

§74 Aqui, após uma longa paz, enquanto Inglor e Turgon viajavam juntos, e jaziam próximo dos Alagados do Crepúsculo, Ulmo lançou um sono profundo sobre eles e os preocupou em sonhos. E, depois disso, cada um buscou separadamente lugares de força e refúgio na terra, caso Morgoth viesse a avançar de Angband como seus sonhos pressagiavam. [*Acrescentado posteriormente:* Mas Turgon não achou o que procurava, e retornou a Nivrost.]

**52**

§75 Neste ano Inglor e sua irmã Galaðriel permaneceram por muito tempo como hóspedes de Thingol, seu parente. E Inglor ficou cheio de assombro diante da beleza e fortaleza de Menegroth, e desejou grandemente fazer para si um local fortificado de modo semelhante. Portanto, abriu seu coração a Thingol, contando-lhe de seus sonhos; e Thingol lhe falou das cavernas sobre os Altos Faroth na margem oeste do Narog, e, quando Inglor partiu, ofereceu-lhe guias para levá-lo àquele lugar, do qual poucos ainda sabiam. Assim, Inglor chegou às Cavernas do Narog e começou ali a estabelecer salões profundos e arsenais à maneira de Menegroth; e aquela fortaleza foi chamada de Nargothrond. Donde os Noldor o chamaram de Felagund, Senhor de Cavernas, e esse nome ele portou até seu fim. Porém, Galaðriel não partiu [*acrescentado posteriormente:* de Doriath], e permaneceu por muito tempo com Melian, pois havia muito amor entre elas.

**53**

§76 [Turgon, viajando sozinho, pelo favor de Ulmo *posteriormente* >] Neste ano, Ulmo apareceu a Turgon nas costas de Nivrost, e por suas ordens partiu sozinho, e pelo favor de Ulmo ele / descobriu aquele vale oculto em meio às montanhas circundantes, onde mais tarde Gondolin foi construída. Disso não falou a ninguém, por ora, mas começou, em segredo, a traçar o plano de uma cidade à maneira de Tirion sobre Túna, pela qual seu coração ora ansiava no exílio.

## 60
### *A Terceira Batalha*

§77 Aqui Morgoth, crendo no relato de seus espiões de que os senhores dos Eldar estavam vagando pelos ermos, pouco pensando em guerra, pôs à prova a força e a vigilância de seus inimigos. Mais uma vez, com pouco aviso, seu poder se colocou em marcha e, de repente, houve terremotos no Norte, e fogos saíram de fissuras na terra, e as Montanhas de Ferro vomitaram chamas; e um exército de Orques investiu pelo Vale do Sirion e tentou penetrar no coração de Beleriand. Mas Fingolfin e Maidros não dormiam e, reunindo rapidamente uma grande força de Noldor e Sindar, destruíram todos os bandos espalhados de Orques que haviam se esgueirado para a terra; mas a hoste principal eles repeliram, e a empurraram para os campos de Ardgalen, e lá a cercaram e destruíram, até o menor deles, à vista de Angband. Essa foi a Terceira Batalha das Guerras, e foi chamada de *Dagor Aglareb*, a Batalha Gloriosa.

§78 Uma vitória foi e, ademais, um aviso; e os chefes lhe deram atenção e, dali por diante, apertaram mais seu assédio, e fortaleceram e ordenaram sua guarda, dispondo o Cerco de Angband, que durou perto de quatrocentos anos. E Fingolfin se vangloriava de que (salvo por traição entre eles) Morgoth nunca mais poderia romper o assédio dos Eldar. Porém, tampouco podiam os Noldor tomar Angband, nem recuperar as Silmarils. E a guerra nunca cessou completamente em todo aquele tempo do Cerco, pois Morgoth forjava em segredo novas armas e, de quando em vez, punha à prova seus inimigos. Além disso, ele não estava cercado no extremo norte; e, embora o gelo e a neve detivessem seus inimigos de manterem guarda nos ermos congelados, não impediam os espiões e mensageiros de Morgoth de ir e vir em segredo.

A passagem seguinte, tal como o texto foi originalmente escrito, começava assim: "Também nesse tempo, Morgoth deu início a um novo mal. Mandou que seus serviçais capturassem vivo qualquer um dos Eldar..." Esse trecho foi substituído pelo longo adendo (escrito em uma página separada) que se segue aqui (§§79–81), retornando ao texto original em "Mandou então que os Orkor capturassem vivo qualquer um dos Eldar", a segunda frase de §81.

§79 Nem a ele próprio, caso resolvesse ir. De fato, ficamos sabendo agora em Eressëa pelos Valar, por intermédio de nossos parentes que habitam ainda em Aman, que, após a Dagor-nuin--Giliath, Melkor por tanto tempo atacou os Eldar com força porque ele próprio havia saído de Angband, pela última vez. Tal como antes, ao despertar dos Quendi, seus espiões estavam vigilantes, e novas logo lhe chegaram do surgimento dos Homens. Isso lhe pareceu tão grande matéria que, secretamente, debaixo de sombras, ele saiu pela Terra-média, deixando o comando da Guerra a Sauron, seu tenente. De seus tratos com os Homens os Eldar nada souberam naquele tempo, e agora pouco sabem, pois nem os Valar, nem Homens, falaram-lhes com clareza acerca dessas coisas.

§80 Mas que alguma escuridão jazia sobre os corações dos Homens (como a sombra do fratricídio e da sentença de Mandos jazia sobre os Noldor) os Eldar percebiam claramente até mesmo na bela gente dos Amigos-dos-Elfos, a quem primeiro conheceram. Corromper ou destruir o que quer que surgisse de novo e belo era sempre o grande desejo de Morgoth; mas, com relação aos Eldar, sem dúvida ele tinha esse propósito também neste caso: com medo e mentiras fazer dos Homens os inimigos deles e trazê--los do Leste contra Beleriand. Mas esse desígnio demorou a amadurecer e nunca foi de todo conseguido; pois os Homens (diz-se) eram, no começo, muito poucos em número, enquanto Morgoth teve medo das novas do poder e da união crescentes dos Eldar e voltou a Angband, deixando para trás, naquele tempo, apenas uns poucos serviçais, e aqueles de menor poder e ardileza.

§81 É certo que, nesse tempo (que foi o tempo de seu retorno, caso o relato anteriormente mencionado seja verdadeiro, como devemos crer), Morgoth deu início a um novo mal, desejando acima de tudo semear medo e desunião entre os Eldar em Beleriand. Mandou então que os Orkor capturassem vivo qualquer um dos Eldar que pudessem e o trouxessem atado a Angband. Pois era o intento de Morgoth usar o saber e o engenho deles sob coação para seus próprios fins; ademais, deleitava-se em atormentá-los, e outrossim pela dor arrancava deles por vezes novas dos feitos e conselhos de seus inimigos. Alguns, de fato, ele conseguia acovardar tanto, pelo terror de seus olhos, que eles não mais precisavam de grilhões, mas andavam sempre no temor dele, fazendo sua vontade onde quer que estivessem. Esses ele libertava e deixava que retornassem para obrar traição entre sua própria gente. Desse modo também a maldição de Mandos se cumpria, pois, após algum tempo, os Elfos passaram a temer aqueles que afirmavam ter escapado da servidão, e amiúde aqueles infelizes que os Orques apanhavam, mesmo que escapassem dos labores, apenas vagavam sem lar e sem amigos dali em diante, tornando-se proscritos nas matas.

§82 E apesar de muito tempo se passar antes que todos esses males começassem a aparecer, diz-se que mesmo após a vitória da Terceira Batalha alguns dos Eldar (quer capturados por bandos de salteadores nas matas, quer por serem demais temerários na perseguição do inimigo) foram assim apanhados e levados a Morgoth. E, assim, ele descobriu muito de tudo o que sobreviera desde a rebelião de Fëanor e se regozijou, vendo ali a semente de muitas dissensões entre seus inimigos. Mas assim também chegou ao conhecimento dos Eldar que as Silmarils ainda existiam, e haviam sido postas na Coroa de Ferro que Morgoth usava em seu trono sombrio. Pois os Noldor eram ainda uma raça magna, e poucos deles ele podia acovardar tanto a ponto de fazerem sua vontade, mas, ao escaparem, tornavam-se amiúde seus inimigos mais mortais.

§83 No *Quenta Noldorinwa* é recontado de que maneira, após a Dagor Aglareb, os senhores dos Noldor e dos Sindar dispuseram a terra, durante o Cerco de Angband. Aqui basta dizer que [*acrescentado:* mais a oeste, a princípio, Turgon habitou em Nivrost, ao sul de Drengist, entre as Eryd Lómin e o Mar; mas] Fingolfin e Fingon regiam Hithlum e tinham sua morada e principal fortaleza em Eithel Sirion; e tinham também cavaleiros que cavalgavam nos campos de Ardgalen, pois, de poucos, seus cavalos haviam se multiplicado rapidamente, e a relva de Ardgalen ainda era rica e verdejante. Com aqueles cavalos, muitos dos antepassados tinham vindo de Valinor, e foram dados a Fingolfin por Maidros em reparação por suas perdas, pois tinham sido carregados por navio de Losgar.

§84 Os filhos de Finrod mantinham a terra de Hithlum ao limite oriental de Dorthonion. Inglor e Orodreth mantinham o passo do Sirion, mas Angrod e Egnor mantinham as encostas do norte de Dorthonion, que iam até o Aglon, onde começava a Marca de Maidros mencionada anteriormente.

§85 Por trás desse sítio, do Mar às Eryd Luin, os vastos países de Beleriand, a oeste e a leste do Sirion, eram mantidos dessa maneira. Embora Fingolfin de Hithlum fosse suserano de todos os Noldor, Inglor, bem-amado por todos os Elfos, tornou-se de fato o maior príncipe da terra. Pois Rei Felagund ele era em Nargothrond, enquanto seus irmãos Angrod e Egnor eram senhores de Dorthonion e seus vassalos; e ele possuía também um forte e lugar de batalha no norte, no vasto passo entre Eredwethrin e Dorthonion, através do qual o Sirion corria para o sul. Havia uma ilha em meio ao rio, e nela Inglor ergueu uma poderosa torre de vigia: Minnas-tirith: e lá, quando Nargothrond foi construída, ele colocou Orodreth como guardião. Mas, em ambos os lados do Narog, toda a gente de cada uma das raças que habitava nas terras o tinham por senhor, até as Fozes do Sirion no sul, e do Nenning no Oeste até as fronteiras de Doriath a leste. Mas em Eglarest, e a oeste do Nenning até o Mar, Cirdan, o Armador, era senhor, mas sempre teve amizade estreita com Nargothrond.

§86 Doriath, na região central da terra, era o reino do Rei Thingol; e a leste, as vastas regiões ao sul da Marca de Maidros, até as fronteiras de Ossiriand, eram consideradas o domínio dos filhos de Fëanor. Mas poucos habitavam lá, salvo caçadores e Elfos-cinzentos errantes, e lá Damrod e Díriel moravam e pouco iam para o norte enquanto o Cerco durou. Para lá outros dos Senhores-élficos por vezes cavalgavam, mesmo os que viviam longe, para caçar nas matas verdes; mas nenhum jamais passava ao leste por sobre as Eryd Luin, ou vislumbrava Eriador, salvo apenas os Elfos-verdes, que tinham parentes que habitavam ainda nas terras mais além. Assim, poucas e tardias novas chegavam a Beleriand sobre o que se passava nas regiões do Leste.

**60–445**

§87 Em sua maior parte, o tempo do Cerco de Angband foi um tempo de contentamento, e a terra teve paz sob a nova luz, enquanto as espadas dos Noldor continham a malícia de Morgoth, e com seu pensamento voltado para a ruína deles, ele dava pouca atenção a quaisquer outras coisas na Terra-média. Nessa época, portanto, os Homens cresceram e se multiplicaram, [e mantinham colóquio com os Elfos-escuros das Terras-do-Leste >], e entre eles havia alguns que mantinham colóquio com os Elfos da Terra-média, / e aprenderam muito com eles. [Deles, diz-se, receberam os primórdios das muitas línguas dos Homens. Assim ouviram rumores dos Reinos Abençoados [*sic*] do Oeste e dos Poderes que habitavam lá, e muitos dos Pais de Homens, os *Atanatári*, em suas andanças seguiam sempre para oeste. *Essa passagem foi reescrita da seguinte forma:*] Deles, diz-se, receberam os primórdios das línguas ocidentais dos Homens; e deles também ouviram rumores dos Reinos Abençoados do Oeste e dos Poderes de Luz que habitavam lá. Portanto, muitos dos Pais de Homens, os *Atanatári*, em suas andanças seguiam sempre para oeste, fugindo da escuridão que os havia enredado. Pois esses Amigos-dos-Elfos eram Homens que haviam se arrependido e se rebelado contra o Poder Sombrio, e eram cruelmente perseguidos e oprimidos por aqueles que o veneravam, e pelos serviçais dele.

**64**

§88 Ora, a inquietação que Ulmo pusera em seu coração retornou a Turgon em Nivrost, e ele, portanto, reuniu sua gente, que chegava a uma terça parte dos Noldor do povo de Fingolfin (tampouco havia qualquer um dos Sindar entre eles), e, com suas esposas e bens, partiram secretamente pelo sul das Ered-wethrin, e poucos sabiam para onde tinham ido. Mas Turgon chegou a Gondolin, e lá sua gente foi adiante com a construção da cidade que ele imaginara em seu coração; e montaram nela uma guarda para que ninguém de fora topasse com a cidade. [*Esse anal posteriormente foi alterado para o seguinte:*]

§89 Ora, a inquietação que Ulmo pusera em seu coração retornou a Turgon em Nivrost, e ele, portanto, reuniu muitos dos mais hábeis de sua gente e os levou secretamente até Gondolin, e lá começaram a construir a forte cidade que Turgon tinha imaginado em seu coração; e montaram uma guarda nela para que ninguém de fora topasse com o trabalho deles.

**65**

§90 Aqui, com o auxílio dos Noldor (cujo engenho em muito superava o dos Sindar), Brithombar e Eglarest foram murados com grandes muralhas, e belas vilas foram erguidas dentro deles, e portos com ancoradouros e píeres de pedra. E a Torre de Ingildon foi erguida sobre o cabo a oeste de Eglarest, para vigiar o Mar, embora sem necessidade, como se revelou. Pois jamais, em momento algum, Morgoth buscou construir navios ou fazer guerra pelo mar.

A água todos os seus servos evitavam, e do Mar nenhum chegava perto por vontade própria, salvo em grande necessidade.

**66**

§91 Ora, Galaðriel, irmã de Finrod, como se contou, habitava com Melian, e lhe era cara. E por vezes elas falavam juntas de Valinor e da ventura de outrora; mas, para além da hora sombria da morte das Árvores, Galaðriel não ousava ir, mas sempre quedava em silêncio.

§92 E, certa vez, Melian disse: "Há alguma dor que jaz sobre ti e tua gente. Isso posso ver em ti, mas tudo o mais está oculto de mim; pois por nenhuma visão ou pensamento posso eu perceber qualquer coisa que se passou ou se passa no Oeste: uma sombra jaz sobre toda a Terra de Aman e chega às lonjuras do Mar. [Não irás >] Por que não queres me contar mais?"

"Porque essa dor passou," respondeu Galaðriel, "e eu queria ter a alegria que restou aqui imperturbada pela memória. E talvez haja suficiente dor por vir, embora a esperança ainda pareça forte."

§93 Então Melian olhou nos olhos dela e comentou: "Não creio que os Noldor tenham vindo como mensageiros dos Valar, como se disse no princípio: não, embora tenham vindo na hora mesma de nossa necessidade. Pois eis que não falam nunca dos Valar, nem trouxeram seus grandes senhores qualquer mensagem a Thingol, seja de Manwë, ou de Ulmo, ou mesmo de Olwë, o irmão do rei, e de seu próprio povo que partiu para além-Mar. Por que motivo, Galaðriel, o alto povo dos Noldor foi expulso como exilados de Aman? Ou que mal jaz sobre os filhos de Fëanor para serem tão arrogantes e cruéis? Não miro perto da verdade?"

§94 "Perto, senhora," replicou Galaðriel, "salvo que não fomos expulsos, mas viemos por nossa própria vontade e contra aquela dos Valar. E através de grande perigo e à revelia dos Valar com este propósito viemos: para obter vingança de Morgoth [ou >] e recuperar o que ele roubou." Então Galaðriel falou a Melian das Silmarils e do assassinato do Rei Finwë. Mas ainda não proferiu palavra sobre o Juramento, nem sobre o Fratricídio, nem sobre o incêndio dos navios.

§95 Mas Melian, que ainda a olhava nos olhos enquanto falava, disse: "Agora muito me contas, e ainda mais eu percebo. Uma escuridão desejas ainda lançar sobre a longa estrada desde

Tirion, mas vejo o mal ali, um mal que Thingol deve conhecer para se guiar."

"Talvez," disse Galaðriel, "mas não por mim."

§96 E Melian não falou mais então dessas matérias com Galaðriel; mas ela contou ao Rei Thingol tudo o que ouvira das Silmarils. "Essa é uma grande matéria," disse ela, "maior, de fato, do que os próprios Noldor compreendem. Pois eis que a Luz de Aman e a sina de Arda estão encerradas nessas coisas, a obra de Fëanor, que agora se foi. Elas não hão de ser recuperadas, prevejo, por qualquer poder dos Eldar; e o mundo será despedaçado em batalhas que estão por vir, antes que sejam arrancadas de Morgoth. Vê agora! A Fëanor mataram (e a muitos outros, adivinho); mas a primeira de todas as mortes que trouxeram e ainda hão de trazer foi a de Finwë, teu amigo. Morgoth o matou antes que fugisse de Aman."

§97 Então Thingol ficou em silêncio por um tempo, estando cheio de tristeza e presságio; mas, por fim, disse: "Agora, afinal, entendo a chegada dos Noldor do Oeste, com a qual me admirara muito antes. Não foi em nosso auxílio que vieram (salvo por acaso); pois aqueles que permanecem na Terra-média os Valar deixarão à sua própria sorte, até a última necessidade. Por vingança e reparação de sua perda os Noldor vieram. Contudo, ainda mais certos hão de ser como aliados contra Morgoth, com quem, agora, não se deve pensar que jamais hão de fazer tratado."

§98 Mas Melian disse: "Em verdade, por essas causas vieram; mas por outras também. Cuida-te dos filhos de Fëanor! A sombra da ira dos Deuses jaz sobre eles; e cometeram o mal, percebo, tanto em Aman como contra sua própria gente. Um rancor que mal chegou a dormir jaz entre os príncipes dos Noldor."

§99 E Thingol disse: "O que tenho com isso? De Fëanor ouvi apenas relato que o engrandece, realmente. De seus filhos ouço pouco que seja para o meu prazer; porém, é provável que se mostrem os inimigos mais mortais de nosso inimigo."

"Suas palavras e seus conselhos hão de ter dois gumes", disse Melian; e depois disso não falaram mais dessa matéria.

**67**

§100 Não demorou para que histórias sussurradas começassem a circular em meio aos Sindar acerca dos atos dos Noldor antes que chegassem a Beleriand. De onde vieram agora é certo (embora não o fosse antes), e, como bem se pode pensar, a verdade maligna foi aumentada e envenenada com mentiras. Morgoth escolheu os Sindar para esse primeiro ataque de sua malícia, pois não o conheciam, e ainda eram descuidados e confiantes em palavras. Portanto, Cirdan, ouvindo essas histórias sombrias, ficou perturbado. Sábio ele era, e percebeu rapidamente que, verdadeiras ou falsas, essas histórias estavam sendo espalhadas naquela hora com malícia; mas a malícia ele julgava ser aquela dos príncipes dos Noldor, por causa da inveja entre suas casas. Portanto, enviou mensageiros a Thingol para contar tudo o que ouvira.

§101 E aconteceu que, naquele tempo, os filhos de Finrod eram de novo hóspedes de Thingol, pois desejavam ver sua irmã, Galaðriel. Então Thingol, estando grandemente angustiado, falou irado a Inglor, dizendo: "Mal me fizeste, parente, ao ocultar tão grandes matérias de mim. Pois eis que descobri todos os atos malignos dos Noldor."

§102 Mas Inglor respondeu: "Que mal fiz a vós, senhor? Ou que ato maligno os Noldor praticaram em todo o vosso reino para vos agravar? Nem contra a vossa realeza nem contra qualquer um de vossa gente eles pensaram mal ou praticaram o mal."

§103 "Espanto-me contigo, filho de Eärwen," disse Thingol, "ao ver que te sentas à mesa de teu parente assim, de mãos rubras do assassinato do sangue de tua mãe, e, ainda assim, nada dizes em tua defesa, nem buscas perdão algum!"

§104 E Inglor ficou duramente perturbado, mas se manteve em silêncio, pois não podia se defender, salvo trazendo acusações contra os outros príncipes dos Noldor; e isso se recusava a fazer diante de Thingol. Mas, no coração de Angrod, a memória das palavras de Cranthir retornou com amargura, e ele gritou: "Senhor, não sei que mentiras ouvistes, nem de onde. Mas não temos as mãos rubras. Sem culpa partimos de Aman, salvo talvez de insensatez, por escutarmos as palavras do cruel Fëanor e por ficarmos como que ébrios de vinho, com a mesma brevidade da embriaguez. Nenhum mal fizemos em nossa estrada, mas nós próprios sofremos grande injustiça. E a perdoamos. Nossa paga é sermos chamados de maldizentes e de traidores dos Noldor. Injustamente, como sabeis, pois por nossa lealdade temos ficado em silêncio diante de vós e, assim, granjeamos vossa raiva. Mas agora essas acusações não serão mais suportadas, e a verdade haveis de saber." Então ele falou cheio de amargura contra os filhos de Fëanor, contando do sangue em Alqualondë, e da sentença de Mandos, e do incêndio dos navios em Losgar. "Donde então havíamos nós, que suportamos o Gelo Pungente, de carregar os nomes de fratricidas e traidores?", gritou ele.

§105 "A sombra de Mandos, contudo, jaz sobre vós também", disse Melian. Mas Thingol ficou longo tempo em silêncio antes de falar. "Ide agora!", replicou. "Pois meu coração arde dentro de mim. Mais tarde podereis retornar, se desejardes. Pois não cerrarei minhas portas para sempre diante de vós, minha gente, que fostes enredados num mal que não auxiliastes. Com Fingolfin e sua gente também manterei amizade, pois pagaram amargamente pelo mal que fizeram. E, no nosso ódio ao Poder que gerou toda essa dor, nossos pesares hão de se perder.

§106 "Mas ouvi isto! Nunca mais em meus ouvidos há de ser escutada a língua daqueles que mataram minha gente em Alqualondë! Nem em todo o meu reino aquela língua há de ser falada abertamente enquanto o meu poder durar. Todos os Sindar hão de ouvir minha ordem de que não devem nem falar a língua dos Noldor, nem responder a ela. E todos os que a usarem hão de ser considerados assassinos e traidores impenitentes de sua gente."

§107 Então os filhos de Finrod partiram de Menegroth de coração pesaroso, percebendo como as palavras de Mandos sempre se mostravam verdadeiras, e que nenhum dos Noldor que seguiram a Fëanor podia escapar da sombra que jazia sobre sua casa. E veio a acontecer tal como Thingol dissera; pois os Sindar ouviram suas palavras e, dali em diante, por toda Beleriand, recusaram a língua dos Noldor e evitaram aqueles que a falavam em voz alta; mas os Exilados adotaram a língua sindarin em todos os seus usos diários, [exceto em Gondolin, onde os Noldor habitavam sem se misturar, mas isso ainda se encontrava oculto] e a alta fala do Oeste era usada apenas pelos senhores dos Noldor entre eles mesmos, porém ela sobreviveu sempre como uma linguagem de saber onde quer que alguém daquela gente habitasse.

**102**

§108 Por volta dessa época está registrado que Nargothrond foi concluída, e os filhos de Finrod se reuniram lá para um banquete e Galadriel veio de Doriath e habitou lá por algum tempo. Ora, o

Rei Inglor Felagund não tinha esposa, e Galadriel lhe perguntou o porquê disso; mas veio sobre Felagund um presságio, conforme ela falava, e ele disse: "Um juramento também hei de fazer, e devo estar livre para cumpri-lo e adentrar a escuridão. Nem nada de todo meu reino há de durar para que um filho possa herdá-lo."

§109 Mas diz-se que, até aquela hora, tais pensamentos gélidos não o tinham governado; pois, de fato, aquela a quem ele amara fora Amárië dos Vanyar, e ela não teve permissão de seguir com ele para o exílio.

**116**

§110 Neste ano, de acordo com os registros daquela cidade, Gondolin foi completada, em cinquenta anos após a vinda de Turgon de Nivrost. Mas nenhuma nova desse feito atravessou as montanhas, nem qualquer dos parentes de Turgon foi convidado a um banquete. [*Esse anal foi posteriormente riscado e substituído pelo seguinte adendo, §§111–13:*]

§111 Neste ano, Gondolin foi completada, após cinquenta [*acrescentado:* e 2] anos de trabalho secreto. Então, portanto, Turgon preparou-se para partir de Nivrost, e deixar seus belos salões em Vinyamar, sob o Monte Taras; e então [pela última vez o próprio Ulmo veio até ele >] Ulmo veio até ele uma segunda vez / e disse: "Agora irás enfim para Gondolin, Turgon; e porei meu poder sobre o Vale do Sirion, de modo que ninguém há de perceber tua passagem, nem ninguém há de achar lá a entrada escondida de tua terra contra tua vontade. Mais que todos os reinos dos Eldalië, Gondolin há de resistir a Melkor. Mas não a ames demais e lembra-te de que a verdadeira esperança dos Noldor jaz no Oeste e vem do Mar."

§112 E Ulmo alertou Turgon de que ele também estava sob a Sentença de Mandos, que Ulmo não tinha poder para remover. "Assim, pode vir a se dar", disse ele, "que a maldição dos Noldor venha a te achar também antes do fim, e que a traição desperte dentro de tuas muralhas. Então correrão perigo de fogo. Mas, se esse perigo se aproximar, então da própria Nivrost há de vir aquele que vai te alertar e dele, para além da ruína e do fogo, esperança há de nascer para Elfos e Homens. Deixa, portanto, nesta casa, armadura e uma espada, para que em anos vindouros ele possa achá-las e assim haverás de conhecê-lo sem ser enganado." E Ulmo mostrou a Turgon de que feitio e estatura deveria ser a cota de malha e o elmo e a espada que ele deixaria para trás.

§113 Então Ulmo retornou ao Mar; e Turgon mandou adiante todo o seu povo (que chegava a uma terça parte dos Noldor da Casa de Fingolfin, e uma hoste ainda maior dos Sindar), e eles passaram avante, companhia por companhia, secretamente, sob as sombras das Eryd Wethion, e chegaram sem ser vistos com suas esposas e bens a Gondolin, e ninguém soube para onde tinham ido. E, último de todos, Turgon levantou-se e partiu com seus senhores e casa silenciosamente, através dos montes, e passou os portões das montanhas e os trancou. Mas Nivrost esvaziara-se de gente e assim permaneceu até a ruína de Beleriand.

**150**

§114 O povo de Cranthir, filho de Fëanor, habitava para além das águas a montante do Gelion, em volta do Lago Helevorn, sob a sombra das Montanhas Azuis. Nessa época é dito que eles pela primeira vez subiram as montanhas e olharam para o leste, e vasta e selvagem lhes pareceu a Terra-média. Assim foi que a gente de Cranthir encontrou os Naugrim, os quais, depois do ataque de Morgoth e da chegada dos Noldor, tinham cessado seu comércio em Beleriand. Ora, embora ambos os povos amassem o engenho e estivessem ávidos por aprender, houve pouco amor entre os Noldor e os Anãos. Pois os Anãos eram circunspectos e rápidos para o ressentimento, enquanto Cranthir era presunçoso e mal ocultava o escárnio pela fealdade dos Naugrim, e sua gente seguia seu senhor. Mesmo assim, posto que ambos os povos temiam e odiavam a Morgoth, fizeram aliança, e tiveram dela grande proveito. Pois os Naugrim aprenderam muitos segredos de artífice naqueles dias, de modo que os ferreiros e pedreiros de Nogrod e Belegost ganharam renome entre sua gente; mas os Noldor obtiveram grande riqueza de ferro, e seus arsenais ficaram repletos de reservas de armas e petrechos de guerra. Ademais, depois disso, até o poder de Maidros ser subjugado, todo o comércio das minas-anânicas passava primeiro pelas mãos de Cranthir, e assim ele obteve grandes riquezas.

**155**

§115 Aqui, após longa quietude, Morgoth tentou apanhar Fingolfin desprevenido (pois sabia da vigilância de Maidros); e enviou um exército para o norte branco, e ele virou então para o oeste e, depois, para o sul, e chegou pelas costas até o estreito de Drengist, e dessa maneira adentraria o coração do reino de Hithlum. Mas o exército foi percebido a tempo e levado a uma armadilha em meio aos montes, na ponta do estreito, e a maioria dos Orques foi lançada ao mar. Essa não foi contada entre as grandes batalhas, e foi apenas a mais perigosa de muitas provas e investidas que Angband de quando em vez viria a fazer contra o sítio. Depois disso, houve paz por muitos anos e nenhum ataque aberto de Angband; pois Morgoth percebia agora que os Orques, sem auxílio, não eram páreo para os Noldor, salvo em tais números como os que ele ainda não era capaz de reunir. Portanto, buscou em seu coração novo conselho, e pensou em dragões.

## 260

§116 Aqui Glaurung, o primeiro dos Urulóki, os dracos-de-fogo do Norte, saiu do portão de Angband à noite. Era ainda jovem e mal crescera à metade (pois longa e lenta é a vida daquelas serpes), mas os Elfos fugiram diante dele para as Erydwethrin e Dorthonion em desespero; e ele conspurcou os campos de Ardgalen. Então Fingon, príncipe de Hithlum, cavalgou contra ele com arqueiros a cavalo e o cercou por todo lado com um anel de cavaleiros velozes. E Glaurung, por sua vez, ficou consternado, pois não conseguiu suportar seus dardos, ainda não tendo chegado à sua armadura plena; e fugiu de volta ao inferno, e não saiu de novo por muitos anos. Mas a Morgoth pouco agradara que Glaurung tivesse se revelado cedo demais; e, depois de sua derrota, veio a longa paz de quase duzentos anos. Em todo aquele tempo, houve não mais que escaramuças nas fronteiras do norte, e toda Beleriand prosperou e se tornou rica, e os Noldor construíram muitas torres e belas habitações e muitas coisas belas fizeram, e muitos poemas e tratados históricos e livros de saber. E em muitas partes da terra os Noldor e os Sindar se fundiram em uma só gente e falavam a mesma língua; embora esta diferença permanecesse sempre entre eles: a de que os Noldor de raça mais pura tinham o maior poder de mente e corpo, sendo os guerreiros e sábios mais poderosos, e construíam com pedra, e amavam antes as encostas dos montes e as terras abertas. Enquanto os Sindar tinham as vozes mais belas, e eram mais hábeis em música (salvo apenas

Maglor, filho de Fëanor), e amavam as matas e as beiras de rios, e alguns ainda vagavam aqui e ali sem morada certa e cantavam enquanto seguiam.

*[Isfin e Ëol]*

Neste ponto do manuscrito, meu pai inseriu um anal para o ano 316 acerca de Isfin e Ëol, substituindo o anal presente no manuscrito do ano 471, que foi riscado. Ele escreveu o novo registro no verso de uma página de uma agenda de novembro de 1951; e, na mesma página, acrescentou dois outros anais acerca do mesmo assunto, para os anos 320 e 400. Fica mais claro e mais conveniente fornecer todos os quatro anais (isto é, o original do ano 471 e os três posteriores) juntos aqui.

§117 [*Anal rejeitado para o ano 471*] Neste ano, Isfin, a Branca, irmã de Turgon, cansada da cidade e desejosa de tornar a ver Fingon, seu irmão, partiu de Gondolin contra a vontade e o conselho de Turgon; e ela se desgarrou em Brethil e perdeu-se na floresta sombria. Lá Ëol, o Elfo-escuro, que habitava na floresta, encontrou-a e a tomou como esposa. Nas profundezas da mata ele vivia e evitava o sol, desejoso apenas da luz das estrelas de antigamente; pois assim ele habitara desde a primeira descoberta de Beleriand, e não tomara parte em nenhum dos feitos de sua gente.

**316**

§118 Aqui Isfin, a Branca, irmã de Turgon, cansada da cidade, partiu de Gondolin contra [a vontade >] o desejo de Turgon. E ela não foi até Fingon, como ele pedira, mas buscou os caminhos para o Leste, para a terra de Celegorm e dos irmãos deste, seus amigos de outrora em Valinor. Mas ela se desgarrou de sua escolta nas sombras de Nan Dungorthin, e seguiu sozinha; e chegou, por fim, a Nan Elmoth. Lá ela caiu sob os encantamentos de Ëol, o Elfo-escuro, que habitava na mata e evitava o sol, desejoso apenas da luz das estrelas de antigamente. E Ëol a tomou como esposa, e ela habitou com ele, e nenhuma notícia a seu respeito chegou a qualquer um de sua gente; pois Ëol não permitia que ela se afastasse muito, nem que passeasse a não ser no escuro ou no crepúsculo.

**320**

§119 Aqui Isfin, a Branca, deu um filho em Nan Elmoth a Ëol, o Elfo-escuro; e ela quis chamá-lo (?) Fingol [*acrescentado:* dur], mas Ëol o chamou de Glindûr [*posteriormente* > Maeglin]; pois esse era o nome do metal de Ëol, que ele próprio inventara, e esse metal era escuro, dúctil e, ainda assim, forte; e da mesma forma o era seu filho.

**400**

§120 Aqui Isfin e seu filho Glindûr [*posteriormente* > Maeglin] fugiram de Ëol, o Elfo-escuro, em Nan Elmoth, e chegaram a Gondolin, e foram recebidos com júbilo por Turgon, que julgava a irmã morta ou perdida para além de qualquer possibilidade de ser encontrada. Mas Ëol, seguindo-os com furtividade, encontrou a Via Oculta, e foi levado pela Guarda até Turgon. Turgon o recebeu bem, mas Ëol estava irado e cheio de ódio dos Noldor, e falou indignamente, e exigiu partir com o filho. E quando isso lhe foi negado, ele tentou matar Glindûr [*não emendado*] com um dardo envenenado, mas Isfin saltou diante do filho e foi ferida, e morreu naquele dia. Portanto, Ëol foi sentenciado à morte, e lançado das altas muralhas de Gondolin; e ele amaldiçoou o filho ao morrer, prevendo que ele viria a ter uma morte similar. Mas Glindûr [*posteriormente* > Maeglin] habitou em Gondolin e tornou-se grande entre os senhores da cidade.

**370**

§121 Aqui Bëor, o mais velho dos Pais de Homens do Oeste, nasce a leste das montanhas.

**388**

§122 Aqui Haleth, o Caçador, nasce em Eriador.

**390**

§123 Aqui também, em Eriador, nasce Hador, o de Cabelos Dourados, cuja casa mais tarde foi a mais renomada de todas as gentes dos Amigos-dos-Elfos.

**400**

§124 Aqui o Rei Inglor Felagund saiu a caçar nas matas orientais, como é contado no *Quenta*, e entrou em Ossiriand, e lá topou com Bëor e seus homens, que haviam recentemente chegado por sobre as montanhas. Bëor tornou-se vassalo de Felagund, e voltou com ele para a região ocidental, e habitou com ele até a morte. Houve grande amor entre eles. No leste de Beleriand nasce Bregolas, filho de Bëor.

**402**

§125 Aqui houve confrontos nas fronteiras do norte, mais implacáveis do que tinha havido desde a derrota de Glaurung; pois os Orques tentaram atravessar o passo do Aglon. Lá Maidros e Maglor foram auxiliados pelos filhos de Finrod, e Bëor estava com eles, o primeiro dos Homens a sacar a espada em nome dos Eldar. Neste ano nasce Barahir, filho de Bëor, que mais tarde habitou em Dorthonion.

**413**

§126 Nasce Hundor, filho de Haleth.

**417**

§127 Nasce Galion, o Alto, filho de Hador [sob as sombras das Eryd Lindon >], em Eriador.

**419**

§128 Nasce Gundor, filho de Hador, sob as sombras das Eryd Lindon.

**420**

§129 Neste ano Haleth, o Caçador, entrou em Beleriand vindo de Eriador. Logo depois entrou também Hador, o de Cabelos Dourados, com grandes companhias de Homens. Haleth permaneceu no vale do Sirion, e sua gente vagou muito ao caçar, sem dever obediência a nenhum príncipe; mas suas moradas ficavam no fundo da floresta de Brethil, entre o Taiglin e o Sirion, onde antes ninguém habitara por causa da grandeza e escuridão das árvores. Hador, ao saber que havia espaço e necessidade de gente em Hithlum, e vindo de um povo nortista, tornou-se vassalo de Fingolfin; e ele fortaleceu grandemente os exércitos do rei, e recebeu vastas terras em Hithlum no país de Dor-Lómin. Houve sempre grande amor entre os Eldar e a casa de Hador, e a gente de Hador foi a primeira dos Homens a abandonar a própria língua e falar a língua-élfica de Beleriand.

§130 Diz-se que nessas matérias ninguém, salvo Inglor, aconselhou-se com o Rei Thingol. E isso não lhe agradou, tanto por essa razão como porque estava atormentado por sonhos acerca da vinda dos Homens, muito antes que as primeiras notícias deles fossem ouvidas. Portanto, ordenou que os Homens tomassem terras para habitar apenas no norte, em Hithlum e Dorthonion, e que os príncipes a quem servissem fossem responsáveis por tudo o que fizessem. E ele disse: "Em Doriath, nenhum Homem há de vir enquanto o meu reino durar, nem mesmo aqueles da casa de Bëor que servem a Inglor, o bem-amado."

§131 Melian nada respondeu a ele naquele tempo, mas depois falou a Galadriel: "Agora o mundo avança velozmente para grandes mudanças. E vê, um dos Homens da própria casa de Bëor há de vir, de fato, e o Cinturão de Melian não há de impedi-lo, pois uma sina maior que o meu poder há de enviá-lo; e as canções que nascerão dessa vinda hão de durar quando toda a Terra-média estiver mudada."

## 422

§132 Aqui, pelo rogo de Inglor, Thingol permitiu que o povo de Haleth vivesse em Brethil, pois tinham boa amizade com os Elfos da floresta.

§133 E nesse tempo, com a força dos Homens acrescentada aos Noldor, a esperança deles foi elevada, e Morgoth foi enclausurado mais de perto; pois a gente de Hador, sendo forte para suportar frio e longas andanças, não temia, por vezes, ir ao extremo Norte e lá montar guarda diante de quaisquer movimentos do Inimigo. Ora, Fingolfin começou a ponderar um ataque a Angband; pois sabia que viviam em perigo enquanto Morgoth fosse livre para labutar em suas minas profundas, inventando males que ninguém podia prever antes que ele os revelasse. Mas, porque a terra tornara-se tão bela, a maioria dos Eldar estava contente com as coisas como estavam, e tardava a começar um ataque no qual muitos certamente pereceriam, fosse em vitória ou em derrota. Portanto, os desígnios dele foram atrasados e, no fim, não chegaram a nada.

§134 Os Homens das Três Casas então cresceram e se multiplicaram; e aprenderam sabedoria e ofícios e belas falas com os Eldar, e tornaram-se mais como eles do que qualquer outra raça, mas se submeteram de bom-grado aos Senhores-élficos e eram leais; e ainda não havia pesar entre as duas gentes.

§135 Os homens de Bëor tinham cabelos morenos ou castanhos, mas eram claros de rosto, com olhos cinzentos; formosos, de coragem e resistência, contudo não eram maiores em estatura do que os Eldar daquele tempo. Pois os Noldor, de fato, eram altos como o são nos dias posteriores homens de grande poderio e majestade. Mas o povo de Hador era de força e estatura ainda maiores, magno entre os Filhos de Eru, de mente pronta, ousado e resoluto. De cabelos louros eram, em sua maioria, e de olhos azuis* e suas mulheres eram altas e belas. Parecidos com eles eram os homens-da-floresta de Haleth, porém de ombros um tanto mais largos e menores de estatura.

**423**

§136 A gente de Hador entra em Dorlómin. [*Esse registro foi um acréscimo tardio a lápis.*]

**[425 >] 424**

§137 Nasce Baragund, filho de Bregolas, filho de Bëor, em Dorthonion.

**428**

§138 Nasce Belegund, seu irmão.

**432**

§139Nasce Beren, filho de Barahir, filho de Bëor, em Dorthonion, que mais tarde foi chamado *Erchamion*, o Uma--Mão, e *Camlost*, o de Mão-vazia. Sua mãe era Emeldir do Coração-de-homem.

*Não Túrin, cuja mãe era da casa de Bëor.

### 436

§140 Hundor, filho de Haleth, desposou Glorwendil, filha de Hador.

### 441

§141 Nasce Húrin, o Resoluto, filho de Galion, filho de Hador, em Hithlum. No mesmo ano nasce Handir, filho de Hundor.

### [445 >] 443

§142 Nasce Morwen Eleðwen, Brilho-élfico, filha de Baragund. Ela era a mais bela de todas as donzelas mortais dos Dias Antigos.

### 444

§143 Nasce Huor, irmão de Húrin.

### 450

§144 Nasce Rían, filha de Belegund, mãe de Tuor, o Abençoado. Nesse ano Bëor, o Velho, pai de Homens, morreu de velhice. Os Eldar viram então pela primeira vez [a morte pelo cansaço, sem ferida ou enfermidade; *por uma mudança tardia a lápis* >] a passagem célere da vida dos Homens e a chegada da morte sem ferida ou tristeza; e se admiraram com a sina dos Homens, grandemente pesarosos pelo tempo curto que lhes era designado. Bregolas então governou o povo de Bëor.

### 455

§145 *O Fero Ano*. Aqui chegaram ao fim a paz e o júbilo. No inverno, no início do ano, Morgoth soltou por fim a força que congregara por longo tempo, e buscou então romper com um grande golpe o sítio de Angband, e derrotar os Noldor e destruir Beleriand por completo. A Batalha teve início de súbito na noite do meio do inverno, e pesou primeiro e sobremaneira nos filhos de Finrod. Esta é chamada de *Dagor Bragollach*, a Batalha da Chama Repentina. Rios de fogo fluíram das Thangorodrim, e Glaurung, Pai de Dragões, apareceu em seu poderio pleno. As planícies verdejantes de Ardgalen foram queimadas e se tornaram um deserto mofino sem nada que crescesse; e foram chamadas posteriormente de Anfauglith, a Poeira Sufocante.

§146 No ataque às defesas de Dorthonion, Angrod e Egnor, filhos de Finrod, tombaram, e com eles Bregolas foi morto e uma grande parte dos guerreiros da gente de Bëor. Mas Barahir, seu irmão, estava na luta mais a oeste, perto dos passos do Sirion. Ali o Rei Inglor Felagund, vindo apressado do sul, foi derrotado e cercado com uma pequena companhia no Pântano de Serech. Mas Barahir lá chegou com os mais corajosos de seus homens, e rompeu o sítio dos Orques e salvou o Rei-élfico. Então Inglor deu a Barahir seu anel, uma herança de sua casa, em sinal do juramento que fez a Barahir de prestar qualquer serviço que lhe fosse pedido em sua hora de necessidade ou a qualquer um de sua gente. Então Inglor foi para o sul até Nargothrond, mas Barahir retornou a Dorthonion para salvar o que podia do povo de Bëor.

§147 Fingolfin e Fingon haviam marchado de fato de Hithlum em auxílio dos filhos de Finrod, mas foram rechaçados para as montanhas com dolorosas perdas. Hador, agora idoso [*posteriormente* > velho *e* "65" *acrescentado*], tombou defendendo seu senhor em Eithel Sirion, e com ele tombou Gundor, seu filho [*acrescentado posteriormente:* mais novo], varado de muitas flechas. Então Galion, o Alto, assumiu o senhorio da Casa de Hador.

§148 De encontro à Marca de Maidros veio também um grande exército e os filhos de Fëanor foram sobrepujados. Maidros e Maglor resistiram valentemente sobre o Monte de Himring, e Morgoth não pôde ainda tomar a grande fortaleza que eles lá haviam construído; mas os Orques irromperam de ambos os lados, através do Aglon e entre o Gelion e o Celon, e seguiram devastando Beleriand Leste adentro, empurrando os Eldar que tinham pela frente, e Cranthir e Damrod e Díriel fugiram para o sul. Celegorn e Curufin tinham forças poderosas atrás do Aglon, e muitos arqueiros montados, mas eles foram sobrepujados, e Celegorn e Curufin mal escaparam, e passaram para o oeste ao longo das fronteiras setentrionais de Doriath com o séquito montado que puderam salvar e, assim, chegaram por fim ao vale do Sirion.

§149 Turgon não estava naquela batalha, nem Haleth, nem ninguém dos homens de Haleth, salvo uns poucos. [*A seguinte passagem, que vai até o final de §150, foi riscada posteriormente:* Diz-se que naquele outono, antes da Chama Repentina, Húrin, filho de Galion, habitava como filho de criação (como era o costume entre os homens do norte) com Haleth, e Handir e Húrin, por terem idades semelhantes, andavam muito juntos; e, enquanto caçavam no vale do Sirion, encontraram [por acaso ou destino *posteriormente* >] por destino ou pela vontade de Ulmo / a entrada oculta para o vale de Tumladin, onde ficava Gondolin, a cidade protegida. Lá eles foram capturados pelos vigias e levados diante de Turgon, e contemplaram a cidade acerca da qual ninguém que habitava no mundo exterior ainda tinha qualquer conhecimento, salvo Thorondor, Rei das Águias. Mas Turgon os recebeu, pois [mensagens e sonhos enviados por Ulmo, Senhor das Águas, torrentes do Sirion acima, avisaram-no de que o auxílio dos Homens mortais lhe seria necessário. >] Ulmo, Senhor das Águas, advertiu-o a considerar com bondade a gente da Casa de Hador, de quem havia de lhe vir grande ajuda quando precisasse.

§150 Diz-se que Turgon tinha grande apreço pelo menino Húrin, e queria mantê-lo em Gondolin; mas Thorondor trouxe terríveis novas da grande batalha, e Handir e Húrin desejaram partir para compartilhar dos apertos de sua gente. Portanto, Turgon permitiu que partissem, mas eles lhe fizeram juramentos de segredo e jamais revelaram Gondolin; porém, nesse tempo, Húrin compreendeu algo dos conselhos de Turgon, embora os tivesse mantido ocultos em seu coração.]

§151 Quando [*posteriormente* > Mas quando] Turgon soube do rompimento do sítio de Angband, ele enviou mensageiros secretos às fozes do Sirion e à Ilha de Balar, e lá [*a seguinte passagem foi riscada e substituída na época da composição:* construíram muitos navios velozes. Dali muitos içaram a mando de Turgon, buscando a Valinor, para pedir o perdão e o auxílio dos Valar; mas nenhum chegou jamais ao Oeste, e poucos retornaram.

§152 Então pareceu a Fingolfin, Rei dos Noldor, que ele contemplava a completa ruína de seu povo e a derrota sem volta de todas as suas casas, e ficou cheio de ira e desespero. Então cavalgou sozinho até os portões de Angband] buscaram construir navios que pudessem velejar para o extremo Oeste a mando de Turgon, buscando a Valinor, para pedir o perdão e o auxílio dos Valar. Mas os Noldor não possuíam a arte da construção de navios, e todas as embarcações que construíram afundaram ou foram impelidas de volta pelos ventos. Porém, Turgon sempre manteve um refúgio secreto na Ilha de Balar, e a construção de navios jamais foi abandonada por completo.

§153 [*A data original aqui, 456, foi riscada na época da composição*] Morgoth, ao tomar conhecimento da derrota dos filhos de Finrod, e da dispersão do povo de Fëanor, cercou Fingolfin em Hithlum e enviou uma grande força para atacar o passo ocidental que levava aos vales do Sirion; e Sauron, seu lugar-tenente (que em Beleriand era chamado *Gorsodh*), liderou esse ataque, e suas hostes irromperam e sitiaram a fortaleza de Inglor, Minnas-tirith, em Tolsirion. E essa tomaram após amarga luta, e Orodreth, o irmão de Inglor que comandava a fortaleza, foi expulso. Lá ele teria sido morto, mas Celegorn e Curufin chegaram com seus cavaleiros e as forças que puderam reunir, e combateram ferozmente e contiveram a maré por um tempo; e, assim, Orodreth escapou e chegou a Nargothrond. Para lá também, enfim, diante do poderio de Sauron, fugiram Celegorn e Curufin com pequeno séquito; e foram abrigados em Nargothrond com gratidão, e os rancores que havia entre as casas de Finrod e de Fëanor foram esquecidos por algum tempo.

§154 Mas Sauron tomou Minnas-tirith e a transformou em uma torre de vigia para Morgoth, e a encheu com o mal; pois ele era um feiticeiro e um mestre de fantasmas e terror. E a bela ilha de Tolsirion tornou-se amaldiçoada e foi chamada *Tol-in-Gaurhoth*, Ilha dos Lobisomens; pois Sauron alimentava muitos desses seres malignos.

## 456

§155Então Fingolfin, Rei dos Noldor, contemplou (como lhe parecia) a completa ruína de seu povo e a derrota sem volta de todas as suas casas, e ficou cheio de ira e desespero. Portanto, vestiu sua armadura prateada, e tomou seu elmo branco, e sua espada Ringil, e seu escudo azul incrustado com uma estrela de cristal, e, montando em Rochallor, seu grande corcel, cavalgou sozinho e ninguém podia detê-lo. E passou pela Anfauglith como um vento em meio à poeira, e todos os que contemplavam seu avanço fugiam em assombro, crendo que o próprio Oromë chegara: pois uma grande loucura de ira estava sobre ele, de modo que seus olhos brilhavam como os olhos dos Valar. Assim ele chegou sozinho ao portão de Angband, e o golpeou mais uma vez, e, soando um desafio com sua trompa de prata, chamou o próprio Morgoth a vir para fora para combater, gritando: "Aparece, rei covarde, para lutar com tua própria mão! Habitante de toca, controlador de servos, mentiroso e espreitador, inimigo dos Deuses e dos Elfos, vem! Pois quero ver teu rosto covarde".

§156 Então Morgoth veio. Pois não podia recusar tal desafio diante do rosto de seus capitães. Mas Fingolfin lhe resistiu, embora ele se erguesse acima do Rei-élfico como uma tempestade sobre uma árvore solitária, e seu vasto escudo negro sem brasão obscurecesse a estrela de Fingolfin como uma nuvem trovejante. Morgoth lutou com um grande martelo, Grond, que manejava como uma maça, e Fingolfin lutou com Ringil. Rápido era Fingolfin, e, evitando os golpes de Grond, de modo que Morgoth atingia apenas o solo (e com cada golpe uma grande cova era feita), feriu Morgoth sete vezes com sua espada; e os gritos de Morgoth ecoaram nas terras do norte. Porém, enfim cansado, Fingolfin tombou, abatido à terra pelo martelo de Angband, e Morgoth pôs seu pé sobre o pescoço dele e o esmagou.

§157 Em seu último espasmo, Fingolfin cravou o pé do Inimigo na terra com Ringil, e o sangue negro brotou e encheu as covas feitas por Grond. Depois disso, Morgoth sempre andou coxeando. Ora, depois de erguer o corpo do rei caído, Morgoth o destroçaria e o lançaria aos seus lobos, mas Thorondor, chegando de súbito, atacou-o e maculou seu rosto e, agarrando o corpo de Fingolfin, levou-o às montanhas distantes e o depôs num local elevado ao norte do vale de Gondolin; lá as águias ergueram um grande teso de pedras. Houve lamento em Gondolin quando Thorondor trouxe as notícias, pois [o povo da cidade oculta era todo *posteriormente* >] muitos do povo da cidade oculta eram / Noldor da casa de Fingolfin. Ora, Rochallor ficara ao lado do rei até o fim, mas os lobos de Angband o atacaram, e ele escapou deles devido à sua grande rapidez, e correu, por fim, para Hithlum, e seu coração se partiu e ele morreu. Então em grande pesar Fingon assumiu o senhorio da casa de Fingolfin e do reino dos Noldor. [*Acréscimo posterior a lápis:* Mas seu jovem filho (?Findor) [*sic*] Gilgalad ele enviou aos Portos.]

§158 Ora, o poder de Morgoth cobria as terras do norte; mas [*riscado:* ainda] Barahir não recuava e ainda defendia o remanescente de sua terra e gente em Dorthonion. Mas Morgoth perseguiu todos os que restavam dos Elfos ou dos Homens, e enviou

Sauron contra eles; e toda a floresta das encostas ao norte daquela terra se transformou em uma região de terror e nefando encantamento, de modo que foi mais tarde chamada de *Taur-nu-Fuin*, a Floresta sob a Penumbra da Noite.

§159 Por fim, tão desesperado era o caso de Barahir, que Emeldir do Coração-de-homem, sua esposa (cuja intenção era antes lutar ao lado de seu filho e seu marido do que fugir), reuniu todas as mulheres e crianças que ainda tinham restado e deu armas àquelas que queriam usá-las, e as levou para as montanhas atrás de Dorthonion e por caminhos perigosos, até que chegaram com perdas e sofrimento enfim a Brethil. E algumas foram lá recebidas entre a gente de Haleth, e outras seguiram para Dorlómin e para o povo de Galion, filho de Hador. (Entre essas estavam Morwen Eledhwen, filha de Baragund, e Rían, filha de Belegund.) Mas nenhuma jamais tornou a ver os homens que tinham deixado. Pois esses foram mortos um a um, ou fugiram, até que enfim só Barahir e Beren, seu filho, e Baragund e Belegund, filhos de Bregolas, restavam, e com eles [oito >] nove homens desesperados cujos nomes foram lembrados longamente em canção: Dagnir e Ragnor, Raðhruin e Dairuin e Gildor, Urthel e Arthad e Hathaldir, e Gorlim, o Infeliz. Proscritos sem esperança se tornaram, pois suas habitações estavam destruídas, e suas mulheres e filhos, mortos ou capturados, ou haviam fugido com Emeldir. Nenhum auxílio veio a eles e foram caçados feito feras selvagens.

### 458

§160 Aqui Haleth e seus homens enfrentaram os Orques que desceram o Sirion. Nessa batalha eles tiveram auxílio de Doriath (pois habitavam em suas marcas ocidentais), e Beleg, o Arqueiro, chefe dos guardiões-das-marcas de Thingol, trouxe grande força dos Eglath, armados com machados, a Brethil; e, saindo das profundezas da floresta, pegaram de surpresa uma legião de Orques e a destruíram. Assim, por um tempo, a maré negra vinda do Norte foi detida naquela região, e os Orques não ousaram cruzar o Taiglin por muitos anos depois disso.

Neste ponto, meu pai inseriu um extenso adendo no manuscrito, substituindo a passagem rejeitada no anal 455 (§§149–50). Esse adendo foi escrito nos versos de duas folhas da agenda de 1951 (ver p. 63), que abrangiam semanas de agosto-setembro e dezembro daquele ano.

§161 Diz-se que nesse tempo Húrin e Huor, os filhos de Galion, estavam habitando com Haleth [*acrescentado posteriormente:* seu parente] como filhos de criação (como era o costume na época entre os Homens do Norte); e iam ambos lutar contra os Orques, até mesmo Huor, pois não podia ser impedido, embora tivesse só treze anos de idade. E, estando com uma companhia que se desgarrou do resto da tropa, foram perseguidos até o vau de Brithiach; e lá teriam sido capturados ou mortos, se não fosse pelo poder de Ulmo, que ainda era forte no Sirion. Graças a isso uma bruma ergueu-se do rio e escondeu-os de seus inimigos, e eles escaparam para Dimbar e vagaram nos montes sob as muralhas íngremes das Crisaegrim. Lá Thorondor os observou e enviou duas Águias que os tomaram consigo e levaram-nos para além das montanhas, até o vale secreto de Tumladen e a cidade oculta de Gondolin, que nenhum outro homem ainda vira.

§162 Então foram levados diante do Rei Turgon, e ele os acolheu, pois Ulmo lhe aconselhara a tratar bem os da Casa de Hador, da qual grande ajuda havia de vir a ele em sua necessidade. E Húrin e Huor viveram como seus hóspedes por quase um ano; e conta-se que, nesse tempo, Húrin aprendeu algo dos conselhos e propósitos de Turgon. Pois Turgon tinha grande apreço por Húrin e por Huor, seu irmão, e muito conversava com eles; e queria mantê-los em Gondolin, por amor e não só por sua lei. Ora, era a lei do rei que nenhum estranho que encontrasse o caminho, ou que contemplasse o reino protegido, poderia partir dali, até o momento em que o rei [deixasse seu esconderijo >] abrisse as defesas e o povo oculto viesse para fora.

§163 Mas Húrin e Huor desejavam retornar à sua própria gente e partilhar as guerras e dores que o afligiam. E Húrin disse a Turgon: "Senhor, somos apenas homens mortais e diferentes dos Eldar. Eles podem suportar longos anos, aguardando a batalha contra seus inimigos em algum dia longínquo. Mas para nós o tempo é curto, e nossa esperança e força logo fenecem. Além do mais, não achamos a estrada para cá e, de fato, não sabemos ao certo onde esta cidade fica; pois fomos trazidos em medo e assombro pelas altas vias do ar e, por misericórdia, nossos olhos foram velados."

§164 Então Turgon cedeu aos rogos deles, e disse: "Pelo caminho que viestes tendes licença para partir, se Thorondor estiver disposto. Entristeço-me com essa separação, mas, em pouco tempo, como o medem os Eldar, podemos nos encontrar de novo."

§165 Mas diz-se que [Glindûr *posteriormente* >] Maeglin, o filho da irmã do rei, não lamentou em nada a ida deles, [salvo apenas *posteriormente* >] tendo-lhes inveja por nisso o rei ter lhes mostrado favor, pois não amava a gente dos Homens; e disse: "Vossa mercê é maior do que compreendeis, e a lei se tornou menos severa do que outrora, ou do contrário não teríeis escolha a não ser morar aqui até o fim de vossa vida."

§166 "A mercê do rei é de fato grande", respondeu Húrin; "mas, se não temos a tua confiança, então faremos juramentos." E os irmãos juraram nunca revelar os planos de Turgon e manter em segredo tudo o que tinham visto em seu reino. Então se despediram, e as Águias, chegando, levaram-nos embora e os deixaram em Dor Lómin; e sua parentela se regozijou ao vê-los, pois mensagens de Brethil tinham relatado que haviam sido mortos ou capturados pelos Orques. Mas, apesar de contarem que haviam habitado por um tempo em honra nos salões do Rei Turgon, a ninguém, parente ou estranho, jamais se dispuseram a falar acerca da maneira da terra dele, ou de seu ordenamento, ou onde sobre a terra poderia ser encontrada. Ainda assim, a estranha sorte dos filhos de Galion, e sua amizade com Turgon, tornaram-se conhecidas por toda parte, e chegaram aos ouvidos dos serviçais de Morgoth.

O adendo termina aqui, e retorno ao texto original dos *Anais*.

## 460

§167 A floresta de Dorthonion se erguia no rumo sul até virar uma charneca montanhosa. Havia um lago, Tarn-aeluin, no leste dessas terras altas, e campos agrestes havia à sua volta, e toda aquela terra era sem sendas e selvática; pois mesmo nos dias da Longa Paz ninguém tinha vivido ali. Mas as águas do Tarn-aeluin eram vistas com reverência; pois eram claras e azuis de dia e à noite eram um espelho para as estrelas. A própria Melian, dizia-se, havia consagrado aquela água nos dias de outrora. Para lá Barahir e seus proscritos recuaram e ali fizeram seu esconderijo, e Morgoth não conseguia descobri-lo. Mas o rumor dos feitos de Barahir e seus doze homens se espalhou por toda a parte, e encorajou aqueles que se encontravam sob a servidão de Morgoth; e, portanto, ele ordenou que Sauron achasse e destruísse os rebeldes com presteza. Em outros lugares no *Quenta* e na *Balada de Leithian* muito se conta acerca disso, e como Sauron apanhou Gorlim através de um fantasma de sua esposa Eilinel, e o atormentou e enganou, de maneira que revelou os esconderijos de Barahir. Assim, afinal, os proscritos foram cercados e todos mortos, exceto Beren, filho de Barahir. Pois Barahir, seu pai, o enviara em uma missão perigosa para espionar as sendas do Inimigo, e estava longe quando o esconderijo foi tomado, e ao retornar encontrou somente os corpos dos que foram mortos.

§168 Então Beren perseguiu os Orques que haviam matado seu pai e, topando com o acampamento deles, no Poço do Rivil acima de Serech, adentrou-o e matou o capitão no momento em que este se gabava por ser o assassino de Barahir; e tomou do capitão a mão de Barahir que havia sido decepada como um sinal para Sauron. Assim ele recuperou o Anel de Felagund que seu pai usara.

§169 Depois disso, escapando dos Orques, Beren habitou ainda naquelas terras como um proscrito solitário por quatro anos, e realizou tamanhas façanhas de ousadia solitária que Morgoth pôs sua cabeça a prêmio por um preço não menor que o da cabeça de Fingon, Rei dos Noldor.

## 462

§170 Aqui Morgoth renovou seus ataques, visando adentrar ainda mais em Beleriand e consolidar seu domínio rumo ao sul. Por grande que tivesse sido sua vitória na Bragollach, e ele infligira duros males então e no ano seguinte a seus inimigos, suas próprias perdas não tinham sido menores. E então os Eldar haviam se recuperado de seu primeiro desânimo e lentamente estavam reavendo o que tinham perdido. Dorthonion ele agora mantinha e estabelecera Sauron no passo do Sirion; mas, no leste, fora detido. Himring resistia. O exército que adentrara Beleriand Leste fora destruído por Thingol nas bordas de Doriath, e uma parte fugira para o sul para jamais lhe retornar, outra parte que recuara para o norte fora atacada por uma surtida de Maidros, enquanto os que se aventuraram perto das montanhas foram caçados pelos Anãos. E ainda, em seu flanco, Hithlum resistia firme.

§171 Resolveu, portanto, enviar então uma força contra Hithlum; pois na guerra a leste esperava em breve ter novo auxílio não previsto pelos Eldar. O ataque a Hithlum foi amargo, mas foi repelido dos passos das Erydwethrin. Lá, no entanto, no cerco da fortaleza de Eithel Sirion, Galion foi morto, pois a defendia em nome do Rei Fingon. Húrin, seu filho, então acabara de chegar à idade adulta, mas era magno de coração e em força, e derrotou os Orques e os empurrou com perdas das muralhas para as areias de Anfauglith. Dali em diante ele governou a Casa de Hador. [*Acrescentado subsequentemente:*] De menor estatura era ele que seu pai (ou que seu filho depois dele), mas incansável e resistente de corpo; esguio e veloz era ele, à maneira da gente de sua mãe, a filha de Haleth.

§172 Mas o Rei Fingon, com a maioria dos Noldor, sofria para deter o exército de Angband que descera do norte. Houve batalha nas próprias planícies de Hithlum, e Fingon estava em menor número; mas veio ajuda oportuna de Cirdan. Seus navios em grande poderio adentraram Drengist e lá desembarcou uma força que caiu na hora da necessidade sobre o flanco oeste do inimigo. Então os Eldar conquistaram a vitória e os Orques, desbaratados, fugiram, perseguidos pelos arqueiros montados até as Montanhas de Ferro.

**463**

§173 Neste ano, novas chegaram a Beleriand: os Homens Tisnados chegaram de Eriador e, passando ao norte pelas Eryd Luin, entraram em Lothlann. A vinda deles não foi de todo inesperada, visto que os Anãos haviam avisado Maidros que hostes de Homens, saídos do Leste distante, viajavam rumo a Beleriand. Eram baixos e de ombros largos, de braços compridos e fortes, e tinham muitos pelos no rosto e no peito; e suas mechas eram escuras como seus olhos, e suas peles eram acobreadas ou morenas. Mas não eram todos de um mesmo tipo, em aparência ou temperamento, ou em língua. Alguns não eram de menos beleza e eram justos de se lidar; outros eram sombrios e de aparência desgraciada e de pouca confiança. Suas casas eram muitas, e havia pouco amor entre eles. Pouco apreço tinham pelos Elfos, e em sua maioria amavam antes os Naugrim das montanhas; mas ficaram desconcertados pelos senhores dos Noldor, cuja semelhança não tinham visto antes.

§174 Mas Maidros, conhecendo a fraqueza dos Noldor e dos Amigos-dos-Elfos, enquanto as fossas de Angband pareciam ser inexauríveis e sempre se renovavam, fez aliança com esses Homens recém-chegados, e lhes deu moradas tanto em Lothlann, ao norte da Marca, como nas terras ao sul dela. Ora, os dois chefes

A partir desse ponto há duas versões paralelas do texto (o restante do anal acerca dos Homens Tisnados e a história de Beren e Lúthien); no manuscrito, uma secretária escreveu "Versão I" (a primeira versão, muito mais breve) e "Versão II" (muito mais longa), e da mesma forma no texto datilografado dos *Anais Cinzentos*, onde são fornecidas ambas as formas. Não há a menor dúvida de que a Versão II foi escrita depois (ainda que possua a forma anterior *Borthandos*, ao passo que a Versão I possui a forma posterior *Borthand*), pois a Versão I é integral ao texto completo dos *Anais*, enquanto a Versão II termina ao pé de uma página. Forneço primeiro o texto completo da Versão I, continuando a partir do ponto no anal 463 acerca dos Homens Tisnados, onde o texto acima foi interrompido.

que possuíam o maior número de seguidores e autoridade eram chamados Bór e Ulfang. Os filhos de Bór eram Borlas e Boromir e Borthand; e eles seguiram a Maidros e foram fiéis. Os filhos de Ulfang, o tisnado, eram Ulfast e Ulwarth e Uldor, o Maldito; e seguiram a Cranthir, e lhe juraram lealdade, e se mostraram infiéis.*

## 464

§175 No início desse ano, Beren foi encurralado de tal forma que se viu forçado, por fim, a fugir de Dorthonion. Em um tempo de inverno e de neve, portanto, abandonou a terra e o túmulo de seu pai e escalou as Eryd Orgorath, e de lá encontrou um caminho para Nan Dungorthin, e enfim chegou, por sendas que nenhum outro Homem ou Elfo ousava trilhar, ao Cinturão de Melian. E o atravessou, tal como Melian previra, pois uma grande

*Pensava-se mais tarde que o povo de Ulfang já se encontrava secretamente a serviço de Morgoth antes de chegarem a Beleriand. Não o povo de Bór, que era uma gente digna e lavradora da terra. Deles, diz-se, vieram os mais antigos dos Homens que habitavam no norte de Eriador na Segunda Era e [? leia-se nos] dias que vieram depois.

sina estava sobre ele. Nesse ano, na primavera, Húrin, filho de Galion, da Casa de Hador, desposou Morwen Brilho-élfico, filha de Baragund, da Casa de Bëor [*essa frase foi posteriormente marcada para transposição ao início do anal*]. [*Inserção posterior:*] Nesse ano Túrin, filho de Húrin, nasce em Dorlómin.

§176 Nesse ano, no meio do verão, Beren, filho de Barahir, encontrou Lúthien, filha de Thingol, na floresta de Neldoreth e, devido à grande beleza dela e ao amor dele, um feitiço de emudecimento foi posto nele, e ele vagou por muito tempo nas matas de Doriath.

## 465

§177 Nesse ano, ao primeiro sinal da primavera, Beren foi libertado do feitiço e falou com Lúthien, chamando-a de *Tinúviel*, a Rouxinol. Assim teve início o amor de Beren, o mais renomado, e Lúthien, a mais bela, acerca do qual a *Balada de Leithian* foi composta.

§178 Beren foi levado diante do Rei Thingol, que escarneceu dele, e, desejoso de mandá-lo para a morte, disse-lhe em zombaria que deveria trazer uma Silmaril da coroa de Morgoth como preço do compromisso de Lúthien. Mas Beren aceitou a demanda e partiu, e chegou a Nargothrond e buscou o auxílio do Rei Felagund. Então Felagund compreendeu que seu juramento havia retornado para levá-lo à morte, mas estava disposto a dar a Beren todo o auxílio de seu reino, por mais vão que se mostrasse.

§179 [Celegorm >] Celegorn e Curufin, no entanto, atrapalharam a demanda, pois o Juramento deles foi despertado, e juraram que, mesmo que a demanda fosse concluída, matariam qualquer um que mantivesse a Silmaril ou a entregasse a quaisquer mãos que não as deles próprios. E por causa das feras palavras deles, o medo caiu sobre a gente de Nargothrond, e eles não prestaram auxílio ao rei.

§180 O Rei Inglor Felagund e Beren partiram, com apenas dez companheiros, e seguiram para o norte; mas foram emboscados por Sauron e lançados numa cova em Tol-in-Gaurhoth. Lá foram devorados um a um por lobos; mas Felagund lutou com o lobo que fora enviado para devorar Beren, e o matou, e foi morto por ele. Assim pereceu da Terra-média o mais belo dos filhos de Finwë, e jamais retornou; mas ele habita agora em Valinor com Amárië.

§181 Lúthien desejava seguir Beren, mas foi mantida cativa pelo pai, até escapar e rumar para os ermos. Lá foi encontrada por Celegorn e Curufin, e levada a Nargothrond. E o mal entrou nos corações dos irmãos, e planejaram tomar o reinado de Nargothrond, e casar Lúthien com Celegorn e forçar Thingol a uma aliança e, dessa maneira, tornar mais uma vez os filhos de Fëanor a maior Casa dos Noldor.

§182 Mas Lúthien lhes escapou e chegou à ilha de Sauron e, com a ajuda de Húan, o Mastim de Valinor, sobrepujou os lobisomens e o próprio Sauron, e resgatou Beren. E quando essas novas foram ouvidas em Nargothrond, Orodreth tomou a coroa de Felagund e expulsou Celegorn e Curufin. E, cavalgando apressados rumo ao leste, encontraram Beren e Lúthien próximo das bordas de Doriath, e tentaram capturar Lúthien. Mas nisso foram frustrados, e cavalgaram para longe, mas Beren foi gravemente ferido.

§183 Quando Beren foi curado, conduziu Lúthien à terra dela e lá a deixou adormecida e partiu sozinho em sua demanda, mas Lúthien o seguiu e o alcançou nas bordas de Anfauglith.

[*Acrescentado:*] No inverno desse ano, Túrin, filho de Húrin, nasce com presságios de pesar. [*Escrito junto a esse trecho posteriormente:* Colocar em 464]

## 466

§184 Disfarçados, Beren e Lúthien chegaram a Angband, e Lúthien lançou Carcharoth, o Lobo-guardião do portão, num torpor, e eles desceram ao trono de Morgoth. Ali, Lúthien lançou seu feitiço sobre o próprio Morgoth, de modo que ele adormeceu contra a vontade, e a Coroa de Ferro rolou de sua cabeça.

§185 Lúthien e Beren, portando uma Silmaril, foram emboscados no portão por Carcharoth, e Carcharoth arrancou com uma mordida a mão de Beren que segurava a joia, e, sendo tomado de loucura, fugiu para longe. Então Thorondor e suas águias ergueram Beren e Lúthien e os carregaram para longe e os deixaram dentro das fronteiras de Doriath. Longamente Lúthien lutou com a morte, até Beren ser mais uma vez curado. E na primavera do ano ela o conduziu de volta a Menegroth. E quando Thingol ouviu tudo o que lhes sobreviera, seu ânimo suavizou-se, pois se encheu de assombro pelo amor de Lúthien e Beren, e percebeu que a sina dos dois não podia ser evitada por poder algum no mundo.

Pois assim ficou determinado que as duas gentes, os filhos mais velhos e os filhos mais novos de Eru, viriam a se unir. Então Beren tomou a mão de Lúthien diante do trono de seu pai.

§186 Mas pouco depois, Carcharoth, pelo poder da Silmaril, adentrou Doriath, e foi realizada a Caça do Lobo de Carcharoth. Nessa caçada estiveram o Rei Thingol e Beren da Uma Mão, e Beleg e Mablung e Húan, o Mastim de Valinor. E Carcharoth feriu Beren de morte, mas Húan o matou e então morreu. Do ventre do Lobo, Mablung extraiu com a faca a Joia e Beren a tomou e a entregou a Thingol, e disse "Agora a Demanda está concluída", e não tornou a falar. Mas, antes que morresse, Lúthien despediu-se dele diante dos portões de Menegroth, e lhe disse: "Espera por mim além do Mar do Oeste".

*Assim terminou a Demanda da Silmaril.*

Como se viu (p. 78), a "Versão II" prossegue a partir de um ponto no anal 463 acerca dos Homens Tisnados, após as palavras "Ora, os dois chefes"; meu pai copiou o final daquele registro simplesmente porque se encontrava no alto da página na qual a história de Beren e Lúthien começava, como escrita originalmente. Contudo, ele inevitavelmente introduziu algumas diferenças, e apresento o segundo texto na íntegra.

*(Conclusão do anal 463 na Versão II)*

[Ora, os dois chefes] que possuíam o maior número de seguidores e autoridade eram chamados Bór e Ulfang. Os filhos de Bór eram Borlas e Boromir e Borthandos, e eram homens de bem, e eles seguiram a Maidros e Maglor e foram fiéis. Os filhos de Ulfang, o Tisnado, eram Ulfast e Ulwarth e Uldor, o Maldito; e seguiram a Cranthir, e lhe juraram lealdade, e se mostraram infiéis. (Pensava-se mais tarde que o povo de Ulfang já se encontrava secretamente a serviço de Morgoth antes de chegarem a Beleriand.)*

## 464

§187 No início desse ano, Beren foi encurralado de tal forma que [no inverno >] logo após o meio do inverno, se viu forçado,

*Do povo de Bór, diz-se, vieram os mais antigos dos Homens que habitavam no norte de Eriador posteriormente na Segunda Era.

por fim, a escolher entre fugir e ser capturado. Abandonou então Dorthonion e passou para as Eryd Orgorath e encontrou um caminho para Nan Dungorthin, e enfim chegou, por sendas que nenhum outro Homem ou Elfo jamais ousava trilhar, ao Cinturão de Doriath. E o atravessou, tal como Melian previra a Galadriel; pois uma grande sina estava sobre ele.

Nesse ano, na primavera, Húrin, da Casa de Hador, desposou Morwen Brilho-élfico, do povo de Bëor [*essa frase foi posteriormente marcada para transposição ao início do anal, como em §175*].

§188Nesse ano, no meio do verão, Beren, filho de Barahir, encontrou Lúthien, filha de Thingol, na floresta de Neldoreth, e, enamorando-se dela, vagou por muito tempo nas matas de Doriath, pois um feitiço de emudecimento estava sobre ele. [*Inserção posterior, como em §175:*] Túrin, filho de Húrin, nasce em Dor Lómin.

## 465

§189Nesse ano, ao primeiro sinal da primavera, Beren foi libertado do feitiço e falou com Lúthien, chamando-a de *Tinúviel*, a Rouxinol (pois não sabia o nome dela, nem quem ela era). Assim teve início o amor de Beren, o abençoado, e Lúthien, a mais bela, acerca do qual a *Balada de Leithian* foi composta. Seus encontros foram espiados por Dairon, o menestrel (que também amava Lúthien), e foram denunciados ao Rei Thingol. Então Thingol ficou deveras irado, mas Lúthien levou Beren a Menegroth, e Beren mostrou-lhe o anel de Inglor, seu parente. Mas Thingol falou com raiva, escarnecendo dos Homens mortais, dizendo que o serviço do pai de Beren a outro príncipe não dava ao filho direito de andar em Doriath, ainda menos de erguer os olhos para Lúthien. Então Beren, ferido pelo escarnecimento, jurou que nenhum poder de feitiço, muralha ou arma o apartaria de seu amor; e Thingol o teria lançado na prisão ou matado, caso não tivesse jurado a Lúthien que nenhum mal seria feito a Beren. Mas quis a sina que um pensamento lhe viesse ao coração, e ele respondeu em zombaria: "Se não temes feitiço, muralha ou armas, como dizes, então vai e traz-me uma Silmaril da coroa de Morgoth. Então daremos joia por joia, mas tu receberás a mais bela: Lúthien dos Primogênitos e dos Deuses." E aqueles que ouviram sabiam que ele manteria seu juramento e, ainda assim, mandaria Beren à morte.

§190 Mas Beren olhou nos olhos de Melian, que não falou, e tomou para si a Demanda da Silmaril, e partiu de Menegroth sozinho.

§191 Ora, Beren foi para o oeste até Nargothrond e buscou o Rei Felagund. E quando Felagund tomou conhecimento da demanda, soube que a jura que fizera estava vindo sobre ele para causar a sua morte (como, muito antes, dissera a Galadriel). Mas ele manteve o seu juramento, e teria reunido toda a sua hoste a serviço de Beren, por mais vã que toda a sua força fosse em tal empreitada.

§192 Mas Celegorn e Curufin estavam em Nargothrond (como contado antes), e a demanda despertou o Juramento de Fëanor. E os irmãos falaram contra Felagund, e com suas palavras puseram tamanho temor nos corações do povo de Nargothrond que este não quis obedecer ao rei, nem por muitos anos depois disso saíram a guerrear abertamente.

§193 Então [Finrod >] Inglor lançou fora sua coroa e preparou-se para partir sozinho com Beren, mas dez de seus mais fiéis cavaleiros ficaram a seu lado, e Edrahil, líder deles, ergueu a coroa e pediu que o rei a desse em custódia a Orodreth, seu irmão. Mas Celegorn disse: "Sabe disto: tua ida é vã; pois se pudésseis concluir essa demanda, ela de nada vos valeria. Nem tu nem este Homem permitiríamos que mantivésseis ou désseis uma Silmaril de Fëanor. Contra ti, antes, todos os irmãos viriam a fim de matar-te. E caso Thingol a obtivesse, então poríamos fogo em Doriath ou morreríamos tentando. Pois fizemos o nosso Juramento."

§194 "Também fiz um juramento", disse Felagund, "e não busco ser dispensado dele. Mantém o teu próprio juramento, até que saibas mais. Mas isto direi a ti, [filho de Fëanor >] Celegorn, o cruel, pela visão que me é concedida nesta hora, que nem tu, nem qualquer filho de Fëanor há de recuperar as Silmarils, até o fim do mundo. E isto que agora buscamos há de vir de fato, mas jamais às vossas mãos. Não, vosso juramento há de devorar-vos, e entregar à guarda de outro o preço do compromisso de Lúthien."

§195 Assim, o Rei Felagund e Beren e seus companheiros partiram, e, emboscando uma companhia de Orques do outro lado do Taiglin, passaram rumo a [Tolsirion >] Tol-in-Gaurhoth, disfarçados como soldados de Morgoth. Lá foram questionados e revelados por Sauron, e lançados em uma cova.

§196 Ora, Lúthien resolveu de coração seguir Beren, mas, buscando o conselho de Dairon (que outrora fora seu amigo), ela mais uma vez foi denunciada a Thingol, e ele, perturbado, pôs a filha numa prisão no alto das árvores. Mas ela escapou por artes de encantamento numa corda feita de seu próprio cabelo e rumou para os ermos. Lá foi encontrada por Celegorn e Curufin, enquanto caçavam, e levada a Nargothrond, e lá mantida sob vigilância. Pois Celegorn, enamorado da beleza dela, resolveu desposá-la e forçar o Rei Thingol a consentir.

§197 Mas Lúthien, com a ajuda de Húan, o mastim de Valinor, que seguia Celegorn, mas que foi conquistado pelo amor de Lúthien, escapou de Nargothrond e chegou a Tol-in-Gaurhoth.

§198 Lá, nas covas de Sauron, um por um os doze companheiros foram mortos e devorados por lobisomens, até que enfim só Beren e Felagund restavam. Mas ninguém os havia traído, e Sauron não pôde descobrir em que missão estavam. Deixou o Rei-élfico por último, pois sabia quem ele era, e julgava ser ele o responsável por qualquer que fosse a empreitada planejada. Mas, quando o lobo chegou em busca de Beren, Felagund, com suas últimas forças, rompeu seus grilhões e lutou com as próprias mãos com o lobo e o matou, e o foi morto por ele.

§199 Assim pereceu Inglor Felagund, filho de Finrod, mais belo e mais amado dos filhos de Finwë, e jamais retornou à Terra-média. Mas diz-se que, libertado após pouco tempo em Mandos, ele foi à Valinor e lá habita com Amárië.

§200 Beren mergulhou então numa escuridão de pesar e desespero. Naquela hora, Lúthien e Húan chegaram à ponte que levava à ilha de Sauron, e Lúthien cantou uma canção de Doriath. Então Beren despertou de sua escuridão; e as torres de Sauron estremeceram, e ele enviou Draugluin, o maior de seus lobisomens. Mas Húan matou Draugluin e, quando o próprio Sauron veio para fora num pelame de lobo, ele o sobrepujou. Assim, Sauron foi forçado a entregar Tol-sirion, antes que, privado de sua forma corpórea, ele passasse como uma sombra negra para Taur-nu-Fuin.

§201 Assim Lúthien resgatou Beren e libertou muitos infelizes prisioneiros de Sauron. Esses prisioneiros Húan levou de volta a Nargothrond, pois sua lealdade o forçara a retornar a Celegorn, seu mestre. Mas quando as novas chegaram a Nargothrond acerca da morte de Felagund, e dos grandes feitos da Donzela-élfica,

Celegorn e Curufin foram odiados, e Orodreth tomou a coroa de Nargothrond, e os expulsou; e eles fugiram para o leste até Himring.

§202 Lúthien e Beren vagaram nos ermos juntos em breve júbilo; e Beren conduziu Lúthien de volta rumo a Doriath. Assim, por má fortuna, Celegorn e Curufin toparam com eles enquanto cavalgavam às bordas setentrionais com Húan. Ali Celegorn teria atropelado Beren, e Curufin agarrou Lúthien; mas Beren sobrepujou Curufin, e tomou deste o cavalo e a faca, e foi salvo da morte nas mãos de Celegorn por Húan, que naquela hora abandonou o mestre e serviu a Lúthien. Então Celegorn e Curufin cavalgaram para longe em um único cavalo, e Curufin, disparando para trás, atingiu Beren com uma flecha, e este tombou.

**466**

§203 Lúthien e Húan protegeram Beren nas matas, e Lúthien o trouxe de volta enfim da beira da morte. Mas, quando foi curado, e tinham entrado em Doriath, Beren, lembrando-se de seu juramento e das palavras soberbas a Thingol, não estava disposto a retornar a Menegroth, tampouco queria conduzir Lúthien à sua demanda desesperançada. Portanto, em grande tristeza ele a deixou enquanto ela estava adormecida em uma clareira e, entregando-a aos cuidados de Húan, cavalgou para o norte no cavalo que tomara de Curufin. E visto que Tol-in-Gaurhoth encontrava-se agora destruída, chegou enfim às encostas setentrionais de Taur-nu-Fuin e olhou através de Anfauglith para as Thangorodrim e se desesperou.

§204 Ali ele mandou embora o cavalo e despediu-se da vida e do amor de Lúthien, e preparou-se para seguir sozinho à morte. Mas Lúthien foi carregada depressa até ele por Húan e deu com ele naquela hora, e não queria se separar dele. Então, com o auxílio de Húan e das artes dela, Lúthien disfarçou Beren como um lobo com o pelame de Draugluin, e ela própria como a vampira Thuringwethil, e passaram por Anfauglith e chegaram a Angband, mas Húan habitou nas matas.

§205 No portão de Angband, Lúthien lançou o guardião do portão, Carcharoth, o mais poderoso de todos os lobos, num sono profundo, e Beren e Lúthien adentraram o terrível reino de Morgoth, e desceram até mesmo ao seu salão mais remoto e chegaram diante do trono dele. Ali Beren se enfiou, em forma de lobo, sob o próprio assento de Morgoth, mas o disfarce de Lúthien não enganou Morgoth e ela lhe foi revelada. Porém, ela se esquivou do alcance imundo de Morgoth, e mesmo ao observá-la dançar, preso como que num encantamento pela beleza dela, Lúthien lançou o sono profundo por todo o salão e, enfim, o próprio Morgoth foi sobrepujado e tombou de seu assento num sono cegante, mas a Coroa de Ferro rolou da cabeça dele.

§206 Então Lúthien despertou Beren e, despindo o pelame do lobo, sacou a faca-anânica de Curufin e cortou fora da coroa de Morgoth uma Silmaril. Mas, desejando de súbito ir além da sina e recuperar todas as joias, ele foi traído pela faca que se partiu, e um estilhaço acertou Morgoth e lhe perturbou o sono.

§207 Então Beren e Lúthien fugiram, mas no portão depararam-se com Carcharoth mais uma vez desperto, e ele pulou sobre Lúthien; e, antes que ela pudesse usar alguma de suas artes, Beren saltou para frente a fim de intimidar o lobo com a mão que segurava a Silmaril. Mas Carcharoth apanhou a mão e a arrancou com uma mordida, e prontamente a Silmaril o queimou, e a loucura se apossou dele e ele fugiu para longe; mas seus uivos despertaram os que dormiam em Angband. Então Lúthien ajoelhou-se ao lado de Beren, enquanto ele jazia desmaiado como que morto, e toda a demanda parecia em ruína. Mas no momento que sugou o veneno da ferida de Beren com os lábios, Thorondor veio com Lhandroval e Gwaihir, seus mais poderosos vassalos, e ergueram Lúthien e Beren e os levaram para o sul, no alto por cima de Gondolin, e os depuseram nas fronteiras de Doriath.

§208 Ali Húan os encontrou e mais uma vez cuidaram de Beren e o resgataram da morte, e, quando a primavera fez-se bela, entraram em Doriath e chegaram a Menegroth. Alegre foi sua recepção em Doriath, pois um feitiço de sombra e silêncio jazera por sobre toda a terra desde que Lúthien fugira; e Dairon, buscando-a em pesar, vagara para longe e se perdera.

§209 Assim, mais uma vez Lúthien conduziu Beren ao trono de seu pai, e este olhou admirado para ele, mas não se apaziguou; e disse a Beren: "Não disseste que não retornarias a mim, exceto com uma joia da coroa de Morgoth?" E Beren respondeu: "Agora mesmo uma Silmaril está em minha mão." E Thingol disse: "Mostra-me!" Mas Beren disse: "Não posso fazê-lo; pois minha mão não está aqui." E ergueu seu braço direito; e desde aquela hora passou a chamar a si mesmo de *Camlost*.

§210 Então o ânimo de Thingol suavizou-se, e lhe pareceu que esse Homem era diferente de todos os outros, e estava entre os grandes em Arda, enquanto o amor de Lúthien era de uma força maior do que a todos os reinos do Oeste ou do Leste. E Beren tomou a mão de Lúthien e a colocou em seu peito diante do trono do pai dela, e assim ficaram noivos.

Mas então Carcharoth, pelo poder da Silmaril, adentrou Doriath.

Aqui a Versão II é interrompida de forma abrupta, e não ao pé de uma página. A página na qual termina a Versão I, com as palavras "Assim terminou a Demanda da Silmaril" (p. 81), continua com o anal 467.

### 467

§211 Nesse ano, ao primeiro sinal da primavera, Lúthien Tinúviel deitou o corpo como uma flor branca sobre a relva e seu espírito deixou a Terra-média, e ela foi para Mandos, como é dito na *Balada*. Mas um inverno, como se fora a idade grisalha dos Homens mortais, sobreveio a Thingol.

### 468

§212 Nessa época, Maidros começou aqueles planos para recuperar as sortes dos Eldar que são chamados de União de Maidros. Pois uma nova esperança percorreu a terra, devido aos feitos de Beren e Lúthien, e parecia a muitos que Morgoth não era insuperável, e que apenas o medo lhe conferia poder. Contudo, o Juramento de Fëanor permanecia vivo e a todo o bem impedia, tal como o mal que Celegorn e Curufin haviam cometido por causa dele. Assim, Thingol não se dispunha a dar auxílio a nenhum filho de Fëanor; e pouca ajuda veio de Nargothrond: lá os Noldor confiavam antes na proteção de sua praça-forte oculta por meio de segredo e esquivança. Mas Maidros tinha a ajuda dos Naugrim, tanto em força armada quanto em grande provisão de armas; e ele reuniu de novo todos os seus irmãos e toda a gente que os seguia; e os homens de Bór e de Ulfang foram congregados e treinados para a guerra, e receberam boas armas, e convocaram ainda mais de sua gente do Leste. E em Hithlum Fingon, sempre amigo de Maidros, preparava-se para a guerra, aconselhando-se com Himring. A Gondolin também as notícias chegaram ao rei oculto,

Turgon, e em segredo também se preparou para uma grande batalha. E Haleth reuniu sua gente em Brethil, e eles afiaram seus machados; mas ele morreu de velhice antes que chegasse a guerra, e Hundor, seu filho, governou o seu povo.

## 469

§213 Na primavera desse ano, Maidros pôs à prova pela primeira vez a sua força, embora seus planos ainda não estivessem completos. Nisso ele errou, por não ocultar o golpe antes que pudesse ser desferido com toda a força, como Morgoth fizera. Pois os Orques de fato foram varridos de Beleriand mais uma vez, e mesmo Dorthonion ficou livre por um tempo, de modo que as fronteiras dos Noldor eram mais uma vez como haviam sido antes da Bragollach, exceto que a Anfauglith era agora um deserto que não pertencia a nenhum lado. Mas Morgoth, sendo avisado do levante dos Eldar e dos Amigos-dos-Elfos, precaveu-se contra eles, e enviou muitos espiões e obreiros de traição em meio a eles, como agora estava mais apto a fazer, pois os homens infiéis que o seguiam em segredo ainda sabiam muito dos segredos dos filhos de Fëanor.

§214 Nesse ano, [pensou-se >] disse-se, Beren e Lúthien retornaram ao mundo, por um tempo. Pois Lúthien ganhara esta sina de Manwë, a de que Beren poderia voltar a viver, e ela com ele; mas só de modo que ela também, a partir de então, fosse mortal como ele, e haveria de em breve morrer de fato e perder o mundo e deixar de ser contada entre os Eldalië para sempre. Essa sina ela escolheu. E reapareceram de maneira inesperada em Doriath, e aqueles que os vieram ficaram ao mesmo tempo felizes e temerosos. Mas Lúthien foi a Menegroth e curou o inverno de Thingol com o toque de sua mão; porém, Melian olhou nos olhos dela e leu a sina que neles estava escrita e deu-lhe as costas: pois sabia que uma separação para além do fim do Mundo se pusera entre elas, e nenhuma tristeza de perda foi maior que a tristeza do coração de Melian, a Maia, naquela hora (exceto apenas se contada a tristeza de Elrond e Arwen). Mas Lúthien e Beren deixaram então o conhecimento de Elfos e Homens, e habitaram por um tempo sozinhos às margens das águas verdes de Ossiriand naquela terra que os Eldar chamaram, portanto, de *Gwerth-i-guinar*, a terra dos Mortos que Vivem. Depois disso Beren, filho de Barahir, não tornou a falar com qualquer Homem mortal.

### 470

215 Nesse ano ocorreu o nascimento de Dior Aranel, o Belo, em Gwerth-i-Guinar, que depois ficou conhecido como Dior, herdeiro de Thingol, pai dos Meio-Elfos.

O anal que agora vem a seguir nos AC, do ano 471, acerca de Isfin e Ëol, foi riscado; a versão revisada da história aparece em um adendo inserido em um ponto anterior, no ano 316 (ver §§117–18, onde foi apresentado o anal rejeitado de 471). Um novo registro para o ano 471 foi acrescentado posteriormente a lápis:

### 471

§216 Nesse ano Huor desposou Rían, filha de Belegund.

### 472

§217 *Esse é o Ano da Lamentação.* Enfim Maidros resolveu-se a assaltar Angband pelo leste e pelo oeste. Com a hoste principal que reunira, de Elfos, Homens e Anãos, pretendia marchar com bandeiras desfraldadas em investida aberta do leste sobre Anfauglith. Mas, quando atraísse, como esperava, os exércitos de Morgoth a responder, então, a um sinal, Fingon deveria atacar dos passos de Hithlum com toda sua força. Assim pensavam pôr o poder de Morgoth como que entre bigorna e martelo e, dessa forma, quebrá-lo em pedaços.

§218 [Huor, filho de Galion, desposou Rían, filha de Belegund, na véspera da batalha, e marchou com Húrin, seu irmão, no exército de Fingon. *Alterado a lápis para:*] Huor, filho de Galion, desposou Rían, filha de Belegund, nos primeiros dias da primavera. Mas, quando estava casado havia apenas dois meses, chegou a convocação para a reunião das hostes, e Húrin marchou com o irmão no exército de Fingon.

§219 Aqui, no meio do verão, foi travada a Quinta Batalha, *Nírnaeth Arnediad*, Lágrimas Inumeráveis, nas areias da Anfauglith diante dos passos do Sirion. [*Riscado posteriormente:* O lugar da principal matança por muito tempo ficou marcado por um grande monte no qual os mortos foram empilhados, Elfos e Homens: *Hauð-na-Dengin*, sobre o qual apenas, em toda Anfauglith, a relva crescia verdejante.]

§220 Nessa batalha Elfos e Homens foram completamente derrotados, e veio a cabo a ruína dos Noldor. Pois a partida de Maidros foi atrasada pelos engodos de Uldor, o Maldito: primeiro, deu falso aviso de um ataque de Angband; depois, que devia se demorar, pois nem todos os seus homens estavam dispostos a marchar. E o exército no Oeste aguardou o sinal, e este não veio, e ficaram impacientes, e houve sussurros de traição entre eles.

§221 Ora, o exército do Oeste incluía a hoste de Hithlum, de Elfos e Homens, e a ela foi acrescentada tanto gente da Falas como uma grande companhia de Nargothrond [e muitos dos homens-da-floresta vindos de Brethil. *Isso foi riscado e substituído pelo seguinte:*] E muitos dos homens-da-floresta vieram também com Hundor de Brethil; e com ele marchava Mablung de Doriath com uma pequena força de Elfos-cinzentos, alguns com machados, outros com arcos; pois Mablung era avesso a não tomar parte nesses grandes feitos, e Thingol lhe deu licença para ir, contanto que não servisse aos filhos de Fëanor. Portanto, Mablung juntou-se à hoste de Fingolfin [*leia-se:* Fingon] e Húrin. / E eis que para júbilo e assombro de todos ali, houve um soar de grandes trombetas, e então marchou para a guerra uma hoste inesperada. Esse era o exército de Turgon que saía de Gondolin, uma força de dez mil, com cota de malha luzente e longas espadas; e eles se postaram no sul, guardando os passos do Sirion.

§222 Então Morgoth, que sabia muito do que se fazia, escolheu sua hora e, confiando que seus serviçais segurariam Maidros e impediriam a união de seus adversários, enviou uma força que parecia grande (e, porém, não era mais que parte de tudo o que tinha preparado) e a pôs em marcha sobre Hithlum. Então, ardente de coração, Fingon desejou atacá-los na planície, crendo que possuía a maior força; mas Húrin falou contra isso, pedindo-lhe que aguardasse o sinal de Maidros, e deixasse antes que os Orques se rebentassem contra a sua força disposta nos montes.

§223 Mas o Capitão de Morgoth no Oeste tinha ordens para atrair rapidamente Fingon à batalha aberta, por quaisquer meios que pudesse. Portanto, quando a sua vanguarda chegou à confluência do Rivil com o Sirion e ainda assim ninguém se apresentou para se lhe opor, ele se deteve e enviou cavaleiros com emblemas de tratado; e eles cavalgaram até próximo às linhas dos inimigos na margem oeste do Sirion, aos pés das montanhas.

§224 Ora, levaram consigo Gelmir, filho de Guilin, um senhor de Nargothrond a quem tinham capturado na Bragollach e tinham cegado; e o mostraram, gritando: "Temos muitos mais assim em casa, mas deveis vos apressar se quiserdes achá-los. Pois havemos de matá-los quando retornarmos deste jeito." E deceparam as mãos e os pés de Gelmir, e sua cabeça por último, à vista dos Elfos.

§225 Mas, por má fortuna, do outro lado do rio encontrava-se Gwindor, filho de Guilin, e ele de fato, contra a vontade de Orodreth, marchara à guerra com toda a força que pôde reunir pelo pesar por seu irmão. Portanto, sua ira [*riscado:* não podia mais ser contida, e] inflamou-se numa chama, e os homens de Nargothrond saltaram sobre o rio e mataram os cavaleiros, e então penetraram na hoste principal. E, vendo isso, toda a hoste do Oeste se incendiou, e Fingon soou suas trombetas e saltou dos montes em investida repentina; e muitos também do exército de Gondolin juntaram-se à batalha antes que Turgon pudesse contê-los.

§226 E eis que a luz do desembainhar das espadas dos Noldor era como fogo num campo de palha; e tão fero foi o ataque que quase os desígnios de Morgoth se perderam. Antes que o exército que ele enviara ao oeste pudesse ser fortalecido, varreram-no dali; [e, atacado pelo oeste e pelo sul, foi destroçado ali mesmo, e a maior matança de Orques até então realizada. >] e as bandeiras de Fingolfin [*? leia-se* Fingon] passaram por Anfauglith e foram erguidas diante das muralhas de Angband. / Gwindor, filho de Guilin, e a gente de Nargothrond estavam na vanguarda daquela batalha, e atravessaram os portões externos e mataram os Orques [mesmo nos próprios túneis de Morgoth >] dentro da própria fortaleza de Morgoth, e ele tremeu sobre seu trono profundo, ouvindo-os bater às suas portas.

§227 Mas, por fim, Gwindor foi capturado e seus homens, mortos; pois ninguém os seguira e nenhum auxílio chegara. Por outras portas secretas nas montanhas das Thangorodrim Morgoth fizera sair sua hoste principal, que fora deixada a esperar, e Fingon foi rechaçado com grande perda das muralhas.

§228 Então, na planície de Anfauglith, no [terceiro >] quarto dia da guerra, começaram as *Nírnaeth Arnediad*, pois nenhuma canção pode conter toda a sua tristeza. A hoste de Fingon recuou pelas areias do deserto, e lá tombou Hundor, filho de Haleth [*riscado:* na retaguarda], e a maioria dos homens de Brethil. Mas, quando a noite caiu e quando ainda estavam longe das [Ered-wethion >] Eryd-wethrin, os Orques cercaram o exército de Fingon, e lutaram até o raiar do dia em aperto cada vez maior. Ainda assim, nem tudo estava perdido. Pela manhã foram ouvidas as trompas de Turgon, que veio então com sua hoste principal ao resgate [*riscado:* inesperado pelos Orques]; e os Noldor de Gondolin eram fortes e trajados de cota de malha, e vararam [o sítio, e mais uma vez o poderio de Angband foi derrotado. >] as fileiras dos Orques, e Turgon abriu caminho, lutando até ficar ao lado de Fingon, seu irmão. E diz-se que o encontro de Turgon com Húrin, que estava ao lado de seu rei, foi alegre em meio à batalha./

§229 E, naquele mesmo dia, na terceira hora da manhã, eis que enfim as trombetas de Maidros se ouviram, vindas do leste; e as bandeiras dos filhos de Fëanor assediaram o inimigo na retaguarda. Dizem que os Eldar, então, ainda poderiam ter sido vitoriosos se todas as suas hostes se mostrassem fiéis; pois os Orques hesitaram, e seu ataque foi detido, e já alguns estavam se voltando à fuga.

§230 Mas, na hora em que a vanguarda de Maidros enfrentava os Orques, Morgoth despejou sua última força, e Angband foi esvaziada. Vieram lobos e cavalga-lobos, e vieram mil Balrogs, e havia serpes e dracos, e Glaurung, Pai de Dragões. E a força e o terror da Grande Serpe haviam agora se tornado de fato grandes, e Elfos e Homens feneceram diante dela; e ela se pôs entre as hostes de Maidros e Fingon e as separou.

§231 Contudo, nem por lobo, nem por balrog, nem por dragão teria Morgoth alcançado seus fins, não fosse pela traição dos Homens. Nessa hora, as tramas de Ulfang foram reveladas; pois muitos dos Lestenses se viraram e fugiram, estando seus corações cheios de mentiras e medo; mas os filhos de Ulfang passaram-se de repente para o lado de Morgoth e investiram contra a retaguarda dos filhos de Fëanor. E, na confusão que criaram, chegaram perto do estandarte de Maidros. Não ganharam a recompensa que Morgoth lhes prometera, pois Maglor matou Uldor, o Maldito, o líder na traição, e Bór e seus filhos mataram Ulfast e Ulwarth antes que eles mesmos fossem mortos. Mas uma nova força de homens malignos chegou, que Uldor convocara e mantivera escondida nos montes ao leste, e a hoste de Maidros agora estava sendo atacada de três lados, pelos Orques, pelas feras e pelos Homens Tisnados, e foi dispersada e fugiu para lá e para cá. Contudo, o destino salvou os filhos de Fëanor e, embora todos estivessem feridos, nenhum foi morto, pois se ajuntaram e, reunindo um remanescente dos Noldor e dos Naugrim à sua volta, abriram caminho para sair da batalha e escaparam para longe, na direção do Monte Dolmed.

§232 Os últimos entre toda a força do leste a se manter firmes foram os Enfeng de [Nogrod >] Belegost, e assim ganharam renome. Ora, os Naugrim resistiam ao fogo mais duramente do que Elfos ou Homens, e era o costume dos Enfeng, ademais, usar grandes máscaras [*riscado:* ou viseiras] em batalha, horrendas de se contemplar, que lhes davam boa vantagem contra os dracos. E, se não fosse por eles, Glaurung e sua ninhada teriam destruído tudo o que restara dos Noldor. Mas os Naugrim fizeram um círculo à volta dele quando os atacou, e até mesmo sua couraça poderosa não era de todo à prova dos golpes de seus grandes machados; e quando, em sua fúria, ele se virou e derrubou Azaghâl de Belegost, e rastejou por sobre ele, com seu último ataque, Azaghâl enfiou uma faca no ventre do dragão e o feriu de tal modo que ele fugiu do campo de batalha, e as feras de Angband, amedrontadas, seguiram-no. Se Azaghâl portasse uma espada, grande dor teria sido poupada aos Noldor que depois lhes sobreveio, [*acrescentado:*] mas sua faca não entrou fundo o bastante. / Mas então os Enfeng ergueram o corpo de Azaghâl e o carregaram para longe; e, com passos lentos, caminhavam detrás, cantando um lamento com suas vozes graves, como se na pompa de um funeral em seu próprio país, e não deram mais ouvido a seus inimigos; e, de fato, ninguém ousou detê-los.

§233 Mas nessa hora, na batalha a oeste, Fingon foi cercado por uma maré de inimigos três vezes maior do que toda a força que lhe restava [*riscado:* e os Balrogs vieram contra ele]. Ali, enfim, tombou o Rei dos Noldor, e uma chama saltou de seu elmo quando foi rachado. Ele foi sobrepujado pelos Balrogs e abatido na terra, e suas bandeiras azuis e prateadas foram pisoteadas até virarem pó.

§234 A luta estava perdida, todavia, Húrin e Huor, com os homens de Hador, estavam firmes, e os Orques ainda não conseguiam ganhar os passos do Sirion. Assim foi a traição de Uldor compensada; e o último combate de Húrin e Huor é a façanha de guerra de maior renome entre os Eldar que os Pais de Homens realizaram em seu favor. Pois Húrin falou a Turgon, dizendo: "Ide-vos agora, senhor, enquanto há tempo! Pois o último sois da Casa de

Fingolfin e em vós vive a última esperança dos Noldor. Enquanto Gondolin resiste, forte e vigiada, Morgoth inda há de conhecer o medo em seu coração."

"Não muito mais, porém, pode Gondolin ficar oculta e, sendo descoberta, deverá cair", disse Turgon.

§235 "Porém [por algum tempo deve resistir", disse Húrin; "pois de Gondolin >] se resistir que seja um pouco mais", disse [Húrin >] Huor, "então de [Gondolin *posteriormente* >] vossa casa / há de vir a esperança de Elfos e Homens. Isto eu vos digo, senhor, com os olhos da morte, embora aqui nos separemos para sempre e eu não haja de ver vossas alvas muralhas, de vós e de mim uma nova estrela há de surgir. Adeus!"

§236 [*Riscado:* Então Turgon recuou e todos os Noldor de Gondolin retornaram descendo o Sirion e desapareceram nas colinas. Mas todo o remanescente da hoste do oeste reuniu-se ao redor dos irmãos e defenderam o passo atrás deles.]

§237 [*Adicionado subsequentemente:*] E [Glindûr *posteriormente* >] Maeglin, filho da irmã de Turgon, que estava perto, ouviu essas palavras e as guardou bem, [*riscado posteriormente:* e olhou atentamente para Huor,] mas nada disse.

§238 Então Turgon aceitou as valentes palavras dos irmãos e, convocando todos os que restavam da gente de Gondolin, e tantos da hoste de Fingon que podiam ser congregados, ele [recuou >] abriu caminho lutando rumo ao sul,/ e escapou Sirion abaixo, e desapareceu nas montanhas, e ficou oculto dos olhos de Morgoth. Pois Húrin e Huor defenderam o passo atrás dele, de maneira que nenhum inimigo pôde segui-lo, e arranjaram o remanescente dos homens magnos de Hithlum à sua volta.

§239 Lentamente eles recuaram, até se postarem detrás do Pântano de Serech, com a vigorosa corrente do Sirion diante deles, e então ficaram e não mais recuaram, pois se encontravam na garganta estreita do passo. Então toda a hoste de Morgoth, num enxame, vieram contra eles, e fizeram dos mortos uma ponte para atravessar a corrente, e circundaram o remanescente de Hithlum, como a maré que se junta em volta de uma rocha.

§240 Huor tombou, ferido no olho por uma flecha envenenada, e todos os valentes homens de Hador foram mortos à sua volta, e os Orques cortaram as cabeças deles e as amontoaram como uma pilha d'ouro; pois o sol brilhava no [quarto >] sexto e último / dia da batalha, e suas madeixas louras brilhavam em meio ao sangue. Por último, Húrin resistiu sozinho. Então lançou de lado seu escudo e empunhou seu machado com as duas mãos; e canta-se que, naquela última defesa, ele próprio matou uma centena de Orques. Mas o capturaram vivo, por fim, por ordem de Morgoth, que pensava assim causar-lhe mais mal do que pela morte. Portanto, seus serviçais o agarravam com suas mãos, que continuavam presas a ele embora ele decepasse os seus braços; e sempre seus números se renovavam até que, afinal, ele tombou, enterrado debaixo deles. Então, atado, arrastaram-no para Angband com zombaria. Assim terminaram as *Nírnaeth Arnediad*, e o sol desceu vermelho sobre Hithlum, e veio uma grande tempestade nos ventos do Oeste.

§241 Grande então, de fato, foi o triunfo de Morgoth; e seus desígnios se cumpriram de uma maneira conforme seu próprio coração; pois Homens tiraram a vida de Homens e traíram os Eldar, e o medo e o ódio surgiram entre aqueles que deveriam ter ficado unidos contra ele. Desde aqueles dias, de fato, teve início o distanciamento dos Elfos dos Homens, salvo apenas daqueles das Três Casas de Bëor, Hador e Haleth, e seus filhos.

§242 A Marca de Maidros não mais existia. Os filhos cruéis de Fëanor foram derrotados e vagaram para longe nas matas como folhas ao vento. A Garganta de Aglon ficou tomada de Orques, e o Monte de Himring foi guarnecido pelos soldados de Angband; o passo do Sirion foi rompido e Tol-sirion retomada e suas terríveis torres, reconstruídas. Todos os portões de Beleriand estavam em poder de Morgoth. O reinado de Fingon não mais existia [*riscado:* pois poucos da hoste de Hithlum, Elfos ou Homens, jamais retornaram por sobre as montanhas à sua terra]. Para Hithlum nunca voltou nenhum da hoste de Fingon, nem qualquer um dos Homens de Hador, nem quaisquer notícias da batalha e do destino de seus senhores.

§243 Doriath, de fato, resistia, e Nargothrond estava oculta; e Cirdan mantinha os Portos; mas Morgoth ainda lhes dava pouca atenção, ou porque pouco sabia deles, ou porque sua hora ainda não havia chegado nos propósitos profundos de sua malícia. Mas um pensamento o perturbava profundamente e arruinava seu triunfo; Turgon, a quem ele mais desejava capturar, escapara da rede. Pois Turgon vinha da grande casa de Fingolfin, e era agora por direito

Rei de todos os Noldor, [*riscado:* e desde outrora o odiara, pouco menos do que a Fëanor, e o temia mais. Pois jamais em Valinor Turgon o cumprimentou, sendo amigo de Ulmo e de Tulkas; e, ademais, antes mesmo que a escuridão o dominasse e a cegueira da malícia, olhou para Turgon e soube que dele haveria de vir, em algum tempo que a sina ainda guardava, o fim de toda a esperança.] e Morgoth temia e odiava muitíssimo a casa de Fingolfin, porque tinham escarnecido dele em Valinor e tinham a amizade de Ulmo, e por causa dos ferimentos que Fingolfin lhe dera em combate. Além disso, outrora seu olhar pousara em Turgon, e uma sombra escura caíra-lhe no coração, prevendo que, em algum dia ainda oculto pelo destino, de Turgon haveria de lhe vir a ruína.

§244 Portanto, Húrin foi trazido diante de Morgoth e o desafiou; e ele foi agrilhoado em tormento. Mas Morgoth, que primeiro sempre obrava por mentiras e traição, se lhe pudessem valer, foi a Húrin onde este jazia em dor, e lhe ofereceu liberdade e poder e riqueza como um de seus grandes capitães, caso servisse em seus exércitos e liderasse uma hoste contra Turgon, ou mesmo se revelasse onde aquele rei tinha sua praça-forte. Pois ficara sabendo que Húrin tinha conhecimento dos conselhos secretos de Turgon. Mas mais uma vez Húrin, o Resoluto, zombou dele.

§245 Então Morgoth conteve sua ira e falou da esposa e do filho de Húrin que então se encontravam desamparados em Hithlum [*escrito acima posteriormente:* Dorlómin] e à mercê dele para fazer o que quisesse com eles.

§246 "Eles não conhecem os segredos de Turgon", disse Húrin. "Mas, mesmo que soubessem, tu não chegarias a Turgon de tal maneira; pois eles são das casas de Hador e de Bëor, e não vendemos nossa palavra por qualquer preço de lucro ou dor."

§247 Então Morgoth amaldiçoou Húrin e Morwen e sua descendência e pôs sobre eles uma sina de tristeza e escuridão; e, tirando Húrin de sua prisão, colocou-o numa cadeira de pedra sobre um lugar alto das Thangorodrim. De lá ele podia ver ao longe a terra de Hithlum a oeste e as terras de Beleriand ao sul. Ali Morgoth, postando-se ao seu lado, amaldiçoou-o de novo, e pôs seu poder sobre ele, para que não pudesse mexer-se do lugar, nem morrer, a não ser que Morgoth o libertasse.

§248 "Senta-te agora aqui!", ordenou Morgoth. "Contempla as terras onde dores extremas hão de sobrevir àqueles que me entregaste. "Sim, de fato! Não duvides do poder de Melkor, Mestre dos destinos de Arda! E com meus olhos hás de ver, [*riscado:* e nada há de ficar oculto de ti, e tudo o que acometer aqueles que te são caros há de te ser contado com presteza] e com meus ouvidos hás de ouvir todas as novas, e nada há de ficar oculto de ti!"

§249 E assim aconteceu; mas ninguém diz que Húrin pediu jamais de Morgoth misericórdia ou morte para si mesmo ou qualquer um de sua gente.

§250 Ora, os Orques, como sinal do grande triunfo de Angband, reuniram com grande labor todo os corpos de seus inimigos que foram mortos, e todos os seus petrechos e suas armas, e os empilharam, Elfos e Homens, em um grande monte em meio a Anfauglith. [Hauð-na-D(engin) > Hauð-i-Nengin *posteriormente* >] Hauð-ina-Nengin era o nome daquele teso, e era como uma colina. Mas ali, o único lugar onde isso se deu em todo o deserto, a relva surgiu e cresceu de novo, alta e verdejante, e dali por diante nenhum Orque ousou pisar sobre a terra debaixo da qual as espadas dos Noldor se desfaziam em ferrugem.

§251 Rían, esposa de Huor, sem ter notícias de seu senhor, partiu para o ermo, e lá deu à luz Tuor, seu filho; e ele foi adotado por [Elfos-escuros *posteriormente* >] Annael dos Elfos-cinzentos de Mithrim. Mas Rían foi ao [Hauð-i-Nengin *posteriormente* > Hauð-na-nDengin >] Hauð-in-nDengin e deitou-se ali e morreu. E em Brethil Glorwendil, filha de Hador, morreu de pesar. Mas Morwen, esposa de Húrin, habitava em Hithlum, pois carregava uma criança.

§252 Morgoth então quebrou os juramentos que fizera aos Lestenses que o serviram, e negou-lhes as ricas terras de Beleriand que desejavam, e expulsou esse povo perverso para Hithlum, e lá ordenou que morassem. E embora pouco amassem agora seu novo rei, eles ainda desprezavam os remanescentes da gente de Hador (os velhos e as mulheres e as crianças, em sua maioria), e oprimiam-nos e tomavam suas terras e seus bens, e casavam-se à força com as mulheres deles, e escravizavam seus filhos. E aqueles dos Elfos-cinzentos que haviam habitado ali fugiram para as montanhas, ou foram levados para as minas do Norte e lá trabalharam como servos.

§253 Portanto, Morwen, não desejando que Túrin, seu filho, que tinha então sete anos, viesse a se tornar um escravo, enviou-o com dois serviçais idosos, e mandou-os encontrar, se pudessem, um caminho até Doriath, e lá implorar a adoção do filho de Húrin, e parente de Beren (pois o pai dela era primo deste).

**473**

§254 No [*acrescentado:*] primeiro/princípio deste ano Morwen Brilho-élfico deu à luz uma menina, filha de Húrin; e ela foi chamada Niënor, isto é, Pranto. E, por volta dessa época, Túrin atravessou grandes perigos e chegou a Doriath e lá foi recebido por Thingol, que decidiu ele mesmo adotá-lo, como se fosse filho do rei, em memória de Húrin. Pois o ânimo de Thingol tinha então mudado em relação às casas dos Amigos-dos-Elfos.

§255 Nesse ano Morgoth, tendo renovado suas forças e dado atenção aos próprios prejuízos e grandes perdas, renovou o ataque a Beleriand, que então se encontrava aberta a ele; e os Orques e os lobos penetraram longe nas terras, alcançando até mesmo as fronteiras de Ossiriand de um lado e Nan Tathren, do outro, e ninguém estava a salvo no campo ou na mata.

§256 Muitos então fugiram para os Portos e buscaram refúgio detrás das muralhas de Cirdan, e a gente marinheira subia e descia a costa e atacava o inimigo com rápidos desembarques. Portanto, o primeiro ataque de Morgoth foi contra Cirdan; e, antes que o inverno chegasse, Morgoth mandou uma força através de Hithlum e Nivrost, e desceram os Rios Brithon e Nenning, e devastaram toda a Falas, e sitiaram as muralhas de Brithombar e Eglarest. Ferreiros, e mineiros, e mestres de fogo eles trouxeram consigo, e construíram grandes máquinas de guerra, e, apesar da bravura da resistência, destruíram as muralhas no final. Então os Portos foram arruinados, e a torre de Ingildon, derrubada, e toda a gente de Cirdan foi morta ou escravizada, exceto aqueles que embarcaram e escaparam pelo mar [*acrescentado:*] e alguns que fugiram para o norte até Mithrim.

§257 Então Cirdan levou seu remanescente de navio, e velejaram até a Ilha de Balar, [*riscado:* e misturaram-se com o posto avançado de Turgon lá,] e fizeram um refúgio para todos que pudessem chegar até lá. Pois mantinham também um posto nas fozes do Sirion, e ali muitos navios leves e rápidos ficavam escondidos nos riachos e nas águas, onde os caniços eram tão densos quanto uma floresta. [E sete navios, a pedido de Turgon, Cirdan enviou ao Oeste, mas jamais retornaram. >] E, quando Turgon ouviu a esse respeito, mandou de novo seus mensageiros às Fozes do Sirion e procurou a ajuda de Cirdan, o Armador. E a seu pedido Cirdan fez com que fossem construídos sete navios velozes, e eles velejaram para o Oeste, e jamais se ouviu falar deles novamente — salvo de um, o último. Ora, o capitão daquele navio era Voronwë, e ele sofreu no mar por muitos anos até que, retornando afinal em desespero, seu navio afundou em uma grande tempestade à vista da terra, e somente ele sobreviveu; pois Ulmo o salvou da ira de Ossë, e as ondas o levantaram e o lançaram à terra em Nivrost./

**481**

§258 Túrin crescia belo e forte e sábio em Doriath, mas estava marcado pelo pesar. Nesse, o seu décimo sexto ano, ele saiu para a batalha nas marcas de Doriath, e se tornou o companheiro de armas de Beleg, o Arqueiro. [*Acréscimo posterior a lápis:*] Túrin colocou o Elmo-de-dragão de Galion.

**484**

§259 Aqui Túrin foi um convidado em Menegroth em honra aos seus feitos de valor. Mas veio dos ermos, e estava em desalinho, e seus petrechos e vestimenta estavam gastos. E Orgof escarneceu dele, e do povo de Hithlum, e, em sua ira, Túrin atingiu Orgof com uma taça e o matou à mesa do rei. Então, temendo a raiva de Thingol, ele fugiu, e tornou-se um proscrito nas matas, e reuniu um bando desesperado, de Elfos e de Homens [*riscado:* além do Cinturão de Melian].

**487**

§260 Aqui o bando de Túrin capturou Beleg e o amarrou; mas Túrin, ao retornar, libertou-o, e eles renovaram a sua amizade. E Túrin soube do perdão do rei, mas não queria retornar a Menegroth, e permaneceu nas marcas. E, visto que nenhum inimigo podia ainda atravessar o Cinturão de Melian, e ele desejava apenas se vingar dos Orques, Túrin fez um esconderijo nas matas entre o Sirion e o Mindeb, no país de Dimbar.

A seguinte passagem foi reescrita diversas vezes e não é possível ter perfeita certeza dos detalhes do desenvolvimento de cada estágio. Como escrita inicialmente, a passagem dizia:

§261 Aqui Tuor, filho de Huor, estando então com quinze anos, chegou a Hithlum à procura de seus parentes, mas lá não mais se encontravam, pois Morwen e Niënor haviam sido levadas para Mithrim, e ninguém se lembrava delas.

Esse trecho parece ter sido cancelado assim que foi escrito, e uma segunda forma provavelmente diz o seguinte:

§262 Aqui Tuor, filho de Huor, estando então com quinze anos, chegou a Hithlum à procura de seus parentes, mas não os encontrou. Pois embora os Elfos que o tinham adotado conhecessem de fato os seus nomes, não sabiam onde haviam habitado outrora, ou onde agora habitavam na mudança da terra. Mas apenas Morwen e Niënor restavam, e elas ainda habitavam em Dor Lómin; portanto, Tuor procurou em Hithlum em vão, e os Lestenses o capturaram e o escravizaram. Mas ele escapou e tornou-se um proscrito nas terras agrestes em torno do Lago Mithrim.

A data 488 foi acrescentada à forma final da passagem:

**488**

§263 Aqui Tuor, filho de Huor, estando então com dezesseis anos e tentando escapar de Dorlómin, foi feito cativo e escravizado por Lorgan, chefe dos Lestenses; e ele suportou a servidão por [sete anos *imediatamente* >] três anos, até escapar e tornar-se um proscrito nos montes de Mithrim.

[*Riscado:* 488]

§264 Aqui Haldir, filho de Orodreth de Nargothrond, foi capturado e enforcado numa árvore por Orques. Depois disso, os Elfos de Nargothrond tornaram-se ainda mais cautelosos e sigilosos, e não permitiam que nem mesmo Elfos vagassem em suas terras.

**489**

§265 Nesse ano Gwindor, filho de Guilin, escapou de Angband. Blodren, filho de Ban, era um Lestense, e após ser capturado por

Morgoth e atormentado por ter sido um dos fiéis que se opuseram a Uldor, pôs-se a serviço de Morgoth e foi libertado, e enviado à procura de Túrin. E ele entrou para a companhia oculta em Dimbar, e serviu Túrin com hombridade por dois anos. Mas, vendo então sua oportunidade, revelou o refúgio de Beleg e Túrin aos Orques, como era a sua missão. Assim, o local foi cercado e tomado, e Túrin foi capturado vivo e levado em direção a Angband; mas Beleg foi deixado como morto entre os executados. Blodren foi morto por uma flecha perdida no escuro. [*Escrito a lápis junto a esse anal:* O que aconteceu com o Elmo-de-dragão?]

§266 Beleg foi encontrado por mensageiros de Thingol e levado a Menegroth e foi curado por Melian. De pronto partiu à procura de Túrin [*escrito a lápis na margem:* levando o Elmo-de-dragão que Túrin deixara em Menegroth]. Ele se deparou com Gwindor desconcertado em Taur-na-Fuin (onde Sauron então habitava) e, juntos, perseguiram os captores de Túrin. De um acampamento-órquico à beira do deserto eles o resgataram enquanto Túrin dormia um sono entorpecido, e o carregaram até um vale oculto. Mas Beleg, enquanto se esforçava para soltar os grilhões de Túrin, picou-lhe o pé, e ele foi despertado e, sonhando estar cercado por Orques que queriam atormentá-lo, tomou a espada de Beleg e o matou antes que soubesse quem era. Gwindor enterrou Beleg e levou Túrin para longe, pois uma muda loucura de pesar se abatera sobre ele.

## 490

§267 Por grandes perigos Gwindor conduzia Túrin a Nargothrond, e chegaram às lagoas de Ivrin, e lá Túrin chorou e foi curado de sua loucura. Gwindor e Túrin chegaram enfim a Nargothrond, e lá foram admitidos; pois Finduilas, filha de Orodreth, que fora noiva de Gwindor, única entre o povo dele, reconheceu-o após os tormentos de Angband.

## 490–5

§268 Durante esse tempo Túrin habitou em Nargothrond, e tornou-se grande em conselhos e renome. Os Noldor tomaram a espada de Beleg, com a qual Túrin ficara, e a reforjaram, e foi transformada numa espada preta com gumes como fogo. Ora, Túrin [*acrescentado:*] implorara a Gwindor que ocultasse o seu verdadeiro nome, pelo horror que sentia por matar Beleg e por temer que o ato viesse a ser conhecido em Doriath; e ele / dera como seu nome Iarwaeth [*riscado:* o manchado de sangue], mas então este foi mudado para *Mormegil*, o Espada-Negra, por causa do rumor de seus feitos com aquela arma em vingança por Beleg; mas a espada em si ele chamou de *Gurthang*, Ferro da Morte. Então o coração de Finduilas desviou-se de Gwindor (que, devido ao seu sofrimento em Angband, encontrava-se algo mutilado) e seu amor foi dado a Túrin; e Túrin a amava, mas não o exprimia, sendo leal a Gwindor. [*Acrescentado:*] Então Finduilas, estando dividida no coração, tornou-se entristecida; e ficou pálida e silenciosa. / Mas Gwindor, vendo o que tinha acontecido, amargurou-se em seu coração, e amaldiçoou Morgoth, que podia assim perseguir seus inimigos com pesares, para onde quer que fugissem. "E agora, enfim," disse ele, "acredito na história de Angband de que Morgoth amaldiçoou Húrin e toda a sua família."

§269 E, certa feita, falou a Finduilas, dizendo: "Filha da Casa de Finrod, que nenhuma tristeza jaza entre nós, pois, embora Morgoth tenha me arruinado a vida, a ti ainda amo. Mas vai aonde o amor te conduzir! Porém, cuidado! Não é adequado que os Filhos Mais Velhos se curvem aos Mais Novos. Nem os fados hão de admitir isso, a não ser que seja uma ou duas vezes apenas, por alguma causa elevada do destino. Mas esse Homem não é Beren. Está sobre ele um destino, de fato, como os olhos que enxergam podem muito bem ler, mas é um destino sombrio. Não entres nele! E, se entrares, então teu amor há de te trair até a amargura e a morte. Pois eis que esse não é *Iarwaeth*, nem *Mormegil*, mas Túrin, filho de Húrin."

§270 E Gwindor contou como o tormento e a maldição de Húrin eram de conhecimento de todos em Angband; e disse: "Não duvides do poder de Morgoth Bauglir! Não está ele escrito em mim?" Mas Finduilas ficou em silêncio.

§271E mais tarde, de modo semelhante, Gwindor falou a Túrin; mas Túrin respondeu: "Amor te tenho por me resgatar e proteger. E, mesmo que não fosse assim, ainda não te feriria de bom grado, tu que sofreste tão grandes injustiças. Finduilas de fato amo, mas não temas! Há o amaldiçoado de casar, e dar como dote matutino a sua maldição àquela que ele ama? Não, nem mesmo a alguém de seu próprio povo. Mas agora me fizeste o mal, amigo, por trair meu verdadeiro nome, e chamar meu destino sobre mim, do qual pensara ficar oculto."

§272 Mas quando se tornou conhecido de Orodreth [e da gente de Nargothrond que Iarwaeth era de fato o filho de Húrin, então maior se tornou a sua honra entre eles, e eles fariam >] que Iarwaeth era de fato o filho de Húrin, deu-lhe grande honra, e fazia / tudo o que ele aconselhava. E ele, perturbado por esse novo pesar (pois o amor de Finduilas, que ele não aceitava, crescia cada vez mais), encontrava consolo somente na guerra. E naquele tempo a gente de Nargothrond abandonou seu segredo, sua guerra de emboscadas e caçadas, e saiu abertamente à batalha; e [*riscado:* se aliaram a Handir de Brethil, e] construíram uma ponte sobre o Narog, saindo das grandes portas de Felagund para a passagem mais rápida de seus exércitos. E varreram os Orques e feras de Angband de toda a terra entre o Narog e o Sirion, a leste, e a oeste, até o Nenning e as fronteiras da Falas desolada. Assim Nargothrond foi revelada à ira e à malícia de Morgoth, mas ainda assim, a rogo de Túrin, seu nome verdadeiro não era pronunciado, e rumores falavam apenas do Mormegil de Nargothrond.

O registro abaixo, de 492, foi riscado posteriormente. Seu substituto, uma inserção para o ano 400, foi apresentado anteriormente (§120).

§273 [*Anal rejeitado para o ano 492*] Aqui Meglin, filho de Ëol, foi enviado por sua mãe Isfin a Gondolin, e Turgon alegrou-se ao ter notícias da irmã que julgava perdida, e recebeu Meglin com honras como filho de sua irmã. Mas diz-se que Meglin, tendo sido criado nas sombras de Brethil, jamais ficou por completo à vontade na luz de Gondolin.

## 494

§274 Nessa época, quando devido aos feitos do Mormegil de Nargothrond o poderio de Morgoth foi estancado a oeste do Sirion, Morwen e Niënor fugiram enfim de Dor Lómin e chegaram a Doriath, em busca de novas acerca de Túrin. Mas descobriram que ele partira, e em Doriath não se ouviam notícias do nome dele desde que os Orques o haviam capturado cinco anos antes. [*Acrescentado:*] Morwen e Niënor permaneceram como hóspedes de Thingol e foram tratadas com honra, mas foram tomadas pela tristeza e ansiavam sempre por notícias de Túrin./

**495**

§275 Aqui [*acrescentado:*] Handir de Brethil foi morto na primavera combatendo Orques que invadiram sua terra. Os Orques se reuniram nos passos do Sirion. No final do ano, tendo assim congregado uma grande força, / Morgoth atacou Nargothrond. Glaurung, o Urulókë, passou [para Hithlum e lá fez grandes males, e de lá saiu de Dorlómin por sobre as Erydwethrin >] sobre Anfauglith e chegou de lá aos vales do norte do Sirion e ali fez grandes males, e veio de lá sob as sombras das Erydwethrin / seguido por um grande exército de Orques, e profanou a Eithil Ivrin. Então passou para o reino de Nargothrond, queimando a Talath Dirnen, a Planície Protegida, entre o Narog e o Sirion. E Orodreth e Túrin e [*riscado:* e Handir de Brethil; *acrescentado posteriormente:*] e Gwindor / enfrentaram-no, mas foram derrotados no campo de Tum-halad; e Orodreth foi morto [*riscado:* e Handir. *Acrescentado posteriormente*:] e Gwindor. [*Escrito a lápis na margem:* Túrin na batalha usou o Elmo-de-dragão.] Túrin carregou Gwindor do desastre e, escapando para um bosque, lá o deitou sobre a grama.

§276 E Gwindor disse, "Que pagues, carregando-me, por quando te carreguei! Mas infeliz foi meu esforço, e vão é o teu. Pois agora meu corpo está destroçado, e devo deixar a Terra-média; e embora eu te ame, filho de Húrin, mesmo assim maldigo o dia em que te tirei dos Orques. Pois, se não fosse por tua valentia, ainda eu havia de ter amor e vida, e Nargothrond havia de resistir. Agora, se me amas, deixa-me! Apressa-te a Nargothrond e salva Finduilas. E isto, por último, eu te digo: somente ela está entre ti e tua sina. Se falhares com ela, essa não falhará em te achar. Adeus!"

§277 Portanto, Túrin então seguiu veloz de volta a Nargothrond, reunindo aqueles que fugiam do desastre conforme os encontrava no caminho. [*Acrescentado:*] E as folhas caíam das árvores em um grande vento enquanto avançavam, pois o outono estava se transformando em um inverno duro. E um dos Elfos, Ornil, disse: "De igual maneira cai o povo de Nargothrond, mas para eles não há de chegar a Primavera." E Túrin se apressou, / mas Glaurung e seu exército tinham chegado antes dele (por ter socorrido Gwindor), e vieram de repente, antes que aqueles que tinham ficado de guarda estivessem cientes da derrota. Naquele dia, a ponte que Túrin fez construírem sobre o Narog mostrou ser um mal; pois era grande e construída firmemente e não podia ser destruída com rapidez, e, assim, o inimigo atravessou facilmente o rio profundo, e Glaurung veio com seu fogo pleno contra as Portas de Felagund, e as derrubou, e passou-se para dentro.

§278 E, no momento em que Túrin chegou, o medonho saque de Nargothrond estava quase completo. Os Orques tinham matado ou rechaçado todos os que ainda tinham armas e estavam, naquela mesma hora, saqueando todos os grandes salões e câmaras, reunindo butim e destruindo; mas aquelas das mulheres e donzelas que não foram queimadas ou mortas eles tinham arrebanhado no terraço diante das portas, como escravas a serem levadas a Angband. A essa ruína e dor Túrin chegara, e ninguém podia detê-lo; ou não queria, embora ele golpeasse a todos diante de si, e atravessou a ponte, e abriu caminho à espada rumo às cativas.

§279 E agora estava sozinho, pois os poucos que o haviam seguido tinham fugido para se esconderem. Mas eis que, naquele momento, Glaurung, o cruel, passou pelas Portas escancaradas de Felagund e se colocou atrás dele, entre Túrin e a ponte. Então falou subitamente, pelo espírito maligno que estava nele, dizendo: “Salve, filho de Húrin. É bom encontrar-te!”

§280 Então Túrin se voltou de um salto e caminhou na direção dele, e havia fogo em seus olhos, e o gume de Gurthang brilhou como que em chamas. Mas Glaurung deteve seu fogo, e abriu de todo seus olhos de serpente, e fitou Túrin. E, sem medo, Túrin olhou naqueles olhos enquanto erguia sua espada, e eis que de imediato caiu sob o terrível feitiço do dragão, e ficou como que transformado em pedra. Então por um longo tempo permaneceram imóveis, em silêncio, diante das grandes Portas de Felagund. Então Glaurung falou de novo, provocando Túrin. [*Escrito a lápis junto deste parágrafo:* Pois enquanto usasse o Elmo-de-dragão de Galion, ele estava à prova do olhar de Glaurung. Então a Serpe, percebendo isso (*sic*)]

§281 “Maus têm sido todos os teus caminhos, filho de Húrin”, disse ele. “Ingrato com quem te adotou, proscrito, assassino de teu amigo, ladrão de amor, usurpador de Nargothrond, temerário capitão e desertor de tua gente. [*Riscado:* Por quanto tempo viverás para arruinar a todos que te amam?] Como servas tua mãe e tua irmã vivem em Dorlómin, em desgraça e pobreza. Estás trajado como um príncipe, mas elas usam andrajos. Por ti anseiam, mas tu não te importas. Feliz pode ficar teu pai de saber que tem tal filho, e isso ele há de saber." E Túrin, estando sob o feitiço de Glaurung, deu ouvidos às suas palavras, e viu a si mesmo como que em um espelho, desfigurado por malícia, e abominou aquilo que viu. E, enquanto estava ainda sob o poder dos olhos de Glaurung, em tormento de mente, e não podia se mexer, a um sinal do dragão os Orques levaram embora os cativos arrebanhados, e passaram perto de Túrin, e cruzaram a ponte. E eis que em meio a eles estava Finduilas, e ela estendeu os braços a Túrin, e o chamou pelo nome. Mas só depois que os gritos dela e os gemidos dos cativos se perderam na estrada para o norte Glaurung soltou Túrin, e ele não podia nem mesmo tapar seus ouvidos diante daquela voz que o assombrou depois disso.

§282 Então, subitamente, Glaurung retirou seu olhar e esperou; e Túrin se mexeu devagar, como quem desperta de um sonho horrendo. Então, voltando a si com um grito alto, avançou sobre o dragão. Mas Glaurung riu, dizendo: "Se queres ser morto, hei de te matar alegremente. Mas de pouca ajuda será isso para Morwen e Niënor. Nenhum ouvido deste aos gritos da mulher-élfica. Negarás também os laços de teu sangue?"

§283 Mas Túrin, assestando a espada, tentou apunhalar-lhe os olhos; e Glaurung, recuando rapidamente, ergueu-se imenso diante dele e disse: "Não! Ao menos és valente. Mais do que todos os que conheci. E mentem os que dizem que nós, de nossa parte, não honramos o valor dos inimigos. Vê! Ofereço-te a liberdade. Vai ter com tua gente, se puderes. Retira-te daqui! E se Elfo ou Homem sobrar para contar história destes dias, então decerto em escárnio dirá teu nome se recusares essa dádiva."

§284 Então Túrin, estando ainda desnorteado pelos olhos do dragão, como se estivera tratando com um inimigo que pudesse conhecer piedade, acreditou nas palavras de Glaurung, e, voltando-se, saiu correndo pela ponte. Mas, conforme corria, Glaurung falou atrás dele, dizendo em fera voz: "Apressa-te agora, filho de Húrin, para Dorlómin! Ou talvez os Orques cheguem antes de ti, uma vez mais. E, se te demorares por Finduilas, então nunca haverás tu de ver a Morwen ou a Niënor de novo; e elas hão de te amaldiçoar." [*Escrito a lápis na margem:* Glaurung o provoca com o Elmo-de-dragão.]

§285 Mas Túrin partiu pela estrada do norte, e Glaurung riu uma vez mais, pois tinha realizado a missão dada por seu Mestre.

Então se voltou para seu próprio prazer, e deixou sair seu fogo, e queimou tudo à sua volta. Mas todos os Orques que estavam ocupados com o saque ele expulsou, e os lançou para longe, e negou-lhes seu butim, até a menor coisa de valor. A ponte então ele despedaçou e jogou na espuma do Narog; e, estando assim seguro, reuniu todo o tesouro e todas as riquezas de Felagund e as amontoou, e jazeu então sobre elas no salão mais profundo, e descansou algum tempo.

§286 Então Túrin apressou-se pelos caminhos para o Norte, através das terras agora desoladas, entre o Narog e o Taiglin, [*acrescentado:*] e o Fero Inverno desceu para encontrá-lo; pois, naquele ano, a neve caiu antes que o outono fosse passado, e a primavera veio tarde e fria. / Sempre lhe parecia, conforme avançava, ouvir os gritos de Finduilas, chamando o seu nome em mata e monte, e grande era a sua angústia; mas porque seu coração ardia com as mentiras de Glaurung, e porque via sempre em sua mente os Orques queimando a casa de Húrin ou submetendo Morwen e Niënor ao tormento, continuou em seu caminho sem jamais se desviar.

Segue-se aqui uma seção do texto em que a escrita original foi bastante emendada, depois da qual a maior parte da seção foi riscada e substituída. Apresento primeiro a forma do texto como escrita originalmente. Para os antecedentes dos *Anais Cinzentos* (exceto os trechos que dizem respeito a Tuor) deste ponto até o final da história de Túrin (§349), ver o comentário a §§287 e seguintes.

§287 Afinal, exausto e faminto por longos dias de jornada, à medida que o triste outono avançava ele chegou às lagoas de Ivrin, onde antes havia sido curado. Mas elas estavam arruinadas e conspurcadas, e ele não pôde tornar a beber ali. Um mal sinal isso lhe pareceu.

§288 Assim, atravessou os passos e entrou em Dorlómin e, quando o inverno caiu com as neves do Norte, achou de novo a terra de sua infância. Nua e desolada estava. E Morwen se fora. Vazia estava sua casa, destroçada e fria. Fazia mais de um ano desde que ela partira para Doriath. Brodda, o Lestense (que desposara Airin, parenta de Morwen), saqueara a sua casa e tomara tudo o que restava de seus bens. Então os olhos de Túrin se abriram, e o feitiço de Glaurung foi rompido, e soube das mentiras com as quais fora enganado. E, em sua angústia e ira pelos males que sua mãe sofrera, ele matou Brodda em seu próprio salão e então fugiu para o inverno, um homem caçado.

§289 Notícias logo chegaram a Thingol em Doriath acerca da queda de Nargothrond; e [foi revelado então que Mormegil era de fato Túrin, filho de Húrin >] o medo andava nas fronteiras do Reino Oculto.

§290 Nesse mesmo ano, Tuor, filho de Huor, foi conduzido pelas mensagens de Ulmo a um caminho secreto que levava para fora de Mithrim, por um canal d'água que corria sob a terra, e chegou assim a uma fenda profunda na ponta de Drengist, e desapareceu do conhecimento de todos os espiões de Morgoth. Então, viajando sozinho e com cuidado, descendo as costas, atravessou a Falas e os Portos arruinados e, assim, chegou no fim do ano às Fozes do Sirion. [*Acrescentado e depois riscado:* Na primavera desse ano, Handir de Brethil também foi morto combatendo os Orques que adentraram Brethil.]

## 496

§291 Tarde demais Túrin buscou Finduilas, vagando pelas matas sob a sombra das Eryd Wethion, selvagem e arisco feito um bicho; e se pôs a vigiar todas as estradas que seguiam para o norte até o passo do Sirion. Tarde demais. Pois todos os rastos estavam velhos ou tinham desaparecido no inverno. Mas assim foi que Túrin, seguindo para o sul, descendo o Taiglin, topou com alguns da gente de Haleth que ainda habitavam na floresta de Brethil. Haviam minguado então pela guerra a um povo pequeno, e habitavam principalmente dentro de uma paliçada no Amon Obel, no fundo da floresta. Ephel Brandir era aquele lugar chamado; pois Brandir, filho de Handir, era então senhor deles desde que [Handir não retornara do campo assolado de Tum-halad. >] Handir, seu pai, fora morto. E Brandir não era homem de guerra, sendo manco devido a um infortúnio na infância; e, ademais, era de ânimo gentil, amava a madeira em vez do metal, e o conhecimento de todas as coisas que cresciam na terra em vez de outros saberes.

Nesse ponto termina a seção rejeitada da narrativa, iniciada em §287. O texto que a substituiu pertence à época da composição do manuscrito.

§292 Afinal, esgotado pela pressa e pela longa estrada (pois [oitenta >] quarenta léguas e mais tinha ele viajado sem descanso), chegou com o primeiro gelo do inverno às lagoas de Ivrin, onde antes tinha sido curado. Mas eram agora não mais que uma poça congelada, e não podia mais beber nelas.

§293 Assim, chegou perto dos passos de Dorlómin, através de neves amargas do Norte, e achou de novo a terra de sua infância. Nua e desolada estava. E Morwen se fora. Vazia estava sua casa, destroçada e fria, e nenhuma coisa viva habitava por perto.

§294 Ocorreu que Túrin chegou então ao salão de Brodda, o Forasteiro, e soube por um velho serviçal de Húrin que Brodda tomara por esposa à força Airin, parenta de Húrin, e oprimira Morwen; e, portanto, no ano anterior, ela fugira com Niënor para um lugar que ninguém, exceto Airin, conhecia.

§295 Então Túrin foi até a mesa de Brodda e, com ameaças, ficou sabendo por Airin que Morwen fora para Doriath em busca do filho. Pois disse Airin: "As terras estavam então libertas do mal pelo Espada-Negra do Sul, que agora tombou, dizem."

§296 Então os olhos de Túrin se abriram, e os últimos traços do feitiço de Glaurung o deixaram; e, por angústia e ira contra as mentiras que o haviam iludido, e por ódio dos opressores de Morwen, uma fúria negra o tomou, e ele matou Brodda em seu salão e outros Lestenses que eram seus hóspedes, e então fugiu para o inverno, um homem caçado.

§297 Mas recebeu auxílio de alguns que restavam do povo de Hador e conheciam os caminhos do ermo, e com eles escapou pela neve que caía e chegou a um refúgio de proscritos nas montanhas do sul de Dorlómin. De lá Túrin deixou de novo a terra de sua infância e retornou ao vale do Sirion. Seu coração estava amargo, pois a Dorlómin ele trouxera apenas maior dor sobre o remanescente de seu povo, e eles se aliviaram com sua partida; e este conforto, apenas, ele tinha: que pelas proezas do Espada-Negra os caminhos até Doriath tinham sido abertos a Morwen. E dizia em seu coração: "Então aqueles feitos não fizeram mal a todos! E em que lugar melhor eu poderia abrigar minha cara gente, mesmo que eu tivesse vindo antes? Pois, se o Cinturão de Melian for quebrado, então a última esperança terminará. Não, é melhor que as coisas tenham ficado assim. Pois eis que uma sombra lanço onde quer que eu vá. Que Melian as guarde! Mas deixá-las-ei em paz, sem sombra, por enquanto."

**496**

§298 Aqui Tuor, filho de Huor, encontrou Bronwë dos Noldor nas fozes do Sirion; e começaram uma jornada para o norte ao longo do grande rio. Mas enquanto habitavam em Nan Tathrin, e lá se demoravam devido à paz e beleza daquela região na primavera, o próprio Ulmo subiu o Sirion e apareceu para Tuor, e o anseio pelo Grande Mar depois disso esteve sempre em seu coração. Mas então, por ordem de Ulmo, ele subiu o Sirion e, pelo poder que Ulmo depositara neles, Tuor e Bronwë encontraram a entrada protegida de Gondolin. Lá Tuor foi levado diante do Rei Turgon e falou as palavras que Ulmo colocara em sua boca, pedindo que partisse e abandonasse a bela e magna cidade que construíra, e descesse até o Mar. Mas Turgon não quis dar ouvidos a esse conselho; e [Meglin *posteriormente* >] Glindûr, o filho de sua irmã, falou contra Tuor. Mas Tuor foi estimado com honra em Gondolin, por causa de sua família.

Esse registro foi muito emendado e recebeu muitos acréscimos (e a data foi alterada para 495), e então (visto que o texto agora se encontrava em um estado muito confuso) foi riscado até "pedindo que partisse" e substituído pela seguinte versão escrita num pedaço de papel à parte:

**495**

§299 Ora, Tuor, filho de Huor, vivera como proscrito nas cavernas de Androth acima de Mithrim por quatro anos, e causara grande dano aos Lestenses, e Lorgan pôs um preço por sua cabeça. Mas Ulmo, que o escolhera como o instrumento de seus desígnios, fez com ele seguisse por caminhos secretos para fora da terra de Dorlómin, de modo que sua ida ficou oculta de todos os serviçais de Morgoth; e ele chegou a Nivrost. Mas ali, ficando enamorado do Mar, demorou-se por um longo tempo; e, no outono do ano, o próprio Ulmo apareceu a Tuor, e ordenou que partisse e fosse à cidade oculta de Turgon. E ele lhe enviou Voronwë, último dos marinheiros de Turgon, para guiá-lo; e Voronwë conduziu Tuor para o leste ao longo das fímbrias das Eryd Wethion até Ivrin. (E lá viram Túrin passar, mas não falaram com ele.) E por fim, pelo poder que Ulmo pusera sobre eles, chegaram ao portão protegido de Gondolin. Lá Tuor foi levado diante do rei e falou o conselho de Ulmo, pedindo que Turgon [*o trecho a seguir é o texto já apresentado em §298*] partisse e abandonasse a bela e magna cidade que construíra, e descesse até o Mar. Mas Turgon não quis dar ouvidos a esse conselho; e [Meglin *posteriormente* >] Glindûr, o filho de sua irmã, falou contra Tuor. Mas Tuor foi estimado com honra em Gondolin, por causa de sua família.

**[496]**

§300 Ora, Túrin, descendo das Eryd Wethion, buscou Finduilas em vão, vagando pelas matas sob a sombra das montanhas, selvagem e arisco feito um bicho; e se pôs a vigiar todas as estradas que seguiam para o norte até os passos do Sirion. Tarde demais. Pois todos os rastos estavam velhos ou tinham sido lavados pelo inverno. Mas assim foi que, seguindo para o sul, descendo o Taiglin, Túrin topou com alguns dos Homens de Brethil e os salvou dos Orques que os haviam apanhado numa armadilha. Pois os Orques fugiram de Gurthang.

§301 Disse-lhes que se chamava Homem-selvagem das Matas, e imploraram que viesse e habitasse com eles; mas ele disse que tinha uma missão ainda não realizada: a de buscar Finduilas, filha de Orodreth. Então Dorlas, o líder dos homens-da-floresta, contou-lhe as tristes notícias sobre a morte dela. Pois os homens-da-floresta tinham emboscado, nas Travessias do Taiglin, a hoste-órquica que levava os cativos de Nargothrond, esperando resgatá-los; mas os Orques, de imediato, mataram cruelmente a seus prisioneiros, e Finduilas eles trespassaram com uma lança, que a prendeu a uma árvore. Assim ela morreu, dizendo por fim: "Contai ao Mormegil que Finduilas está aqui." Portanto, sepultaram-na em um teso perto daquele lugar, e deram-lhe o nome de *Hauð-en-Ellas*.

§302 Túrin pediu que o levassem até lá e ali caiu em uma escuridão de tristeza, e ficou próximo da morte. Então Dorlas, por conta da espada negra, cuja fama tinha chegado até mesmo às profundezas de Brethil, e pela demanda em busca da filha do rei, soube que esse Homem-selvagem era de fato o Mormegil de Nargothrond [*acrescentado:*] (de quem o rumor dizia ser o filho de Húrin de Dorlómin). Portanto, os homens-da-floresta o levantaram e carregaram-no para seus lares. Esses estavam dispostos dentro de uma paliçada sobre um lugar elevado na floresta, Ephel

Brandir sobre o Amon Obel; pois a gente de Haleth agora estava diminuída pela guerra a um pequeno povo, e Brandir, filho de Handir, que os regia, era um homem de ânimo gentil, e também manco desde a infância, e confiava antes no segredo do que nas façanhas de guerra para salvá-los do poder do Norte.

§303 Portanto, temia as notícias que Dorlas trouxera e, quando contemplou o rosto de Túrin enquanto jazia na padiola, uma nuvem de presságio veio sobre seu coração. Mesmo assim, comovido com suas dores, levou-o para sua própria casa e cuidou dele; pois era hábil nas artes da cura. E, com o princípio da primavera, Túrin lançou fora sua escuridão e se fez são de novo; e se levantou, e pensou que permaneceria em Brethil escondido, e que deixaria sua sombra para trás, abandonando o passado. Tomou para si, portanto, um novo nome, *Turambar*, e implorou aos homens-da-floresta para que esquecessem que ele era um estranho no meio deles ou que jamais tivera qualquer outro nome. Mesmo assim, não queria deixar de todo os feitos de guerra, pois não podia suportar que os Orques viessem às Travessias do Taiglin ou se aproximassem do Hauð-en-Ellas, e fez dali um lugar de terror para eles, de forma que o evitavam. Mas deixou de lado sua espada negra e usava antes o arco.

§304 Ora, notícias chegaram a Doriath acerca de Nargothrond, pois alguns que tinham escapado da derrota e do saque e sobrevivido ao fero inverno no ermo vieram, por fim, a Thingol, buscando refúgio. Mas suas histórias se contradiziam, com alguns dizendo que Nargothrond estava vazia, outros, que Glaurung morava lá; alguns diziam que todos os senhores e capitães haviam sido mortos, outros, que não, o Mormegil retornara a Nargothrond e lá fora feito prisioneiro sob o feitiço do dragão. Mas todos declararam que tinha sido do conhecimento de muitos em Nargothrond, antes do fim, que o Mormegil era ninguém menos que Túrin, filho de Húrin. [*Acréscimo a lápis:* E quando ouviu sobre o Elmo-de--dragão, Morwen soube que isso era verdade.]

§305 Então Morwen, agoniada e recusando o conselho de Melian, cavalgou sozinha para o ermo em busca de seu filho ou de alguma notícia veraz sobre ele. Thingol, portanto, enviou Mablung atrás dela, com muitos guardas de fronteira confiáveis, e alguns cavaleiros, para protegê-la e para descobrir que notícias pudessem; mas Niënor juntou-se a essa companhia em segredo, disfarçada, pois esperava que, quando Morwen visse que sua filha estava indo com ela rumo ao perigo, caso seguisse adiante, ela então ficaria disposta a retornar a Doriath e a deixar a busca de notícias para Mablung. Mas Morwen, parecendo enfeitiçada, não se deixava persuadir, e Mablung se viu forçado a levar as damas consigo; e atravessaram a vasta planície e chegaram a Amon Ethir, uma légua antes da ponte de Nargothrond. Ali Mablung dispôs uma guarda de cavaleiros à volta de Morwen e de sua filha, e as proibiu de ir adiante. Mas ele, não vendo do monte nenhum sinal do inimigo, desceu com seus batedores ao Narog de modo tão sorrateiro quanto puderam.

§306 Mas Glaurung estava ciente de tudo o que faziam, e saiu no calor de sua ira, e se deitou dentro do rio; e vastos vapores e fedor imundo subiram, nos quais Mablung e sua companhia ficaram cegos e perdidos. Então Glaurung atravessou o Narog para o leste.

§307 Vendo a investida de Glaurung, os guardas sobre o Amon Ethir tentaram levar as damas para longe, e fugir com elas a toda velocidade de volta para o leste; mas o vento trouxe as brumas esbranquiçadas sobre eles, e seus cavalos ficaram enlouquecidos com o fedor do dragão, e se tornaram ingovernáveis, e correram de lá para cá, de modo que alguns foram lançados contra árvores e morreram, e outros foram carregados para muito longe. Assim, as damas se perderam, e de Morwen, de fato, nenhuma notícia certa jamais chegou a Doriath depois disso. Mas Niënor, sendo derrubada por sua montaria, mas estando ilesa, achou o caminho de volta ao Amon Ethir às apalpadelas, para lá aguardar Mablung, e assim ficou acima do fedor, à luz do sol. [Assim, sozinha ela ficou face a face com o próprio Glaurung, que subira pelo outro lado. >] E, voltando a vista para o oeste, olhou diretamente nos olhos de Glaurung, cuja cabeça jazia sobre o topo da colina.

§308 A vontade dela lutou com a dele por algum tempo, mas o dragão lançou seu poder e, tendo descoberto quem ela era (como de fato muito bem adivinhara), forçou-a a fitar seus olhos e pôs um feitiço de total escuridão e esquecimento, de modo que ela não conseguia recordar nada do que alguma vez lhe tinha acontecido, nem seu próprio nome, nem o nome de qualquer outra coisa; e, por muitos dias, de fato, não pôde nem ouvir, nem ver, nem se mexer por sua própria vontade. Então Glaurung a deixou postada sozinha sobre o Amon Ethir e retornou a Nargothrond.

§309 Ora, Mablung, que com grande ousadia tinha explorado os salões de Felagund quando Glaurung os deixou, fugiu dali com a aproximação do dragão e retornou ao Amon Ethir. O sol se pôs, e a noite caiu enquanto ele escalava o monte, e, para sua consternação, não achou ninguém ali além de Niënor, de pé, sozinha sob as estrelas, como uma imagem de pedra. Nenhuma palavra ela disse ou ouviu, mas o seguia, se ele a tomasse pela mão. Portanto, em grande tristeza, levou-a dali, embora aquilo lhe parecesse vão; pois era provável que ambos perecessem sem quem os socorresse no ermo.

§310 Mas foram achados por três dos companheiros de Mablung e devagar viajaram para o norte e o leste às cercas de Doriath, onde, perto da confluência do Esgalduin, havia o portão secreto pelo qual aqueles da gente que retornava de fora costumavam entrar. Devagar, a força de Niënor ia retornando conforme se aproximavam de Doriath e se distanciavam de Glaurung; mas ainda ela não conseguia falar ou escutar e caminhava às cegas quando era guiada.

§311 Mas, na hora em que chegavam perto das cercas, afinal, ela fechou os olhos desorientados e fixos, e queria dormir; e eles a deitaram e ela adormeceu; e eles descansaram também, pois estavam profundamente exaustos. Estando assim menos cuidadosos do que seria prudente, foram atacados ali por um bando de Orques, como os que agora vagavam amiúde tão perto das cercas de Doriath quanto podiam. Mas Niënor, naquela hora, recuperou audição e vista e, sendo despertada pelos gritos dos Orques, ficou de pé, aterrorizada, como uma criatura selvagem, e fugiu antes que pudessem ir até ela.

§312 Então os Orques lhe deram caça, e os Elfos os seguiram; mas, embora tenham alcançado de fato os Orques e os matado antes que pudessem fazer mal a ela, Niënor lhes escapou. Pois fugia como que em uma loucura de medo, mais veloz que um cervo, e rasgou toda a sua vestimenta enquanto corria, até ficar nua [*colocado entre colchetes posteriormente:*], exceto por uma saia curta. E saiu da vista deles, correndo para o norte e, por mais que a buscassem, não a acharam, nem traço algum dela. E por fim Mablung, em desespero, retornou a Menegroth e contou todas as suas notícias. [*Acrescentado:* Muitíssimo angustiados ficaram Thingol e Melian; mas Mablung partiu e por três anos buscou longamente, em vão, notícias de Morwen e Niënor.]

§313 Mas Niënor correu para dentro da mata até ficar exausta, e então caiu, e dormiu, e despertou; e eis que era uma clara manhã, e ela se regozijou com a luz como se fora uma coisa nova, e todas as demais coisas que via lhe pareciam novas e estranhas, pois não tinha nomes para elas. Nada recordava exceto uma escuridão que jazia detrás dela e uma sombra de medo; portanto, andava arisca como bicho caçado e ficou faminta, pois não tinha comida e não sabia como achá-la. Mas, chegando por fim às Travessias do Taiglin, cruzou-as, buscando o abrigo das grandes árvores de Brethil, pois tinha medo e lhe parecia que a escuridão da qual fugira a estava alcançando de novo.

§314 Mas então uma grande tempestade de trovões veio do Sul e, em terror, ela se jogou ao lado do teso de Hauð-en-Ellas [*escrito à lápis na margem:* Elleth], tapando os ouvidos por causa do trovão, mas a chuva se abateu sobre ela e a encharcou, e jazeu lá, como um bicho selvagem que está morrendo.

§315 Ali Turambar a achou, enquanto chegava às Travessias do Taiglin, tendo ouvido um rumor de que Orques vagavam por perto. E, vendo num clarão de relâmpago o corpo de uma donzela morta (ao que parecia) deitada sobre o teso de Finduilas, feriu-se [subitamente com medo >] o seu coração. Mas os homens-da-floresta a levantaram, e Turambar jogou seu manto em volta dela, e a levaram para um abrigo ali perto, e a banharam e a aqueceram, e deram-lhe comida. E, assim que ela olhou para Turambar sentiu-se confortada; pois lhe parecia que tinha encontrado enfim algo que por muito tempo buscara em sua escuridão; e pôs sua mão na de Turambar e não queria se separar dele.

§316 Mas, quando ele perguntou acerca de seu nome e sua gente e seu infortúnio, então ela ficou perturbada, como uma criança que percebe que querem algo dela, mas não consegue entender o que possa ser. E irrompeu em pranto. Portanto, Turambar disse: "Não te perturbes! Sem dúvida tua história ainda é triste demais para ser contada. Ela pode esperar. Mas um nome deves ter, e chamar-te-ei *Níniel* (donzela-das-lágrimas)." E ao ouvir aquele nome ela sacudiu a cabeça, mas disse *Níniel.* Aquela foi a primeira palavra que falou depois de sua escuridão e continuou a ser seu nome entre os homens-da-floresta para sempre.

§317 No dia seguinte, levaram-na no rumo de Ephel Brandir; mas, nas quedas do Celebros, um grande estremecimento lhe sobreveio (donde, depois disso, aquele lugar passou a ser chamado de Nen Girith) e, antes de chegar ao lar dos homens-da-floresta, estava enferma de uma febre. Por muito tempo jazeu enferma, mas foi curada pelas artes de Brandir e o cuidado das curandeiras de Brethil; e as mulheres lhe ensinaram linguagem como a uma criancinha. Antes que o outono chegasse, ela estava sã de novo, e conseguia falar, mas nada se lembrava de antes de ser encontrada por Turambar. Brandir muito a amou, mas todo o seu coração era dado a Turambar. Durante todo aquele ano, desde a chegada de Níniel, houve paz em Brethil, e os Orques não atormentaram os homens-da-floresta.

**497**

§318 Turambar ainda permanecia em paz e não saía à guerra. Seu coração se voltou para Níniel, e ele a pediu em casamento; mas por algum tempo ela quis esperar, apesar de seu amor. Pois Brandir tinha presságios, não sabia do quê, e buscou impedi-la, antes por causa dela do que por si próprio ou por rivalidade com Turambar; e revelou a ela que Turambar era Túrin, filho de Húrin e, embora ela não reconhecesse o nome, uma sombra lhe caiu no coração. Disso Turambar tomou conhecimento e desagradou-se de Brandir.

**498**

§319 Na primavera desse ano, Turambar pediu a mão de Níniel de novo e jurou que havia agora de desposá-la, ou então voltaria à guerra no ermo. E Níniel o aceitou em júbilo, e se casaram no meio do verão, e os Homens-da-floresta de Brethil fizeram grande festa. Mas, antes do fim do ano, Glaurung enviou Orques de seu domínio contra Brethil; e Turambar se sentou em casa, sem nada fazer, pois tinha prometido a Níniel que iria à batalha apenas se o lar deles fosse assediado. Mas os homens-da-floresta levaram a pior, e Dorlas o reprochou por não auxiliar a gente que agora era a sua. Então Turambar se levantou e desembainhou de novo sua espada negra e reuniu grande força dos Homens de Brethil, e eles derrotaram os Orques completamente. Mas Glaurung ouviu notícias de que o Espada Negra estava em Brethil e ponderou o que ouvira, tencionando novos males.

**499**

§320 Níniel concebeu na primavera desse ano, e ficou pálida e tristonha. Na mesma época, chegaram a Ephel Brandir os primeiros rumores de que Glaurung tinha saído de Nargothrond. E Turambar mandou batedores para lugares distantes, pois agora ordenava as coisas como desejasse, e poucos davam ouvido a Brandir.

§321 E conforme o verão se aproximava, Glaurung veio às fronteiras de Brethil e se deitou perto da margem oeste do Taiglin; e então houve grande medo entre a gente da floresta, pois estava agora claro que a Grande Serpe havia de atacá-los e devastar sua terra, e não passar ao largo, retornando a Angband, como tinham esperado. Buscaram, portanto, o conselho de Turambar. E ele os aconselhou que era vão ir contra a Serpe com todas as suas forças. Apenas por astúcia e boa sorte poderiam derrotá-lo. Ofereceu-se, portanto, para ir em busca de Glaurung, nas fronteiras daquela terra, e ordenou que o resto do povo permanecesse em Ephel Brandir, mas que se preparasse para a fuga. Pois, se a Glaurung coubesse a vitória, ele viria primeiro até o lar dos homens-da-floresta para destruí-los, e não teriam esperança de detê-lo; mas, se eles se espalhassem por toda parte, então muitos poderiam escapar, pois Glaurung não faria morada em Brethil e retornaria logo a Nargothrond.

§322 Então Turambar pediu companheiros dispostos a auxiliá-lo no perigo; e Dorlas se pôs à frente, mas nenhum outro. Então Dorlas reprochou o povo, e falou de Brandir com escárnio, dizendo que era incapaz de desempenhar o papel de herdeiro de Haleth; e Brandir, envergonhado diante de seu povo, amargurou-se em seu coração. Mas Torbarth [*escrito a lápis acima:* Gwerin], parente de Brandir, pediu a licença dele para ir em seu lugar. Então Turambar disse adeus a Níniel e ela se encheu de medo e presságios, e a despedida dos dois foi repleta de tristeza; mas Turambar partiu com seus dois companheiros e foi para Nen Girith.

§323 Então Níniel, sendo incapaz de suportar seu medo e não querendo esperar na Ephel por notícias da sorte de Turambar, partiu atrás dele, e uma grande companhia foi com ela. Diante disso, Brandir se encheu ainda mais do que jamais se enchera de terror [*riscado:* mas ela não deu ouvidos ao seus conselhos] e buscou dissuadir a ela e a gente que queria ir com ela dessa temeridade, mas não lhe deram ouvidos. Portanto, renunciou ao seu senhorio e a todo amor pelo povo que tinha escarnecido dele, e, não tendo nada mais além de seu amor por Níniel, cingiu-se com uma espada e foi atrás dela; mas, sendo coxo, ficou muito para trás.

§324 Ora, Turambar chegou a Nen Girith ao pôr do sol e lá soube que Glaurung se deitara à beira das altas barrancas do Taiglin, e era provável que se movesse depois do cair da noite. Então considerou que tais notícias eram boas; pois a Serpe se deitara em [Cabad-en-Aras >] Cabed-en-Aras, onde o rio corria por uma garganta profunda e estreita que um cervo perseguido podia vencer de um salto, e Turambar julgou que Glaurung não buscaria outra passagem, mas tentaria cruzar a garganta ali. Portanto, decidiu começar a descida na hora do ocaso, e chegar ao fundo da ravina sob a proteção da noite, e cruzar as águas bravias, e então escalar a encosta do outro lado (que era menos íngreme), e assim atacar a Serpe por baixo de sua guarda.

§325 Esse alvitre Túrin então seguiu, mas o coração de Dorlas lhe falhou quando chegaram às corredeiras do Taiglin no escuro, e ele não ousou tentar aquela perigosa travessia, mas recuou e ficou escondido na mata, com o fardo da vergonha. Turambar e Torbarth, mesmo assim, cruzaram o rio em segurança, pois o alto rugido da água afogava todos os outros sons, e Glaurung dormia. Mas, antes do meio da noite, a Serpe despertou e, com grande barulho e rajada de fogo, lançou sua parte anterior através do abismo e começou a arrastar o resto do corpo atrás de si. Turambar e Torbarth quase foram sobrepujados pelo calor e pelo fedor, enquanto procuravam, na pressa, um caminho encosta acima para chegar até Glaurung; e Torbarth foi morto por uma grande pedra que se deslocou do alto pela passagem do dragão, o atingiu na cabeça e o lançou no Rio. Esse foi o fim do último parente de direito de Haleth, e não o menos valente.

§326 Então Turambar chamou a si toda a sua vontade e coragem, e escalou a encosta sozinho, e cravou Gurthang no ventre macio da Serpe, enfiando-a até o cabo. Mas, quando Glaurung sentiu suas dores de morte, urrou e, em seus horrendos espasmos, ergueu a massa de seu corpo e se lançou através do abismo, e lá jazeu estrebuchando e se contorcendo em sua agonia. E pôs em chamas tudo à sua volta e golpeou tudo até a ruína, até que, por fim, seus fogos morreram, e ficou parado.

§327 Ora, Gurthang tinha sido arrancada da mão de Turambar nos espasmos de Glaurung, e se prendera ao ventre da Serpe. Turambar, portanto, cruzou a água uma vez mais, desejando recuperar sua espada e contemplar seu inimigo. E o achou com o corpo esticado, de lado; e o cabo de Gurthang saía de seu ventre. Então Turambar pegou o cabo, e pôs seu pé sobre o ventre do dragão, e gritou, para zombar da Serpe e de suas palavras em Nargothrond: "Salve, Serpe de Morgoth! É bom encontrar-te de novo! Morre agora, e que a escuridão te devore! Assim está vingado Túrin, filho de Húrin."

§328 Então arrancou a espada, mas um jato de sangue negro a seguiu e caiu sobre a mão dele, e o veneno a queimou. E, em seguida, Glaurung abriu seus olhos e olhou para Turambar com tal malícia que o feriu como se fora com um golpe; e, por aquele ataque e pela angústia do veneno, ele caiu em uma inconsciência sombria e jazeu feito morto, e sua espada estava debaixo dele.

§329 Os urros de Glaurung ecoaram pelos bosques e chegaram à gente que esperava em Nen Girith; e, quando aqueles que observavam escutaram o grito da Serpe e viram, de longe, a ruína e o incêndio que ela criara, julgaram que tinha triunfado e estava destruindo aqueles que a tinham atacado. E Níniel se sentou e estremeceu à beira da água que caía e, à voz de Glaurung, sua escuridão sobreveio-lhe novamente, de modo que não conseguia se mexer daquele lugar por sua própria vontade.

§330 Foi desse modo que Brandir a achou, pois ele chegara a Nen Girith enfim, mancando e exausto. E, quando ouviu que a Serpe tinha cruzado o rio e derrotara seus inimigos, seu coração se voltou para Níniel em piedade. Contudo, pensou também: "Turambar está morto, mas Níniel vive. Agora talvez ela venha comigo, e eu a leve para longe, e assim havemos de escapar da Serpe juntos."

§331 Depois de certo tempo, portanto, ele ficou de pé ao lado de Níniel e exclamou: "Vem! É hora de ir. Se quiseres, conduzir-te-ei!" E tomou a mão dela, e ela se levantou em silêncio e o seguiu; e, na escuridão, ninguém os viu ir embora.

§332 Mas, conforme desciam o caminho na direção das Travessias, a lua nasceu e lançou uma luz gris sobre a terra, e Níniel indagou: "É este o caminho?" E Brandir respondeu que não conhecia caminho algum, salvo o que lhes permitisse fugir da Serpe e escapar para o ermo. Mas Níniel disse: "O Espada Negra era o meu bem-amado e o meu marido. Para buscá-lo é que estou a caminho. O que mais poderias pensar?" E se pôs a correr na frente dele. Então foi na direção das Travessias do Taiglin e contemplou

Hauð-en-Ellas na luz branca da lua, e grande terror lhe sobreveio. Então, com um grito, deu meia-volta, jogando fora seu manto, e fugiu para o sul, ao longo do rio, e sua vestimenta branca brilhava ao luar.

§333 Assim, Brandir a viu da encosta da colina e virou para tentar atalhá-la no caminho, mas ainda estava atrás dela quando Níniel chegou à ruína de Glaurung, perto da beira do [Cabad-en--Aras >] Cabed-en-Aras. Viu a Serpe que ali jazia, mas não lhe deu atenção, pois um homem jazia ao lado dela; e correu até Turambar e chamou seu nome em vão. Então, vendo a mão dele que estava queimada, lavou-a com lágrimas e a atou com uma faixa tirada de sua vestimenta, e o beijou e gritou de novo que despertasse. Com isso, Glaurung se mexeu pela última vez antes que morresse e falou com seu último alento, dizendo: "Salve, Niënor, filha de Húrin. Este é teu irmão! Regozija-te com vosso encontro e conhece-o: Túrin, filho de Húrin, traiçoeiro com os inimigos, infiel com os amigos e [uma] maldição sobre sua gente. E a ti o pior de tudo, como agora hás de sentir!"

§334 Então Glaurung morreu, e o véu de sua malícia foi tirado de Níniel, e ela recordou toda a sua vida; e ficou sentada como que aturdida pelo horror e pela agonia. Então Brandir, que tinha ouvido tudo, postado em assombro sobre a beira daquela ruína, veio apressado na direção dela; mas Níniel se levantou de um salto e correu feito uma corça caçada e chegou ao [Cabad-en-Aras >] Cabed-en-Aras, e ali jogou-se da beirada e se perdeu na água bravia.

§335 Então Brandir veio e olhou para baixo na direção do Cabad-en-Aras, e deu meia-volta em horror, e, embora não mais desejasse a vida, não conseguia buscar a morte naquela água que rugia. E, dali em diante, nenhum homem jamais contemplou de novo o Cabad-en-Aras, nem quiseram fera nem ave alguma ir até lá, nem árvore alguma ali crescia; e recebeu o nome de Cabad Naeramarth, o Salto do Destino Horrendo.

§336 Mas Brandir então se encaminhou de volta a Nen Girith para trazer notícias ao povo; e encontrou Dorlas no arvoredo e o matou (o primeiro sangue que derramava e o último). E chegou a Nen Girith, e os homens lhe gritaram: "Viste-a? Pois eis que Níniel se foi."

§337 E ele respondeu, dizendo: "Sim, Níniel se foi para sempre. A Serpe está morta, e Turambar está morto: e essas notícias são boas." E a gente murmurou a essas palavras, dizendo que ele tinha enlouquecido. Mas Brandir disse: "Ouvi-me até o fim! Níniel, a bem-amada, também está morta. Jogou-se no Taiglin, não desejando mais a vida. Pois descobriu que era ninguém menos que Niënor, filha de Húrin, antes que seu esquecimento lhe viesse, e que Turambar era seu irmão, Túrin, filho de Húrin."

§338 Mas, na hora em que parou de falar, e enquanto o povo chorava, o próprio Túrin veio diante deles. Pois, quando a Serpe morreu, seu desmaio o deixou e ele caiu em um sono profundo de cansaço. Mas o frio da noite o incomodou, e o cabo de Gurthang machucava seus flancos, e ele despertou. Então viu que alguém cuidara de sua mão e se admirou ao perceber que, mesmo assim, tinham-no deixado no chão frio; e gritou, mas, não ouvindo resposta, foi em busca de auxílio, pois estava cansado e se sentia mal.

§339 Mas, quando o povo o viu, recuaram atemorizados, pensando que era seu espírito inquieto; e ele disse: "Não, alegrai-vos; pois a Serpe está morta, e eu, vivo. Mas por que razão desprezastes meu conselho e viestes correr perigo? E onde está Níniel? Pois queria vê-la. E decerto não a trouxestes, tirando-a de sua casa?"

§340 Então Brandir lhe contou que a tinham trazido e que Níniel estava morta. Mas a esposa de Dorlas gritou: "Não, senhor, ele enlouqueceu. Pois veio aqui dizendo que tinhas morrido, e disse que essa era boa notícia. Mas vives."

§341 Então Turambar encheu-se de ira e acreditou que tudo o que Brandir dizia ou fazia era por malícia contra ele próprio e Níniel, invejando o amor dos dois; e falou indignamente a Brandir, chamando-o de Pé-aleijado. Então Brandir relatou tudo o que ouvira e chamou Níniel de Niënor, filha de Húrin, e gritou a Turambar as últimas palavras de Glaurung, de que ele era uma maldição para a sua gente e para todos os que o abrigavam.

§342 Então Turambar foi tomado pela fúria, e acusou Brandir de levar Níniel à morte e de propagar com deleite as mentiras de Glaurung (se, com efeito, ele mesmo não as houvesse inventado), e amaldiçoou Brandir e o matou, e fugiu do povo rumo à mata. Mas depois de algum tempo sua loucura o deixou, e ele foi até Hauð-en-Ellas e ali se sentou e ponderou todos os seus atos. E invocou Finduilas a trazer-lhe conselho; pois não sabia agora se faria mais mal indo a Doriath em busca de sua gente ou se devia abandoná-los para sempre e buscar a morte em batalha.

§343 E, enquanto se sentava ali, Mablung, com uma companhia de Elfos-cinzentos, passou pelas Travessias do Taiglin, e reconheceu Túrin e o saudou, e se mostrou alegre por encontrá-lo ainda vivente. Pois ficara sabendo da investida de Glaurung e de que seu caminho o levava a Brethil e, ao mesmo tempo, ouvira relatos de que o Espada Negra de Nargothrond agora habitava ali. Portanto, veio alertar Túrin e ajudá-lo, se preciso fosse. Mas Túrin disse: "Tarde demais tu vens. A Serpe está morta."

§344 Então os Elfos se maravilharam e lhe deram grande louvor, mas Túrin de modo algum se importou com isso, e disse: "Isto apenas peço: dai-me notícias de minha gente, pois em Dorlómin eu soube que tinham ido para o Reino Oculto."

§345 Então Mablung se encheu de tristeza, mas teve de contar a Túrin sobre como Morwen se perdera, e como Niënor caíra em um feitiço de mudo esquecimento, e como escapara deles nas fronteiras de Doriath e fugira para o norte. Então, afinal, Túrin soube que o destino o alcançara e que tinha matado Brandir injustamente, de modo que as palavras de Glaurung tinham se cumprido nele. E riu como desatinado, gritando: "Este é um gracejo amargo, de fato!" Mas mandou que Mablung partisse e retornasse a Doriath com maldições sobre ela. "E uma maldição também sobre a tua missão!", gritou. "Isto apenas é o que faltava. Agora vem a noite."

§346 Então fugiu deles como o vento, e eles ficaram admirados, imaginando que loucura tomara conta dele; e o seguiram. Mas Túrin correu muito à frente deles; e chegou ao Cabad-en-Aras, e ouviu o rugido d'água, e viu que todas as folhas tinham caído secas das árvores, como se o inverno tivesse vindo. Então amaldiçoou o lugar e o chamou de Cabad Naeramarth, e desembainhou sua espada, que agora era a única coisa que lhe restava de todas as suas posses, e disse: "Salve, Gurthang! Nenhum senhor, nenhuma lealdade conheces, salvo a mão que te empunha. De sangue algum te afastas. Tomarás, portanto, a Túrin Turambar, matar-me-ás rapidamente?"

§347 E da lâmina se ouviu fria voz em resposta: "Sim, beberei o teu sangue com alegria para que eu possa esquecer o sangue de Beleg, meu mestre, e o sangue de Brandir, morto injustamente. Matar-te-ei rapidamente."

§348 Então Túrin fincou o cabo da espada no chão e se jogou sobre a ponta de Gurthang, e a lâmina negra tomou-lhe a vida.

Mas Mablung e os Elfos chegaram e olharam para a forma da Serpe, que jazia morta, e para o corpo de Túrin, e se encheram de tristeza; e, quando os Homens de Brethil foram até lá e descobriram as razões para a loucura e a morte de Túrin, ficaram horrorizados; e Mablung disse com amargura: "Sus, eu também fui enredado no destino dos Filhos de Húrin, e assim, com minhas notícias, matei aquele que amava."

§349 Então levantaram Túrin e descobriram que Gurthang se quebrara em dois pedaços. Mas Elfos e Homens juntaram então grande quantidade de lenha, e fizeram uma grande fogueira, e a Serpe foi consumida até virar cinzas. Mas Túrin eles puseram em um alto teso no lugar onde havia tombado, e os pedaços de Gurthang foram postos ao seu lado. E, quando tudo estava feito, os Elfos cantaram um lamento pelos Filhos de Húrin, e uma grande pedra cinzenta foi colocada sobre o teso, e nela estava gravado nas Runas de Doriath:

> Aqui o manuscrito chega ao fim, ao pé de uma página, assim como o texto datilografado. Posteriormente, e provavelmente um bom tempo depois, visto que o texto foi escrito com uma caneta esferográfica, meu pai acrescentou à margem do manuscrito:

TURIN TURAMBAR DAGNIR
GLAURUNGA

e debaixo escreveram também:

NIENOR NINIEL

Mas ela não estava ali, nem jamais se soube aonde as águas frias do Taiglin a tinham levado. [Assim termina o *Narn i Chîn Húrin*: que é a mais longa de todas as baladas de Beleriand, e foi composta por Homens.]

> Sempre me pareceu estranho que meu pai tivesse abandonado os *Anais Cinzentos* onde abandonou, sem ao menos escrever a inscrição que foi gravada na pedra; no entanto, os fatos de que a cópia datilografada também terminou nesse ponto e de que ele inseriu a inscrição com uma letra descuidada no manuscrito em algum momento posterior pareciam provas positivas de que era esse o caso. Acabei por descobrir a explicação, que, por razões que ficarão claras, postergarei ao início da Parte Três (p. 307).

# COMENTÁRIO

Neste comentário, as seguintes abreviações são usadas:

AV *Anais de Valinor* (ver p. 15)

AAm *Anais de Aman* (texto com parágrafos numerados no Vol. X)

AB *Anais de Beleriand* (ver p. 15). Uso a datação revisada dos anais em AB 2 (ver V. 150–1).

AC *Anais Cinzentos* (AC 1, o início abandonado; AC 2, o texto final quando distinguido do AC 1: ver pp. 15-6)

Q *O Quenta* (texto no Vol. IV)

QS *Quenta Silmarillion* (texto com parágrafos numerados no Vol. V)

FN A última parte do *Narn i Chîn Húrin*, publicada em *Contos Inacabados* (pp. 183-250), e referenciada às páginas daquele livro; ver pp. 176-7.

§1 O parágrafo inicial está ausente da versão abandonada AC 1. Cf. a instrução rabiscada no antigo manuscrito AB 2 (p. 16) para "tornar esses os Anais Sindarin de Doriath". Para o início dos Anais em AC 1, ver §2 abaixo.

§2 Essa é a uma declaração muito mais definida do desenvolvimento do conceito geográfico de "Beleriand" do que aquela encontrada em AC 1, onde os Anais começam do seguinte modo:

> O nome Beleriand foi retirado da língua dos Sindar, os Elfos-cinzentos que por muito tempo habitaram naquela região; e ele significa a terra de Balar. Pois esse nome os Sindar deram a Ossë, que vinha muito àquelas costas, e lá fez amizade com eles. Em dias antigos, antes da Guerra de Utumno, era apenas o litoral setentrional da longa costa oeste da Terra-média, situado ao sul das Eryd Engrin (as Montanhas de Ferro) e entre o Grande Mar e as Eryd Luin (as Montanhas Azuis).

Seja como for, não é fácil compreender tal afirmação, uma vez que Beleriand "nos dias antigos" é definida como "apenas" o litoral setentrional da costa oeste da Terra-média e, no entanto, estende-se para o sul das Montanhas de Ferro e do Grande Mar às Montanhas Azuis, uma área na verdade muito maior do que aquela descrita no AC 2 como sua extensão de significado posterior. A segunda parte dessa descrição está de acordo com a afirmação acerca desse tópico em QS §108, onde "Beleriand tinha como limites ao Norte Nivrost e Hithlum e Dorthonion".

No entanto, uma possível explicação para a passagem de abertura do AC 1 pode ser encontrada em referência ao mapa IV do *Ambarkanta* (IV. 293), onde é possível ver que "Beleriand" bem poderia ser descrita como "apenas o litoral setentrional da longa costa oeste da Terra-média, situado ao sul das Montanhas de Ferro e entre o Grande Mar e as Montanhas Azuis". Portanto, é possível que o início do AC 1 não signifique que essa descrição geográfica era a referência original ao nome "Beleriand", mas que, antes da Guerra de Utumno (quando Melkor foi acorrentado), Beleriand era "apenas o litoral setentrional da longa costa oeste da Terra-média", ao passo que, na ruína da aquela guerra, foi formado o Grande Golfo ao sul (mencionado em AC §6, ambos os textos; ver o mapa V do *Ambarkanta*, IV. 295), após a qual Beleriand não podia mais ser assim descrita.

Na Lista de Nomes dos anos 1930 (V. 493), é dito que "Beleriand" (como no AC 2) era originalmente a "terra ao redor do Sirion meridional"; mas se diz lá que nome foi "dado pelos Elfos dos Portos devido ao Cabo *Balar* e à Baía de *Balar*, onde o Sirion desaguava". Nas *Etimologias* (V. 421–2, radical BAL), *Beleriand* do mesmo modo foi derivado de (ilha de) *Balar*, e *Balar*, por sua vez, "provavelmente vem de **bálāre*, e assim era chamada porque Ossë visitava os Teleri que aguardavam". Naquela época, Ossë era um *Bala* (Vala).

Quanto à forma posterior *Belerian*, ver a nota de meu pai acerca do sindarin *Rochand* > *Rochan (Rohan)* em *Contos Inacabados*, pp. 423–4 (nota 49 a *Cirion e Eorl*).

§3 Cf. o trecho acrescentado ao anal do Ano Valiano 1050 em AAm §40 (X. 97, 103), acerca da partida de Melian de Valinor. No registro precedente, 1000–1050, em AAm, conta-se que Varda "made stars newer and brighter".

§§3–5 A segunda frase do anal 1050 e os anais 1080 e 1085 foram acrescentados ao manuscrito subsequentemente. É curioso não haver menção ao Despertar dos Elfos no AC 1, nem no AC 2 como escrito; mas entre as páginas de rascunho mencionadas na p. 16 há, de fato, uma passagem substancial que começa da seguinte maneira: "Nessa mesma época os Quendi despertaram às margens das águas de Kuiviénen: acerca do qual mais é dito nas Crônicas de Aman." O texto que vem a seguir nesse rascunho é muito parecido — na maior parte, praticamente idêntico — com a longa passagem interpolada aos AAm (§§43–5) sobre o medo em relação a Oromë entre os Quendi, a captura deles pelos serviçais de Melkor e o surgimento dos Orques a partir dos Quendi capturados. Não há diferenças de conteúdo entre esse texto e a passagem nos AAm; e é óbvio que esta seguiu de perto e foi baseada naquele, originalmente pretendido para inclusão nos *Anais Cinzentos*.

Nos AAm, as mesmas datas são dadas para o Despertar dos Elfos (1050) e para a descoberta destes por Oromë (1085); nenhuma data é fornecida nos AAm para a descoberta dos Elfos por Melkor, mas é dito (AAm §43) que isso se deu "some years ere the coming of Oromë".

§6 No AC 1, a frase "passou a ter então a forma que teria até a vinda de Fionwë" está como "... que teria até a Mudança do Mundo", usando essa expressão para se referir não ao Mundo Tornado Redondo na Submersão de Númenor, mas à destruição de Beleriand na derrocada final de Morgoth, ao final dos Dias Antigos.

O Grande Golfo (mostrado e assim nomeado no mapa V do *Ambarkanta*, IV. 295) foi mencionado em QS §108: "Além do rio Gelion a terra se estreitava de súbito, pois o Grande Mar entrava por um magno golfo que chegava quase aos sopés das Eredlindon...". Ver §2 acima.

A afirmação de que devido aos Valar terem pisado nas terras junto ao Sirion (quando vieram de Aman para atacar Utumno) o crescimento logo recomeçou ali "enquanto a maioria da Terra-média dormia no Sono de Yavanna", e de que Melian cultivava as "matas jovens sob as estrelas brilhantes", encontra-se apenas nos *Anais Cinzentos*. Ver mais em §10 abaixo.

§7 Esse anal foi um acréscimo tardio ao manuscrito; a data primeiramente foi escrita como 1102, depois alterada para 1102–5. Os AAm (§§54–6) possuem seções acerca dos três embaixadores, sua partida em 1102 e seu retorno a Kuiviénen em 1104.

§8 Nos AAm, as datas foram alteradas com tanta frequência e tornaram-se tão confusas que, ao reproduzir o texto, forneci apenas as finais (ver X. 67-8); mas, nessa parte dos AAm, todas as datas na verdade eram originalmente 100 Anos Valianos depois — assim, 1115, o ano em que os Eldar chegaram ao Anduin (X. 110), foi uma emenda de 1215. No AC 1, as datas já se encontram na faixa de 1100 como escritas inicialmente, evidenciando que esse texto seguiu-se aos AAm, mesmo que depois de um intervalo não muito longo. Mas é curioso que, nos AC (em ambos os textos), a chegada dos Vanyar e dos Noldor ao Grande Mar ocorra em 1115; nos AAm, a marcha teve início em 1105, a chegada ao Anduin foi em 1115 e ao Mar em 1125.

§10 Esse registro possui relações estreitas não só com aquele nos AAm do mesmo ano (§65), mas também com a passagem na tradição do "Silmarillion" (X. 214, §32).

Compare "as jovens árvores de Nan Elmoth" com a alteração feita em um dos textos datilografados dos AAm (X. 120) de "as árvores de Nan Elmoth" para "the sapling trees of Nan Elmoth", embora isso tenha sido feito anos depois. As "jovens árvores" sem dúvida estão relacionadas à frase em AC §9 "onde *mais tarde se situaram* as florestas de Neldoreth e Region"; e parece claro que as árvores eram todas jovens porque, como é dito em AC §6, as "terras de ambos os lados do Sirion ficaram arruinadas e desoladas por causa da Guerra dos Poderes, mas não tardou a começar lá um crescimento, enquanto a maioria da Terra-média dormia no Sono de Yavanna, pois os Valar do Reino Abençoado haviam pisado lá; e havia matas jovens sob as estrelas brilhantes".

A concepção de que havia árvores em um mundo iluminado apenas pela luz das estrelas era um dado da mitologia (embora meu pai o tenha rejeitado anos depois de escrever os *Anais Cinzentos*: "E nem poderiam existir bosques e flores etc. na terra se não houvesse luz desde a derrubada das Lamparinas!", X. 453); por outro lado, aparece nos AAm (§30) a história — ausente da tradição do "Silmarillion" — de que Yavanna "lançou um sono sobre muitas coisas belas que tinham surgido na Primavera [isto é, antes da queda das Lamparinas], tanto árvores e ervas como feras e aves, para que não envelhecessem, mas esperassem por um tempo de despertar que ainda poderia chegar". Na outra tradição (X. 198, §18), "Enquanto as Lamparinas tinham brilhado, começara lá um crescimento que então tinha se detido, porque tudo estava de novo escuro. Mas as coisas vivas mais antigas já tinham surgido: no mar as grandes algas, e na terra a sombra de grandes árvores ... Naquelas terras e florestas Oromë caçava amiúde..."

A maneira como essas concepções se relacionam entre si está longe de ser clara com base nesses textos; mas agora, nos *Anais Cinzentos* (§6), é afirmada a natureza peculiar de Beleriand, pelo fato de que somente lá o crescimento recomeçara sob as estrelas devido à passagem dos Valar vindos de Aman, e (§17) "embora a Terra-média jazesse, na maior parte, no Sono de Yavanna, em Beleriand, sob o poder de Melian, havia vida e regozijo, e as estrelas luzentes brilhavam como fogos de prata".

§§11–12 Esse anal 1132 segue de muito perto aquele nos AAm (§66), em grande parte idêntico em estrutura e semelhante em fraseologia; a única característica importante na qual ele difere é a referência à lenda de que uma parte da ilha que se tornou Tol Eressëa partiu-se e tornou-se a Ilha de Balar. Essa história aparece em uma nota de rodapé ao texto de QS §35 (V. 262, X. 217).

§§13–15 Os anais 1149–50 e 1150 mais uma vez seguem se perto aqueles nos AAm (§§70–1) e, creio, foram baseados neles (pode-se notar que no AC 1 — do qual o AC 2 é aqui em sua maior parte pouco mais do que uma cópia limpa — meu pai primeiramente escreveu em §15 "Os amigos e a parentela de Elwë também eram avessos a partir", como nos AAm, mas alterou as últimas palavras enquanto escrevia o texto para "também permaneceram").

§14 Toda a extensão da região costeira desde o Estreito de Drengist, seguindo ao sul até o Cabo Balar, é chamada aqui de Falas (cf. QS §109: "na região da Falas (ou Costa), ao sul de Nivrost") e, assim, Cirdan torna-se o governante das terras costeiras de Nivrost (posteriormente Nevrast).

A última parte do anal 1149–50, acerca do fato de que os Elfos dos Portos não atravessaram o Grande Mar (embora não houve interdição para que tentassem fazê-lo), não se encontra no AC 1. É, de fato, uma resposta a uma pergunta que não surgiu em qualquer composição anterior — embora fique implícita pela primeira aparição dos elfos-velejadores dos Portos (Elfos persuadidos por Ossë a permanecer nas praias da Terra-média são mencionados pela primeira vez no Q, IV. 104).

§16 O anal 1152 segue de perto aquele nos AAm (§74). E faz-se mister perguntar: por que, se esses Anais eram obra dos Sindar (ver §1), eles possuiriam uma afinidade tão óbvia com aqueles de Aman? Talvez se deva supor que ambos os conjuntos de Anais, da maneira que foram recebidos, derivam do trabalho editorial de Pengoloð em Tol Eressëa.

§17 Não há nada correspondente ao interessante anal 1200 nos AAm. Quanto à referência ao Sono de Yavanna e a vida e o júbilo em Beleriand, ver §10 acima. O poder e a presença de Melian em Beleriand recebe agora uma maior importância. — Aqui *niphredil* aparece de *O Senhor dos Anéis*.

§18 A ideia da "cultura elevada" dos Elfos-escuros de Beleriand (os Sindar) remonta ao antigo "Esboço da Mitologia" (IV. 29): "Só no reino de Doriath, cuja rainha era de raça divina, os Ilkorins se igualavam aos Koreldar"; essa frase, com uma ligeira modificação, sobreviveu do Q (IV. 119) ao QS (§85).

§19 Cf. a passagem inserida no anal 1250 nos AAm (§84), uma interpolação beleriândica de Pengoloð, junto à qual meu pai posteriormente anotou: "Transfer to A[nnals of] B[eleriand]" (X. 131, nota 7). Aquela passagem (muitíssimo expandida aqui nos AC) começa do seguinte modo:

> In this time also, it is said among the Sindar, the Nauglath [*escrito acima:* Naugrim] whom we also name the Nornwaith (the Dwarves) came over the mountains into Beleriand and became known to the Elves.

O presente anal no AC 1 começa assim: "Nesse ano, está registrado entre os Sindar, os Nauglath pela primeira vez atravessaram as montanhas e entraram em Beleriand. Esse povo os Noldor mais tarde chamaram de Gente-Norn..." No AC 2, estão ausentes as palavras "está registrado entre os Sindar", e *Naugrim* substitui *Nauglath*.

Em QS §124, os nomes anânicos das cidades nas Eryd Luin eram Gabilgathol (Belegost, a Grande Fortaleza) e Khazaddûm (Nogrod, a Mina-anânica); Tumunzahar aparece agora pela primeira vez (também no QS revisado, p. 253, §7).

§20 Para afirmações no *Lhammas* e no QS acerca dos idiomas dos Anãos, ver V. 209–10, 326. — As frases finais desse parágrafo ("Sempre tíbia era a sua amizade...") seguem de muito perto o que é dito nos AAm (§84).

§21 Essa visão cautelosa e cética da história da origem dos Anãos — atribuindo-a inteiramente aos próprios Anãos — parece contrastar com textos mais antigos, onde é dito que essa história se originava dos "sábios de Valinor" (V. 156, 325–6). — O nome *Mahal* para Aulë não havia aparecido antes.

§22 *Enfeng, os Barbas-longas de Belegost.* No antigo *Conto do Nauglafring*, os *Indrafangs* ou Barbas-longas eram os Anãos de Belegost, enquanto os Anãos de Nogrod eram os *Nauglath* (ver II. 296). No Q, os Indrafangs haviam se tornado os Anãos de Nogrod (IV. 123), e isso reaparece no QS (§124): "aqueles que habitavam em Nogrod eles [os Gnomos] chamavam de Enfeng, os Barbas-longas, pois suas barbas roçavam o chão diante de seus pés". Na passagem nos AAm (§84), os Barbas-longas, como aqui, são mais uma vez os Anãos de Belegost. — A conclusão desse parágrafo é completamente diferente no AC 1:

> Pois Melian lhes ensinou muito saber (que estavam ávidos por obter), e lhes deu também a grande joia que ela apenas trouxera de Valinor, obra de Fëanor, [*riscado, mas então marcado como que para ser mantido:* pois ele deu muitas do mesmo feitio à gente de Lórien.] Uma gema branca era, que apanhava a luz das estrelas e dela emanava em fogos azuis; e os Enfeng a prezavam mais do que uma montanha de riquezas.

Essa era uma ideia que não se encaixava na cronologia, pois Melian partiu de Valinor em 1050, o ano do Despertar dos Elfos, como afirmado tanto nos AAm (ver X. 103) como nos AC (Fëanor nasceu mais de cem anos valianos depois, AAm §78); e, no AC 2, foi inserida a história da grande pérola Nimphelos.

§§23–4 A prévia associação de Thingol com os Anãos é mencionada em QS §122 (de suas cidades nas Montanhas Azuis, os Anãos "viajam amiúde para Beleriand, e eram recebidos por vezes até mesmo em Doriath"), mas o auxílio dos Barbas-longas de Belegost na construção de Menegroth não apareceu antes da interpolação nos AAm (§84). Aquela breve menção é aqui bastante expandida em uma descrição das Mil Cavernas; cf. a *Balada de Leithian* (III. 226–7, versos 980–1008), e para a concepção mais antiga — antes da ascensão de Thingol à sua riqueza e majestade posteriores —, ver II. 83, 158, 294.

§§25–9 No AC 1, a passagem inteira apresentada aqui nos anais 1300–50 e 1330 encontra-se em 1320: o evento que de fato ocorreu em 1320 foi os Anãos falarem a Thingol acerca de seus temores ("No entanto, neste ano os Anãos ficaram preocupados...", onde o AC 2 diz "Mas veio a acontecer que os Anãos ficaram preocupados..."), e foi "não muito tempo depois" que "criaturas malignas chegaram até mesmo a Beleriand". Em uma nota ao no 1320 no texto datilografado dos AAm (X. 137, §85), meu pai acrescentou: "The Orcs first appear in Beleriand"; no AC 2 (§26), o evento é datado dez Anos Valianos depois, em 1330.

§25 O ódio e temor dos Anãos pelo Mar não havia sido mencionado antes.

§26 O AC 1 diz "pelos passos das montanhas ou subindo do sul, onde seus pontos elevados ficavam mais baixos": provavelmente se referindo à região do Grande Golfo (mapa V do *Ambarkanta*, IV. 295).

§27 Esse parágrafo foi um acréscimo ao AC 1, embora não muito depois de o texto primário ser escrito. Essa é a concepção tardia, introduzida nos AAm (ver X. 156, §127), segundo a qual os Orques existiam antes de Oromë encontrar os Elfos, sendo, na verdade, procriados por Morgoth a partir de Elfos capturados; a tradição mais antiga, de que Morgoth trouxe à existência os Orques quando retornou à Terra-média após partir de Valinor, sobreviveu inalterada na forma final do *Quenta Silmarillion* (ver X. 240, §62). Ver mais em §29 abaixo.

§28 Telchar de Nogrod não é mencionado por nome aqui no AC 1. Ele possui uma longa história, tendo aparecido pela primeira vez na segunda versão da *Balada dos Filhos de Húrin* (III. 140), e no Q (IV. 138) — onde ele é de Belegost, não de Nogrod.

§29 Os machados eram "as principais armas dos Naugrim, e dos Sindar"; cf. o nome "Elfos-do-Machado" para os Sindar, X. 213. — Não houve indicações prévias do aparecimento de Orques e de outros seres malignos em Eriador ou mesmo em Beleriand muito antes (cerca de 165 Anos Valianos) do retorno de Melkor à Terra-média, e nem do armamento dos Sindar pelos Anãos (ver §27 acima).

§30 A chegada de Denethor a Beleriand é registrada de maneira mais breve em um anal interpolado aos AAm (§86) com a mesma data, 1350 — uma interpolação feita por Pengoloð, que (como a mencionada em §19 acima) foi marcada posteriormente para ser transferida para os *Anais de Beleriand*. Compare a menção à demora dos Teleri às margens do Grande Rio com o relato mais completo nos AAm, anal 1115 (§§60–1). No AC 1, o nome *Nandor* é interpretado como "Os que voltam para trás": essa expressão também se encontra em uma nota a um dos textos do *Lhammas*, V. 222.

Não havia sido dito antes (é claro) que a vinda de Denethor por sobre as Montanhas Azuis foi ocasionada pelo surgimento das "feras cruéis do Norte". A história e divisões posteriores dos Nandor são agora descritas com muito mais detalhes: aqueles que "viveram por eras" nas matas do Vale do Anduin (os Elfos de Lothlórien e de Trevamata, ver *Contos Inacabados*, p. 346), e aqueles que desceram o Anduin, dos quais alguns habitavam junto ao Mar, enquanto outros passaram pelas Montanhas Brancas (a primeira menção das Ered Nimrais nos escritos a respeito dos Dias Antigos) e entraram em Eriador. Estes últimos eram o povo de Denethor (sobre o qual se diz nos AAm que "depois de longas andanças, subiu a Beleriand vindo do Sul", ver §86 e comentário, X. 122, 134).

As palavras "em dias que vieram depois" em "Naquela região as florestas, em dias que vieram depois, eram altas e verdes" talvez sejam significativas: a associação do verde com os Elfos de Ossiriand surgiu após o nascer do Sol. Ver mais em §44 abaixo.

§31 A passagem que corresponde a esse trecho no AC 1 é muito mais breve:

> Dos longos anos de paz que se seguiram depois da vinda de Denethor não há o que se contar, salvo apenas que Oromë por vezes vinha à terra, ou passava por sobre as montanhas, e o som de sua trompa atravessava as léguas estreladas…

(encerrando como no AC 2). Mas a passagem no AC 2 acerca de Dairon e de suas runas deriva em grande parte de uma passagem posterior no AC 1 (ausente do AC 2), para a qual ver p. 33.

A palavra *Cirth* aparece pela primeira vez aqui, embora como um acréscimo posterior ao manuscrito (talvez na época em que meu pai estava preparando o Apêndice E de *O Senhor dos Anéis*). É dito na nota de rodapé ao parágrafo que Dairon elaborou suas runas "antes da construção de Menegroth" (iniciada em 1300, de acordo com os AC); assim também no AC 1: "Dairon... já havia criado suas Runas em A.V. 1300". Um anal acrescentado ao texto datilografado dos AAm (X. 137, §85) diz "1300 Daeron, loremaster of Thingol, contrives the Runes". Para uma visão mais antiga da origem das Runas de Dairon (uma invenção dos "Elfos danianos de Ossiriand", elaborada em Doriath), ver *A Traição de Isengard*, pp. 534–36; lá o nome "Alfabeto de Dairon" é atribuído simplesmente à "preservação dessa escrita em fragmentos das canções de Dairon, o malfadado menestrel do Rei Thingol de Doriath, nas obras sobre as antigas línguas beleriândicas escritas por Pengolod, o Sábio de Gondolin". Ver também a afirmação posterior de meu pai acerca do Alfabeto de Daeron no início do Apêndice E (II) de *O Senhor dos Anéis*.

§33 Quanto ao grande grito de Morgoth, ver X. 140, 359. Onde o AC 2 diz "poucos soubessem o que aquilo prenunciava" o AC 1 possui "poucos (salvo Melian e Thingol) soubessem o que aquilo prenunciava".

§34 Da mesma forma, nos AAm (§126) e no texto tardio "Da querela dos ladrões" do *Quenta Silmarillion* (X. 360), Ungoliantë, após ser derrotada pelos Balrogs, desceu a Beleriand e habitou em Nan Dungorthin (Nan Dungortheb); mas não é dito naqueles textos que o poder de Melian evitava que ela entrasse na Floresta de Neldoreth. Em ambos é dito que aquele vale era assim chamado devido ao horror que ela engendrou ali, mas a afirmação aqui de que as Montanhas de Terror passaram a ser chamadas assim depois dessa época não se encontra em nenhum outro lugar. Também é dito nos AAm que Ungoliantë partiu para o Sul do mundo, mas, em "Da querela dos ladrões" (X. 360), "para onde foi depois nenhum conto conta".

§35 O estágio do desenvolvimento na tradição da fortaleza de Morgoth é o mesmo do QS e dos AAm, no qual Angband foi construída sobre as ruínas de Utumno (ver X. 195, §12). — No AC 1, o nome *Thangorodrim* é traduzido "as Torres Tirânicas"; cf. a tradução tardia "As Montanhas da Opressão" (X. 361).

§§36 ss. Esse é o primeiro relato completo da "Primeira Batalha de Beleriand" (um termo anteriormente aplicado à Batalha-sob--as-Estrelas, que agora se torna a Segunda Batalha). Nos textos pré-*Senhor dos Anéis*, o primeiro ataque dos Orques a Beleriand havia sido descrito brevemente; assim, na segunda versão (AV 2) dos *Anais de Valinor* foi dito (V. 139):

> Thingol, com o seu aliado Denithor de Ossiriand, por um longo tempo manteve afastados os Orques do Sul. Porém, por fim, Denithor, filho de Dan, foi morto, e Thingol fez suas mansões profundas em Menegroth, as Mil Cavernas, e Melian teceu magias dos Valar em torno da terra de Doriath, e a maioria dos Elfos de Beleriand recuou para os confins de sua proteção, salvo alguns que permaneceram perto dos portos ocidentais, Brithombar e Eglorest, às margens do Grande Mar, e os Elfos-verdes de Ossiriand, que habitavam ainda atrás dos rios do Leste...

Em QS §115, o relato foi registrado da seguinte forma:

> Outrora o senhor de Ossiriand havia sido Denethor, amigo de Thingol; mas ele foi morto em batalha ao marchar em auxílio de Thingol contra Melko, nos dias em que os Orques pela primeira vez foram feitos e romperam a paz estrelada de Beleriand. Desde então Doriath foi cercada com encantamentos, e muitos da gente de Denethor partiram para Doriath e se juntaram aos Elfos de Thingol; mas aqueles que permaneceram em Ossiriand não tinham rei, e viviam sob a proteção de seus rios.

§36 Entre Menegroth e as Thangorodrim no segundo mapa do Silmarillion (como desenhado: não na minha reprodução, V. 499) a extensão é de 14 cm, e é dito que a escala é de 50 milhas [c. 50,5 km] para 3,2 cm (o comprimento dos lados dos quadrados); portanto, a distância era de 218,75 milhas [c. 352 km], ou pouco menos de 73 léguas (para a interpretação tardia de meu pai da escala em polegadas, e não em centímetros, ver p. 402, mas a diferença não tem importância aqui). A distância fornecida aqui de 150 léguas (450 milhas [c. 724,2 km] de Menegroth ao portão de Angband, mais do que o dobro da mostrada no segundo mapa, parece implicar uma grande extensão da planície setentrional. A geografia do extremo Norte é discutida em V. 321–4; mas, visto que é impossível dizer como meu pai veio a concebê-la, omiti discretamente todas as indicações das Montanhas de Ferro e das Thangorodrim do mapa desenhado para o *Silmarillion* publicado.

§38 O AC 1 diz aqui:

> Portanto, convocou Denethor [*riscado:* e os Enfengs] e a Primeira Batalha foi travada nas Guerras de Beleriand. E os Orques no leste foram derrotados e mortos aos montes, e, ao fugirem diante dos Elfos, foram emboscados pelos machados dos Enfengs que saíam do Monte Dolmed: poucos retornaram ao Norte.

No AC 2, "Region através do Aros" refere-se àquela parte da Floresta de Region entre os rios Aros e Celon (ver p. 226, quadrado F10). A implicação da frase parece claramente ser de que esses Elfos deviam aliança a Denethor; e isso não parece ser consistente com o que é dito em §39, que após a Primeira Batalha muitos dos Elfos-verdes de Ossiriand "foram para o norte, e entraram no reino protegido de Thingol, e se mesclaram à sua gente". Ao lado dessa frase no texto datilografado dos AC, meu pai escreveu na margem "Orgol" e "dos Elfos-hóspedes em Arthórien", marcando essas expressões com sinais de interpolação para indicar que algo devia ser dito acerca delas. Em *Contos Inacabados*, p. 113, ocorre a seguinte passagem:

> Saeros ... era um dos Nandor, e pertencia àqueles que se refugiaram em Doriath após a queda de seu senhor Denethor sobre Amon Ereb, na primeira batalha de Beleriand. Esses Elfos habitavam mormente em Arthórien, entre o Aros e o Celon no leste de Doriath, e às vezes atravessavam o Celon para as terras selvagens além dele; e não eram amigos dos Edain desde que estes haviam passado por Ossiriand e se estabelecido em Estolad.

Isso derivou em grande parte de uma nota isolada, escrita muito rapidamente e não de todo legível, entre os papéis do *Narn*, mas foi reduzido em certa medida. É mencionado nessa nota que "os Nandor haviam se desviado, e jamais viram o Mar ou mesmo Ossë, e haviam se tornado praticamente Avari. Eles também haviam reunido vários Avari antes de retornarem ao oeste para Ossiriand". Sobre os Nandor que se refugiaram em Doriath após a queda de Denethor é dito: "Na ocasião, eles não se juntaram em alegria aos Teleri de Doriath e, assim, habitavam mormente na pequena terra de Eglamar, Arthórien sob a liderança de seu próprio chefe. Alguns deles eram 'de coração sombrio', embora isso não fosse necessariamente aparente, exceto sob pressão ou provação." "O chefe dos 'Elfos-hóspedes', como eram chamados, recebeu um lugar permanente no conselho de Thingol"; e Saeros (nessa nota na verdade chamado *Orgoph* ou *Orgol*) era "o filho do chefe dos Elfos-hóspedes, e por muito tempo residira em Menegroth".

Creio ser muito provável que meu pai tenha escrito "Orgol" e "dos Elfos-hóspedes em Arthórien" no texto datilografado dos AC na mesma época em que escreveu essa nota.

*Arthórien* foi inserido no segundo mapa (p. 226, quadrado F10). A aplicação do nome *Eglamar* a Arthórien nessa nota é intrigante (ver p. 233, §57).

A intervenção dos Anãos não havia sido mencionada anteriormente.

§40 As palavras "a menos que viesse alguém com poder maior que o de Melian, a Maia" substituíram, na época da composição, "a menos que fortuitamente algum poder maior do que o dela os atacasse". — *Eglador*: meu pai escreveu a lápis esse nome abaixo de *Doriath* no segundo mapa (ver p. 229, §14).

§41 No final desse parágrafo, os *Anais de Aman* deixam de registrar os eventos dos *Anais Cinzentos*, e a comparação é com o QS (V. 295 ss.), junto com a conclusão do AV 2 (V. 142 ss.) e com o AB 2 (V. 151 ss.). Neste comentário, em geral não faço referências a desenvolvimentos tardios na tradição do *Quenta Silmarillion*.

§44 No lugar de *Eryd-wethrin, o valor dos Noldor* e *Dagor-nuin--Giliath*, o AC 1 diz *Erydwethion, o valor dos Gnomos* e *Dagor--nui-Ngiliath* (como em QS §88, nota marginal).

Essa é a primeira ocorrência de *Ardgalen* nos textos aqui apresentados, substituindo *Bladorion* como o nome original da grande planície setentrional antes de ser devastada. É notável que seja afirmado expressamente que Ardgalen, "a região verde", era o nome nessa época antes do nascer do Sol; cf. a alteração feita muito antes à passagem no Q que descreve a Batalha-sob-as-Estrelas (quando a batalha foi travada na própria planície, não em Mithrim): "Ainda jovem e verde (ela se estendia até os sopés das altas montanhas)" > "Ainda sombria sob as estrelas" (IV. 120–1).

As hostes-órquicas que rumaram para o sul descendo o Vale do Sirion naturalmente não são mencionadas em relatos anteriores da Batalha-sob-as-Estrelas. O ataque aos Noldor em Mithrim é agora inserido numa investida maior vinda de Angband, e a vitória dos Noldor passa a ser relacionada à concepção recém-desenvolvida dos Sindar sitiados.

No relato da destruição da hoste-órquica ocidental por Celegorn encontra-se a primeira aparição do Pântano de Serech: ele recebeu inicialmente o nome de Pântano do Rivil em um acréscimo ao segundo mapa, subsequentemente alterado para o Pântano de Serech (p. 224, §3). O Rivil era o riacho que, nascendo no Poço do Rivil em Dorthonion, dava origem ao pântano na confluência com o Sirion.

§45 No AV 2 (V. 142) e no QS (§88), os Balrogs estavam na retaguarda da hoste de Morgoth, e foram eles que pararam de fugir. — Sobre o resgate de Fëanor, o AC 1 (seguindo o QS) diz apenas: "Mas seus filhos, vindo ao seu auxílio, resgataram o pai e o carregaram de volta a Mithrim" (ver §46).

§46 A história de Fëanor à beira da morte avistando as Thangorodrim e amaldiçoando o nome de Morgoth apareceu pela primeira vez no Q (IV. 120), onde a Batalha-sob-as-Estrelas foi travada na planície de Bladorion (Ardgalen). No AV 1 e no AV 2 (IV. 316, V. 142), a batalha foi travada em Mithrim, e Fëanor foi mortalmente ferido quando avançou demais pela planície, mas foi levado de volta a Mithrim e morreu lá; a cena em que avista as Thangorodrim e amaldiçoamento de Morgoth não aparecem. No QS (§88), meu pai combinou os relatos: Fëanor morreu em Mithrim, mas também é contado que ele "avistou ao longe os picos das Thangorodrim" enquanto morria, e "amaldiçoou o nome de Morgoth três vezes"; o AC 1 segue essa história (ver §45 acima). Deve ter sido o fato de que, de Mithrim, as Thangorodrim não eram visíveis devido às alturas das Eryd-wethrin que levou à história no AC 2 na qual Fëanor fez com que seus filhos parassem ao começarem a subida acima de Eithel Sirion e que ele morreu naquele lugar.

§47 O mal-entendido inicial entre os Elfos-cinzentos acerca do retorno dos Noldor é um elemento completamente novo na narrativa, como também o é a visão fria da parte de Thingol, que via o retorno como uma ameaça ao seu próprio domínio. Nas versões antigas, sua frieza não aparece antes de se recusar a comparecer à Festa da Reunião (Mereth Aderthad) no ano 20 do Sol, e surge antes de seu discernimento acerca do que o futuro pode trazer: "embora Thingol não tenha ido pessoalmente, e não queria abrir seu reino, nem retirar seu cinturão de encantamento; pois, sábio com a sabedoria de Melian, não confiava que o recuo de Morgoth fosse durar para sempre" (QS §99, e de maneira muito similar no AB 2, V. 153).

§49 A data 1497 é repetida de §36. — Os Balrogs que constituíam a força que Morgoth enviou ao debate no QS (§89 e comentário) desapareceram.

§52 Como em AAm §§157–8, 163, a forma *Endar* ("Terra-média") é clara, mas aqui, como lá, a pessoa que datilografou colocou *Endor* (ver X. 159, §157).

§53 O parágrafo começa no manuscrito com uma grande mão apontando.

§§54–5 Nessa passagem, embora haja ecos dos textos mais antigos, a composição é em grande parte nova, e há novos elementos, notavelmente o grito de Maidros nas Thangorodrim.

§54 A história do ataque de Morgoth a Tilion é contada em AAm §179, onde, no entanto, ocorreu após tanto o Sol como a Lua terem sido lançados aos céus. É contado nos AAm que "Tilion was the victor: as he ever yet hath been, though still the pursuing darkness overtakes him at whiles", evidentemente uma referência aos eclipses da Lua.

§57 Quanto à disposição de Hildórien, ver o AV 2 (V. 145, nota 13) e Q §82 e comentário; também pp. 213-4. Quanto ao nome *Atani*, ver X. 21, 57.

§§58–60 Embora esse registro para o segundo ano do Sol obviamente possua estreita relação e em grande medida derive de QS §§92–3, ele contém novos elementos, como o retrato mais explícito da raiva de Fingolfin para com os Fëanorianos, e também o arrependimento de muitos destes pela queima dos navios em Losgar.

§61 A referência ao *Quenta* é ao relato muito mais completo do resgate de Maidros em QS §§94–7. Nos AAm (§160) é contado que Maidros foi "outrora um amigo de Fingon, antes que as mentiras de Morgoth viessem entre eles", e (§162) que somente ele não tomou parte na queima dos navios. — A grafia *Maiðros*: em ocorrências anteriores nos AC, o nome foi grafado *Maidros*, e *Maidos* aparece novamente na linha seguinte; enquanto no rascunho mencionado na p. 44 a forma é principalmente *Maiðros* (cf. a forma tardia *Maedhros*, X. 220, adotada no *Silmarillion* publicado, ao lado de *Maedros*, X. 356, 357).

§§63–4 O conteúdo dessa passagem é em grande parte novo; não havia menção prévia à ida de Angrod para ter com Thingol e ao seu silêncio sobre muitas questões a respeito do Retorno dos Noldor. A verdadeira natureza da reivindicação de Thingol à soberania, por meio da qual ele "deu licença" aos príncipes dos Noldor para habitarem em certas regiões, é agora especificada (a aceitação da reivindicação de Thingol por Fingolfin é mencionada nas formas mais antigas do excurso linguístico nos AC, pp. 35, 40; cf. também as palavras antecipatórias em §48, "os filhos de Fëanor eram sempre avessos a aceitar a soberania de Thingol, e não pediam permissão para onde poderiam habitar ou passar"). — O elo telerin da Terceira Casa dos Noldor pelo casamento de Finrod (> Finarfin) com Eärwen, filha de Olwë, aparece em AAM §§85, 156, e ver X. 219.

§§65–71 O conteúdo do registro para o ano 7 em grande medida é novo, exceto pelo fato de que no QS (§98) conta-se da abdicação por Maidros da alta-realeza dos Noldor, e da desaprovação secreta desse ato pelo menos entre alguns de seus irmãos ("com isso nem todos os seus irmãos concordavam em seus corações"). Nos AC não há menção ao que é contado no QS, de que "Maidros implorou perdão pelo abandono em Eruman, e devolveu os bens de Fingolfin que haviam sido levados embora nos navios" (mas ver §83 e comentário); por outro lado, ficamos sabendo aqui da rejeição desdenhosa da reivindicação de Thingol pelos Fëanorianos (sem menção à aceitação dela por Fingolfin, ver §§63–4 acima), do temperamento brusco de Cranthir e sua fala insultuosa no conselho, da *escolha* de Fingolfin como suserano dos Noldor, da opinião de que Maidros estava por trás da partida ligeira dos Fëanorianos para as terras orientais (para diminuir os riscos de contenda e para suportar o grosso do ataque mais provável) e do fato de que ele permaneceu em amizade com as outras casas dos Noldor, apesar do isolamento dos Fëanorianos.

§67 Curiosamente, o rascunho possui aqui, e em §68, *Caranthir* (a forma tardia), enquanto o texto final reverte a *Cranthir*. No rascunho inicial muito descuidado para os anais 6 e 7 (ver p. 44), o filho de Fëanor que era "o mais rude e o mais rápido para a raiva" era Curufin, alterado para Caranthir. Quanto à referência desdenhosa de Caranthir a Thingol como "esse Elfo-escuro", ver minha nota ao Índice Remissivo do *Silmarillion* publicado, verbete *Elfos Escuros*. — No rascunho, Caranthir diz "que eles não esqueçam tão depressa que eram Noldor!"

§72 No AB 2 (V. 152) e no QS (§99), a Mereth Aderthad foi realizada em Nan Tathren, a Terra dos Salgueiros. Os AC são mais específicos quanto aos participantes do que os textos mais antigos: Maidros e Maglor; Cirdan; e Dairon e Mablung como os dois únicos representantes de Doriath (quanto à indiferença de Thingol, ver §47 e comentário).

§73 Que os Noldor aprendiam o sindarin mais facilmente do que os Sindar aprendiam o noldorin já havia sido afirmado na forma final do excurso linguístico, p. 40-1. É afirmado em todas as três versões do excurso que foi após a Dagor Aglareb (no ano 60) que o sindarin tornou-se a fala comum de Beleriand.

§74 No AB 2 (V. 153), Turgon descobriu o vale oculto de Gondolin no mesmo ano (50) que Inglor Felagund descobriu Nargothrond — o ano em que os dois tiveram os seus sonhos.

§75 Essa é a primeira menção (conforme os textos estão apresentados) de Galadriel na Terra-média nos Dias Antigos. A grafia *Galaðriel* é notável, implicando a associação do nome dela com *galadh* "árvore" (*galað*): ver X. 226 e *Contos Inacabados*, p. 362.

No AB 2 (V. 153) e no QS (§101), não há indicação de que Inglor Felagund foi auxiliado por Thingol na sua descoberta das cavernas onde ele estabeleceu Nargothrond. No QS, "os Altos Faroth" são chamados, num ponto posterior da narrativa, de *Taur-na-Faroth* (ver QS §112 e comentário). Os grandes planaltos a oeste do Narog originalmente eram chamados Morros dos Caçadores ou Descampado dos Caçadores; ver III. 109, IV. 267 e as *Etimologias* em V. 471, radical SPAR.

A passagem que começa com "Assim, Inglor chegou às Cavernas do Narog" e vai até "esse nome ele portou até seu fim" foi um acréscimo ao manuscrito, mas certamente parece ter sido feito na época da composição original. Em vista da estreita relação desse anal com o desenvolvimento posterior da história na tradição do QS, onde se encontra uma passagem muito similar, creio que meu pai apenas omitiu o trecho inadvertidamente e notou de imediato a omissão (ver pp. 219, §101).

§76 É dito no QS (§116) apenas que Gondolin era uma cidade "à semelhança de Tûn de Valinor". Essa ideia talvez remonte a um período mais antigo: ver II. 250–1.

§77 *Dagor Aglareb*, a Batalha Gloriosa, era originalmente a Segunda Batalha das Guerras de Beleriand (ver p. 35 e nota 6).

§78 O Cerco de Angband "durou perto de quatrocentos anos": de 60 a 455 (ver V. 306–7).

§§79–81 Essa passagem inserida, que retorna ao texto original próximo ao início de §81, diz respeito à partida de Morgoth de Angband e sua tentativa de corromper os primeiros Homens no Leste, e é de grande interesse. Enquanto no QS (§63) foi dito acerca de Morgoth que "jamais foi seu hábito deixar os lugares profundos de sua fortaleza", nos AAm (§128, X. 141) "nunca, exceto uma vez, enquanto seu reino durou, chegou a partir por um tempo, em segredo, de seus domínios no Norte"; mas não é dito ou sugerido por qual razão ele partiu. (Cabe mencionar que um rascunho do presente adendo nos AC encontra-se na mesma página que um rascunho para a expansão da passagem nos AAm, acerca da qual ver X. 154, nota 10.)

A inserção foi escrita com cuidado no mesmo estilo do texto principal, e parece provável que pertença basicamente à mesma época. É notável que o verso da página usada para ela possua o rascunho da forma final da inserção nos AAm (§§43–5) a respeito da captura dos Quendi por serviçais de Melkor nas terras ao redor de Kuiviénen (cf. as palavras em §79, "Tal como antes, ao despertar dos Quendi, seus espiões estavam vigilantes"). Ver mais em §87 abaixo.

§79 "Nem a ele próprio, caso resolvesse ir": isto é, o gelo e a neve não impediriam o próprio Morgoth, caso ele desejasse ir. — "De fato, ficamos sabendo agora em Eressëa": cf. a conclusão da versão final do "excurso linguístico" (p. 42): "esses tratados históricos foram compostos após a Última Batalha e o fim dos Dias Antigos", e também o parágrafo inicial dos *Anais Cinzentos* (p. 17).

§83 A referência ao *Quenta Noldorinwa* (ver p. 42 e nota 12) é ao Capítulo 9, "De Beleriand e seus Reinos", no QS (V. 308).

Em QS §116 é mencionado que "muitos dos antepassados" dos cavalos de Fingolfin e Fingon vieram de Valinor. É dito aqui que os cavalos foram "*dados a* Fingolfin por Maidros *em reparação por* suas perdas, pois tinham sido carregados por navio de Losgar". Em uma passagem anterior nos AC (ver o comentário a §§65–71), a referência em QS §98 à *devolução* dos bens de Fingolfin que haviam sido levados nos navios está ausente.

§85 *Eredwethrin*: anteriormente nos AC, a forma é *Erydwethrin* (também *Eryd Lómin*, *Eryd Luin*); cf. §113 abaixo. — Essa é a primeira ocorrência do nome do rio *Nenning* no lugar do antigo *Eglor* (em cuja foz ficava o porto de Eglorest), nomeado no AB 2 (V. 154, 167) e no segundo mapa (V. 498). No mapa, meu pai posteriormente riscou *Eglor* e escreveu dois nomes, *Eglahir* e *Nenning*, deixando que ambos permanecessem (p. 230, §22).

No QS (§109) é dito que os Elfos-escuros de Brithombar e Eglorest "tomaram Felagund, senhor de Nargothrond, como rei"; ver o comentário a essa passagem, V. 318. Meu pai parece ter ficado incerto quanto à posição de Cirdan: em uma alteração tardia ao texto do AB 2 (a passagem apresentada em V. 174, nota 13), ele escreveu que "nos Portos, a gente da Falas era governada por Cirdan dos Elfos-cinzentos; mas ele sempre teve amizade estreita com Felagund e a gente deste" (concordando com o que é dito aqui nos AC), mas ele substituiu esse trecho de imediato: "E, no oeste, Cirdan, o Armador, que governava os marinheiros da Falas, tomou também Inglor como suserano, e sempre tiveram amizade estreita".

§87 As palavras "seu pensamento [isto é, de Morgoth] voltado para a ruína deles, ele dava pouca atenção a quaisquer outras coisas na Terra-média" dificilmente parecem estar de acordo com a passagem inserida acerca da partida de Morgoth de Angband (§§79–80). Entretanto, é possível sugerir que aquela passagem diz respeito precisamente ao período *anterior* ao ataque a Beleriand no ano 60 (*Dagor Aglareb*) — que foi postergado por tanto tempo devido às operações de Morgoth no Leste, de onde ele retornou alarmado com as novas "do poder e da união crescentes dos Eldar" (§80).

Por meio de uma alteração à passagem original nesse anal a respeito dos primórdios das línguas dos Homens, uma origem élfico-escura é atribuída somente às "línguas ocidentais". Creio que isso represente um esclarecimento e não a inserção de um novo conceito. Já havia sido dito no *Lhammas B* (V. 210, §10):

> Os idiomas dos Homens eram desde o princípio diversos e vários; contudo, em sua maioria eram derivados remotamente do idioma dos Valar. Pois os Elfos-escuros, povo vário dos Lembi, fizeram amizade com Homens errantes em diversas épocas e lugares nos dias mais antigos, e lhes ensinaram o que sabiam. Mas outros Homens aprenderam também por completo ou em parte com os Orques e os Anãos; enquanto no Oeste, antes de entrarem em Beleriand, as belas casas dos mais antigos dos Homens aprenderam com os Danas, ou Elfos-verdes.

O acréscimo muito interessante no final do anal é da mesma época que a inserção sobre a partida de Morgoth para o Leste. Lá é dito (§80): "Mas que alguma escuridão jazia sobre os corações dos Homens ... os Eldar percebiam claramente até mesmo na bela gente dos Amigos-dos-Elfos, a quem primeiro conheceram"; porém, a presente passagem é a primeira afirmação precisa de que os Homens, em seus primórdios, caíram em adoração a Morgoth, e que os Amigos-dos-Elfos, arrependidos, fugiram para o oeste para escapar da opressão. No longo relato de suas obras escrito para Milton Waldman em 1951, e, dessa forma, muito provavelmente pertencente ao mesmo período, meu pai dissera: "A primeira queda do Homem ... não aparece em lugar algum — os Homens não entram em cena até que tudo isso tenha há muito passado, e há apenas um rumor de que, por algum tempo, eles sucumbiram ao domínio do Inimigo e de que alguns se arrependeram" (*Cartas*, nº 131, p. 219; ver X. 427-8).

§89 A nova história na forma revisada do registro para o ano 64, de que Turgon nessa época conduziu apenas parte de seu povo — aqueles habilidosos em tais trabalhos — a Tumladen para que dessem início à construção de Gondolin, é ampliada ainda mais em uma versão grandemente expandida do anal para o ano 116: ver §§111–13.

§90 *A Torre de Ingildon*: esse termo substitui o antigo nome Torre de Tindobel (Tindabel), que sobreviveu no QS (§120) e no AB 2 (V. 156); ver p. 244, §120. Não é dito nos AC, como é dito no QS, que Inglor foi o construtor da torre; isso talvez esteja relacionado com o que é dito em §85, em que Cirdan era senhor das terras "a oeste do Nenning até o Mar".

§§91–107 O conteúdo inteiro dos anais 66 e 67 é novo. Altamente "não analístico" em estilo, com seu longo discurso soberbamente continuado, essa narrativa foi desenvolvida a partir da passagem anterior nos AC (§48) — ou talvez, antes, revele o que meu pai tinha em mente quando a escreveu:

> Portanto, quando em pouco tempo (por traição e malquerença, como se conta mais tarde) a história completa dos atos em Valinor tornou-se conhecida em Beleriand, houve antes inimizade do que aliança entre Doriath e a Casa de Fëanor; e essa amargura Morgoth avidamente inflamou por todos os meios que pôde encontrar.

Um texto completo desses anais existe em um rascunho preliminar, mas a forma nos AC seguiu esse rascunho de perto e o desenvolvimento foi quase que inteiramente estilístico. Algumas das diferenças são dignas de nota:

§93 Após "não, embora tenham vindo na hora mesma de nossa necessidade", meu pai acrescentou ao rascunho: "As novas luzes do céu foram enviadas pelos Valar, não pelos Noldor, por mais magnos que sejam", e isso não foi incorporado nos AC.

§95 Rascunho: "... sobre a longa estrada desde a Kalakiryan". — Após "'Talvez,' disse Galadriel, 'mas não por mim'", o rascunho continua:

> e, perplexa, e lembrando-se de súbito com raiva as palavras de Caranthir, ela disse antes que pudesse conter a língua: "Pois já os filhos de Finrod são acusados de espalhar boatos e de traição aos seus parentes. Contudo, ao menos nós não tivemos culpa, e nós mesmos sofremos o mal". E Melian não falou mais dessas coisas com Galaðriel.

Essa passagem foi colocada entre colchetes e posteriormente, no rascunho, a amargura da lembrança das palavras de Cranthir sessenta anos antes aparece na boca de Angrod, como nos AC (§104). O rascunho possui *Caranthir* na primeira passagem, *Cranthir* na segunda; ver §67 acima.

§105 No rascunho, Thingol diz: "pois meu coração está quente como o fogo de Losgar".

§107 Após "as palavras de Mandos sempre se mostravam verdadeiras", o rascunho diz: "e a maldição que Fëanor atraiu sobre si viria a obscurecer tudo o que foi realizado mais tarde."

Quanto à grafia *Galaðriel*, ver §75 acima. Em §94 aparece *Galadriel*; o texto do rascunho começa com *Galaðriel*, mas então muda para *Galadriel*. Contudo, essa distinção provavelmente é artificial, visto que é meramente uma questão da inserção ou omissão do traço no *d*, escrito, em ambos os casos, com um único movimento (um *6* invertido).

§107 A revisão no final do anal 67 depende da história posterior de que a população de Gondolin de modo algum era exclusivamente noldorin, e é similar àquelas feitas na versão final do "excurso linguístico" (ver p. 40 e notas 9 e 10), uma consequência da rejeição da antiga concepção de que em Gondolin, e apenas em Gondolin, que era povoada por Noldor e deixara de se comunicar com todos os outros, a língua noldorin sobreviveu no uso diário; ver §113 e comentário.

§§108–9 O conteúdo desse anal, ampliado da frase inicial que registrava a conclusão de Nargothrond (AB 2, V. 156), também é inteiramente novo. Para a história mais antiga de que Felagund tinha uma esposa, e que o filho deles era Gilgalad, ver pp. 296-7.

§110 De acordo com a cronologia dos *Anais Cinzentos*, Turgon partiu de Nivrost no ano 64 (§88) e, assim, cinquenta anos aqui é um erro para cinquenta e dois. O erro foi repetido, mas corrigido, no início do anal revisado para o ano 116. Meu pai possivelmente revertera à datação original num esquecimento momentâneo, quando os anos eram 52 e 102 (V. 153–4, 156). Ver o comentário a §111.

§111 A alteração na frase inicial do ano 116 depende da revisão feita ao registro do ano 64 (§89), segundo a qual Turgon não partiu definitivamente de Vinyamar naquele ano, mas deu início à construção de Gondolin. Presumivelmente, a errônea notação "cinquenta anos", corrigida para "cinquenta e dois", desde o início da obra foi simplesmente retirada do registro rejeitado (ver §110).

§§111–12 São inteiramente novos a aparição de Ulmo a Turgon em Vinyamar na véspera da partida deste, seu aviso, sua profecia e as instruções a Turgon para que deixasse armas na sua casa para que alguém encontrasse em dias posteriores (cf. II. 251, onde sugeri que o gérmen dessa concepção já estava presente no conto original de *A Queda de Gondolin* — "tua vinda estava disposta nos nossos livros de sabedoria"). Porém, a previsão de Ulmo de que Gondolin resistiria por mais tempo contra Morgoth remonta, pelo Q (IV. 157), ao *Esboço da Mitologia* (IV. 42).

§113 A história posterior de que havia muitos Sindar entre o povo de Turgon levou a várias alterações já encontradas no texto dos AC: ver o comentário a §107. — A reversão à forma antiga *wethion* em *Eryd Wethion* é curiosa (ver comentário a §44).

Ao pé da página que possui o registro revisado do ano 116, a seguinte nota foi escrita rapidamente a lápis:

Colocar isso preferivelmente no *Silmarillion* com um comentário curto substituto:

> "Nesse ano, como é dito no *Quenta*, Gondolin foi completada, e Turgon levantou-se e partiu para lá com todo o seu povo, e Nivrost ficou vazia de gente e assim permaneceu. Mas a marcha de Turgon foi ocultada pelo poder de Ulmo, e ninguém, mesmo os seus parentes em Hithlum, sabia aonde ele tinha ido.

Ao lado dessa nota meu pai escreveu "Negligenciar isso"; mas, como um novo capítulo foi inserido no *Quenta Silmarillion* que foi em grande parte baseado no presente adendo (ver pp. 244-6), essa instrução presumivelmente também foi negligenciada.

§114 A data desse anal primeiramente foi escrita como 154, que era a data revisada do encontro do povo de Cranthir com os Anãos nas Montanhas Azuis no AB 2 (V. 156, e cf. QS §125). A passagem que descreve as relações da gente de Cranthir com os Anãos é nova. Foi afirmado no AB 2 (V. 156) que a antiga estrada-anânica que entrava em Beleriand havia caído em desuso desde o retorno dos Noldor, e em uma reescrita tardia daquela passagem (precursora do presente anal) é dito:

> Mas, após a chegada dos Noldor, os Anãos raramente entravam em Beleriand por suas velhas estradas (até que o poder de Maidros esmoreceu na Quarta Batalha [isto é, a Dagor

> Bragollach em 455]), e todo o seu comércio passava pelas mãos de Cranthir, e, assim, ele obteve grandes riquezas.

Portanto, o significado é de que, após o encontro do povo de Cranthir com os Anãos, o comércio renovado destes com os Elfos passou, por trezentos anos, sobre as montanhas muito mais ao norte, rumo às partes setentrionais de Thargelion ao redor do Lago Helevorn.

§115 A rota do exército-órquico que deixou Angband "para o norte branco" permanece inalterada do AB 2 (V. 157); cf. o relato em QS §103 e minha discussão da geografia em V. 321–4.

§116 *Glaurung* aparece aqui no lugar do *Glómund* mais antigo, junto com *Urulóki* "serpentes-de-fogo": cf. o conto original de *Turambar e o Foalókë* em *O Livro dos Contos Perdidos* (e "esse *lókë* (pois tal é o nome que os Eldar dão às serpes de Melko)", II. 109).

Em QS §104 não é dito que a Morgoth "pouco agradara" que o dragão "tivesse se revelado cedo demais", mas, pelo contrário, que Glómund saiu de Angband "por ordem de Morgoth; pois estava relutante, por ainda ser jovem e crescido à metade".

O conteúdo da segunda parte do anal não possui antecedente nas versões antigas. Entendo que as palavras "os Noldor de raça mais pura" se refiram aos Noldor que possuíam pouca ou nenhuma mistura de caráter élfico-escuro, talvez com a implicação de que eram mais fiéis à sua antiga natureza que se desenvolvera em Aman.

§§117–20 A história, ou, melhor dizendo, a existência de uma história sobre Isfin e Eöl remonta aos primórdios, e detalharei brevemente aqui o que é possível depreender dela antes dessa época.

No conto original de *A Queda de Gondolin* (II. 201, 205), Isfin aparece como a irmã de Turgon, e há uma referência à "história de Isfin e Eöl", que "não pode ser contada aqui". Meglin era o filho deles.

No poema fragmentário *A Balada da Queda de Gondolin*, a esposa e a filha (Isfin) de Fingolfin estavam procurando por ele quando Isfin foi capturada por Eöl na "mata em Doriath" e Isfin enviou Meglin, seu filho, para Gondolin (III. 177).

No *Esboço da Mitologia* (IV. 42–3) Isfin se perdeu em Taur-na-Fuin depois da Batalha das Lágrimas Inumeráveis e foi capturada por Eöl; Isfin enviou Meglin para Gondolin (que, nesse estágio, só foi fundada após a Batalha das Lágrimas Inumeráveis).

No Q (IV. 156), de modo similar, Isfin se perdeu em Taur-na-fuin depois da Batalha das Lágrimas Inumeráveis e foi capturada por Eöl; além disso, é dito que "ele era de ânimo sombrio e havia desertado das hostes antes da batalha". É dito subsequentemente (IV. 161) que Isfin e Meglin chegaram juntos a Gondolin quando, certa vez, Eöl se perdeu em Taur-na-fuin.

No AB 1 (IV. 353), no ano 171 (o ano anterior à Batalha das Lágrimas Inumeráveis), é contado que Isfin perde-se ao sair de Gondolin e é tomada como esposa por Eöl. [Um erro no texto impresso do AB 1 pode ser mencionado aqui: "Isfin, filha de Turgon" no lugar de "Isfin, irmã de Turgon".] Em 192, "Meglin chega a Gondolin e é recebido por Turgon como filho de sua irmã", sem menção a Isfin. Isso foi repetido no AB 2 (V. 163, 167), com datas alteradas (271, 292, posteriormente > 471, 492), mas agora é afirmado expressamente que Meglin foi enviado a Gondolin por Isfin, e que ele foi sozinho (revertendo, assim, à história no *Esboço da Mitologia*).

O QS não faz menção à história.

§117 Nos AC, conforme originalmente escritos, a perda de Isfin ainda é colocada no ano (471) anterior à Batalha das Lágrimas Inumeráveis, mas é introduzido o motivo de que ela deixou Gondolin por estar cansada da cidade e desejosa de ver seu irmão Fingon; e ela se perdeu em Brethil e foi capturada por Eöl, que vivera lá "desde a primeira descoberta de Beleriand" — o que deve significar que ele se retirou para o sigilo e a solidão quando os Elfos da Grande Marcha entraram em Beleriand pela primeira vez. A implicação das últimas palavras "não tomara parte em nenhum dos feitos de sua gente", não é explicada.

§118 No registro substituto 316 é insinuado algo mais acerca da natureza Eöl, e entra o elemento de que, não dando ouvidos ao pedido de Turgon, Isfin foi para o leste ao sair de Gondolin, buscando "a terra de Celegorm e dos irmãos deste, seus amigos de outrora em Valinor". Uma descrição de Isfin na página de uma agenda, datada de outubro de 1951 (e, assim, pertencente à mesma época dos novos registros dos AC discutidos aqui), foi anexada ao relato dos príncipes dos Noldor no QS (ver X. 220, 182), e nesse relato é dito que, em Valinor, Isfin "amava muito andar a cavalo e caçar nas florestas, e estava amiúde em companhia de seus parentes, os filhos de Fëanor". É dito ainda no novo anal 316 que ela se separou de sua escolta em Nan Dungorthin e chegou a Nan Elmoth, onde a morada de Eöl agora estava situada. Ela agora parte de Gondolin muito antes da Batalha das Lágrimas Inumeráveis.

§119 O nome *Fingol*, na verdade, não está escrito com uma letra maiúscula, mas é precedido por uma letra alterada que não consigo interpretar (possivelmente, a intenção era um O). Tal como o anal foi escrito, *Glindûr* (em substituição ao nome primitivo e duradouro *Meglin*) era primeiramente o nome do metal inventado por Eöl e, com a alteração posterior de *Glindûr* para *Maeglin*, o mesmo continuou a valer para o nome *Maeglin*.

§120 A história agora reverte àquela contada no Q (IV. 161): Isfin e Glindûr (Maeglin) chegaram juntos a Gondolin e as características essenciais do drama final agora aparecem. O texto original (ver pp. 380 ss.) da história contada na íntegra de Isfin e Eöl e seu filho (Capítulo 16 no *Silmarillion* publicado, *De Maeglin*) pertence a esse período e, de fato, já existia quando esses novos anais foram escritos: eles são um resumo muito condensado. (Para o anal rejeitado do qual este é um substituto, ver §273 e comentário.)

§121 A data do nascimento de Bëor permanece inalterada em relação ao AB 2 (como revisado: 170 > 370, V. 157), assim como as datas dos anais seguintes.

§122–3 As afirmações nos anais 388 e 390 de que Haleth e Hador nasceram em Eriador não foram feitas no AB 2.

§124 A referência ao *Quenta* é a QS §§126 ss. — Ao lado da primeira frase desse anal, meu pai colocou posteriormente um X a lápis, com uma anotação rabiscada: "É tarde demais. Deveria ser a data do convite dos [?Antepassados] dos Homens para irem ao oeste". Isso foi riscado, com exceção das três primeiras palavras: essa é a primeira indicação de grandes mudanças na cronologia que seriam inseridas mais tarde.

§125 Esse registro foi substancialmente ampliado a partir daquele no AB 2, onde nada mais foi dito além de "houve guerra nas Marcas do Leste, e Bëor estava lá com Felagund".

§127 *Galion* substitui *Gumlin* de QS §127 (e do AB 2 como revisado de início, V. 175, nota 20: originalmente, nesse texto os nomes dos filhos de Hador encontravam-se nas posições inversas, e Gundor era o mais velho). Posteriormente, o nome *Galion* foi substituído por *Galdor*. A alteração para "em

Eriador" provavelmente foi feita por essa razão: Hador entrou em Beleriand em 420; assim, Galion nasceu enquanto seu pai se encontrava em algum lugar de Eriador, em 417, mas, na época do nascimento de Gundor em 419, Hador já se encontrava nos sopés orientais das Montanhas Azuis (§128).

§129 O primeiro parágrafo do anal 420 segue de perto aquele no AB 2 (V. 157–8), com alguns acréscimos: de que Brethil jamais havia sido habitada antes devido à densidade da floresta; de que Hador era o mais disposto a se assentar em Hithlum "vindo de um povo nortista"; e de que suas terras em Hithlum ficavam "no país de Dor-lómin". Na margem, ao lado desse último trecho, meu pai rabiscou posteriormente: "[427 >]
423 A gente de Hador chega a Dor-lómin", mas riscou isso; ver §136 e comentário. A antiga ideia de que o povo de Hador abandonou a própria língua em Hithlum é mantida (ver V. 178, anal 220).

§§130–2 O conteúdo da segunda parte do anal 420 e a abertura do 422 são inteiramente novos: os sonhos de Thingol acerca dos Homens antes que aparecessem, sua proibição do assentamento deles, exceto no Norte, e da entrada de qualquer Homem (mesmo da casa de Bëor) em Doriath, a profecia de Melian a Galadriel e a permissão de Thingol ao povo de Haleth para habitarem em Brethil, apesar de sua hostilidade para com os Homens em geral e de seu édito contra a tomada de terras por parte deste tão ao sul.

§133 Essa passagem segue de perto o anal no AB 2 (V. 158), mas com o acréscimo interessante de que o povo de Hador ia ao extremo Norte para montar guarda.

§135 Compare a frase notável (ausente do AB 2) "Pois os Noldor, de fato, eram altos como o são nos dias posteriores homens de grande poderio e majestade" com as referências reunidas à estatura relativa de Homens e Elfos nos escritos mais antigos, II. 392–3. Nos textos antigos, foi dito mais de uma vez que os primeiros Homens eram mais baixos do que seus descendentes, enquanto os Elfos eram mais altos, e, assim, as duas raças eram quase do mesmo tamanho; contudo, a presente passagem não é clara a esse respeito.

A penúltima frase do parágrafo como originalmente escrita dizia o seguinte: "De cabelos louros eram e de olhos azuis (não

Túrin, cuja mãe era da casa de Bëor), e suas mulheres eram altas e belas". As palavras "em sua maioria" foram acrescentadas; elas haviam aparecido em uma passagem bastante similar no capítulo 10 do QS (V. 329, §130).

§136 O fato de a gente de Hador receber terras em Dor-lómin foi mencionado no anal 420, ao qual meu pai acrescentou posteriormente, mas então riscou, "[427 >] 423 A gente de Hador chega a Dor-lómin" (comentário a §129). A implicação presumivelmente é a de que, durante alguns anos, eles habitaram em alguma outra parte de Beleriand.

§139 A mãe de Beren, Emeldir "Coração-de-homem" não é mencionada por nome nos textos mais antigos.

§142 No AB 2, o nascimento de Morwen foi em 445. Quando a data foi alterada nos AC para 443, o trecho foi movido.

§144 Tuor não recebera anteriormente o título de "o Abençoado".

§§145–7 No AB 2 (V. 159), a Batalha do Fogo Repentino, registrada no anal 455, "teve início de súbito numa noite do meio do inverno"; mas a passagem que começa com "Fingolfin e Fingon marcharam em auxílio de Felagund" possui uma nova data, 456. Sugeri (V. 178) que isso se devia ao fato de que a Batalha do Fogo Repentino começou no meio do inverno do ano 455, isto é, no fim do ano. Nos AC, por outro lado, é afirmado expressamente (§145) que a investida vinda de Angband ocorreu "no início do ano", "na noite do meio do inverno"; assim, o ano novo começou na marca do meio do inverno, e a batalha foi datada do primeiro dia do ano 455. Ver o comentário a §147.

§145 Há aqui as primeiras aparições dos nomes *Dagor Bragollach* (no lugar de *Dagor Vreged-úr* no QS, anteriormente *Dagor Húr-Breged* no AB 2) e *Anfauglith* (no lugar de *Dor-na-Fauglith*).

§147 No QS (V. 337, §140), é dito que Hador, que nasceu em 390, tinha "sessenta e seis anos de idade" quando morreu, não 65 como aqui (ver o comentário a §§145–7).

§§149–50 Essa passagem, posteriormente riscada do manuscrito, com exceção da frase inicial de §149, permaneceu seguindo de muito perto aquela no AB 2 (V. 159–60), com alguma influência em sua estrutura da história como contada no QS (V. 343), exceto numa importante particularidade: o companheiro de Húrin não era, como no AB 2 e no QS, o próprio Haleth, o Caçador, mas sim o neto de Haleth, Handir, nascido no mesmo ano que Húrin. — A história de Húrin em Gondolin reaparece nos AC num longo adendo ao anal 458 (§§161–6).

§§151–2 Tal como essa passagem acerca dos mensageiros de Turgon foi escrita inicialmente, ela seguia de perto aquela no AB 2 (V. 160, e cf. a versão no QS, V. 343–4); revisada, ela introduz as ideias da inaptidão dos Noldor na construção de navios navegáveis e de que Turgon ainda assim manteve um posto avançado secreto e um local para a construção de navios na Ilha de Balar desde então.

§153 Nos relatos mais antigos (AB 2 em V. 159–60, com as notas 25 e 29, e QS §141 e comentário), a história de como Celegorn e Curufin chegaram a Nargothrond após sua derrota no leste era cambiante e obscura, mas, seja como for, não havia qualquer indicação de que desempenharam algum papel na defesa de Minnas-tirith em Tolsirion. Meu pai fez uma anotação nessa época no manuscrito do AB 2, sugerindo uma possível mudança na história: Celegorn e Curufin foram rechaçados para o oeste e auxiliaram com vigor no cerco de Minnas-tirith, salvando a vida de Orodreth: e, assim, quando Minnas-tirith foi tomada, Orodreth não teve escolha a não ser abrigá-los em Nargothrond. Ele riscou isso; mas a história foi agora reintroduzida e desenvolvida nos *Anais Cinzentos*.

A data da tomada de Minnas-tirith foi alterada nos *Anais Cinzentos*. No AB 2, a data era 457 (após a queda de Fingolfin em 456); também em QS §143, "Por quase dois anos os Gnomos ainda defenderam o passo oeste ... Minnastirith resistia aos Orques", e foi "depois da queda de Fingolfin" que Sauron abateu-se contra Tolsirion. Nos AC, a presente passagem, que descreve o ataque ao Passo do Sirion, foi primeiramente datada 456, mas a data foi riscada, de modo que esses eventos caem no Fero Ano, 455; e a queda de Fingolfin ocorre a seguir (ainda datada 456).

§154 A forma tardia *Tol-in-Gaurhoth* (no lugar da *Tol-na-Gaurhoth* mais antiga) aparece agora.

§§155–7 A história da morte de Fingolfin no AB 2 (V. 160) fora condensada em poucas linhas. Introduzindo um relato muito ampliado nos novos *Anais*, meu pai baseou-se em grande parte na história como fora contada no QS (§§144–7 e comentário), com algumas referências também ao Canto XII da *Balada de Leithian* (na qual a versão do QS fora baseada em grande medida). As diferenças são em sua maioria pequenas, mas é inserida aqui a grande cavalgada de Fingolfin através de Anfauglith no seu cavalo Rochallor, e a fuga do cavalo de Angband e sua morte em Hithlum. No AB 2 (como no AB 1 e no Q), foi Thorondor quem construiu o teso de Fingolfin, enquanto no QS foi Turgon (ver o comentário a QS §147); agora, nos *Anais Cinzentos*, a construção do teso é atribuída às "águias".

§157 A alteração de "o povo da cidade oculta era todo Noldor" para "muitos do povo ... eram Noldor" depende do desenvolvimento segundo o qual havia muitos Elfos de origem sindarin em Gondolin: ver o comentário a §107 e referências fornecidas naquela seção.

No acréscimo tardio no final desse parágrafo (presente no texto datilografado dos AC) aparece a ascendência de Gilgalad conforme adotada no *Silmarillion* publicado; ver mais nas pp. 296-7.

§158 A forma *Taur-nu-Fuin* (no lugar da *Taur-na-Fuin* mais antiga) aparece agora.

§159 No AB 2 (V. 161), e em uma passagem muito similar no QS (§139), foi dito que as esposas de Baragund e Belegund eram de Hithlum, e que, quando a Batalha do Fogo Repentino começou, suas filhas Morwen e Rían estavam residindo lá entre seus parentes — por essa razão, elas foram as únicas sobreviventes. Essa história agora é suplantada e rejeitada: Emeldir, mãe de Beren, conduziu as mulheres e crianças sobreviventes do povo de Bëor por sobre as montanhas após a batalha, e foi assim que Morwen e Rían chegaram a Dor-lómin (atravessando Brethil). Não fica claro se as mães delas ainda eram mulheres de Hithlum.

No AB 2, não é fornecida a lista completa do bando de Barahir, com uma sugestão de que apenas certos nomes eram lembrados, mas ela aparece no QS (§139). O único nome que difere nos AC é *Arthad* no lugar de *Arthod*. *Radhruin* do QS aqui é escrito *Raðhruin* (*Radruin* por emenda de *Radros* no AB 2, V. 175, nota 31), mas isso pode não ser significativo.

§160 Esse parágrafo deriva do anal 458 no AB 2 (V. 161). Na história conforme contada no QS (§152), Beleg foi ao auxílio de Haleth "com muitos arqueiros"; cf. AC §29, "os arsenais de Thingol estavam abastecidos com machados (as principais armas dos Naugrim, e dos Sindar)", e o nome "Elfos-do-Machado" para os Sindar (transferido dos Nandor), X. 213. Quanto ao nome *Eglath* ("Os Abandonados"), ver X. 113, 204, 212.

§161 Huor agora enfim aparece como companheiro de Húrin em Gondolin, substituindo Handir, neto de Haleth, na passagem rejeitada mais antiga nos AC (§149).

Haleth era parente de Húrin e Huor (como mencionado em um acréscimo tardio ao manuscrito) através do casamento, em 436 (§140), de Hundor, filho de Haleth, com Glorwendil, filha de Hador e irmã do pai deles, Galion. Porém, a genealogia foi desenvolvida ainda mais no anal 462 (ver §171 e comentário) pelo casamento de Galion com a filha de Haleth, de modo que Haleth era o avô de Húrin e Huor; e parece muito provável que essa foi a razão para o acréscimo das palavras "seu parente" aqui.

A história agora se torna decididamente diferente da versão antiga no AB 2 e QS, e ainda presente nos AC como originalmente escrita (§149); pois Húrin e seu companheiro (agora, seu irmão Huor) não estavam caçando no Vale do Sirion antes da Batalha da Chama Repentina, mas o fato de Húrin (e agora também de seu irmão) ter sido criado entre o povo de Haleth é associado com a derrota dos Orques em 458 pelos homens de Brethil, auxiliados por Elfos vindos de Doriath, três anos após a batalha. É inserida agora também a história de que Húrin e Huor foram levados a Gondolin pelas Águias. — Quanto ao vau de Brithiach, ver p. 279, §28.

§§162–6 A história agora atinge praticamente a sua forma final, com a principal inovação da hostilidade de Maeglin para com os jovens, mas também da permissão de partirem de Gondolin apesar da proibição do rei, expressa aqui pela primeira vez em seu rigor pleno, de que partisse da cidade qualquer forasteiro que lá chegasse; e essa permissão foi concedida devido ao fato de ignorarem como a cidade poderia ser encontrada. (Os adendos à história de Isfin e Ëol, §§118–20, foram escritos na mesma época que este.)

§165 Quanto à alteração de *Glindûr* para *Maeglin*, ver §119 e comentário.

§166 Na cópia em papel carbono do texto datilografado dos AC, meu pai escreveu ao lado das palavras "Mas, apesar de contarem que haviam habitado por um tempo em honra nos salões do Rei Turgon": "Eles não revelaram o nome de Turgon". Ver p. 209.

§170 "O exército que adentrara Beleriand Leste" deve se referir às invasões do ano 455: cf. AB 2, anal 456; QS §142; e mais uma vez em AC §148, onde em todas ocorre a expressão "Beleriand Leste adentro" ou variações desta. No AB 2, nos ataques renovados do ano 462 (V. 161), "a invasão dos Orques cercou Doriath, tanto pelo oeste Sirion abaixo como pelo leste através dos passos além de Himling". Não há menção disso aqui nos AC (nem no QS, §156); mas também não houve menção antes da presente passagem à vitória de Thingol após a Dagor Bragollach ou mesmo à subsequente destruição total (ao que parece) da força invasora do leste.

§171 A afirmação de que "na guerra a leste [Morgoth] esperava em breve ter novo auxílio não previsto pelos Eldar" é uma referência premonitória à chegada dos Homens Tisnados; cf. QS §150, onde, imediatamente antes de sua entrada em Beleriand, é dito que Morgoth "enviou seus mensageiros ao leste através das montanhas", e que "alguns já estavam secretamente sob o domínio de Morgoth e vieram ao seu chamado". Nos AC (§174, nota de rodapé) é dito que "pensava-se mais tarde que o povo de Ulfang já se encontrava secretamente a serviço de Morgoth antes de chegarem a Beleriand". Ver mais em §§79–81 e comentário.

Sobre o ataque a Hithlum nada mais foi dito no AB 2 (V. 161) além de que "Morgoth atacou Hithlum, mas foi rechaçado por ora"; no QS (§156) foi Fingon, e não Húrin, que "repeliu [os Orques] no fim da terra com pesada mortandade, e os perseguiu a fundo pelas areias de Fauglith".

No final do parágrafo, por meio de um acréscimo tardio, há a primeira referência à baixa estatura de Húrin, e também ao "casamento duplo" de Galion e Glorwendil, filho e filha de Hador, com a filha (não nomeada) e o filho de Haleth, Hundor. Parece provável que essa extensão da genealogia surgiu aqui, e foi a base do acréscimo de "seu parente" ao anal 458 discutido no comentário a §161.

§172 No QS (§156), parece ter havido apenas um ataque a Hithlum pelo leste, de Fauglith, pois é dito que "os Orques conquistaram muitos dos passos, e alguns até mesmo entraram em Mithrim". No presente anal, parece que Galion e seu filho Húrin derrotaram o ataque pelo leste, enquanto Fingon tentou defender Hithlum do norte (a intervenção de Cirdan, naturalmente, é completamente nova). Quanto à questão intrigante acerca da configuração geográfica do norte de Hithlum, ver V. 321–24 (e cf. o que é dito nos AC sobre a rota do ataque vindo de Angband no ano 155, §115 e comentário). A presente passagem não esclarece a questão, embora a afirmação de que os arqueiros montados dos Eldar perseguiram os Orques "até as Montanhas de Ferro" possivelmente sugira que Hithlum, em certa medida, era aberto ao norte. Isso de fato seria muito surpreendente, uma vez que tornaria Hithlum, de longe, o mais vulnerável dos territórios dos Eldar, e Morgoth teria tido pouca necessidade de tentar abrir caminho pelas vastas defesas naturais das Montanhas Sombrias. Mas isso é pura especulação, e não estou ciente de nenhuma outra evidência relevante à questão.

§§173–4 Novos elementos nesse relato dos Lestenses (cf. AB 2, V. 161–2, e QS §151) são a afirmação explícita de que eles não entraram em Beleriand por sobre as Montanhas Azuis, mas que passaram ao norte delas; o aviso dos Anãos a Maidros a respeito dos movimentos deles no rumo oeste; a diversidade de suas línguas e sua hostilidade mútua; suas moradas em Lothlann e ao sul da Marca de Maidros (no QS, é dito apenas que eles "moraram longamente em Beleriand Leste", §152). A forma *Lothlann* aparece no lugar da mais antiga *Lothland*; *Lothlann* (*Lhothlann*) é encontrada nas *Etimologias* (radicais LAD, LUS, V. 444, 448).

§174 Quanto à primeira frase da nota de rodapé a esse parágrafo, ver o comentário a §171. Compare os comentários seguintes na nota de rodapé acerca dos descendentes do povo de Bór em Eriador na Segunda Era com QS, capítulo 16, §15 (V. 372): "Desde aqueles dias [Nírnaith Arnediad] os corações dos Elfos se distanciaram dos Homens, salvo apenas daqueles das Três Casas, os povos de Hador, e Bëor, e Haleth; pois os filhos de Bór, Boromir, Borlas e Borthandos, que dentre os Lestenses foram os únicos a se mostrarem fiéis na hora da necessidade, pereceram todos naquela batalha, e não deixaram herdeiros". Isso sugere que o povo de Bór deixou de ter qualquer relevância após 472; mas, seja como for, talvez se deva presumir que esses Homens de Eriador eram um ramo daquele povo que jamais entrou em Beleriand.

§§175–210 Descrevi em V. 353 como, depois que *O Senhor dos Anéis* foi terminado, meu pai deu início (nos versos em branco das páginas do manuscrito do AB 2) a uma "saga" em prosa de Beren e Lúthien, concebida em grande escala e seguindo de perto a *Balada de Leithian* revisada; mas esse texto não foi além da traição de Dairon a Thingol quanto à presença de Beren em Doriath. A não ser que essa obra pertença a uma época posterior ao abandono dos *Anais Cinzentos*, o que me parece muito improvável, as duas versões do conto que aparecem aqui nos *Anais* são as últimas das muitas que meu pai escreveu (para um relato completo da história complexa das versões e dos rascunhos do QS, ver V. 348 ss.).

É possível ver que a Versão I é um resumo da narrativa sem elementos novos, ou com elementos inconsistentes com a "tradição reconhecida", à exceção da referência a Amárië (ver comentário a §180). A Versão II, ainda que a princípio concebida numa escala bastante ampla, mais uma vez logo se torna outro resumo, embora muito mais detalhado do que a Versão I, e boa parte do que é contado no texto terminado do QS ("QS II", ver V. 349–50) não está presente ou é tratada de modo muito mais superficial: assim, por exemplo, nada se diz nos AC sobre Húan compreender a fala de Elfos e Homens ou sobre falar três vezes antes de morrer, nem sobre a sua sina (*O Silmarillion*, p. 237), e muito mais que não é necessário detalhar aqui. Mas a estrutura das duas narrativas permanece muito similar.

É curioso observar que a relação das duas versões nos AC é a inversa daquela entre as duas versões que meu pai fez para o *Quenta Silmarillion*. A forma mais completa deste ("QS I") era muito claramente um elemento integral no manuscrito do QS conforme ele avançava, mas meu pai o abandonou e o substituiu pela forma mais curta QS II porque (como eu disse, V. 349) "percebeu que ele seria longo demais, desequilibrando a obra inteira. Ele levara mais de 4.000 palavras para chegar à partida de Beren e Felagund de Nargothrond". No caso dos *Anais Cinzentos*, por outro lado, a forma mais curta (Versão I) é que era integral ao texto tal como escrito, ao passo que a intenção era que a forma mais completa (Versão II) a suplantasse (embora não estivesse terminada).

Para passagens no *Silmarillion* publicado derivadas dos *Anais Cinzentos*, ver V. 356–61.

§175 *Eryd Orgorath*: no texto datilografado dos AAm, *Ered Orgoroth* foi alterado para *Ered Gorgorath* (X. 161, §126).

"E o atravessou, tal como Melian previra": ver as palavras de Melian para Galadriel, §131.

No AB 2 (V. 162) Húrin desposou Morwen em 464, como nos AC, mas Túrin nasceu no inverno de 465 "com presságios de pesar". Essa inserção nos AC coloca o nascimento de Túrin no ano do casamento de seus pais. Ver mais no comentário a §183.

§178 A expressão "preço do compromisso" para a Silmaril exigida por Thingol havia sido usada por Aragorn quando ele contou a história no Topo-do-Vento.

§179 *Celegorm* era a forma original que aparecia dos *Contos Perdidos* (II. 289). O nome tornou-se *Celegorn* no decorrer da composição do QS (V. 268, 345), e essa permaneceu a forma nos AAm e AC; posteriormente, foi revertida a *Celegorm* (X. 220, 222). A mudança de *m* para *n* aqui foi feita na época da composição dessa passagem ou logo depois, e *Celegorm* provavelmente foi apenas um deslize.

§180 Compare "[Felagund] habita agora em Valinor com Amárië" com QS I (V. 360): "Mas Inglor caminha com Finrod, seu pai, entre sua gente na luz do Reino Abençoado, e não está escrito que tenha voltado à Terra-média". Na Versão II (§199) é dito que "libertado após pouco tempo em Mandos, ele foi à Valinor e lá habita com Amárië". Foi contado no anal 102 (§109) que "aquela a quem [Felagund] amara fora Amárië dos Vanyar, e ela não teve permissão de seguir com ele para o exílio".

§183 O nascimento de Túrin ("com presságios de pesar") foi da mesma forma colocado no ano 465 no AB 2. Acredito que o presente registro só foi inserido posteriormente porque meu pai o havia omitido inadvertidamente enquanto se concentrava na história de Beren e Lúthien. Depois da instrução "Colocar em 464" aqui, foi feito um acréscimo a lápis ao anal desse ano em ambas as versões (ver §175 e comentário, §188).

§185 A julgar pela penúltima frase desse parágrafo, parece que união das Duas Gentes é atribuída aos propósitos de Eru. Isso não se encontra no QS (I) (ver *O Silmarillion*, p. 252), nem na Versão II da história nos *Anais Cinzentos* (§210).

§187 Compare o trecho revisado "logo após o meio do inverno" com o comentário a §§145–7.

§189 "[Thingol] respondeu em zombaria": seu tom de fato é menos sombrio e mais brevemente desdenhoso do que no QS (I)

(*O Silmarillion*, p. 230). Na *Balada de Leithian* (III. 230, versos 1132–3), a guarda de Thingol, "ruidosa, riu-se" da exigência de que Beren deveria lhe buscar uma Silmaril; ver minhas observações acerca disso, III. 234–5.

§190 O detalhe do olhar entre Melian e Beren nesse momento não se encontra nas outras versões.

§191 As palavras "como, muito antes, dissera a Galadriel" referem-se às palavras proféticas de Felagund em Nargothrond, registradas no anal 102 (§108).

§193 Inglor ser chamado de "Finrod" talvez tenha sido apenas um deslize sem importância; mas, em vista da ocorrência de "Finrod Inglor, o Belo" em um texto associado com o rascunho da história de Aragorn no Topo-do-Vento (VI. 235), parece possível que meu pai tenha considerado a mudança dos nomes (pela qual Inglor tornou-se Finrod e Finrod, seu pai, tornou-se Finarfin) muito antes do aparecimento deles na Segunda Edição de *O Senhor dos Anéis*.

§§193–4 Na versão longa QS (I), que termina nesse ponto, quando Felagund entregou a coroa de Nargothrond a seu irmão Orodreth "Celegorm e Curufin nada disseram, mas sorriram e deixaram aqueles salões" (*O Silmarillion*, p. 234). As palavras de Celegorn e Felagund que se seguem aqui são um novo elemento na história.

Sem dúvida, a intenção é de que o presságio de Felagund seja um presságio verdadeiro (como todos os presságios desse tipo, embora possa ser ambíguo). Caso se dê peso pleno às palavras precisas usadas por Felagund, então é possível dizer que a conclusão do QS (V. 397), onde é dito que Maidros e Maglor recuperaram, cada um, uma Silmaril por um breve período, não é contradita.

§198 No QS (*O Silmarillion*, p. 238) não é dito que Sauron "deixou o Rei-élfico por último, pois sabia quem ele era", mas apenas que ele "pretendia deixar Felagund para o final, pois percebia que era um Gnomo de grande poder e sabedoria". Ver a *Balada de Leithian*, versos 2216–17 e 2581–2609 (III. 274, 294–5).

§201 Não é contado nas outras versões que Húan conduziu os prisioneiros de Tolsirion de volta à Nargothrond; no QS é dito apenas que "para lá então retornaram muitos Elfos que tinham sido prisioneiros na ilha de Sauron" (*O Silmarillion*, p. 241).

§203 O ano novo é colocado em um ponto ligeiramente posterior na narrativa na Versão I, §184. No AB 2, toda a última parte da história de Beren e Lúthien, desde sua entrada em Angband, foi colocada no anal do ano 465 (V. 162).

§204 A ausência de qualquer menção à história de que Húan e Lúthien voltaram-se para Tol-in-Gaurhoth enquanto rumavam para o norte e de que, trajados com o pelame de Draugluin e a pele de morcego de Thuringwethil, toparam com Beren na borda de Anfauglith (*O Silmarillion*, p. 244) sem dúvida deve-se simplesmente à compressão. Não foi dito no QS (*ibid.*, p. 245) que "Húan habitou nas matas" quando Beren e Lúthien o deixaram em sua jornada até Angband.

§207 Não fica claro no QS (*O Silmarillion*, p. 248) que foram os uivos de Carcharoth que despertaram os adormecidos em Angband. — Quanto aos nomes Gwaihir e Lhandroval, que aparecem aqui no QS, mas não no *Silmarillion* publicado (p. 248), ver V. 360–1 e IX. 66.

§211 Esse anal segue de muito perto uma passagem no QS (*O Silmarillion*, p. 254).

§§212 ss. O texto do QS não é mais o manuscrito cuidadoso que foi interrompido ao ser enviado à editora em novembro de 1937, mas, sim, os textos intermediários que meu pai escreveu enquanto não estava de posse do manuscrito. Esses textos foram descritos em V. 349–5: um manuscrito "QS(C)" menos cuidadoso, mas legível, que completava a história de Beren e Lúthien e que se estendia por todo o capítulo 16 do QS, *Da Quarta Batalha: Nírnaith Arnediad*, foi abandonado próximo ao início do Capítulo 17 (a história de Túrin); e um segundo manuscrito "QS(D)" que retomava o QS(C) no meio do Capítulo 16 e continuava até certa altura do Capítulo 17, ponto no qual o *Quenta Silmarillion* naquela fase chegou ao fim como uma narrativa contínua. A partir do início do Capítulo 16, comecei uma nova série de parágrafos numerados desde §1 (V. 368).

§212 Nesse anal (468), meu pai seguiu de perto aquele no AB 2 (465–70, V. 163) e, assim, um elemento importante da tradição do "Silmarillion" está ausente: a exigência arrogante dos Fëanorianos feita a Thingol para que ele entregasse a Silmaril, seguida pelas ameaças violentas de Celegorn e Curufin contra ele, como a causa principal da recusa de Thingol em auxiliar

Maidros (ver QS §6 e a passagem no Q da qual ela deriva, IV. 135–6). No AB 2, a recusa de Thingol é atribuída aos "feitos de Celegorm e Curufin", e isso foi seguido nos AC. Mais uma vez, a história em QS §7, ausente no AB 2, de que apenas metade do povo de Haleth saiu de Brethil em razão da "seta traiçoeira de Curufin que feriu Beren", não se encontra nos AC.

De forma notável, é dito nos AC que Maidros teve ajuda dos Anãos "em força armada" assim como em armas de guerra; isso não foi dito no AB 2 e foi expressamente negado no QS, onde os Anãos eram representados como envolvidos cinicamente no empreendimento lucrativo de fazer "cotas de malha e espadas e lanças para muitos exércitos" (ver QS §3 e comentário).

§213 O anal no AB 2 de onde esse parágrafo deriva é datado de 468. O presente registro é muito mais explícito do que os relatos mais antigos acerca da tolice de Maidros em revelar o seu poder na hora errada. — No QS (§3) é dito que, nessa época, "os Orques foram varridos das regiões ao norte de Beleriand", e agora é acrescentado nos AC que "mesmo Dorthonion ficou livre por um tempo".

§214 Foi dito nos rascunhos do QS que a duração das segundas vidas de Beren e Lúthien havia sido longa, mas o texto final diz "se a segunda duração de sua [isto é, de Beren] vida foi breve ou longa, isso não é conhecido dos Elfos ou dos Homens" (ver V. 366–7 acerca do desenvolvimento da passagem a respeito do retorno de Beren e Lúthien e sua forma no *Silmarillion* publicado). Parece possível que as palavras "[Lúthien] haveria de *em breve* morrer de fato" no presente texto não impliquem uma curta duração de vida mortal, mas uma duração mortal em contraste com aquela dos Eldar.

O texto final do QS diz que Beren e Lúthien "retomaram sua forma mortal em Doriath", mas o relato aqui de seu retorno a Thingol e Melian em Menegroth é inteiramente novo (assim como, é claro, a referência a Elrond e Arwen).

A terra dos Mortos que Vivem chamada no QS(B) de *Gwerth-i-Cuina* e, no texto final do QS, de *Gyrth-i-Guinar* (V. 366).

§215 No AB 2, a segunda parte da lenda de Beren e Lúthien, desde sua entrada em Angband até a sua volta dos mortos, foi colocada no ano 465, enquanto nos AC ela aparece em 466, e a morte de Lúthien em 467 (§211). O nascimento de Dior (cujo nome

*Aranel* aparece agora) é aqui deslocado três anos depois da data no AB 2, 467.

§216 O casamento de Huor e Rían foi apresentado no AB 2 no anal 472, e foi dito que ocorreu "na véspera da batalha". Ver §218 e comentário.

§§217 ss. No relato muito longo da Nírnaeth Arnediad que se segue, meu pai fez uso tanto da tradição do "Silmarillion" como da dos "Anais", isto é, o capítulo 16 do QS e o relato no AB 2. O capítulo do QS em si derivou em grande parte de uma interligação do Q e do AB 2 (ver V. 375) — Uma versão posterior da história da batalha, baseada de perto naquela nos AC, mas com alterações radicais, é fornecida na Nota 2 ao final deste comentário (pp. 204 ss.).

§218 Essa passagem não foi removida quando o registro do casamento de Huor com Rían foi inserido em 471 (§216); o texto datilografado dos AC, no entanto, só traz o posterior registro 471.

§219 A Nírnaeth Arnediad, anteriormente a quarta batalha nas guerras de Beleriand, agora se torna a quinta batalha: ver comentário a §§36 ss. A época do ano não é mencionada nos relatos mais antigos.

A posição da passagem acerca do tema do Monte dos Mortos segue o AB 2 (V. 164); rejeitada aqui, ela foi substituída por outra no final da história da Nírnaeth Arnediad nos AC (§250): cf. QS §19. Quanto ao nome *Hauð-na-Dengin*, ver V. 377, §19; também AC §§250–1.

§220 A verdadeira natureza das maquinações de Uldor não foi mencionada nos relatos mais antigos.

§221 "uma grande companhia de Nargothrond": anteriormente nos AC (§212) é dito que "pouca ajuda veio de Nargothrond" (cf. QS §5: "apenas uma pequena companhia"). — O acréscimo a respeito da presença de Mablung, que não se encontra no AB 2, vem do QS (§6), que deriva do Q (IV. 136); mas, naqueles textos, Beleg ("que não [obedecia] a homem algum", "que não [podia] ser [contido]") também foi à batalha. A permissão qualificada de Thingol a Mablung é nova nos AC; na tradição do *Quenta*, tal permissão era dada por Orodreth à companhia de Nargothrond. — A sucessão de Hundor com a morte de seu pai Haleth, o Caçador, está registrada no anal 468 (§212). (Muito mais tarde, quando a genealogia do Povo de Haleth foi transformada, *Hundor* foi substituído por "*Haldir* e *Hundar*"; quanto a esse fato, ver p. 289.)

Quanto ao relato insatisfatório da saída de Turgon de Gondolin no QS, amalgamando as histórias inconsistentes do Q e do AB 2, ver V. 375–78. Nos *Anais Cinzentos*, a confusão é resolvida. Turgon veio de Gondolin *antes* de a batalha ser iniciada (na história dos AB, ele e sua hoste só desceram de Taur-na-Fuin quando a hoste de Fingon recuou para o sul rumo ao Passo do Sirion, V. 164), mas apenas pouco antes, e ficou postado no sul vigiando o Passo do Sirion.

§222 A história do início da batalha como contada aqui difere daquela em QS §10 (que segue o Q), onde Fingon e Turgon, ao ficarem impacientes com o atraso de Maidros, enviam seus arautos à planície de Fauglith para soar as trombetas em desafio a Morgoth.

§§224–5 Aparece agora o elo final nesse elemento da narrativa: o arauto capturado (ver comentário a §222) morto em provocação na planície de Fauglith (QS §11) desaparece e é substituído por Gelmir de Nargothrond, irmão de Gwindor, que fora feito prisioneiro na Batalha da Chama Repentina. Foi o pesar de Gwindor pelo irmão que o trouxe de Nargothrond contra a vontade de Orodreth, o rei, e sua fúria ao presenciar o assassinato de Gelmir foi a causa da investida fatal da hoste de Hithlum. Descrevi a evolução da história em IV. 205–6.

§226 Em §221, "a hoste de Fingolfin" é obviamente um deslize no lugar de "a hoste de Fingon", e provavelmente também "as bandeiras de Fingolfin" aqui: QS (§12) diz "as bandeiras de Fingon".

§228 "na retaguarda", riscado nos AC, encontra-se tanto no AB 2 como no QS (§13). — Não é dito no AB 2 ou no QS que a hoste de Hithlum foi cercada, apenas que o inimigo ficou entre eles e Erydwethion, de modo que Fingon foi forçado a recuar na direção do Passo do Sirion.

Parece claro que Turgon surgiu do Passo somente pouco antes da chegada da força que serviu de isca vinda de Angband; portanto, ele ainda não havia realmente encontrado Húrin.

§230 Os Balrogs nessa época ainda eram concebidos como existindo em grandes números; cf. AAm §50 (X. 101): "[Melkor] soltou de repente uma hoste de Balrogs" — ponto no qual meu pai anotou no texto datilografado dos AAm: "Não se deve supor que mais do que, digamos, 3 ou no máximo 7 chegaram a existir" (X. 107).

§231 No AB 2 e no QS (§15) foi Cranthir, e não Maglor, que matou Uldor, o Maldito. Não é dito naqueles textos que "nova força de homens malignos chegou, que Uldor convocara e mantivera escondida nos montes ao leste", nem, é claro, que os Fëanorianos, fugindo na direção do Monte Dolmed, levaram consigo um remanescente dos Naugrim, pois foi somente com os *Anais Cinzentos* que os Anãos tomaram parte na batalha (comentário a §212).

§232 Anteriormente nos AC (§22), os *Enfeng* são os Anãos de Belegost, mas houve um período (Q, QS) no qual eram os Anãos de Nogrod (ver comentário a §22); isso sem dúvida explica *Nogrod* aqui, que foi riscado e substituído por *Belegost* assim que foi escrito. — O parágrafo inteiro, e todos os seus detalhes, é original nos AC.

§233 No QS (§17), as bandeiras de Fingon eram brancas. No relato nos AC sobre a queda de Fingolfin (§155), seu escudo era azul incrustado com uma estrela de cristal e sua armadura era prateada; isso se encontra também na versão do QS (§144).

§§234–5 As falas entre Turgon, Húrin e Huor são inteiramente novas. Em §235, seria de se esperar que Huor tivesse dito: "eu não haja de ver vossas alvas muralhas *de novo*" (como ele o faz no *Silmarillion* publicado, p. 263), visto que ele estivera em Gondolin, catorze anos antes; mas ver p. 209.

§§235–6 Praticamente todas as mudanças desses parágrafos foram feitas na época da composição do manuscrito.

§237 O nome *Glindûr* apareceu em outras passagens introduzidas no texto primário: §§119–20, 165.

§240 Detalhes originais nos AC são o olho de Huor atingido por uma flecha envenenada e o empilhamento dos homens mortos da casa de Hador "como uma pilha d'ouro".

§241 Esse parágrafo deriva de passagens no Q (§§15–16) que ocorrem em um ponto anterior na narrativa; mas não há menção nos AC aos filhos de Bór (ver comentário a §174).

§242 A afirmação aqui de que "Tol-sirion [foi] retomada e suas terríveis torres, reconstruídas", que não havia sido feita antes, encontra-se claramente em plena contradição com o que foi dito no QS (V. 360): "Enterraram o corpo de Felagund sobre o topo da colina de sua própria ilha, que estava pura de novo, e para sempre depois disso permaneceu inviolada; pois Sauron jamais voltou para lá". No *Silmarillion* publicado, essa passagem no QS foi alterada.

§243 "Cirdan mantinha os Portos" naturalmente é um acréscimo à passagem no QS (§20), que está sendo seguida de perto. — As referências ao peculiar medo que Morgoth sentia de Turgon, e à amizade de Ulmo com a casa de Fingolfin, que escarnecera de Morgoth em Valinor, não possuem antecedentes nos textos mais antigos. Pode-se ver pelas linhas rejeitadas (descuidadas e com muitas alterações no manuscrito) que meu pai, de certa forma, estava trabalhando a ideia conforme escrevia. As palavras "de Turgon haveria de lhe vir a ruína" são uma referência a Eärendil e sua embaixada a Valinor.

§§244–9 O encontro de Húrin com Morgoth como contado nos AC baseia-se na e em grande medida segue de perto a história no QS (§§21–3), mas com algumas extensões: as palavras de Morgoth a respeito da esposa e do filho de Húrin, agora desamparados em Hithlum; e a visão que Húrin tem de Hithlum e de Beleriand ao longe de seu assento de pedra nas Thangorodrim. Ver mais na p. 209.

§251 É nesse ponto na narrativa que os rascunhos manuscritos QS(C) e QS(D), após concluírem o capítulo "Nírnaith" com o aprisionamento de Húrin nas Thangorodrim, adotam um novo título: no QS(C), "De Túrin, o Infeliz"; e, no QS(D), "De Túrin Turamarth, ou Túrin, o Infeliz". Esse, que seria o próximo capítulo (17) no QS, começa com o nascimento de Tuor e a morte de Rían no Monte dos Mortos (para os quais os *Anais Cinzentos* agora se voltam); mas o QS(C) só vai até a partida de Túrin de Menegroth para lutar nas marcas de Doriath usando o Elmo-de-dragão, e o QS(D) continua além desse ponto somente até o banimento voluntário de Túrin após a morte de Orgof (AC §259).

A criação de Tuor pelos Elfos-escuros foi registrada tanto no AB 2 (V. 165) quanto no QS (§24); rejeitada nos AC, aparece lá em seu lugar a primeira menção a Annael e os Elfos-cinzentos de Mithrim (ver o comentário a §252). A morte de Glorwendil de pesar por seu esposo Hundor, filho de Haleth, é mencionada no decorrer da narrativa da Nírnaith Arnediad no QS (§13).

§252 Tanto no AB 2 (V. 165–6) como no QS (§19) é registrado que "os Elfos de Hithlum" foram escravizados nas minas de Morgoth nessa época, aqueles dentre eles que não escaparam para os ermos, e seria natural supor que isso se referia aos Elfos noldorin do povo de Fingolfin — embora a própria referência da criação de Tuor por "Elfos-escuros" demonstre que havia outros Elfos em Hithlum, e "Elfos-cinzentos" pode ser simplesmente um termo tardio para os Elfos-escuros de Beleriand que deviam obediência a Thingol. Em sua mensagem aos Noldor recém-chegados pela boca de Angrod (AC §64), Thingol não deu a entender de fato que havia qualquer membro de seu povo (Elfos-cinzentos) em Hithlum: entre as regiões onde os Noldor poderiam habitar ele mencionou Hithlum, acrescentando que "em outras partes há muitos de minha gente, e não desejo que sejam tolhidos em suas liberdades, menos ainda privados de seus lares".

§253 Meu pai escreveu a lápis no final desse parágrafo: "(setembro-dez.)"; isso claramente se refere aos meses da jornada de Túrin de Hithlum a Doriath na segunda metade de 472 (a Batalha das Lágrimas Inumeráveis foi travada no meio do verão daquele ano, §219). De acordo com a datação anterior (§183), ele nasceu no inverno de 465; essa data foi alterada (§§175, 188) para 464, mas sem indicação da época do ano. Se Túrin tivesse nascido no inverno de 464, ele ainda teria sete anos no outono de 472.

§256 O conteúdo inteiro desse parágrafo é novo na história. Na frase "Ferreiros, e mineiros, e mestres de fogo", o *Silmarillion* publicado (p. 266), que deriva dessa passagem, diz "fazedores de fogo": essa foi uma leitura errada do manuscrito.*

§257 Foi dito anteriormente nos AC (§§151–2) que, após a Dagor Bragollach, Turgon enviou Elfos de Gondolin às fozes do Sirion e à Ilha de Balar para tentar construir navios (talvez a pergunta a ser feita seja: por que ele não entrou em contato com Cirdan nessa época?), e que ele "sempre manteve um refúgio secreto na Ilha de Balar". Mas a frase na presente passagem, "e misturaram-se com o posto avançado de Turgon lá", foi riscada, e a subsequente "quando Turgon ouviu a esse respeito, mandou de novo seus mensageiros às Fozes do Sirion" por si só dá a entender que a ideia de um posto avançado permanente de Gondolin em Balar havia sido abandonada.

*Esse erro foi corrigido na segunda edição inglesa, a partir da qual a tradução brasileira (2019) foi feita. [N.T.]

Aqui, em uma alteração ao texto, a história de Voronwë é expandida, e ele aparece em um novo papel como capitão do último dos sete navios enviados para o Oceano do Oeste por Cirdan (não é dito que ele era um Elfo de Gondolin). Em textos mais antigos, ele naturalmente não desempenhava tal papel. No Q (IV. 162), Tuor nas fozes do Sirion encontrou Bronweg (> Bronwë), que outrora fora do povo de Turgon e escapara de Angband. Compare §§256–7 com a história de Tuor em *Contos Inacabados*, pp. 57–9 e nota 13.

§258 Se Túrin tivesse nascido no inverno de 464 (ver comentário a §253), ele estaria em seu décimo sétimo ano em 481; portanto, parece que a data anterior (465) para o seu nascimento foi mantida. Os *Anais*, muito breves, não mencionam o motivo da ida de Túrin para a guerra (o fato de todas as notícias vindas de Hithlum terem cessado).

A nota rabiscada "Túrin colocou o Elmo-de-dragão de Galion" não se encontra no texto datilografado dos AC. O Elmo-de-dragão remonta à antiga *Balada dos Filhos de Húrin*, e foi descrito no Q (IV. 138), no contexto de Húrin não o ter usado na Batalha das Lágrimas Inumeráveis; na *Balada* (mas não no Q) é mencionado que Túrin levou o elmo para a guerra nessa época (III. 26, verso 377: "o filho de Húrin seu elmo envergou").

§259 É aqui que o QS chegou ao fim como uma narrativa contínua (ver V. 385–6, 388).

§260 As duas primeiras frases desse anal derivam do Q (IV. 143) e do AB 2 (V. 166); mas aqueles textos não informam o local do esconderijo de Túrin, dito aqui ficar em Dimbar.

§261 A primeira parte desse parágrafo segue o AB 2 (quanto à "chegada a Hithlum" de Tuor, ver V. 181), mas a afirmação de que Morwen e Niënor "haviam sido levadas para Mithrim" parece completamente anômala.

§263 A forma final do registro acerca de Tuor, com a data alterada para 488 e sua idade para dezesseis anos, e a aparição de Lorgan, chefe dos Lestenses, provavelmente deriva da história em *De Tuor e sua Chegada a Gondolin* (Contos Inacabados, pp. 36–7): no manuscrito daquela obra, a data 488 foi inserida ao lado do parágrafo que começa por "Então Annael conduziu seu minguado povo ..." (p. 36), e a idade de Tuor foi alterada de quinze para dezesseis na mesma frase. Por outro lado, aquele texto diz "após três anos de servidão" (p. 38) tal como foi escrito, enquanto nos AC "três" é uma alteração de "sete".

§264 Esse é o anal original de 488. Quando a passagem precedente sobre Tuor recebeu a data 488, o registro acerca de Haldir de Nargothrond tornou-se uma continuação daquele ano. O evento foi mencionado na *Balada dos Filhos de Húrin* (III. 94, versos 2137–8), onde o filho de Orodreth era chamado *Halmir*; *Halmir* no AB 2 foi alterado para *Haldir* (V. 166 e nota 38), que é a forma nas *Etimologias* (explicada com o significado de "herói oculto", radical SKAL[1], V. 469).

§265 No Q, Blodrin era um Gnomo, com o acréscimo posterior de que era um Fëanoriano (IV. 143 e nota 5); a história contada aqui de que ele era um dos Lestenses fiéis que se tornou um traidor após ser capturado por Morgoth é um novo desenvolvimento. No Q, sua natureza maligna é atribuída ao fato de que "tinha vivido entre os Anãos", e isso derivou da *Balada* (III. 45). — Quanto à pergunta a lápis a respeito do Elmo-de--dragão, ver §266.

§266 No Q, os mensageiros de Thingol chegaram ao local porque tinham sido enviados para chamar Túrin e Beleg a um banquete (IV. 143). — A tentativa de desenvolver a história subsequente do Elmo-de-dragão e entrelaçá-la à história existente era inerentemente muito difícil. Aqui, as questões surgem de imediato: (1) Por que o Elmo-de-dragão estava em Menegroth? Isso pode ser respondido ao se supor que, quando Túrin chegou a Menegroth para o banquete no qual matou Orgof (§259), ele trouxe o Elmo consigo de Dimbar, e, após a morte do elfo, fugiu das Mil Cavernas sem ele; com base nessa suposição, o Elmo permaneceu em Doriath durante os anos seguintes (484–9). Mas (2) se for esse o caso, por que Beleg o levaria para os ermos agora no que devia ter parecido uma busca quase que certamente em vão por Túrin, que havia sido capturado por Orques e arrastado para Angband? No trabalho posterior de meu pai na lenda de Túrin, ele concluiu por fim que Túrin deixou o Elmo-de-dragão em Dimbar quando foi a Menegroth para o banquete fatal, e que (na história tardia muito mais complexa) Beleg levou o elmo de lá quando foi a Amon Rûdh com a neve do inverno: por isso, na passagem (extremamente artificial) no *Silmarillion* publicado, p. 276, "ele trouxe de Dimbar o Elmo-de-dragão de Dor-lómin".

§267 Na *Balada*, da mesma forma, foi Finduilas que insistiu contra a descrença e desconfiança em Nargothrond de que era de fato Flinding (Gwindor) que havia retornado (III. 86–9).

§268 Nessa passagem, um novo elemento entra na história: a adoção por Túrin de um nome enigmático, *Iarwaeth* (cf. o posterior *Agarwaen* "Manchado-de-sangue", *O Silmarillion*, p. 283) e seu pedido a Gwindor para ocultar o seu verdadeiro nome "pelo horror que sentia por matar Beleg e por temer que o ato viesse a ser conhecido em Doriath"; e aqui também aparece a forma final do nome da espada reforjada, *Gurthang* "Ferro da Morte" no lugar de *Gurtholfin* > *Gurtholf* (V. 167 e nota 39) "Vara da Morte" (Gurthang é uma alteração no manuscrito de um nome rejeitado que não pode ser lido: a segunda sílaba é *tholf*, mas a primeira não é *Gur*, e o significado dado provavelmente é "Vara da Morte"). A forma *Mormegil* aparece na primeira versão dos *Anais* (AB 1), emendada para *Mormael* (IV. 357 e nota 52); o Q possuía *Mormaglir* e o AB 2, *Mormael*.

§§269–72 A maior parte dessa narrativa aparece pela primeira vez nos *Anais Cinzentos*: a revelação por Gwindor da identidade de Túrin a Finduilas, seu aviso a ela e sua afirmação de que todos em Angband conheciam a maldição lançada sobre Húrin; a garantia de Túrin a Gwindor acerca de Finduilas e seu desagrado para com o elfo pelo que este havia feito; a honra dada a Túrin por Orodreth quando este ficou sabendo quem ele era e a aceitação de seus conselhos por parte do rei; o amor infeliz de Túrin por Finduilas que o leva a buscar refúgio de seu sofrimento na guerra.

§271 *dote matutino*: o presente do esposo à esposa na manhã após o casamento.

§272 A aliança dos Elfos de Nargothrond com Handir de Brethil remonta à primeira versão dos *Anais* (IV. 357); não sei por que esse elemento da história foi removido. Ver mais no comentário a §300. — Não é dito aqui que a ponte sobre o Narog foi construída por conselho de Túrin, mas isso aparece subsequentemente (§277).

§273 Esse anal rejeitado de 492 adere à antiga história na qual Meglin foi enviado por Isfin a Gondolin (embora a história posterior de que Isfin e Meglin chegaram juntos a Gondolin tenha aparecido muito antes no Q: ver §120 e comentário), e não há sinal da história da perseguição de Ëol, da morte de Isfin pelo dardo envenenado de Ëol que tinha Maeglin como alvo, e da execução e da maldição de Ëol lançada à beira da morte sobre o filho.

§275 A inserção em certa medida tardia no início do anal substitui a afirmação subsequente nesse parágrafo de que Handir foi morto na batalha de Tum-halad, que deriva do AB 2 (V. 167).

A remoção da passagem de Glaurung por Hithlum a caminho de Nargothrond (registrada no AB 2) é uma grande melhora das probabilidades da narrativa. — *Eithil Ivrin*: anteriormente *Ivrineithel* (V. 166), "Nascente de Ivrin", fonte do Narog. Essa é a primeira referência à profanação de Ivrin por Glaurung.

Não está claro qual é o local da batalha. No Q era "na Planície Protegida, ao norte de Nargothrond" (IV. 146), e no AB 2 (V. 167) "entre o Narog e o Taiglin". No trabalho posterior no *Narn*, meu pai escreveu em um de uma série de esboços narrativos:

> Entram em contato com a hoste-órquica, que é maior do que tinham conhecimento (apesar dos batedores alardeados de Túrin). Além disso, ninguém além de Túrin podia suportar a aproximação de Glaurung. Foram rechaçados e premidos pelos Orques no Campo de Tumhalad, entre o Ginglith e o Narog, e ali ficaram confinados. Ali todo o orgulho e a hoste de Nargothrond minguaram. Orodreth foi morto na vanguarda da batalha, e Gwindor ferido de morte. Então Túrin foi até ele e todos fugiram diante dele, e ele ergueu Gwindor e o carregou para fora da batalha e [*várias palavras ilegíveis*] atravessou o Narog a nado e levou Gwindor a [?um bosque] de árvores. Mas Glaurung desceu a leste do Narog e apressou-se [?rumo ?em] a Nargothrond com grande número de Orques.

Essa, creio, é a única afirmação de que o local da batalha ficava entre o Ginglith e o Narog; mas meu pai inseriu a lápis o nome *Tumhalad* entre aqueles rios, na direção de sua confluência, no mapa (p. 225, quadrado E5). Nos AC, a fuga de Túrin com Gwindor "para um bosque" é mencionada, mas não sua travessia do Narog a nado. Esse é um detalhe curioso: presumivelmente ele atravessou o Narog a nado para escapar da batalha, e então desceu a margem leste do rio até a Ponte de Nargothrond.

Mas é difícil saber como interpretar essa concepção tardia do local de Tumhalad. Parece que meu pai agora imaginava que Glaurung e a hoste-órquica haviam rumado para o sul desde Ivrin pelo lado oeste do Narog; mas o texto afirma que eles "desce[ram] a leste do Narog" até Nargothrond e, portanto, também deviam ter atravessado o rio — a nado, como Túrin fizera? No *Silmarillion* publicado (pp. 286–7), eu provavelmente me equivoquei ao seguir esse texto intrigante escrito muito rapidamente, e ao marcar no mapa que acompanha o livro o local de Tumhalad de acordo com ele. Porém, seja como for, tenho certeza de que o local original, na planície a leste do Narog, ainda estava presente nos AC.

Com relação à nota a lápis de que "Túrin na batalha usou o Elmo-de-dragão": nessas notas marginais sobre o assunto, o Elmo foi mencionado pela última vez quando Beleg o levou consigo de Menegroth na jornada em busca de Túrin que levou à sua morte (ver §266 e comentário). Portanto, meu pai deve ter imaginado que Gwindor e Túrin o levaram consigo para Nargothrond. Isso cria a dificuldade óbvia de que o Elmo teria revelado de imediato a identidade de Túrin; mas, em *Contos Inacabados* (p. 214), mencionei um fragmento isolado de texto entre o material do *Narn* que "conta que, em Nargothrond, Túrin não voltou a usar o Elmo 'para que não o revelasse', mas que o usava quando foi à Batalha de Tumhalad". A passagem em questão diz o seguinte:

> Beleg, vasculhando o acampamento-órquico [em Taur-nu--Fuin] encontra o elmo-de-dragão — ou este foi colocado na cabeça de Túrin em zombaria pelos Orques que o atormentavam? Assim, o elmo foi levado a Nargothrond; mas Túrin não voltou a usá-lo, para que não o revelasse, até a Batalha de Dalath Dirnen.

(*Dalath Dirnen*, a Planície Protegida, era a forma mais antiga; o nome foi grafado assim ao ser inserido no mapa, mas foi alterado subsequentemente como nos textos para *Talath Dirnen* (p. 186, §17).)

§276 Ao lado da primeira linha desse parágrafo, meu pai escreveu uma data: "13 de out."; ao lado da primeira linha de §278, ele escreveu "25 de out."; e, ao lado da primeira linha de §288, ele escreveu "1 de nov.". Esses acréscimos muito incomuns devem se referir aos dias em que escreveu esses trechos, em (como presumo) 1951.

No AB 2, tudo o que é dito aqui é que "Gwindor morreu, e recusou o socorro de Túrin". O mesmo foi dito no Q (IV. 146), e também que ele morreu repreendendo Túrin: como ressaltei (IV. 211), "a impressão que se passa é de que as repreensões de Flinding (Gwindor) ao morrer eram por causa de Finduilas. De fato, não há nenhuma indicação aqui de que a política de guerra aberta de Túrin tenha tido oposição em Nargothrond". Aqui nos AC aparece a ideia de que Gwindor culpava Túrin por sua morte e pela ruína de Nargothrond — ou, mais precisamente, reaparece, visto que está claramente presente no antigo *Conto de Turambar* (II. 106–8). As palavras de Gwindor nos AC a respeito de Túrin e Finduilas são completamente diferentes daquelas atribuídas a ele no Q, e agora aparece a ideia da suprema importância para Túrin de sua escolha acerca de Finduilas: mas isso é mais uma vez um reaparecimento, do *Conto*, onde a escolha dele é condenada explicitamente (II. 111).

§277 É um novo elemento na narrativa que o resgate de Gwindor por Túrin foi o que permitiu que Glaurung e sua hoste chegassem a Nargothrond antes dele.

Este é um lugar conveniente para descrever um texto cuja relação com os *Anais Cinzentos* é muito curiosa. O texto em si foi publicado em *Contos Inacabados*, pp. 221–5: a história da chegada dos Elfos noldorin Gelmir e Arminas a Nargothrond para avisar Orodreth do perigo que o reino corria, e da recepção pouco amável que tiveram de Túrin. Há tanto um manuscrito (baseado num resumo rascunhado, muito descuidado, escrito num pedaço de papel) e um texto datilografado, com uma cópia em papel carbono, feito por meu pai na máquina de escrever que ele parece ter usado pela primeira vez por volta do final de 1958 (ver X. 363). O manuscrito não possui título ou cabeçalho, mas começa (assim como o rascunho e o texto datilografado) com a data "495". O original datilografado possui um cabeçalho acrescentado à mão: "Inserção para a forma mais longa do *Narn*", enquanto a cópia em papel carbono possui o cabeçalho, também acrescentado à mão, "Inserção aos *Anais Cinzentos*", mas isso foi alterado para o fraseado do original.

O curioso é que, enquanto o manuscrito não tem qualquer qualidade "analística", fora a data 495, o texto datilografado começa com a palavra analística "Aqui" (um uso derivado da *Crônica Anglo-Saxã*):

> Aqui Morgoth atacou Nargothrond. Túrin então comandava todas as forças de Nargothrond, e determinava todas as questões de guerra. Na primavera chegaram dois Elfos, e se chamavam Gelmir e Arminas...

Ademais, enquanto o manuscrito não vai além do texto impresso em *Contos Inacabados*, terminando com as palavras "Nesse ponto, ao menos, as palavras de Ulmo foram bem interpretadas", o texto datilografado não termina ali, mas continua:

> Aqui Handir de Brethil foi morto na primavera, logo após a partida dos mensageiros. Pois os Orques invadiram sua terra, buscando capturar as travessias do Taiglin a fim de impelir seu avanço; e Handir os enfrentou em batalha, mas os Homens de Brethil levaram a pior e foram rechaçados para dentro de seus bosques. Os Orques não os perseguiram, pois haviam alcançado seus objetivos por algum tempo; e eles continuaram a reunir suas forças nos passos do Sirion.
>
> No final do ano, tendo [*riscado:* congregado suas forças e] completado os seus desígnios, Morgoth enfim lançou seu ataque sobre Nargothrond. Glaurung, o Urulókë, passou sobre Anfauglith e chegou de lá aos vales do norte do Sirion e ali fez grandes males; e veio por fim sob a sombra das Eryd Wethian [*sic*], conduzindo o grande exército dos Orques que o seguia...

O texto então continua, quase exatamente como nos *Anais Cinzentos* §§275–6, concluindo com as palavras de Gwindor ao final de §276: "Se falhares com ela, essa não falhará em te achar. Adeus!" A única diferença significativa entre este texto e o texto nos *Anais* é a afirmação de que, no final da batalha de Tum-halad, "Túrin colocou o Elmo-de-dragão de Hador"; no entanto, isso fora dito em uma nota marginal a AC §275.

É algo muito intrigante. No que diz respeito ao conteúdo do manuscrito original de "Gelmir e Arminas", parece não haver nada contra a suposição de que meu pai o escreveu como uma inserção aos *Anais Cinzentos* e, de fato, em aparência e estilo de escrita, o texto poderia derivar da época em que estava trabalhando neles, antes da publicação de *O Senhor dos Anéis*. O ponto enigmático está no motivo que meu pai teve para compor, anos mais tarde, uma versão datilografada do texto e *acrescentar a ela* material tirado diretamente dos *Anais Cinzentos*, reforçando especificamente o lugar de "Gelmir e Arminas" no contexto analístico — aliado à sua incerteza, demonstrada nos cabeçalhos da cópia em papel carbono, sobre qual realmente seria esse lugar. Subsequentemente, de fato, ele colocou entre colchetes no datiloscrito a data e as palavras iniciais "495 Aqui Morgoth atacou Nargothrond" e riscou as palavras "Aqui" e "na primavera" no início da passagem citada acima, removendo, assim, as características obviamente analísticas; mas parece ser inescapável a conclusão de que, quando compôs o texto datilografado, ele ainda conseguia conceber os *Anais* como um ingrediente da tradição registrada dos Dias Antigos. (Vê-se uma relação curiosa entre uma continuação dos *Anais* feita após o manuscrito principal ter sido interrompido e o início da obra tardia *As Andanças de Húrin*: ver pp. 307-10, 315-8.)

É preciso se mencionar que certos nomes no texto de "Gelmir e Arminas", como publicados em *Contos Inacabados*, foram alterações editoriais feitas em favor da consistência: tanto no manuscrito como no texto datilografado, Gelmir refere-se a Orodreth como "filho de Finrod", alterado para "filho de Finarfin"; *Iarwaeth* foi alterado para *Agarwaen* (o nome posterior encontrado nos papéis do *Narn*); e *Eledhwen* foi mantido do manuscrito (*Eleðwen*) no lugar de *Eðelwen* (a forma usada em *As Andanças de Húrin*) do texto datilografado.

§§278–85 Essa passagem que descreve o encontro fatídico de Túrin e Glaurung desenvolve em muito a narrativa simples no Q (IV. 146), mas, na maior parte, não se encontra em desacordo com a versão antiga em detalhes essenciais, e em alguns pontos a ecoa. Por outro lado, há uma importante diferença no motivo central. No Q (IV. 146), o dragão lhe ofereceu a liberdade para "resgatar seu 'amor roubado', Finduilas, ou cumprir seu dever e ir ao resgate de sua mãe e sua irmã … Mas ele deve jurar abandonar uma ou outra. Então Túrin, em angústia e dúvida, abandonou Finduilas contra seu coração...". Na história nos *Anais Cinzentos*, por outro lado, Túrin não teve escolha: sua vontade estava sob a influência de Glaurung quando Finduilas foi levada para longe, e ele estava fisicamente incapaz de se mover. De fato, o Dragão diz no fim: "E, se te demorares por Finduilas, então nunca haverás tu de ver a Morwen ou a Niënor de novo; e elas hão de te amaldiçoar"; mas isso é um aviso, não o oferecimento de uma escolha. Em todos esses casos, Glaurung aparece como um torturador, com completo poder sobre sua vítima contanto que escolha exercê-la, moralmente superior e superior em conhecimento, sua corrupção impiedosa capaz de assumir um ar de quase benevolência, de saber o que é melhor: "Então Túrin ... como se estivera tratando com um inimigo que pudesse conhecer piedade, acreditou nas palavras de Glaurung".

§280 A nota adicional a lápis aqui a respeito do Elmo-de-dragão, que menciona o fato de que enquanto Túrin o estivesse usando ele estava protegido dos olhos de Glaurung, pode ser de certa maneira ampliada. No final do comentário a §275, apresentei uma nota acerca da recuperação do Elmo-de-dragão quando Túrin foi resgatado dos Orques em Taur-nu-Fuin, de onde chegou a Nargothrond. A nota continua com um relato do encontro de Túrin com Glaurung diante das Portas de Felagund (ver *Contos Inacabados*, pp. 214–5). Aqui é dito que Glaurung desejava tirar de Túrin o auxílio e a proteção do Elmo-de-dragão, e o provocou, dizendo que não ele tinha coragem de olhá-lo nos olhos.

> E de fato era tão grande o terror do Dragão que Túrin não ousava fitá-lo direto nos olhos, mas mantivera abaixada a viseira do elmo, resguardando o rosto, e em seu diálogo não elevara o olhar além dos pés de Glaurung. Porém, diante dessa zombaria, com orgulho e temeridade ergueu a viseira e fitou Glaurung nos olhos.

No alto da página, meu pai anotou que algo devia ser dito sobre a viseira, "como ela protegia os olhos de todos os dardos (e dos olhos do dragão)".

Esse texto ou, antes, a ideia contida nele, obviamente está por trás da nota nos AC, e as últimas palavras daquela nota, "Então a

Serpe, percebendo isso", sem dúvida teriam introduzido alguma frase no sentido de que Glaurung provocou Túrin com a ideia da covardia para fazer com que removesse o Elmo (cf. a nota na margem em §284 — que mal se encontra no lugar certo). Uma outra afirmação acerca da viseira do Elmo encontra-se no *Narn* (*Contos Inacabados*, p. 110, uma expansão da passagem no Capítulo 17 do QS, V. 382): "Tinha uma viseira (ao modo daquelas que os Anãos usavam em suas forjas para proteger os olhos), e quem o usasse infundiria temor nos corações de todos os que o olhassem, mas se manteria a salvo de dardos e de fogo". É dito aqui que o Elmo foi originalmente feito para Azaghâl, Senhor de Belegost, e a história de como chegou a Húrin é contada.

No *Silmarillion* publicado (p. 283), adotei uma passagem de outro texto da vasta coleção dos papéis do *Narn*, que conta como Túrin encontrou nos arsenais de Nargothrond "uma máscara dos Anãos, folheada a ouro", e a usava em batalha. Parece provável que essa história tenha surgido em um estágio em que meu pai estava tratando o Elmo-de-dragão como perdido e fora da história (desde o fim de Dor-Cúarthol, a Terra do Arco e do Elmo, quando Túrin foi capturado pelos Orques), e estendi o uso do Elmo por Túrin até a batalha de Tumhalad (p. 347).

§§287 ss. Da Batalha de Tumhalad até o final do conto de Túrin, o texto dos *Anais Cinzentos* foi praticamente a única fonte da segunda parte do Capítulo 21, "De Túrin Turambar" no *Silmarillion* publicado (pp. 287–304). Contudo, surge agora um elemento na história do qual eu não tinha conhecimento, ou, melhor dizendo, que interpretei mal quando preparei o texto do *Narn* para publicação em *Contos Inacabados*, e que precisa ser esclarecido. Naquela época, eu tinha a impressão de que a última parte do *Narn* (do início da seção intitulada *O Retorno de Túrin a Dor-lómin* até o final, *Contos Inacabados*, pp. 149–203) era um texto relativamente tardio, que tinha seu lugar com todos os outros materiais do *Narn* que (em termos da narrativa) o precedem; e supus que a história nos *Anais Cinzentos* (com a qual a última parte do *Narn* obviamente possui estreita relação, apesar de sua extensão muito maior) a precedia em alguns anos — que essa história na verdade era uma *elaboração* da história nos *Anais*.

Essa concepção está completamente errada, e deveu-se ao fato de eu não ter conseguido estudar com minúcia suficiente o material (preservado em um local diferente) que precedia o texto final da história no *Narn*. Na verdade, logo tornou-se evidente (como se verá no comentário a seguir) que a longa narrativa nos *Anais Cinzentos* foi *baseada diretamente* no texto final daquela presente no *Narn*, e era uma *redução* daquele texto, congruente com ele em praticamente todos os pontos. O manuscrito deste último é muito similar em aparência e estilo de letra àquele dos *Anais de Aman* e dos *Anais Cinzentos*, e sem dúvida pertence ao mesmo período (presumivelmente 1951). Assim, o imenso desenvolvimento e aprimoramento da tragédia final em Brethil é mais um trabalho relevante do período prolífico que se seguiu ao término de *O Senhor dos Anéis* (ver *O Anel de Morgoth*, pp. 7 e 15)

O manuscrito foi intitulado (posteriormente) "Os Filhos de Húrin: última parte", e no alto da primeira página meu pai escreveu "Parte de os 'Filhos de Húrin', contado na íntegra". Dedicarei uma boa parte do comentário a seguir para mostrar como, em casos mais importantes, meu pai desenvolveu a narrativa no *Narn*. É preciso lembrar que a última versão que havia sido escrita era a história muito condensada no *Quenta* (Q) de 1930 (IV. 147–51), por trás da qual se encontrava "a primeira versão do Silmarillion" ou "Esboço da Mitologia" (IV. 38–40), e, por trás dessa, o antigo *Conto de Turambar e o Foalókë* (II. 111–138).

Não farei uma comparação detalhada da nova narrativa com as formas mais antigas, nem da última parte do *Narn* com os *Anais Cinzentos*. Visto que obviamente está fora de questão republicar a última parte do *Narn* neste livro, preciso me referir ao texto em *Contos Inacabados*, que possui estreita relação com a forma final do texto no manuscrito, mas introduz algumas mudanças triviais de fraseado; o uso de "you" [você] no lugar de "thou" [tu] e "thee" [te/ti] do original; e algumas formas tardias de nomes. Para evitar ambiguidades, identificarei a última parte do Narn pelas letras "FN" (isto é, "Final do *Narn*"); assim, "FN, p. 186" deve ser compreendido como significando o texto do *Narn* em *Contos Inacabados*, p. 186. Onde necessário, distingo o manuscrito, ou manuscritos, em si do texto publicado. Há também uma cópia datilografada tardia do FN.

§290 O acréscimo acerca da morte de Handir de Brethil, rejeitado aqui, reaparece no início do anal 495 (§275).

§291 Os nomes *Amon Obel* e *Ephel Brandir* aparecem agora pela primeira vez; eles foram marcados no segundo mapa (ver a imagem redesenhada na p. 225, quadrado E7). Quanto à emenda acerca de Handir de Brethil, ver §275 e comentário.

§292 O início do FN (p. 149) é quase o mesmo da seção reescrita nos AC, e não o de sua forma original (§287). Creio que isso pode ser explicado supondo-se que meu pai estava trabalhando (aqui, pelo menos) nas duas versões ao mesmo tempo. — Em ambos os textos "oitenta léguas" foi alterado para "quarenta léguas"; no segundo mapa, a distância de Nargothrond a Ivrin, medida em linha reta, é de 8 cm, ou 41,6 léguas (ver V. 497).

§293 Ao lado de *Dorlómin*, meu pai escreveu na margem a forma quenya *Lóminórë*, mas não riscou *Dorlómin*.

§294 Fica claro no texto tardio, do qual é derivada a seção *A Partida de Túrin* no *Narn*, que Brodda desposou à força a parenta de Húrin, Aerin (forma tardia Airin), antes de Túrin partir de Dor-lómin (ver *Contos Inacabados*, p. 102); nos AC, Túrin toma conhecimento desse fato somente agora, ao retornar, e esse certamente também foi o caso no FN. Airin agora se torna parenta de Húrin, não de Morwen, como o era no Q e no QS, e ainda na forma rejeitada (§288) da presente passagem.

Vê-se pelo FN (p. 151) que a história da amizade de Túrin quando criança com Sador Labadal já existia, embora ainda não tivesse sido escrita (as partes da narrativa do *Narn* que precedem o FN são inquestionavelmente posteriores); nos AC, não há indicação dessa história, mas tenho certeza de que isso se deve meramente à extrema condensação da narrativa aqui: a longa conversa no FN entre Túrin e Sador, e o "reconhecimento" de Sador, antes de Túrin chegar a entrar no salão de Brodda, é reduzida a algumas linhas nos *Anais*. Naquela conversa e subsequentemente, o texto do FN usa "thou" [tu] e "thee" [te/ti] de modo geral, mas posteriormente meu pai ora os alterou para "you" [você], ora não. Parece possível que, onde as alterações foram feitas, foi devido ao fato de os falantes estarem usando o "plural cortês" (como Sador a Túrin quando descobriu quem ele era); mas, no texto publicado, adotei "you" [você] do início ao fim.* — Onde no FN (p. 150) Sador fala de "Húrin, filho

*Na tradução de *Contos Inacabados* (2020), assim como em outros textos do legendário, optou-se pelo uso em português da 2ª pessoa do singular ("tu") e do plural ("vós") para representar a fala dos personagens, que seriam traduções mais diretas de *thou* ("tu") e *ye* ("vós"), o que também se aplica a pronomes demonstrativos como

de Galdor", o manuscrito diz "Húrin, filho de Galion"; *Galion* naquela época ainda era o nome do pai de Húrin.

§§295–7 O episódio inteiro no FN (pp. 152–5) após a entrada de Túrin no salão de Brodda, um desenvolvimento considerável das poucas palavras do Q (IV. 147 e nota 9) é mais uma vez reduzido em muito nesses parágrafos, e muita coisa é omitida: assim, não há menção à briga generalizada, a Airin colocar fogo no salão ou a Asgon, o homem de Dor-lómin (que reaparecerá).

§298 Esse anal acerca de Tuor, datado 496, continua do registro sobre a sua partida de Mithrim ao final do anal 495 na seção rejeitada do manuscrito (§290). Ele se baseia naquele presente no AB 2 (V. 167–8) e ainda adere à antiga história de que Tuor encontrou Bronwë (Voronwë) nas fozes do Sirion; assim, foi escrito antes de o acréscimo ser feito a §257, segundo o qual Voronwë tornou-se o único sobrevivente dos sete navios enviados ao Oeste e foi lançado ao litoral em Nivrost (ver o comentário àquele parágrafo).

§299 Tuor nasceu em 472 (§251), foi escravizado por Lorgan em 488, quando tinha dezesseis anos, e suportou a servidão por três anos — assim, até 491 (§263) —, e em 495 tinha vivido como proscrito nas colinas de Mithrim por quatro anos.

Esse anal substitui ambas as seções precedentes acerca de Tuor (§§290, 298). Aqui, a história muito antiga de Tuor descendo às fozes do Sirion é enfim abandonada, e Ulmo aparece a Tuor em Nivrost; Voronwë, lançado ao litoral em Nivrost, agora conduz Tuor ao leste até Gondolin ao longo das faces meridionais das Montanhas Sombrias. Aqui aparece também a história de que eles avistaram Túrin em Ivrin na jornada deste ao norte vindo de Nargothrond, e é possível que isso explique a mudança da data de 496 para 495; mas não há menção à chegada de Tuor à antiga morada de Turgon em Vinyamar e ao fato de que ele encontrou as armas deixadas lá muito tempo antes por conselho de Ulmo.

Para a ordem de Ulmo a Turgon no Q, onde ela aparece em duas versões, ver IV. 162–03, 167–8 e minhas observações em

*thine* ("teu"). Contudo, os pronomes de 2ª pessoa portugueses "tu" e "vós" também são traduções viáveis das formas inglesas *you*, assim como o pronome demonstrativo "vosso" é de *your*, principalmente ao se levar em consideração o contexto e a formalidade do texto. [N.T.]

IV. 222–3. Nos AC não há indicação do conselho de Ulmo a Turgon para que se preparasse para uma grande guerra contra Morgoth e de que Tuor seria seu agente a trazer novas nações de Homens vindos do Leste para o seu lado.

Em outros pontos dos AC, a alteração é sempre *Glindûr* > *Maeglin*; *Meglin* > *Glindûr* aqui depende da época da composição, pois, enquanto meu pai estava trabalhando nos *Anais*, a sequência era *Meglin* > *Glindûr* > *Maeglin*.

§300 O manuscrito não possui data aqui, mas está claro que deveria haver uma (é obviamente 496 posteriormente no anal, onde "com o princípio da primavera, Túrin lançou fora sua escuridão", §303); na versão rejeitada do texto, a data 496 é fornecida nesse ponto (§291) e também no manuscrito do FN. A omissão deve-se ao fato de a (segunda) seção rejeitada acerca de Tuor (§298) ter sido datada 496.

A grafia *Taiglin* também se encontra no FN; *Teiglin* em ambos os textos publicados é uma alteração editorial para uma forma tardia (ver pp. 280, 372).

A história do salvamento por Túrin dos homens de Brethil de um ataque dos Orques, derivada do relato vívido do incidente no FN (pp. 156–7), é um elemento novo na narrativa. No entanto, é de se notar que, do modo como o FN foi escrito inicialmente, não havia menção a essa história; o texto original simplesmente conta que, quando Túrin topou com alguns membros da gente de Haleth em Brethil,

> … os homens que viram Túrin o receberam, e mesmo estando assim, como um errante selvagem, souberam que ele era o Mormegil, o grande capitão de Nargothrond, e amigo de Handir; e ficaram assombrados por ele ter escapado, pois tinham ouvido que ninguém saíra vivo da fortaleza de Felagund. Portanto, pediram que os seguisse e descansasse entre eles por um tempo.

Depois disso, há uma breve passagem preliminar na qual o salvamento por Túrin dos homens de Brethil de um ataque-órquico é introduzido e, por fim, o relato completo do incidente tal como se encontra no FN. Assim, vê-se claramente que essa história surgiu no decorrer da composição do FN, assim como o motivo para que os homens-da-floresta *deduzissem* que o forasteiro era o Mormegil depois que Túrin havia desfalecido de pesar. Ambos os elementos estão presentes na versão dos AC. Essa é uma das muitas evidências inquestionáveis de que a última parte do *Narn* precedeu os *Anais Cinzentos*.

Também é dito na passagem rejeitada do FN que, quando Túrin contou aos homens-da-floresta sobre sua busca por Finduilas,

> ... olharam-no com pesar e pena. "Não procures mais!", disse um deles. "Pois vê, os poucos de nossos homens que escaparam de Tum-halad avisaram-nos sobre uma hoste-órquica que veio de Nargothrond na direção das travessias do Taiglin, marchando lentamente por causa do número de prisioneiros. ..."

No texto final, a afirmação de que os homens-da-floresta lutaram em Tumhalad desaparece (e Dorlas diz sobre a emboscada deles da hoste-órquica de Nargothrond: "imaginamos desferir nosso pequeno golpe na guerra", FN, p. 158). Isso está relacionado à informação nos AC que foi riscada, de que os Elfos de Nargothrond "se aliaram a Handir" (§272 e comentário) e de que Handir foi morto em Tumhalad (§275 e comentário).

§§301–3 A narrativa (condensada a partir daquela do FN, pp. 156–60) expande em muito a do Q (IV. 147): novos elementos são "Homem-selvagem das Matas", Dorlas e o Hauð-en-Ellas onde Finduilas foi deposta próximo às Travessias do Taiglin, que não havia sido nomeado antes; a compreensão de Dorlas de que o forasteiro devia ser o Mormegil, que os rumores diziam ser Túrin, filho de Húrin (no Q não há indicação de que os homens-da-floresta sabiam quem ele era antes do fim); o presságio de Brandir quando viu Túrin na padiola e a cura deste por ele; Túrin deixando de lado a espada negra. A antiga história no Q (IV. 149) de que Túrin tornou-se senhor dos homens-da-floresta agora é abandonada: Brandir, como se verá mais tarde na narrativa (§323, FN, pp. 185–6), permaneceu o governante titular (e no FN, p. 181, no conselho realizado antes de Túrin partir para o encontro com Glaurung, ele estava "instalado no alto assento de senhor da assembleia, porém ignorado").

§301 *Hauð-en-Ellas*: a forma tardia *-Elleth* foi escrita a lápis tanto no manuscrito do FN como no dos AC, e *Haudh-en-Elleth* está presente em um esquema de enredo entre os papéis do *Narn* tardio (p. 256); essa forma foi adotada no FN e em *O Silmarillion*. A tradução "Teso da Donzela-élfica", ausente nos AC, foi introduzida em *O Silmarillion* a partir do FN (p. 159), e a comparação dos textos apresenta uma série de outras ocorrências, não registradas aqui, dessa convergência.

§302 Ao lado do nome *Ephel Brandir* no FN (p. 156), meu pai escreveu levemente a lápis na cópia datilografada que foi feita a partir do manuscrito: *Obel Halad* e ".... do chefe"; a palavra ilegível pode ser "Torre" [*Tower*], mas parece mais com "Vila" [*Town*]. "Vila do Chefe" é muito possivelmente a interpretação correta, se *vila* [*town*] tiver sido usada no sentido antigo de "habitação cercada" (ver II. 352, e meus comentários sobre o nome *Tavrobel* em V. 502). Quanto a *Obel Halad*, ver pp. 315, 321.

§303 Nos AC, o presságio de Brandir acerca de Turambar lhe ocorreu depois de ter ouvido "as notícias que Dorlas trouxera" e, portanto, ele sabia quem era a pessoa que jazia na padiola; enquanto no FN (p. 158) seu presságio é mais profético e menos "racional" (ver *Contos Inacabados*, p. 158 e nota 22). No FN, Turambar "deixou de lado sua espada negra" em resposta ao aviso de Brandir (p. 159), mas isso se perdeu nos AC.

§305 A nova narrativa passa aqui por desenvolvimentos adicionais a partir do Q (IV. 148), onde "Thingol cedeu de tal modo às lágrimas e súplicas de Morwen que enviou uma companhia de Elfos na direção de Nargothrond para explorar a verdade. Com eles cavalgou Morwen ..."; agora ela cavalga sozinha e os Elfos são enviados atrás dela. O motivo de Niënor para se juntar aos cavaleiros élficos disfarçada agora é mais complexo; e Mablung, completamente ausente da história no Q (e no AB 2), entra na narrativa.

Há uma grande redução nos AC da elaborada história contada no FN (pp. 160–5), mas a estrutura narrativa é a mesma (a fuga de Morwen seguida pela companhia liderada por Mablung). No FN, Thingol já tinha a ideia de enviar um grupo a Nargothrond, independentemente do desejo de Morwen de ir.

No Q, parece certo que a presença de Niënor jamais foi revelada à companhia, incluindo Morwen (ver meus comentários, IV. 212). Não se menciona nos AC que ela foi descoberta na passagem dos Alagados do Crepúsculo, mas o fato de que, em algum ponto, ela foi revelada fica implícito nas palavras "Mas Morwen … não se deixava persuadir" (isto é, pela presença de Niënor); e Niënor foi deixada com Morwen no Monte dos Espiões. A condensação nos *Anais* da história no FN produz aqui certa obscuridade e, na passagem em *O Silmarillion* (p. 293) correspondente a esse parágrafo, usei ambas as versões (e também o Q), embora na época eu tenha compreendido mal as relações entre elas.

A referência no FN (p. 162) às balsas ocultas nos Alagados do Crepúsculo, não mencionadas antes, foi perdida nos AC. No FN, a frase "pois por aquele caminho os mensageiros passavam para cá e para lá com a comunicação entre Thingol e sua família em Nargothrond" continua no manuscrito com "antes da vitória de Morgoth" (isto é, em Tumhalad), e essa últimas palavras foram alteradas para "antes da morte de Felagund". Isso foi omitido no texto publicado, em vista da referência posterior (*Contos Inacabados*, p. 212) às relações estreitas de Orodreth com Menegroth: "Em tudo [Orodreth] seguia Thingol, com quem trocava mensagens por vias secretas".

Aparece aqui (em ambas as versões) o nome élfico *Amon Ethir* para o Monte dos Espiões (Monte-dos-Espiões, FN), e também (apenas no FN) a sua origem, que jamais fora informada antes: "um montículo grande como um morro, que Felagund muito tempo antes mandara erguer com grande esforço na planície diante de suas Portas". Em ambas as versões, o monte fica a uma légua de Nargothrond; no Q (IV. 128) ficava "a leste da Planície Protegida", mas, do topo, Morwen pôde ver Glaurung saindo de Nargothrond. No primeiro mapa (depois da p. 258 no Vol. IV) ele parece ficar a uma longa distância a leste, ou nordeste, de Nargothrond (embora "Hill of Spies" [Monte dos Espiões] seja nomeado no mapa, não está perfeitamente claro onde ele fica, IV. 267); no segundo mapa ele não é nomeado, mas se for o cume marcado no quadrado F6 (p. 225), da mesma forma fica a uma longa distância de Nargothrond (cerca de 15 léguas [c. 72 km]).

§306 "Mas Glaurung estava ciente de tudo o que faziam"; onde o FN (p. 166) diz sobre Glaurung que sua visão "excedia o longo alcance dos Elfos", uma forma rejeitada da passagem traz a seguinte afirmação notável: "De fato, mais além alcançava a visão de seus olhos feros do que mesmo os olhos dos Elfos (que superam em três vezes os dos Homens)". Além disso, onde é dito no FN que Glaurung "ia depressa, pois era uma Serpe imensa, mas ágil", segue-se no manuscrito, mas colocado entre colchetes posteriormente, "e ele podia se mover tão depressa quanto um homem podia correr, e não se cansar em cem léguas".

§307 "Assim, as damas se perderam, e de Morwen, de fato, nenhuma notícia certa jamais chegou a Doriath depois disso": assim também no FN num ponto posterior (p. 171): "Nem então nem depois qualquer notícia certa de seu destino chegou a Doriath ou a Dor-lómin", mas, ao lado desse trecho, meu pai colocou um X na margem do texto datilografado. No FN, a passagem (p. 167) que descreve como um dos cavaleiros-élficos a avistou ao desaparecer nas névoas gritando Niënor substituiu o seguinte trecho:

> Depois de algum tempo, Morwen saiu de súbito das névoas, e perto se encontravam dois dos cavaleiros-élficos; e, querendo ou não, o seu cavalo a levou depressa com eles na direção de Doriath. E os cavaleiros a consolaram, dizendo: "Deves ir sob nossos cuidados. Mas outros protegerão tua filha. É vão demorar-se. Não temas! Pois ela estava montada, e cavalo algum deixará de correr para longe do fedor do dragão. Havemos de encontrá-la em Doriath."

Esse é outro exemplo da precedência do FN, conforme escrito inicialmente, sobre os AC; pois esse texto rejeitado aparentemente estava seguindo a antiga história do Q (IV. 148), na qual Morwen retornou a Doriath. — No Q, Niënor, cuja presença jamais foi revelada (ver comentário a §305), não foi ao Monte dos Espiões com Morwen, mas topou com o Dragão nas margens do Narog.

Na passagem do FN (p. 167) que descreve os olhos de Glaurung quando Niënor ficou face a face com ele no topo do monte, as palavras "eram terríveis, pois estavam impregnados do espírito maligno de Morgoth, seu mestre" contêm uma alteração editorial: o manuscrito diz "o espírito maligno de Morgoth, que o fizera" (cf. IV. 148). Meu pai sublinhou as últimas três palavras a lápis e anotou levemente de maneira quase ilegível ao pé da página: "Glaurung precisa ser um demônio [??contido em forma de serpe]".

Quanto ao surgimento nessa época da ideia de que Melkor não podia fazer nada que tivesse vida própria, ver X. 100, 104-5.

§§309–12 Há um outro grande desenvolvimento nessa passagem (condensado do FN, pp. 168–71), após o enfeitiçamento de Niënor. É inserida agora a exploração por Mablung dos salões desertos de Nargothrond; sua descoberta de Niënor no Amon Ethir ao anoitecer; o encontro com os três outros Elfos da companhia de Mablung; a entrada secreta de Doriath próximo à confluência do Esgalduin; o ataque de Orques enquanto dormiam, e a morte dos Orques por Mablung e seu companheiros; a fuga de Niënor nua; e o retorno de Mablung a Doriath e a subsequente busca de três anos por Morwen e Niënor. Não há nada disso no Q; e foi Turambar, com um grupo dos homens-da-floresta, que matou os Orques que perseguiam Niënor (IV. 149).

§310 Onde os AC mencionam "o portão secreto" para entrar em Doriath próximo à confluência do Esgalduin com o Sirion, o FN (p. 170) diz "ponte vigiada". De fato, é de se esperar mais uma ponte do que um portão, pois a Marca-oeste de Doriath, *Nivrim*, ficava dentro do Cinturão de Melian (V. 311).

§312 De modo similar, no manuscrito do FN, após "até ficar nua" (p. 171), as palavras "exceto pela saia-élfica curta acima dos joelhos que usara em seu disfarce" foram colocadas entre colchetes para serem excluídas.

§317 *As quedas do Celebros.* No FN, a passagem que começa por "Pela manhã carregaram Níniel rumo a Ephel Brandir" (p. 173) substituiu um texto mais antigo, como se segue:

> Pela manhã carregaram Níniel rumo a Ephel Brandir. Ora, havia um belo lugar no caminho, um gramado verde entre bétulas brancas. Ali, um córrego que descia do Amon Obel para encontrar o seu caminho até o Taiglin ultrapassava uma orla de pedra desgastada e caía numa bacia rochosa muito abaixo, e todo o ar era repleto de borrifos suaves, nos quais o sol reluzia com muitas cores. Portanto, os homens-da-floresta chamavam aquelas quedas de *Celebros*, e adoravam descansar ali por algum tempo.

O nome Celebros apareceu pela primeira vez no Q, "as Quedas da Bacia-de-prata" > "as Quedas do Celebros, Prata-de-espuma", e as quedas ficavam no Taiglin (ver IV. 149 e nota 14). Nos AC as quedas ainda se chamam *Celebros*, como na passagem recém--citada do FN da qual derivam, mas, como naquela passagem, meu pai obviamente as teria situado agora no afluente que descia do Amon Obel em direção ao Taiglin.

Contudo, no manuscrito do FN a passagem foi reescrita, e é o texto reescrito que se encontra em *Contos Inacabados*, p. 173: "Pela manhã carregaram Níniel rumo a Ephel Brandir, e a estrada subia abruptamente na direção de Amon Obel, até chegar a um lugar onde precisava atravessar a correnteza turbulenta do Celebros", etc. Assim, *Celebros* torna-se o nome do afluente e, na continuação dessa passagem reescrita, as próprias quedas tornam--se *Dimrost*, a Escada Chuvosa. Essa mudança não foi inserida no texto dos AC, mas foi incorporada em *O Silmarillion* (p. 296).

Quanto à questão curiosa do uso em ambas as versões do nome *Nen Girith*, "Água do Estremecer", como se fosse devido ao fato de Níniel começar a estremecer ao chegar lá pela primeira vez, em vez de à natureza profética daquele estremecimento, cujo significado não foi compreendido até que ela e Turambar estivessem mortos, ver IV. 214–5, onde a discuti detalhadamente.

§318 No Q (IV. 149) foi dito que Brandir cedera a governança dos homens-da-floresta a Turambar (ver comentário a §§301–3), e que ele "era sempre fiel a Turambar; porém, amargurada ficou sua alma quando não conseguiu conquistar o amor de Níniel". Isso não é dito nos AC (ou no FN); mas, por outro lado, não havia nada no Q a respeito de Níniel adiar o casamento, nem sobre Brandir tentar contê-la em razão de seus presságios, nem ainda sobre a revelação de Brandir a ela acerca de quem Turambar era — de fato, no Q, como mencionei (comentário a §§301–3), não há indicação de que os homens-da-floresta sabiam da identidade dele.

No FN, seguindo a história no Q, o primeiro rascunho da passagem começa do seguinte modo: "Turambar a pediu em casamento, e ela se uniu a ele contente, e no meio do verão se casaram, e os homens-da-floresta fizeram uma grande festa para eles" (ver FN, pp. 175–6). Em um segundo estágio, Brandir aconselhou Níniel a esperar, mas não lhe contou que Turambar era Túrin, filho de Húrin: esse fato foi inserido com uma revisão posterior do manuscrito. Os AC possuem a forma final. Contudo, no FN (p. 176), o descontentamento de Turambar com Brandir foi devido ao conselho deste para que o casamento fosse adiado: nos AC foi (aparentemente) devido ao fato de Brandir ter revelado sua identidade a Níniel. — O motivo da parte de Níniel para o adiamento do casamento remonta ao *Conto* (II. 127): "ela o afastava, sem dizer sim ou não, mas ela mesma não sabia por quê".

§§322–5 Após as palavras no FN (p. 181) "o relato dos batedores que o viram [isto é, Glaurung] circulara e crescera à medida que era contado", o texto como escrito originalmente continuava:

> Então Brandir, que se encontrava [diante de sua casa no espaço aberto de Ephel Brandir >] perto, falou diante deles e disse: "De bom grado eu iria contigo, Capitão Espada Negra, mas tu desdenharias de mim. Com razão. Mas

Isso foi alterado de imediato para o texto publicado, com Dorlas demonstrando seu desdém por Brandir, que se sentava "ignorado", "instalado no alto assento de senhor da assembleia".

Até esse ponto, os rascunhos para o manuscrito do FN consistem em pouco mais do que pedaços de papel rabiscados. Entretanto, daqui em diante há, de fato, dois manuscritos: um deles (que chamarei de "rascunho manuscrito") é a continuação do original, que se tornou tão caótico com as reescritas que meu pai subsequentemente o passou a limpo. O rascunho manuscrito nessa parte da narrativa é de muito interesse por mostrar como meu pai desenvolveu a história desde a forma que ela alcançara no Q (IV. 149–50).

As palavras atribuídas no FN a Hunthor (Torbarth nos AC), parente de Brandir, foram atribuídas primeiro a Brandir, falando em defesa própria:

> "Falas com injustiça, Dorlas. Como pode ser dito que meus conselhos foram inúteis, se eles nunca foram ouvidos? E digo-te que Glaurung vira-se agora para nós, como antes voltara-se contra Nargothrond, porque nossas ações nos traíram a ele, como eu temia. Mas o filho de Handir não pediu que ninguém tomasse o seu lugar em caso de necessidade. Estou aqui

> e irei de bom grado. Menor é a perda de um aleijado solteiro do que a de muitos outros. Alguns não hão de ficar ao meu lado, aqueles que também pouco têm a deixar para trás?"
>
> Então cinco homens vieram e se puseram ao lado dele. E Turambar disse: "É o suficiente. Estes cinco levarei comigo. Mas, senhor, não te desprezo, e quem quer que o faça é tolo. Mas vê! Precisamos ir com grande pressa ..."

Esse trecho segue, em estrutura, a história no Q, onde "seis de seus homens mais destemidos imploraram para acompanhá-lo". No rascunho manuscrito, "Turambar com Dorlas e seus cinco companheiros montaram e cavalgaram para longe com pressa até Celebros"; e quando mais tarde Turambar atravessou o Taiglin (FN, p. 187), "na escuridão profunda ele contou seus seguidores. Estavam em quatro. 'Albarth caiu', disse Dorlas, 'e o Taiglin o levou para além da ajuda. Os outros dois, creio, acovardaram-se, e agora se escondem mais além'". Albarth, que aparece aqui pela primeira vez, parece ter sido escrito primeiramente como *Albard*. O rascunho manuscrito continua:

> Então, após descansarem, os que permaneceram escalaram, pé ante pé, a encosta íngreme diante deles até chegarem perto da beira. Ali, tão asqueroso tornou-se o fedor que suas cabeças rodopiaram, e agarram-se às árvores o melhor que puderam. A noite então estava passando, mas houve um bruxuleio acima deles como o de fogos crepitantes, e ouviu-se um barulho de alguma grande fera adormecida; mas, se ela se mexia, a terra estremecia.
>
> A aurora chegou lentamente; e seu faiscar tocou Turambar no momento em que lutava com sonhos sombrios de pavor nos quais toda a sua vontade era entregue apenas a se agarrar e segurar, enquanto uma grande maré de negrume sugava e lhe roía os membros. E Turambar despertou e olhou em volta na luz tênue, e viu que apenas Dorlas permanecia com ele.
>
> "Sete feridas eu esperava causar nele", pensou. "Bem, se serão apenas duas, então precisam ser fundas."
>
> Mas, quando o dia chegou por fim, tudo havia se dado como Turambar esperara. Pois, de repente, Glaurung se mexeu, e arrastou-se lentamente até a beira do abismo; e não

se desviou, mas preparou-se para saltar sobre aquele espaço com suas patas dianteiras cheias de garras e depois puxar o resto de sua massa. Grande foi o horror de sua vinda, pois ele principiou a passagem não logo acima de Turambar, mas muitos passos ao norte, e de baixo conseguiam ver sua cabeça hedionda e as mandíbulas escancaradas enquanto olhava por sobre a borda. Então emitiu uma rajada, e as árvores diante dele mirraram, e pedras caíram no rio, e com isso ele se lançou para diante e segurou-se na beira oposta e começou a alçar-se sobre o abismo estreito.

Agora havia necessidade de grande rapidez, pois, apesar de Turambar e Dorlas terem escapado à rajada por não estarem exatamente na trajetória de Glaurung, não podiam agora chegar até ele, e logo todo o plano de Turambar estava prestes a falhar por completo. Sem se importar agora com qualquer outra coisa, ele desceu e Dorlas o seguiu. Então rapidamente se postou debaixo da Serpe; mas eram tão mortíferos o calor e o mau cheiro que cambaleou e quase foi cegado. E Dorlas, devido ao fedor, ou intimidando-se por fim, agarrou-se a uma árvore à beira d'água, e não se mexia caiu e jazeu como que num desmaio [*sic; a frase foi alterada para:*] Mas Dorlas foi sobrepujado, e sua vontade, abalada por fim, e ele tropeçou e caiu e foi engolido pelas águas.

Então Turambar disse em voz alta: "Agora estás sozinho no fim, Mestre do Destino. Fracassa agora ou persegue tua conquista!" E reuniu toda a sua força de vontade e todo o seu ódio da Serpe e de seu Mestre, e escalou, como quem encontra força e engenho além da medida; e eis que então as partes medianas do dragão passaram sobre ele ...

Repito aqui meus comentários em IV. 213:

No *Conto* (II. 132), o bando de sete escalou com dificuldade o lado oposto da ravina ao anoitecer e permaneceu lá a noite toda; ao amanhecer do segundo dia, quando o dragão se deslocou para atravessar, Turambar viu que agora tinha apenas três companheiros, e quando tiveram de descer de novo até o leito do rio para subirem e se posicionarem debaixo do ventre de Glórund, esses três não tiveram coragem de subir de novo.

> Turambar matou o dragão à luz do dia ... No Q, todos os seis abandonaram Turambar durante a primeira noite ... mas ele passou todo o dia seguinte agarrado ao penhasco; Glómund deslocou-se para passar por sobre a ravina na *segunda* noite (meu pai claramente queria fazer com que o assassinato do dragão ocorresse na escuridão, mas conseguiu isso inicialmente estendendo o tempo que Turambar passou na garganta).

Curiosamente, no texto apresentado acima meu pai reverteu, no que diz respeito à escala temporal, à história do *Conto*, onde Turambar passou a noite inteira na ravina e o dragão se moveu para atravessá-la no início do dia seguinte (ver mais no comentário a §§329–32).

No relato condensado no Q, nada se diz acerca da necessidade de se deslocar ao longo do rio e de então escalar de novo para se postarem debaixo do ventre do dragão ("No entardecer seguinte ... Glómund deu início à passagem por sobre a ravina, e sua imensa forma *passou sobre a cabeça de Turambar*"); e aqui também parece certo que meu pai voltou ao *Conto*, onde isso é descrito de maneira muito similar à do rascunho manuscrito do FN. No *Conto*, assim como nesse rascunho, não há indicação de que os homens haviam considerado a possibilidade de o dragão não atravessar no ponto que haviam escolhido (e, portanto, na versão final, após tentarem escalar, eles retornaram — como é preciso se supor, já que não é afirmado expressamente — ao fundo da ravina e aguardaram); em ambos eles escalaram o lado oposto da garganta e agarraram-se abaixo da beira, de onde tiveram que descer de novo até a água quando o dragão se moveu. O fracasso de Dorlas "devido ao fedor" quando ele e Turambar chegam, no leito do rio, debaixo do dragão corresponde ao fracasso dos três homens no *Conto*, que "não se atreveram a escalar a margem novamente" porque "o calor aí era tão grande e o fedor tão repugnante" (II. 133).

O comportamento dos companheiros de Turambar nas diferentes versões pode ser organizado desta maneira:

*O Conto*

Três desertaram durante a noite.
Os outros três desceram com Turambar para ficarem debaixo do dragão, mas não ousaram escalar de novo.

*O Quenta*

Todos os seis desertaram durante a (primeira) noite (nada é dito sobre a necessidade da mudança de posição).

*Rascunho manuscrito do FN*

Dois tiveram medo de atravessar o rio e um (Albarth) afogou-se na travessia.
Outros dois fugiram durante a noite.
O último (Dorlas) desceu com Turambar para ficar debaixo do dragão, mas não ousou escalar de novo.

A história final revisada (FN, pp. 186–8) é muito melhor (e, naturalmente, a versão nos AC, embora muito breve, está de acordo com ela). A essa altura, a passagem na qual Brandir defende-se contra Dorlas (p. 187) havia sido emendada para a forma final (FN, p. 181), exceto que Albarth (a princípio simplesmente um dos cinco voluntários, mas nomeado porque caiu e se afogou no rio) havia se tornado o parente de Brandir que censura Dorlas. Há agora apenas dois companheiros de Turambar, e o guerreiro severo e orgulhoso Dorlas torna-se o covarde, enquanto Albarth é o homem valente que fica ao lado de Turambar até ser atingido por uma pedra que despenca. O desenvolvimento é um complexo característico:

| Brandir se defende do desprezo de Dorlas | Albarth defende Brandir do desprezo de Dorlas |
|---|---|
| Turambar toma seis companheiros | Turambar toma apenas Dorlas e Albarth como companheiros |
| Um desses, Albarth, afoga-se na travessia; quatro fogem; apenas Dorlas permanece com Turambar | Dorlas foge Albarth permanece com Turambar |
| Dorlas afoga-se no rio. | Albarth afoga-se no rio. |

Um detalhe curioso na forma final da história é digno de nota. No novo relato, ocorre a Turambar que eles estão gastando suas forças escalando o lado oposto da garganta *antes* de o dragão se mover. Não é dito que desceram de qualquer que fosse o ponto que tivessem alcançado quando ele se deu conta disso, e a passagem acerca de seu sonho "em que toda a sua vontade era entregue a se agarrar" reaparece da versão mais antiga (p. 188). Mas na nova história não havia necessidade de se agarrarem: eles podiam descer, e certamente o teriam feito, até o fundo e aguardado lá. Na verdade, está claro que foi isso o que eles fizeram: é dito (FN, p. 188) que, quando Glaurung atravessou a ravina, eles não se encontravam diretamente no caminho dele, e Turambar de pronto "escalou pela beira da água". Assim, a história revisada ainda possui um traço desnecessário da versão mais antiga.

Um rascunho num pedaço de papel, não totalmente legível, mostra meu pai elaborando a nova história:

> Deixar que Túrin mate o dragão ao anoitecer. Ele chega a Nen Girith com o sol se pondo. Avisa-os que Glaurung vai se mover no *escuro*. Delineia seu plano. Descem até o Taiglin, mas lá seus homens se acovardam, e dizem: "Senhor, perdoa-nos, mas nossos corações não são grandes o suficiente para a ventura. Pois [*palavras ilegíveis*] pensar naqueles que deixamos."
>
> "E quanto a mim?", perguntou Turambar. Ele os dispensou com desprezo.

Segue adiante com Dorlas e Albarth.

Esse é um estágio intermediário: há outros "voluntários" além de Dorlas e Albarth, mas eles pedem para ser dispensados antes da travessia do rio. Esses outros homens foram abandonados.

Pode parecer muito barulho por um único episódio, mas ele me parece ilustrar em miniatura o movimento complexo e sutil que se encontra na história das lendas como um todo. Além disso, era também um episódio de grande importância: há poucos "monstros" que se igualam a Glaurung, e meu pai esforçou-se para aperfeiçoar a história de como Túrin recebeu o título de *Dagnir Glaurunga*.

Resta mencionar que, no manuscrito final do FN, *Albarth* foi alterado para *Torbarth*, o nome nos AC; mas em todas as ocorrências de *Torbarth* no FN, o nome foi alterado posteriormente para *Hunthor*. Essa alteração adicional não foi feita nos AC (ela, é claro, foi adotada em *O Silmarillion*), mas apenas na primeira ocorrência (§322) de *Torbarth* nos AC meu pai escreveu *Gwerin* a lápis acima dele: quanto a esse nome, ver pp. 201-3.

§323 No *Narn* (p. 185) é contado que Níniel e as pessoas com ela chegaram a Nen Girith "ao cair da noite", mas no rascunho manuscrito eles chegaram às quedas "ao primeiro sopro da manhã" (ver comentário a §§329–32). Ademais, no rascunho manuscrito, Brandir não seguiu os outros coxeando lentamente com sua muleta, mas "tomou o pequeno cavalo de passo lento que fora treinado para carregá-lo, e cavalgou para o oeste atrás de Níniel e seu companheiros. E muitos que o vieram partir sentiram pena, pois, em verdade, ele era bem amado por muitos".

§324 Como nos AC, *Cabad-en-Aras* foi corrigido do início ao fim, exceto onde foi negligenciado por descuido, para *Cabed-en-Aras* no texto final do FN. O rascunho manuscrito possuía *Mengas Dûr*, alterado para *Cabad-en-Aras* na época da composição. No FN (p. 183) Turambar diz sobre a ravina que, por cima dela, "um cervo certa vez saltou fugindo dos caçadores de Haleth", e posteriormente (p. 195) Brandir diz que Níniel "saltou da beira do Salto do Cervo".

No FN (p. 182), quando Turambar chegou a Nen Girith ao pôr do sol, ele olhou por sobre as quedas e, vendo espirais de fumaça subindo nas margens do Taiglin, disse aos seus companheiros que isso era boa notícia, pois havia temido que Glaurung mudasse de direção e chegasse às Travessias, "e depois à antiga estrada na planície". Entendo que essa seja a antiga estrada sul até Nargothrond, que desce do Passo do Sirion e atravessa as fímbrias ocidentais de Brethil a caminho das Travessias; mas o rascunho manuscrito diz aqui "e assim ao longo da antiga estrada até Bar Haleth", ao lado do que meu pai escreveu mais tarde: "às profundezas de Brethil". *Bar Haleth* foi escrito acima de *Tavrobel* (riscado) no mapa (ver p. 229, §19). Além do fato de que "Tavrobel" ficava no extremo leste de Brethil, não é possível precisar a sua localização. *Bar Haleth*, por sua vez, foi riscado. Portanto, parece certo que esse foi um nome passageiro de Ephel Brandir, que subsequentemente foi marcado no centro de Brethil; e "a antiga estrada" no rascunho manuscrito era distinta daquela mencionada no texto final.

§325 No FN é contado (p. 183) que, de Nen Girith, Turambar e seus companheiros tomaram o caminho até as Travessias, mas "antes de chegarem lá, voltaram-se para o sul por uma trilha estreita", e moveram-se pelos bosques acima do Taiglin em direção a Cabed-en-Aras. O Sr. Charles Noad sugeriu que meu mapa esboçado em *Contos Inacabados*, p. 207, deveria ser modificado, e que a trilha mostrada deveria virar mais uma vez para *oeste* a fim de chegar ao Taiglin: assim, "As primeiras estrelas luziam no Leste *atrás* deles". Ver mais na p. 196, §333.

"Esse foi o fim do último parente de direito de Haleth": "parente de direito" deve significar "linhagem direta". Mas Torbarth não era o último, pois Brandir, filho de Handir, filho de Hundor, filho de Haleth, ainda vivia.

§§329–32 A narrativa desses parágrafos, conforme escritos inicialmente no FN, tinha muitas diferenças em relação ao texto final (pp. 190–2, começando com "Então, os berros de Glaurung chegaram até a gente de Nen Girith ..."), e apresento o texto mais antigo (que existe em dois rascunhos); para a escala temporal, ver o comentário a §§322–5.

> Então, quando os berros de Glaurung chegaram à gente em Nen Girith, eles se encheram de terror; e os vigias enxergaram de longe a grande ruína e queimada causadas pela Serpe em seus espasmos, e acreditaram que ela pisoteava e destruía todos os que a tinham atacado. Então aqueles que haviam sido os mais ávidos para ir e ver estranhos feitos eram os mais ávidos para partir, antes que Glaurung os descobrisse. Portanto, todos fugiram, desvairados para os bosques ou de volta na direção de Ephel Brandir.
>
> Mas quando Níniel ouviu a voz da Serpe, o coração morreu em seu íntimo, e uma sombra de sua treva caiu sobre ela, e ela permaneceu sentada, estremecendo junto às águas de Nen Girith.
>
> A manhã passou, e ainda ela não havia se mexido do lugar. Assim foi que Brandir a encontrou. Pois afinal ele alcançara a ponte, exaurido e esgotado, tendo claudicado por todo o longo caminho solitário com a muleta; e eram sete léguas desde Ephel Brandir. O medo o impelira. Pois topou com alguns daqueles que haviam fugido na direção oposta, e ouviu tudo o que tinham para contar. "O Espada Negra certamente está morto, e todos os que estavam com ele", disseram. Mas, quando descobriu que Níniel não estava com eles e que a haviam deixado para trás em seu terror, ele os amaldiçoou e seguiu adiante até Nen Girith, pensando em defendê-la ou consolá-la.

Mas agora que a viu ainda viva, ele não encontrou nada para dizer, e não tinha conselho nem consolo, e permaneceu em silêncio olhando para o sofrimento dela com pena.

O tempo passou e o sol começou a se pôr, e não chegava som algum, nem notícias. Brandir, olhando ao longe, não conseguia mais ver qualquer fumaça junto às águas do Taiglin. E, de repente, ele pensou em seu coração: "Sem dúvida alguma ele está morto. Mas Níniel vive." E ele olhou para ela e seu coração ansiou por ela, e então percebeu que estava frio naquele lugar alto; e lançou seu manto sobre ela, mas ela nada lhe disse. E ele ainda permaneceu de pé por algum tempo, e não conseguia ouvir qualquer som além das vozes das árvores e os pássaros e a água, e pensou: "Certamente a Serpe foi para o interior de Brethil. Alcançará a gente infeliz no caminho." Mas já não sentia pena deles: tolos que haviam zombado do seu conselho. Nem de seu povo que esperava em Ephel Brandir: ele os havia abandonado. Para lá Glaurung certamente haveria de ir depressa, e ele teria tempo de levar Níniel embora e escapar. Só não sabia para onde, pois jamais saíra de Brethil [*apenas no primeiro rascunho:* e embora tivesse conhecimento do Reino Oculto, sabia pouco além de que seu rei não amava os Homens e que poucos tinham permissão para entrar lá]. Mas o tempo estava correndo, e logo viria a noite.

Então foi mais uma vez até o lado de Níniel e disse: "Está tarde, Níniel. Que queres fazer?"

"Não sei", respondeu ela. "Pois tenho medo. Mas se pudesse superar meus tremores, eu me levantaria e iria em busca de meu senhor; embora eu tema que ele esteja morto."

Então Brandir não soube o que responder; e disse: "Tudo está estranho. Quem há de ler os sinais? Mas se ele vive, não iria a Ephel Brandir, onde te deixou? E a ponte de Nen Girith não se encontra na única estrada, ou na mais reta, para lá desde o local da batalha."

Então Níniel foi enfim tirada de seu torpor e levantou-se, gritando: "Rumo a novas vim para cá e, ainda assim, todas as novas perco! Algum feitiço me foi lançado para que eu me demore aqui?" E ela começou a se apressar pelo caminho desde a ponte. Mas Brandir a chamou: "Níniel! Não vás sozinha. Irei contigo. Tu não sabes o que podes encontrar.

De um curador podes precisar. Mas se o dragão jazer lá, então cuidado! Pois as criaturas de Morgoth não morrem com facilidade, e são perigosas na morte."

Mas ela não lhe deu atenção e partiu então, como se o sangue que antes estivera frio a queimasse. E, apesar de segui-la como podia, devido à sua coxeadura ela o ultrapassou até se perder de vista. Então Brandir maldisse seu destino e sua fraqueza, mas ainda assim seguiu em frente.

A noite caiu e toda a mata estava em silêncio; e a lua se ergueu ao longe, para além de Amon Obel, e as clareiras ficaram pálidas. E Níniel corria; mas, quando desceu do planalto em direção ao rio, pareceu-lhe que se lembrava do lugar e o temia.

Assim, Níniel passou o dia inteiro em Nen Girith (nessa versão mais antiga, ela e as pessoas que acompanhavam haviam chegado lá "ao primeiro sopro da manhã", comentário a §323, e Glaurung foi morto de manhã); quando Brandir que estava frio e colocou seu manto em volta dela, era o segundo anoitecer, enquanto na história final era a noite da morte de Glaurung (e não pode passar muito tempo entre a morte dele, a chegada de Brandir a Nen Girith e a corrida de Níniel até Cabed-en-Aras). Uma outra divergência importante, entre muitas outras diferenças de detalhes, é que, antes, todas as pessoas fugiam de Nen Girith, deixando Níniel sozinha. Mas, a partir desse ponto, o rascunho manuscrito e o manuscrito final tornam-se muito similares.

§332 No FN (p. 191), como também no final da versão mais antiga fornecida no comentário a §§329–32, "a lua se ergueu para além de Amon Obel". O mapa esboçado em *Contos Inacabados* (p. 207) não está bem orientado: como se vê pelas revisões feitas no segundo mapa (e, assim, reproduzidas no meu mapa no *Silmarillion* publicado), Amon Obel ficava quase a leste das Travessias do Taiglin.

§333 É preciso mencionar detalhes em dois pontos no texto do FN que correspondem a esse parágrafo. As palavras acerca da trilha que Brandir tomou para alcançar Níniel, "descia abruptamente para o sul rumo ao rio (p. 192), foram uma alteração editorial do fraseado do manuscrito, que diz "descia abruptamente para o oeste". A alteração foi feita porque é expressamente dito aqui que foi o caminho que Turambar e seus companheiros haviam tomado anteriormente: cf. p. 183, "voltaram-se para o sul por uma trilha estreita"; mas a sugestão claramente correta do Sr. Noad (ver p. 193, §325) torna essa emenda desnecessária. [Mas agora ver *Os Filhos de Húrin*, pp. 263–4.] Em segundo lugar, nas palavras de Glaurung a Níniel à beira da morte (p. 193), "Encontramo-nos outra vez antes do fim", "antes do fim" é um erro simples no lugar de "antes de nos findarmos".

§334 "[Ela] correu feito uma corça caçada e chegou ao Cabed-en--Aras": o nome Cabed-en-Aras se referia à própria ravina no Taiglin, e (como sugeri em *Contos Inacabados*, p. 207, nota 28) pode-se supor que o salto de morte de Glaurung o tenha levado a uma boa distância além da borda oposta, de modo que Níniel tinha algum espaço para correr até a ravina. O fraseado do FN é mais claro: "Rapidamente chegou à beira de Cabed-en-Aras".

§335 *Cabad Naeramarth*: em uma forma mais antiga dessa passagem no FN (p. 194), o nome era *Cabad Amarth*, "Salto da Perdição". Em §§335, 346, *Cabad* não foi corrigido.

§§336–7 No Q não havia menção a Brandir levando as notícias às pessoas que esperavam. Isso foi devido à compressão do Q, pois esse elemento aparece no *Conto* (II. 136); e as palavras dele nos AC (que derivam do FN), "e essa notícias são boas", ecoam aquelas no *Conto*: "e isso é bom; sim, muito bom": em ambos, aqueles que o escutaram pensaram que ele estava louco.

§§339–42 O Q aqui foi excessivamente comprimido, e dizia somente: "perguntou por Níniel, mas ninguém ousou lhe contar, exceto Brandir. E Brandir, assoberbado de pesar, repreendeu-o; donde Túrin o matou ..." A cena complexa no FN e nos AC remonta de um modo muito geral ao *Conto* (II. 137); lá Turambar também chama Tamar (Brandir) de "Coxo", e é isso (como parece) que o leva a contar tudo o que sabe, o que por sua vez incita Turambar a assassiná-lo, crendo que Brandir estava mentindo por malícia.

§§346–7 No *Conto* e no Q, a voz da espada não fala de Beleg ou de Brandir. No FN como escrito inicialmente, o próprio Turambar menciona os nomes deles ao se dirigir à espada: "De sangue algum te afastas. Não de Beleg, morto na loucura, não de Brandir, morto injustamente. Aquele foi um feito cruel, espada negra. Faz melhor agora e toma a Túrin Turambar! Matar-me--ás rapidamente?" E a voz da lâmina respondeu: "Teu sangue beberei de bom grado. Pois é de todos o melhor, e mais doce parecerá do que qualquer outro que me deste. Depressa te matarei!" — ecoando as palavras de Gurtholfin no *Conto*, II. 138; cf. também Q, IV. 151.

§349 A espada não se partiu no *Conto* ou no Q. — No alto da página do manuscrito, meu pai escreveu rapidamente a lápis: "Túrin deve se matar no túmulo de Finduilas" (cf. *Contos Inacabados*, p. 207, nota 29).

Na verdade, a conclusão do FN (p. 203) no manuscrito diz o seguinte: "Assim termina o conto dos Filhos de Húrin [*acrescentado:*] como foi contado no *Glaer nia* [*posteriormente* > *Narn i*] *Chîn Húrin*, a mais longa de todas as baladas de Beleriand". Logo, a conclusão acrescentada posteriormente aos AC é quase que exatamente a mesma presente no FN, a qual, no entanto, não possui as palavras "e foi composta por Homens"; com isso, cf. X. 450-1.

## NOTA 1

### *Formas variantes ao final do conto dos Filhos de Húrin*

Primeiramente, existem alguns textos rascunhados que esboçam ideias para o desenlace da tragédia; não há dúvida de que foram todos abandonados em favor do final presente no FN e nos AC. Um deles, que começa como no FN, p. 199, imediatamente após Brandir ser morto, diz o seguinte:

> ora maldizendo a Terra-média e toda a vida dos Homens, ora evocando Níniel. Mas, quando por fim a loucura o abandonou, ele ainda andou no ermo curvado e extenuado, e refletiu sobre toda a sua vida em seu pensamento, e sempre a imagem de Níniel estava diante dele. E agora, de olhos abertos, ele a viu, lembrando-se de seu pai: ali, em forma de mulher, estavam a voz e o rosto dele, e a curva das sobrancelhas, e seu cabelo como que de ouro, mesmo que Túrin tivesse o cabelo escuro e os olhos cinzentos, a [?face pálida] e [*palavras ilegíveis*] de Morwen, sua mãe, da Casa de Bëor. Dúvida não podia haver. Mas como viera a ocorrer? Onde então estava Morwen? Elas jamais chegaram ao R[eino] O[culto]? Como haviam encontrado Glaurung? Mas, não, ele jamais ousara ir em busca de Morwen.

Creio que essa foi uma ideia logo abandonada segundo a qual Túrin poderia chegar, através de suas próprias reflexões, a uma conclusão de que o que Brandir havia dito era verdade. Ela foi substituída pela história da chegada de Mablung às Travessias do Taiglin e de seu encontro com Túrin ali.

Em duas passagens relacionadas, meu pai cogitou a ideia de que Túrin encontrava Morwen antes de seu fim. A primeira é muito breve:

> E enquanto se sentava como um pedinte próximo às Travessias do Taiglin, uma velha se aproximou curvada sobre um cajado; esfarrapada ela estava e desamparada, e seu cabelo grisalho esvoaçava ao vento. Mas ela lhe deu bom-dia, dizendo: "E um bom dia é, mestre, pois o sol está quente, de modo que a fome corrói menos. Esses são dias malignos para gente como nós: pois vejo pelo teu porte que, como eu e tanto outros, tu viste dias mais altivos. No verão podemos arrastar nossas vidas, mas quem ousa olhar para além do inverno?"
>
> "Para onde vais, senhora?", perguntou ele, "Pois assim creio que outrora costumavas ser chamada."
>
> "A lugar algum", respondeu ela. "Há muito deixei de buscar o que me fazia falta. Agora tomo apenas aquilo que me levará da noite à alvorada cinzenta seguinte. Diz-me, para onde vai esta estrada verde? Ainda habita alguém na floresta profunda? E são eles tão cruéis quanto dizem as histórias dos errantes?"
>
> "O que elas dizem?", perguntou ele.

Isso é seguido na página do manuscrito por "ora maldizendo a Terra-média e toda a vida dos Homens" etc., que leva a um rascunho da versão final, onde Mablung aparece nas Travessias.

A segunda dessas passagens é mais longa, mas difícil de ler e, em alguns pontos, completamente ilegível. Ela começa da mesma maneira que o texto da passagem acima, mas a segunda fala de Morwen termina em "tomo apenas aquilo que me levará da noite à alvorada cinzenta seguinte". Então Túrin fala:

> "Também não busco", disse ele. "Pois o que eu tinha agora está completamente perdido e se foi da Terra-média para sempre. Mas o que tu buscarias?"

> "O que buscaria uma velha", disse ela, "no ermo além de seus filhos, ainda que todos digam que estão mortos? Procurei um filho outrora, mas ele partiu há muito tempo. Então procurei minha filha, mas faz cinco anos desde que a perdi nos ermos. Cinco anos é um longo tempo para alguém jovem e bela — se a Serpe não a pegou, os Orques a [*ilegível*], ou o ermo [?frio e indiferente].
>
> Então, de repente, o coração de T[úrin] parou. "Como era a tua filha, senhora? Ou, talvez, qual era o seu nome?"

A velha lhe contou que a filha era alta, de cabelos dourados e olhos azuis, de pés ligeiros, amante de todas as coisas que crescem;

> "... Porém, era um pouco precipitada nas palavras, como o seu pai. Niënor, filha de Húrin, ela teria chamado a si mesma, se lhe perguntasses. Mas quiçá nada significasse. Pois o nome de Húrin era grande [*palavras ilegíveis*] Todos os reinos [*palavras ilegíveis*] foram derrotados e gente mesquinha ou maligna tem agora o senhorio. Contudo, creio que tu sejas da gente mais antiga. Vejo pelo teu rosto que o antigo nome ainda significava algo para ti."
>
> Túrin a encarou como um homem que vê um fantasma. "Sim", disse lentamente por fim. "O nome de Húrin de Hithlum e de Morwen, filha de Baragund, eram-me conhecidos.

Do restante, só consigo ler pedaços:

> e Morwen e sua filha foram ao Reino Oculto [*ilegível*] dizem em Hithlum." A velha riu com amargura. "E o que mais disseram? Que, primeiro, Túrin foi para lá e foi usado pelo rei em suas guerras fronteiriças e perdeu, mas chegou a Nargothrond e que Morwen foi procurá-lo lá com o auxílio tardio de Thingol, mas [*palavras ilegíveis*] pelo grande draco Glaurung. [*palavras ilegíveis*] Então ela chorou [*palavras ilegíveis*]

Esse é claramente o início de outro caminho narrativo por meio do qual Túrin poderia descobrir a verdade, igualmente abandonado antes de ser desenvolvido. — Uma nota a lápis mostra a inserção da "intervenção de Mablung":

Mablung procura e leva notícias a Thingol sobre a saída de Glaurung. Isso coincide com rumores (entre Orques e errantes) de que o Espada Negra reapareceu em Brethil. Mablung chega a Brethil (sem ordens de Thingol?) para avisar Túrin e levar notícias de Niënor e Morwen.

Morwen deve voltar a Thingol e depois partir como uma pedinte para os ermos.

Por fim, e maneira muito notável, há a seguinte sinopse do final da história, escrita cuidadosamente num pedaço de papel, aparentemente por cima do mesmo texto (ou outro similar) escrito de forma muito descuidada à lápis:

Turambar parte. Pede dois companheiros. Dorlas se oferece como voluntário e fala de Brandir com desprezo. Gwerin, parente de Brandir, se oferece como voluntário. Brandir fica amargurado. Turambar pede a Níniel que fique em casa.

Quando T[urambar] parte, Níniel insiste em segui-lo. Brandir a proíbe, mas ela não lhe dá ouvidos. Brandir se apresenta aos Homens de Brethil, mas eles não o obedecem — imploram a Níniel que fique, mas, como ela não se dispõe a fazer isso, eles não a contêm à força. As esposas de Dorlas e Gwerin vão com ela. Brandir vai atrás delas.

A morte do Dragão pode ser contada mais ou menos como já tendo ocorrido. Mas, quando Níniel chega a Nen Girith, é acometida mais uma vez de tremores, e não consegue prosseguir. As esposas também não estão dispostas a seguir em frente — pois encontram os batedores em Nen Girith e ficam sabendo quão perto a Serpe está . . . . . [*sic*]

Quando Túrin arranca a espada do ventre de Glaurung, o sangue de Glaurung queima a mão que segura a espada; *além disso*, Glaurung fala com ele, e diz que Níniel é sua irmã. Túrin desmaia de dor e horror.

O Dragão morre. De repente, Níniel recupera a memória e toda a sua vida passada lhe é revelada. Ela se senta, horrorizada. Brandir vê a angústia dela, mas crê que seja por acreditar que Túrin foi morto — os gritos terríveis de Glaurung foram ouvidos em Nen Girith. Níniel levanta-se para fugir e Brandir, pensando que ela realmente irá à procura de Túrin (enquanto Glaurung está à volta), a detém, dizendo *Espera!*

Níniel se vira para ele, gritando que aquele sempre fora o seu conselho, e que, para o pesar dela, ela não o aceitara. Mas é possível que ele dê aquele conselho com muita frequência!

Como de fato se provou. Pois naquele momento Túrin aparece. Quando o Dragão morreu, seu desmaio também o deixou, mas a agonia do veneno em sua mão permaneceu. Portanto, ele foi a Nen Girith buscar ajuda, crendo que os batedores estavam lá. (É Túrin que mata Dorlas no caminho?)

Quando Turambar aparece, Níniel solta um gemido, gritando: "Túrin, filho de Húrin! Tarde demais nos encontramos. Os dias sombrios passaram. Mas a noite vem a seguir!" "Como sabes esse nome?" "Brandir me contou, e vê! Eu sou Niënor. Portanto, devemos nos separar." E com isso, antes que alguém pudesse segurá-la, ela saltou sobre a queda de Nen Girith, e assim encontrou o seu fim, gritando "Água, água, lava-me! Lava-me de minha vida!"

Então a angústia de Túrin foi terrível de se ver; e uma fúria enlouquecida tomou conta dele, e ele maldisse a Terra-média e toda a vida dos Homens. E, curvando-se sobre as quedas, gritou em vão *Níniel, Níniel*. E virou-se em ira para aqueles que se encontravam ali, contra suas ordens; e todos fugiram dele, exceto Brandir, que por pesar e horror não podia se mover. Mas Túrin virou-se para ele e disse: "Contempla teu trabalho, miserável manco! Tivesse Níniel permanecido, como a deixei, e se tu não tivesses contado o meu nome, ela poderia ter sido contida da morte. Eu poderia ter ido embora e a deixado, e ela poderia ter lamentado apenas por Turambar."

Mas Brandir o amaldiçoou, dizendo que o casamento deles não poderia ter sido ocultado; e que fora Túrin que causara todo aquele pesar. "E tu me privaste de tudo o que eu tinha, e teria — pois és imprudente e ganancioso!"

Então Túrin matou Brandir em sua ira. E, arrependendo-se, matou-se (usando palavras iguais com a espada).

Mablung chega com notícias e fica desolado. Os Elfos ajudam os Halethrim a erigir um montículo ou memorial para os Filhos de Húrin — mas N[íniel] não estava lá, e seu corpo não pôde ser encontrado; talvez Celebros o levou ao Taiglin, e o Taiglin ao Mar.

Uma outra simplificação seria fazer com que Brandir estivesse disposto a ir com Níniel, para protegê-la — pois ele pensava que Túrin morreria.

Essa última frase presumivelmente se refere à tentativa de Brandir de impedir que Níniel seguisse Turambar desde Ephel Brandir.

Na verdade, parece impossível demonstrar em que ponto da evolução da lenda essa sinopse foi escrita, mas, seja como for, fica claro que ela é tão tardia quanto a forma final reescrita da última parte do *Narn* devido a detalhes, tais como o de *Celebros* ser o nome do rio (ver comentário a §317). Creio que ela tem seu lugar junto com as outras passagens fornecidas nesta Nota por representar outra tentativa, ainda que muito mais drástica, de alcançar o desenlace que é Túrin chegando a uma "conclusão" — dessa vez por meio da própria Niënor, que descobriu a verdade sem intermediários, simplesmente por meio da remoção do feitiço sobre sua memória com a morte o Dragão. Mas Mablung aparece, apesar de agora ser após a morte de Túrin, e, assim, desconfio que seja a última dessas tentativas, e muito provavelmente pode ter *vindo depois* da forma final do texto. *Gwerin* como o nome do parente de Brandir (Albarth, Torbarth, Hunthor) apareceu uma vez antes, escrito a lápis sobre a primeira ocorrência de Torbarth nos AC (§322).

É extraordinário e difícil de compreender que meu pai tivesse sequer contemplado — a ponto de esboçar uma sinopse — romper tão violentamente a soberba estrutura narrativa entrelaçada representada pelo texto final da última parte do *Narn*. Será que ele tinha a impressão de que o texto havia se tornado, evidentemente demais, uma "estrutura", complexo demais nos seus movimentos, relatos, presságios e acasos interligados? A nota de encerramento ("Uma *outra simplificação* seria ...") parece confirmar isso. Mas me parece mais provável que ele estava principalmente preocupado com a chegada de Mablung (ou mesmo Morwen) como um *deus ex machina* naquele exato momento, portador da prova irrefutável, que ele sentia ser um grave ponto fraco.

Seja como for, creio que o resultado — e admitindo que ele está representado somente por uma rápida sinopse escrita de certo modo — é muito mais fraco; e uma vez que não há nenhum outro indício dele (com exceção, talvez, do nome *Gwerin* escrito a lápis nos *Anais Cinzentos*), é possível que ele pensasse da mesma forma.

## NOTA 2

### *Um outro relato da Batalha das Lágrimas Inumeráveis*

O texto do Capítulo 20 do *Silmarillion* publicado derivou principalmente da história nos *Anais Cinzentos*, mas foram introduzidos elementos do antigo Capítulo 16 do QS (V. 367–75), e também de um terceiro texto. Trata-se de um texto datilografado por meu pai, e tudo indica que foi composto *ab initio* em sua máquina de escrever; a explícita intenção é de que fosse um componente no longo Conto em prosa dos Filhos de Húrin (o *Narn*), mas ele tinha o manuscrito dos *Anais Cinzentos* diante de si e, pela maior parte de sua extensão, a nova versão permaneceu tão próxima do texto dos *Anais* que pode ser considerada como pouco mais do que uma variante, apesar de inquestionavelmente muito posterior. Por essa razão, e também porque algumas de suas características divergentes (adicionais) foram incorporadas mesmo assim ao capítulo do *Silmarillion*, eu a excluí do *Narn* em *Contos Inacabados* (ver p. 98 e nota 3 naquele livro), exceto pelo final.* Entretanto, há uma grande divergência no relato do *Narn* que contradiz completamente as versões anteriores, e este é um lugar conveniente para registrá-lo, junto com alguns outros detalhes.

O texto começa da seguinte forma (o texto datilografado foi em boa parte corrigido à tinta, acredito que quase certamente logo após ter sido escrito, e adotei essas correções sem maiores comentários, exceto em certos casos).

Muitas canções ainda são entoadas e muitas histórias ainda são contadas pelos Elfos sobre as Nirnaeth Arnoediad, a Batalha das Lágrimas Inumeráveis, na qual tombou Fingon e feneceu a flor dos Eldar. Se tudo fosse recontado agora, o tempo de vida de um homem não bastaria para ouvir. Aqui, portanto, hão de ser relatados somente os feitos que dizem respeito ao destino da Casa de Hador e dos filhos de Húrin, o Resoluto.

Tendo por fim reunido todas as forças que conseguira, Maedros definiu um dia, a manhã do Solstício de Verão. Naquele dia as trombetas dos Eldar saudaram o nascer do Sol, e no leste foi

*Esse texto acabou por ser publicado (com alterações) em *Os Filhos de Húrin* (2020), pp. 53 ss. [N.T.]

erguido o estandarte dos Filhos de Fëanor; e no oeste, o estandarte de Fingon, Rei dos Noldor.

Então Fingon lançou seu olhar das muralhas de Eithel Sirion, e sua hoste se arranjara pelos vales e bosques do lado leste das Eryd-wethion, bem escondida dos olhos do Inimigo; mas ele sabia que era muito grande. Pois ali estavam reunidos todos os Noldor de Hithlum, e a eles haviam se juntado muitos Elfos da Falas e [*riscado de imediato:* uma grande companhia] de Nargothrond; e havia grande número de Homens. À direita estavam postadas a hoste de Dor-lómin e toda a bravura de Húrin e seu irmão Huor, e com eles viera Hundar de Brethil, seu parente, com muitos homens da floresta.

Então Fingon olhou para o leste, e sua visão-élfica divisou muito ao longe uma poeira e o reluzir de aço como estrelas numa névoa, e soube que Maedros se pusera em marcha; e regozijou-se. Então olhou na direção das Thangorodrim, e eis que havia uma nuvem escura em sua volta e subia uma fumaça negra; e ele soube que a ira de Morgoth se inflamara e que o desafio seria aceito, e uma sombra de dúvida se abateu sobre seu coração. Mas nessa hora ouviu-se um grito, subindo o vento a partir do sul de vale a vale, e Elfos e Homens levantaram suas vozes em assombro e júbilo. Pois, não convocado nem esperado, Turgon abrira as defesas de Gondolin e chegara com um exército de dez mil guerreiros, com cota de malha luzente, e longas espadas, e lanças que eram como uma floresta. Então, quando Fingon ouviu ao longe a grande trombeta de Turgon, a sombra passou, e seu coração se levantou, e ele gritou em alta voz: "*Utulie'n aurë! Aiya Eldalië ar Atanatarni, utulie'n aurë!* (O dia chegou! Vede, povo dos Eldar e Pais de Homens, o dia chegou!) E todos os que ouviram sua grande voz ecoando nos morros responderam com um grito: *Auta i lómë!* (A noite está passando!)

Não demorou muito para que a grande batalha começasse. Pois Morgoth sabia muito do que fora feito e projetado por seus inimigos e fizera seus planos para a hora em que atacassem. Uma grande força vinda de Angband já se aproximava de Hithlum, enquanto outra maior ainda ia encontrar-se com Maedros para impedir a junção dos poderes dos reis. E os que se defrontaram com Fingon estavam todos trajados em vestes pardas, sem exibirem aço à vista, e, portanto, já haviam ultrapassado em muito as areias de Anfauglith quando sua chegada foi percebida.

Então inflamou-se o coração de Fingon [> inflamaram-se os corações dos Noldor], e ele desejou [> seus capitães desejaram] atacar os inimigos na planície; mas Húrin [> Fingon] opôs-se a isso. "Cuidado com a astúcia de Morgoth, senhores!", alertou. "Sua força é sempre maior do que parece, e sua intenção, contrária ao que ele revela. Não reveleis vossa própria força, mas deixai o inimigo gastar a sua primeiro, atacando os morros. Pelo menos até que o sinal de Maedros seja avistado." Pois era desejo dos reis que Maedros marchasse abertamente por sobre Anfauglith com toda a força, com Elfos e Homens e Anãos; e quando tivesse atraído, como esperava, os principais exércitos de Morgoth como reação, então Fingon viria do oeste, e desse modo o poderio de Morgoth seria neutralizado, ficando entre o martelo e a bigorna, e feito em pedaços; o sinal para isso seria um grande farol a ser aceso em Dorthonion.

Mas o Capitão de Morgoth no oeste recebera ordem de atrair Fingon para longe dos morros, usando os artifícios que pudesse.

É muito notável que, nessa versão do *Narn*, não haja qualquer referência ao atraso de Maedros em decorrência da malícia de Uldor, o Maldito; enquanto que, por outro lado, há aqui a afirmação inteiramente nova de que uma segunda e maior força saiu de Angband para interceptar Maedros e "impedir a junção dos poderes dos reis" (contrastar com AC §222, onde é dito que Morgoth "confiou que seus serviçais segurariam Maidros e impediriam a união de seus adversários" — referindo-se, é claro, às maquinações de Uldor). Posteriormente nessa narrativa, a passagem que corresponde ao início de AC §228 diz o seguinte:

Então, na planície de Anfauglith, no quarto dia da guerra, começaram as Nirnaeth Arnoediad, com todo o sofrimento de que nenhuma narrativa pode dar conta. De tudo o que ocorreu na batalha no leste: da derrota de Glaurung, o Draco, pelas mãos dos Naugrim de Belegost; da traição dos Lestenses, da ruína da hoste de Maedros e da fuga dos Filhos de Fëanor nada mais se diz aqui. No oeste a hoste de Fingon recuou por sobre as areias …

Aqui a "batalha no leste" é mencionada como se estivesse completamente separada a luta no oeste: não há indícios aqui de que a hoste de Maedros enfim apareceu e atacou a retaguarda do inimigo

(AC §229). Por fim, no ponto nos AC em que o encontro de Turgon e Húrin no meio da batalha é seguido (§229) pela chegada da hoste de Maidros, a versão do *Narn* diz o seguinte:

Diz-se que o encontro de Turgon com Húrin, que estava ao lado de Fingon, foi um momento feliz em meio à batalha. Por algum tempo as hostes de Angband foram rechaçadas, e Fingon outra vez começou a recuar. Mas, tendo desbaratado Maedros no leste, Morgoth tinha agora grandes forças de sobra e, antes que Fingon e Turgon pudessem alcançar o abrigo dos morros, foram atacados por uma maré de inimigos três vezes maior que todas as forças que lhes restavam.

Com essas últimas palavras, a versão do *Narn* retorna ao texto dos AC em §233. Assim, meu pai, por alguma razão, omitira o elemento inteiro das "maquinações de Uldor" no atraso de Maedros, e alterou radicalmente o curso da Batalha das Lágrimas Inumeráveis ao introduzir a derrota e desbaratamento da hoste do leste antes que qualquer união das forças pudesse ocorrer.

Em *O Silmarillion*, preservei (inevitavelmente) a história como contada nos *Anais Cinzentos*, mas incorporei certos elementos do *Narn*, como se pode ver por uma comparação do início deste (pp. 204-5) com *O Silmarillion*, pp. 259–60: a nuvem e a fumaça sobre as Thangorodrim, o grande grito de Fingon, as "vestes pardas" da força de Angband que rumou para Hithlum. É possível mencionar alguns pontos menores nessa passagem. A "grande companhia de Nargothrond" (ver §221 e comentário) foi corrigida (p. 205); e o nome do líder dos homens de Brethil (nos AC Hundor, filho de Haleth, o Caçador) foi alterado para Hundar: posteriormente no texto é dito que seu pai é Halmir — um aspecto do remodelamento extremamente complexo das genealogias dos Edain que não precisa ser abordado aqui (ver pp. 289-92).

Nos AC (§222), seguindo o QS (§11), era Fingon que estava disposto a atacar de imediato a força vinda de Angband na planície, e Húrin que se opôs; isso foi seguido no *Narn*, mas então foi corrigido para fazer com que Fingon se opusesse à impulsividade de seus capitães. A mudança talvez tenha sido feita tendo em vista a probabilidade: tamanha prudência e experiência ao lidar com Morgoth deveria antes vir de Fingon, Rei dos Noldor, do que de Húrin, um Homem de apenas trinta e um anos. — Húrin (> Fingon) insistiu que a hoste do oeste deveria aguardar em suas posições "pelo menos até que o sinal de Maedros seja avistado". Nos AC (§217), a ocasião do sinal de Maidros a Fingon (não particularizado como um farol em Dorthonion) assinalaria o momento em que a marcha de Maidros, em investida aberta sobre Anfauglith, teria incitado a hoste de Morgoth a sair de Angband; e graças a Uldor, o Maldito, o sinal não foi dado. No *Narn*, Fingon, com sua visão aguçada, na verdade vira que Maedros havia partido, e também se diz que uma grande força estava a caminho, saindo de Angband para encontrá-lo; mas não é dito que o farol foi aceso.

Outras características da história como contada em *O Silmarillion* que não se encontram nos AC derivam do *Narn*. Neste há um relato mais detalhado do confronto entre as duas hostes, e os cavaleiros de Morgoth chegam às muralhas da fortaleza em Eithel Sirion (aqui chamada *Barad Eithel*): assim, enquanto nos AC Gwindor viu o assassinato de seu irmão Gelmir "do outro lado do rio", no *Narn* ele estava "naquele ponto do posto avançado". O relato da batalha a oeste de fato é muito próximo daquele nos AC, mas a morte de Fingon é contada de maneira diferente e com mais detalhes (ver *O Silmarillion*, p. 263): com a chegada de Gothmog, "alto-capitão de Angband", Fingon foi separado de Húrin e Turgon, que foram empurrados na direção do Pântano de Serech. As falas de Turgon, Húrin e Huor pouco mudaram de suas formas nos AC (§§234–5), mas a mudança necessária nas palavras de Huor para "eu não haja de ver vossas alvas muralhas *de novo*" foi feita (ver o comentário a §§234–5). Por fim, no *Narn* é dito que Húrin "agarrou o machado de um capitão-órquico, brandindo-o com as duas mãos", e mais uma vez Gothmog aparece (ver *O Silmarillion*, pp. 264–5).

No relato do Monte dos Mortos, a versão do *Narn* o chama de *Haudh-en-Ndengin*, subsequentemente alterado para *Haudh-en-Nirnaeth*.

O texto do *Narn* termina com uma elaboração notável do confronto de Húrin e Morgoth com base em AC §§244–8 (por sua vez uma elaboração de QS §§21–3); essa foi a única parte do texto incluída em *Contos Inacabados* (pp. 98–101). Tal como as falas foram datilografadas, elas se encontravam inteiramente na segunda pessoa do singular, "thou wert" [tu foste], "knowest thou" [sabes], etc.; mas meu pai revisou o texto, alterando cada "thou" [tu] e "thee" [te, ti] para "you" [você] e as formas verbais equivalentes — e alterando "Knowest thou" [Sabes tu] para "Do you know"

[Você sabe] em vez de "Know you" [Sabe você] (também "puissant" [pujante] para "mighty" [magno, poderoso]). O texto foi publicado dessa maneira, é claro, em *Contos Inacabados*.

## NOTA 3

### *Um outro relato da chegada de Húrin e Huor a Gondolin*

Como no caso da história da Batalha das Lágrimas Inumeráveis descrita na Nota 2 acima, há também uma versão daquela de Húrin e Huor em Gondolin tida como um componente do *Narn*. Essa versão de baseia ainda mais de perto na história nos Anais Cinzentos §§161–6: embora haja muitas pequenas variações nos precisos fraseados, praticamente nenhuma tem qualquer importância para a narrativa, até que se chega ao final, onde aparece uma diferença significativa. Essa história foi excluída do *Narn* em *Contos Inacabados*, mas sua existência foi mencionada: p. 251, nota 2. Antes do final, o único ponto digno de menção é de que aqui as palavras de Maeglin (AC §165) são muito mais fortes: "A mercê do rei para convosco é maior do que compreendeis; e alguns podem indagar por qual razão a rigorosa lei é mitigada para dois meninos dos Homens. Seria mais seguro se eles não tivessem escolha a não ser habitar aqui como nossos serviçais até o final de suas vidas".

De acordo com a história nos AC, quando retornaram a Dor-lómin, Húrin e Huor contaram que "haviam habitado por um tempo em honra nos salões do Rei Turgon", embora não dissessem nada mais. Ao lado desse trecho, meu pai anotou no texto datilografado dos AC (p. 154, §166): "Eles não revelaram o nome de Turgon"; e na versão do *Narn* eles se recusaram terminantemente a declarar até mesmo ao seu pai onde haviam estado. Essa versão foi adotada no *Silmarillion* publicado (pp. 220–1), com apenas uma mudança no final. Aqui o texto do *Narn* diz:

Então Galion [> Galdor] não mais os questionou; mas ele e muitos outros adivinharam a verdade. Pois tanto o juramento de silêncio quanto as Águias indicavam Turgon, pensaram os homens.

A conclusão da passagem em *O Silmarillion* ("e, naquele tempo, a estranha sorte de Húrin e Huor chegou aos ouvidos dos serviçais de Morgoth") foi tirada da versão dos AC.

Quanto a esses dois textos (de outros modos tão similares), ver mais na p. 377.

[illegible]

[illegible]

Como previsto [illegible]

[illegible]

# PARTE DOIS

# O *Quenta Silmarillion* Tardio

Na Parte Dois, traçarei o desenvolvimento do *Quenta Silmarillion*, nos anos que se seguiram ao término de *O Senhor dos Anéis*, a partir do ponto alcançado no Vol. X, p. 246; mas a história agora (em sua maior parte) torna-se decididamente mais simples: muito do desenvolvimento pode ser transmitido ao se registrar individualmente todas as alterações significativas feitas no QS, e não há necessidade de dividi-lo em duas "fases", como foi feito no Vol. X. A série textual básica é o QS (até onde chegou antes de ser abandonado); a cópia datilografada inicial "QT 1", de 1951, para a qual ver X. 177-80; e a cópia datilografada posterior "QT 2", de cerca de 1958, para a qual ver X. 177-8, 363.

Nessa parte posterior da história, a numeração dos capítulos torna-se bastante confusa, mas creio que seria mais confuso não empregar nenhuma, e, assim, dou continuidade à numeração usada no Vol. X, onde o último capítulo discutido, *Do Sol e da Lua e da Ocultação de Valinor*, recebeu o número 8.

## 9. DOS HOMENS

Esse capítulo foi numerado como 7 no manuscrito do QS (para o texto, ver V. 291–4, §§81–7). A diferença deve-se simplesmente ao fato de que os três "subcapítulos" no QS, numerados no Vol. V 3(a), 3(b) e 3(c), no Vol. X foram chamados 3, 4 e 5 (ver X. 362). Poucas mudanças foram feitas no manuscrito do QS em revisões posteriores, e as que foram feitas foram incorporadas no QT 1. Esse texto datilografado não teve alterações, e possui valor textual apenas em alguns aspectos; a pessoa que datilografou o QT 2 não o usou, trabalhando diretamente a partir do antigo manuscrito.

§81 "Os Valar sentaram-se, então, detrás das montanhas e festejaram" > "Assim, os Valar sentaram-se, então, detrás de suas montanhas, em paz".

§82 A disposição de Hildórien "no extremo Leste da Terra-média, que se situa às margens do mar oriental" foi alterada para: "nas partes do interior da Terra-média, além do Grande Rio e do Mar de Dentro, em regiões que nem os Eldar, nem os Avari conheciam".

Muitas expressões foram usadas para a posição de Hildórien. Na tradição dos "Anais", ela ficava "no Leste do mundo" (IV. 317, V. 143, 152), mas isso foi alterado no manuscrito do AV 2 para "nas regiões centrais do mundo" (V. 145, nota 13). No *Quenta*, ela ficava "no Leste do Leste" (IV. 117), e no QS, como citado acima, "no extremo Leste da Terra-média": no meu comentário ao QS (V. 294), sugeri que essa última expressão não contradizia o fraseado alterado do AV 2: "Hildórien ficava no leste mais distante da *Terra-média*, mas estava nas regiões centrais do mundo; ver o mapa IV do *Ambarkanta*, no qual Hildórien está marcada (IV. 293)".

Nos textos do período pós-*Senhor dos Anéis*, há a afirmação nos *Anais Cinzentos* (AC) §57 de que ela ficava "nas regiões centrais do mundo", como no fraseado emendado do AV 2; e há a nova frase na revisão do QS, "nas *partes do interior da Terra-média*, além do Grande Rio e do Mar de Dentro" (com a perda da menção no texto original ao "mar oriental"). Essa última frase demonstra de forma inequívoca que ocorreu uma mudança, mas é muito difícil dizer qual. Não é possível deixá-la de acordo com os antigos mapas do *Ambarkanta*: na verdade, seria possível duvidar que aqueles mapas tivessem muita validade para as regiões orientais nessa época, e imaginar se com "o Mar de Dentro" meu pai estivesse se referindo ao "Mar Interior de Rhûn" (ver *A Traição de Isengard*, pp. 361, 391) — mas, por outro lado, nos *Anais de Aman* (X. 97, 109-10), desse mesmo período, a Grande Jornada dos Elfos desde Kuiviénen ("a bay in the Inland Sea of Helkar") é descrita em termos que sugerem que a antiga concepção ainda estava inteiramente presente. Será que o Mar de Rhûn pode ser identificado com o Mar de Helkar, imensamente diminuído? — Tampouco é fácil compreender como Hildórien "nas partes do interior da Terra-média" poderia estar "em regiões que nem os Eldar, nem os Avari conheciam".

No QT 2, a maior parte da passagem revisada está ausente, e o texto diz simplesmente: "na terra de Hildórien, nas partes do interior da Terra-média; pois o tempo medido chegara à Terra ...". Se isso for significativo, deve depender de uma direção verbal da parte de meu pai. Por outro lado, a revisão foi escrita no manuscrito em duas partes: "nas partes do interior" na margem e o restante em outra parte da página, onde seria possível que passasse despercebido; e creio que essa seja a explicação mais provável.

§83 O início da nota de rodapé (V. 291) foi alterado de "Os Eldar os chamavam de Hildi" para "Atani eles eram chamados em Valinor, mas os Eldar também os chamavam de Hildi"; e "de nascimento dos Hildi" foi alterado para "de surgimento dos Hildi". Para *Atani*, ver AC §57 e comentário. Tal como ocorrera com frequência antes, a pessoa que datilografou o QT 1 colocou a nota de rodapé no corpo do texto, onde meu pai a deixou; mas ela reaparece como uma nota de rodapé no QT 2 — uma primeira indicação de que a versão datilografada foi baseada no manuscrito do QS.

Após "àqueles pais de Homens" (onde o *p* não deveria ter ficado maiúsculo) foi acrescentado "os *Atanatardi*". Aqui o QT 1 diz *Atanatarni*, que não foi corrigido; enquanto o QT 2 — baseado não no QT 1, mas no manuscrito — diz *Atanatardi*. Mas a forma *Atanatarni* ocorre no texto do *Narn* apresentado na Nota 2 da Parte Um: lá Fingon, antes do início da Batalha das Lágrimas Inumeráveis, grita *Aiya Eldalië ar Atanatarni* (p. 205). Em AC §87, em uma passagem diferente, a forma é *Atanatári* (que foi adotada em *O Silmarillion*); ver também *Atanatárion*, X. 450.

§85 A frase "Só no reino de Doriath, cuja rainha Melian era de raça divina, os Ilkorins chegavam perto de se igualar aos Elfos de Kôr" foi alterada para: "cuja rainha Melian era da gente dos [deuses >] Valar, os [Ekelli >] Sindar chegavam perto de se igualar aos [Elfos de Túna >] Kalaquendi do Reino Abençoado". Quanto ao termo *Ekelli*, "os Abandonados", e sua substituição por *Sindar*, ver X. 211-12.

*Eruman* > *Araman* (cf. X. 155, 240).

"a sabedoria antiga de sua raça" > "... de sua gente".

§86 "O que acontecia a seus espíritos depois da morte" > "O que podia acontecer ..."

"à beira do Mar do Oeste" > "à beira do Mar de Fora" (ver V. 295, §86).

§87 "desapareciam da terra" > "desapareciam da Terra-média".

★

Meu pai fez algumas alterações em uma ou outras cópias do texto datilografado QT 2. O capítulo, datilografado sem um número, agora passou a ser numerado "XI". "Gnomos" foi alterado para "Noldor" em cada ocorrência, e, na primeira frase de §85, "Elfos-escuros" para "Sindar". Ao lado de §82 ele escreveu: "Isso depende de uma antiga versão na qual o Sol foi feito pela primeira vez após a morte das Árvores (descrita em um capítulo omitido)". Eu já havia comentado isso em X. 362-4 e expliquei por que ele numerou o presente capítulo como "XI". Ele também colocou entre colchetes a lápis três passagens no relato da mortalidade dos Elfos em §85: "Contudo, seus corpos eram da matéria da terra ... os consome de dentro com o correr do tempo"; "dias ou anos, mesmo mil"; "e seus merecimentos".

## 10. DO CERCO DE ANGBAND

Esse capítulo foi numerado como 8 no manuscrito do QS, e o texto foi apresentado em V. 295–303, §§88–104. Como no capítulo anterior, todas as revisões pós-*Senhor dos Anéis* foram feitas no manuscrito do QS: isto é, nenhuma outra revisão foi feita no texto datilografado QT 1; e aqui, mais uma vez, o texto datilografado QT 2 derivou-se do manuscrito, não do QT 1. Por outro lado, nesse capítulo, de modo algum todas as revisões feitas no manuscrito encontram-se no QT 1; e no relato que se segue menciono todos esses casos. Não menciono as alterações *Eruman* > *Araman*; *Tûn* > *Túna*; *Gnomos* > *Noldor*; *Thorndor* > *Thorondor*; *Bladorion* > *Ard-galen* (ver p. 136, §44).

§88 A passagem inicial do capítulo no QS foi reescrita num pedaço de papel fixado ao manuscrito: esse pedaço de papel era o verso de uma carta para meu pai datada de 14 de novembro de 1951 — mas ela não foi incorporada ao QT 1. A introdução desse adendo fez com que a pessoa que datilografou o QT 2 ignorasse o fato de que um novo capítulo começa nesse ponto, e datilografasse *Do Cerco de Angband* junto com *Dos Homens* como um só texto; meu pai subsequentemente inseriu um novo título *Do Cerco de Angband* com o número "XII" (sobre o qual ver p. 216). A nova abertura diz o seguinte:

> Como se contou antes, Fëanor e seus filhos foram os primeiros dos Exilados a chegar à Terra-média, e desembarcaram no ermo de Lammoth, nas costas mais afastadas do Estreito de Drengist. Ora, aquela região era assim chamada por se situar entre o Mar e as muralhas das montanhas ressoantes das Eryd Lómin. E, na hora em que os Noldor puseram os pés na praia, seus gritos foram tomados pelas colinas e multiplicados, de modo que um grande clamor, como de incontáveis vozes poderosas, encheu todas as costas do Norte; e diz-se que o ruído da queima dos navios em Losgar foi levado pelos ventos do Mar, como o tumulto de uma grande ira e, ao longe, todos os que ouviram aquele som ficaram cheios de assombro.
>
> Sob as estrelas frias anteriores ao nascer da Lua, Fëanor e sua gente marchou para o leste, e passaram as Eryd Lómin, e chegaram à grande terra de Hithlum, e, atravessando o país de Dor-lómin, chegaram, por fim, ao lago comprido de Mithrim e, em sua margem norte, montaram o seu primeiro acampamento naquela região que era chamada pelo mesmo nome.
>
> Lá uma hoste dos Orques, provocada pelo tumulto de Lammoth e pela luz do incêndio em Losgar, caiu sobre eles; e às margens das águas de Mithrim foi travada a primeira batalha na Terra-média ...

Essa é a história de Lammoth contada (por volta da mesma época) no *Conto de Tuor* tardio (*Contos Inacabados*, pp. 43–4):

> Pois, apesar de não saber, Tuor havia chegado às Montanhas Ressoantes de Lammoth em torno do Estreito de Drengist. Lá, certa vez no passado distante, Fëanor aportara vindo do mar e as vozes de seu povo cresceram em poderoso clamor nas costas do Norte, antes que a Lua se erguesse.

Quanto à história muito posterior e aparentemente distinta de que Lammoth era assim chamada porque os ecos do grito de Morgoth eram despertados por "qualquer um que gritasse naquela terra", ver X. 359, §17 e comentário, e *Contos Inacabados*, p. 81. Ambas as "tradições" foram incorporadas ao *Silmarillion* publicado, pp. 120, 154.

No final desse parágrafo, meu pai escreveu a lápis no manuscrito: "Ele [Fëanor] dá a pedra verde a Maidros", mas então anotou que isso na verdade não devia ser inserido; ver §97 abaixo.

§90 "e não estavam dispostos a partir, não importando o que ele fizesse" > "... não importando o que ele fizesse, estando presos ao seu juramento". Esse acréscimo não está presente no QT 1, ao passo que a pessoa que datilografou o QT 2, incapaz de ler a primeira palavra, escreveu "Mantiveram-se firmes ao seu juramento", e o trecho permaneceu assim.* Cf. AC §50.

§91 "o Sol nasceu flamejante no Oeste" > "o Sol nasceu flamejante acima das sombras" (ausente do QT 1).

"e de bem que é feito do mal, como ainda acontece" foi removida.

§93 "os ares claros daquelas primeiras manhãs" > "os ares claros nas primeiras manhãs do mundo".

§94 Um subtítulo foi escrito a lápis na margem no início desse parágrafo: *De Fingon e Maeðros* (aparentemente escrito *Maidros* de início: ver p. 138, §61). Esse subtítulo, que não se encontra no QT 1, foi incorporado ao QT 2.

Na segunda frase, "o mais renomado" > "o mais honrado" (ausente do QT 1).

Às palavras "pois a ideia dos tormentos deste lhe inquietava o coração" foi acrescentado (ausente do QT 1): "e muito antes, na ventura de Valinor, antes que Melkor fosse desacorrentado ou que mentiras se pusessem entre eles, Fingon tivera amizade estreita com Maedros". Cf. AC §61 e comentário (p. 138).

§95 "para os Gnomos banidos!" > "para os Noldor em sua necessidade!"

*No original, os trechos são *being held by their oath* [estando presos ao seu julgamento] e *They held by their oath* [Mantiveram-se firmes ao seu juramento], onde a diferença é apenas na palavra lida de maneira errônea (*They* em vez de *being*), suficiente para mudar o sentido da frase, mesmo a forma verbal (*held*) sendo uma só. [N.T.]

§97 Uma nova página no manuscrito do QS começa com a abertura desse parágrafo, e no alto da página meu pai escreveu a lápis: "A Pedra Verde de Fëanor dada por Maidros a Fingon". Essa dificilmente pode ser outra coisa que não uma referência à *Elessar* que no fim chegou a Aragorn; cf. a nota fornecida em §88 acima que faz menção a Fëanor dando a Pedra Verde a Maidros à beira da morte. Acredito estar claro que meu pai nessa época estava ponderando a história prévia da *Elessar*, que surgira em *O Senhor dos Anéis*; para as suas ideias tardias acerca da origem dela, ver *Contos Inacabados*, pp. 338–43.

§98 "(Portanto, a casa de Fëanor passou a ser chamada a dos Despossuídos,) devido à sentença dos Deuses que entregou o reino de Tûn [*posteriormente* > Túna] a Fingolfin, e devido à perda das Silmarils" foi alterada (mas a mudança não está presente no QT 1) para: "… (como Mandos previra) porque a soberania passou dela, a mais velha, para a casa de Fingolfin, tanto em Elendë quanto em Beleriand, e também por causa da perda das Silmarils".

Com as palavras "como Mandos previra", cf. AAm §153 (X. 149); e quanto ao conteúdo do parágrafo, ver p. 138-9, comentário a AC §§65–71.

§99 No final do parágrafo, após "[Thingol] não confiava que o recuo de Morgoth fosse durar para sempre", foi acrescentado: "tampouco esqueceria por completo os feitos em Alqualondë, devido ao seu parentesco ancestral com [Elwë >] Olwë, senhor dos Teleri". Quanto à alteração de *Elwë* para *Olwë*, ver X. 210-1.

§100 "em regiões inexploradas" > "em terras ignotas".

§101 Essa passagem acerca do descobrimento de Nargothrond e Gondolin foi expandida em três estágios. A primeira alteração no QS substituiu a frase "Mas Turgon foi sozinho para lugares ocultos" da seguinte forma:

> Contudo, Galadriel, sua irmã, jamais foi a Nargothrond, pois ela permaneceu por muito tempo em Doriath e recebeu o amor de Melian, e habitou com ela e lá aprendeu grande saber e sabedoria. Mas o coração de Turgon recordava-se antes da cidade branca de Tirion sobre a sua colina, e de sua torre e árvore, e ele viajou sozinho para lugares ocultos...

Subsequentemente, QS §101 foi riscado por inteiro e substituído pelo seguinte adendo em uma folha separada. Este foi inserido no primeiro texto datilografado QT 1, mas em uma forma um tanto diferente do adendo ao manuscrito, que foi seguido no QT 2 e é apresentado aqui.

> E, certa vez, veio a se dar que Inglor e Galaðriel eram hóspedes de Thingol e Melian; pois havia amizade entre o senhor de Doriath e a Casa de Finrod que lhe era aparentada, e somente os príncipes daquela casa tinham permissão de atravessar o cinturão de Melian. Então Inglor ficou cheio de assombro diante da fortaleza e majestade de Menegroth, com seus tesouros e arsenais e seus salões de muitos pilares de pedra; e entrou em seu coração que construiria vastas câmaras detrás de portões sempre vigiados em algum lugar fundo e secreto sob os montes. E abriu seu coração a Thingol, e, quando partiu, Thingol ofereceu-lhe guias, e eles o conduziram para o oeste por sobre o Sirion. Assim foi que Inglor achou a ravina profunda do Rio Narog, e as cavernas em sua íngreme margem oposta; e construiu lá uma praça-forte e arsenais à moda das mansões de Menegroth. E ele chamou aquele lugar Nargothrond, e lá fez seu lar com muitos de seu povo; e os Gnomos do Norte, de início em chiste, chamaram-no, por isso, de Felagund, ou "senhor de cavernas", e esse nome ele portou dali por diante até seu fim. Contudo, Galaðriel, sua irmã, jamais habitou em Nargothrond, mas permaneceu por muito tempo em Doriath e recebeu o amor de Melian, e habitou com ela, e lá aprendeu grande saber e sabedoria acerca da Terra-média.

A afirmação de que "Galaðriel jamais habitou em Nargothrond" contradiz o que é dito em AC §108 (p. 59), que no ano 102, quando Nargothrond foi concluída, "Galadriel veio de Doriath e habitou lá por algum tempo". — Até esse ponto as duas formas do adendo diferem apenas em alguns detalhes de fraseado, mas aqui elas divergem. A segunda forma, no QT 2, continua:

> Ora, Turgon recordava antes a Cidade posta sobre um Monte, Tirion, a bela, com sua Torre e Árvore, e não achou

o que procurava, e retornou a Nivrost e assentou-se em paz em Vinyamar, à beira-mar. Lá, depois de três anos, o próprio Ulmo lhe apareceu e ordenou que partisse outra vez, sozinho, para o Vale do Sirion; e Turgon partiu e, guiado por Ulmo, descobriu o vale oculto de Tumladen, nas montanhas circundantes, no meio do qual havia uma colina de pedra. Disso não falou a ninguém, por ora, mas retornou a Nivrost e lá começou, em segredo, a traçar o plano de uma bela cidade [*riscado:* um memorial de Tirion sobre Túna, pela qual seu coração ainda ansiava no exílio, e embora ponderasse muito em pensamento, ele]

Para esse trecho de encerramento, o QT 1 retorna à primeira reescrita apresentada no início dessa discussão de QS §101, "Mas o coração de Turgon recordava-se antes da cidade branca de Tirion sobre a sua colina ...". A explicação das diferenças nas duas versões deve ser a de que uma primeira forma do adendo (não preservada) foi incorporada ao QT 1, e que, subsequentemente, uma segunda versão foi inserida no manuscrito do QS em seu lugar e, dessa forma, usada no QT 2.

Esse texto substituto para QS §101 tem estreita relação com AC §§75–6 (p. 50); e, visto que em seu verso há um rascunho rejeitado do anal substituto para o ano 116 nos AC (§§111–13, pp. 60-1), que também diz respeito a Gondolin, está claro que meu pai estava trabalhando na história das origens de Nargothrond e Gondolin no *Silmarillion* e nos *Anais* ao mesmo tempo. Ver abaixo, pp. 245 ss.

§102 No início desse parágrafo, um subtítulo *Da Dagor Aglareb* foi escrito a lápis no manuscrito, mas não foi inserido em nenhum dos textos datilografados.

"as Montanhas Azuis" > "Eredluin, as montanhas azuis".

"a segunda grande batalha" > "a terceira grande batalha": ver p. 141, §77.

★

Algumas correções foram feitas em uma das cópias, ou em ambas, do QT 2. Além das listadas abaixo, *Inglor* foi alterado para *Finrod* e *Finrod* para *Finarphin* ou *Finarfin* ao longo do texto.

§92 *Túna* > *Tirion.*

§98 "(a rixa) foi sanada" > "foi amenizada".

§99 "Elfos-escuros da raça teleriana" > "Elfos-escuros, os Sindar da raça teleriana".

§100 No início desse parágrafo meu pai inseriu um título e número novos para o capítulo: XIII *A Fundação de Nargothrond e Gondolin*; o capítulo seguinte, *De Beleriand e seus Reinos*, recebeu o número XIV no QT 2.

*Nivrost* > *Nevrast* (e subsequentemente); a primeira aparição da forma tardia do nome (sua aparição no *Conto de Tuor* tardio foi fruto de uma alteração editorial).

§101 Ao lado do nome *Felagund*, meu pai escreveu esta nota: "Esse na verdade era um nome anânico; pois Nargothrond fora feita pela primeira vez pelos Anãos, como é recontado mais tarde". Um importante texto constituinte entre os papéis do *Narn* é um "resumo de enredo" que começa com a fuga de Túrin de Doriath e segue de modo puramente narrativo em um longo relato das relações de Túrin com Finduilas e Gwindor em Nargothrond (que, com alguns desenvolvimentos editoriais, foi apresentado em *Contos Inacabados*, pp. 215–21). Nesse texto, é dito o seguinte acerca de Mîm, o Anão-Miúdo:

> Mîm passa a ter um apreço curioso por Túrin, que aumenta quando descobre que Túrin teve problemas com os Elfos, os quais ele detesta. Ele diz que os Elfos causaram o fim de sua raça e que tomaram todas as suas mansões, especialmente Nargothrond (*Nulukhizidûn*).

Acima desse nome anânico meu pai escreveu *Nulukkhizdīn* (esse nome foi usado, com a grafia errada, em *O Silmarillion*, p. 309).

§104 *Glómund* > *Glaurung*. No alto da página no QS meu pai escreveu "*Glaurung* no lugar de *Glómund*", mas o texto datilografado do QT, tal como composto, diz *Glómund* — enquanto *Glaurung* já aparece nos *Anais Cinzentos* conforme escritos inicialmente.

## 11. DE BELERIAND E SEUS REINOS

No Volume V (p. 497), escrevi o seguinte trecho acerca do segundo mapa do *Silmarillion*:

> O segundo mapa da Terra-média a oeste das Montanhas Azuis nos Dias Antigos também foi o último. Meu pai jamais fez outro; e no decorrer de muitos anos esse mapa acabou completamente coberto por alterações e acréscimos de nomes e elementos, e destes não são poucos os feitos a lápis de maneira tão apressada ou que se encontram quase apagados a ponto de se tornarem mais ou menos obscuros. ...
>
> Entretanto, é possível perceber facilmente o elemento original no mapa pela pena elegante e cuidadosa (todas as alterações subsequentes foram feitas de forma descuidada); e apresento aqui em quatro páginas consecutivas uma reprodução do mapa *como foi originalmente desenhado e rotulado*. ...
>
> O mapa se encontra em quatro folhas, originalmente coladas umas nas outras, mas que agora estão separadas, nas quais os quadrados do mapa não coincidem inteiramente com elas. Nas minhas reproduções, segui os quadrados em vez das folhas originais. Numerei os quadrados horizontalmente de um lado ao outro do mapa de 1 a 15, e os rotulei verticalmente de A a M, de maneira que cada quadrado possui uma combinação diferente de letra e número para referências subsequentes. Espero mais tarde fornecer um relato de todas as alterações feitas posteriormente no mapa, usando esses desenhos refeitos como base.

Farei isso agora, antes de me voltar para as alterações feitas no capítulo *De Beleriand e seus Reinos*. Nas páginas seguintes estão reproduzidos os mesmos quatro desenhos refeitos como fornecidos em V. 498–501, mas com os acréscimos e alterações subsequentes (os casos em que não consigo interpretar de modo algum a escrita a lápis quase apagada simplesmente foram ignorados). Correções dos nomes (como *Nan Tathrin* > *Nan Tathren*, *Nan Dungorthin* > *Nan Dungortheb*, *Rathlorion* > *Rathloriel*) são substituídas, não mostradas como correções. É preciso lembrar que, como eu disse, todas as alterações tardias foram feitas de maneira descuidada, algumas delas meras indicações rabiscadas, e também que foram feitas em muitas épocas diferentes, a lápis, lápis de cor, à tinta azul, preta e vermelha e com caneta esferográfica vermelha, verde e azul; de modo que a aparência do mapa original é muito diferente da desses desenhos refeitos. No entanto, mantive tão precisamente quanto possível a posição dos novos nomes escritos em quase todos os casos.

Segue-se aqui uma lista, quadrado a quadrado, de características e nomes onde alguma explicação ou referência parece ser desejável; mas esse de modo algum é um inventário completo de todas as alterações e acréscimos posteriores, muitos dos quais não precisam de comentários.

### *1 Seção noroeste (p. 225)*

(1) A4–5 A cadeia de montanhas é uma mera linha em ziguezague traçada num único movimento, assim como as montanhas em A7 (que se estendem a leste até os picos que circundam as Thangorodrim na seção 2, A8).

(2) B4 a C4 O nome *Dor-Lómen* foi rabiscado de modo quase ilegível; parece sugerir uma extensão de Dor-Lómen para o norte.

(3) B7 a C7 O nome que começa por *Fen* [Pântano] continua na Seção 2, B8 *of Rivil* [do Rivil], alterado para *of Serech* [de Serech] (ver p. 136, comentário a AC §44). Uma seta, não inserida no desenho refeito, aponta para três pontos acima da confluência do Rivil como indicação do Pântano.

(4) C1 Não consigo elucidar o nome *Ened* para a ilha no oceano.

(5) C3 Parece provável que o nome *Falasquil* fazia referência à pequena baía arredondada, pintada de preto, na costa sul da grande baía que leva ao Estreito de Drengist. Quanto ao reaparecimento notável desse nome antigo, ver p. 416-7.

(6) C4 A lacuna claramente marcada no rio que deságua no Estreito de Drengist representa a sua passagem subterrânea; compare o nome *Annon Gelyð* com *Annon-in-Gelydh* (o Portão dos Noldor) no *Conto de Tuor* tardio, *Contos Inacabados*, p. 36. A ravina de *Cirith Ninniach* é descrita na mesma obra (*ibid.*, p. 43). O curso superior do rio está traçado muito tenuamente a lápis de maneira incerta, mas parece claro que nasce nas Montanhas de Mithrim (*ibid.*, p. 39).

(7) C6 Para o pico escurecido e marcado *Amon Darthir*, com Morwen ao lado dele, ver *Contos Inacabados*, onde é dito (p. 102) que o riacho Nen Lalaith "descia de uma nascente sob a sombra de Amon Darthir", e (p. 89) que "descia cantando dos morros, passando perto dos muros da casa de [Húrin]".

(8) C6 a D7 Para o rio *Lithir*, ver p. 319.

(9) C7 Para o riacho (Rivil) que deságua no Sirion, ver Seção 2, C8.

## Seção noroeste

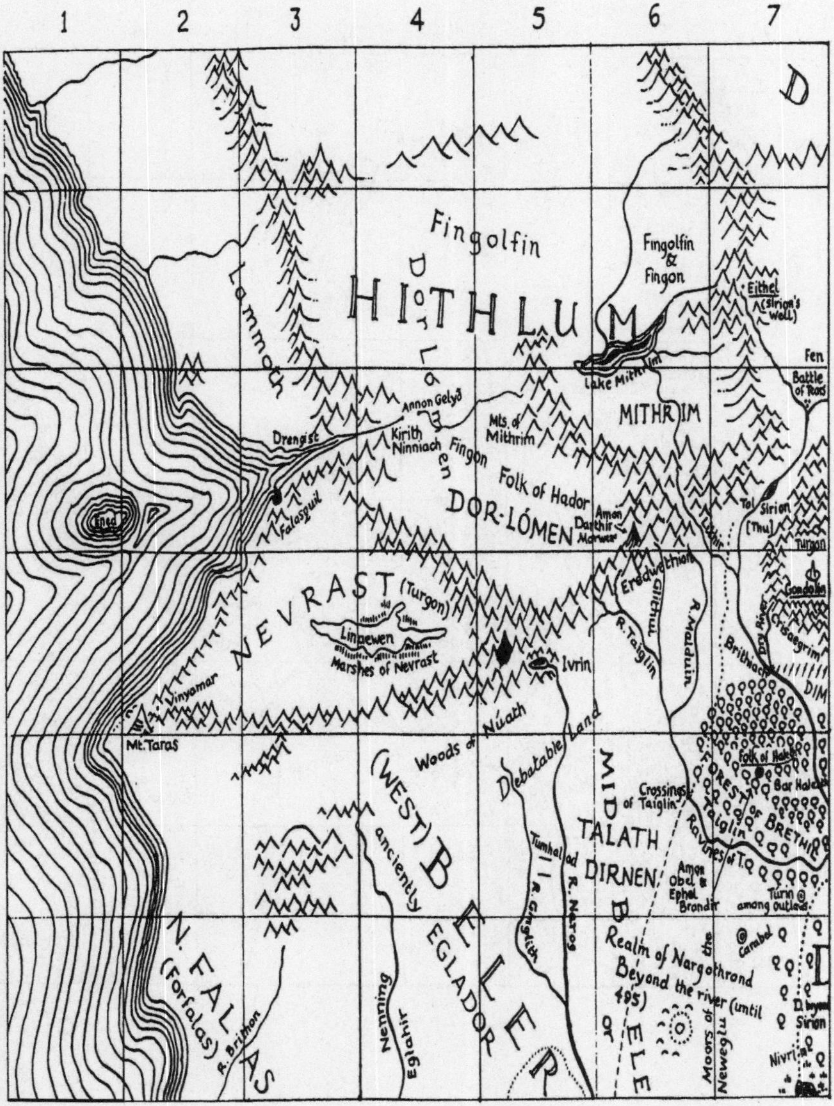

## Seção nordeste

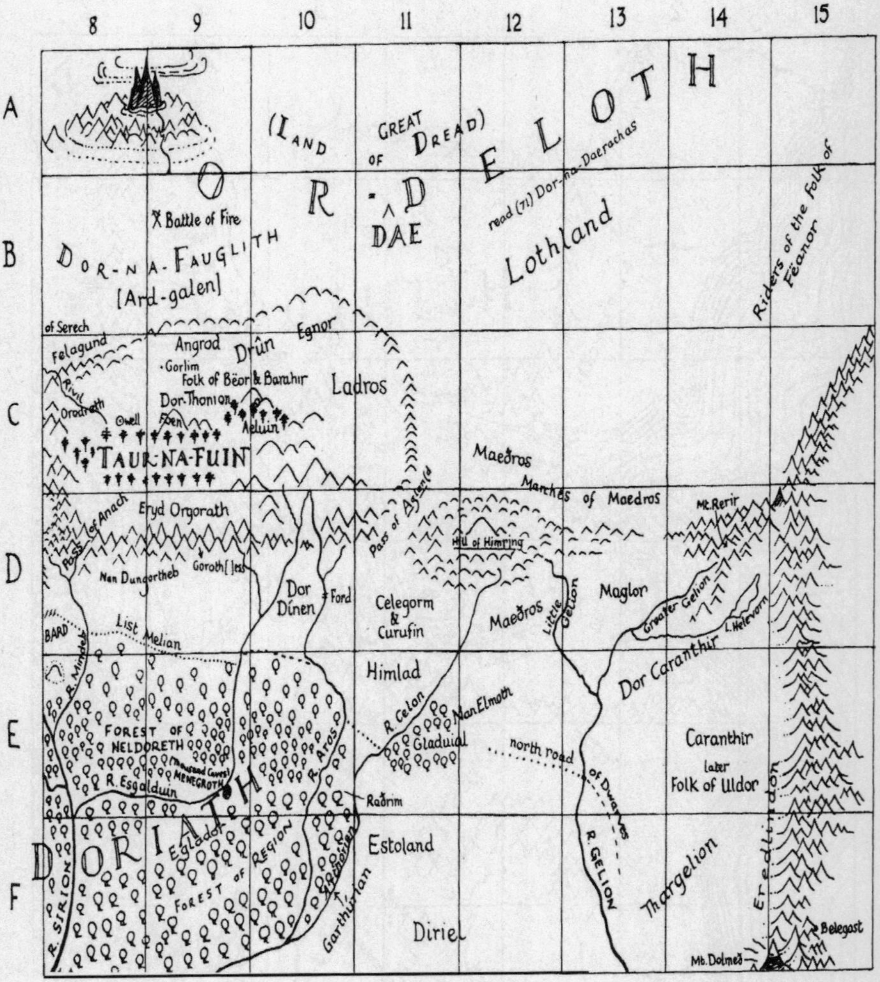

## Seção sudoeste

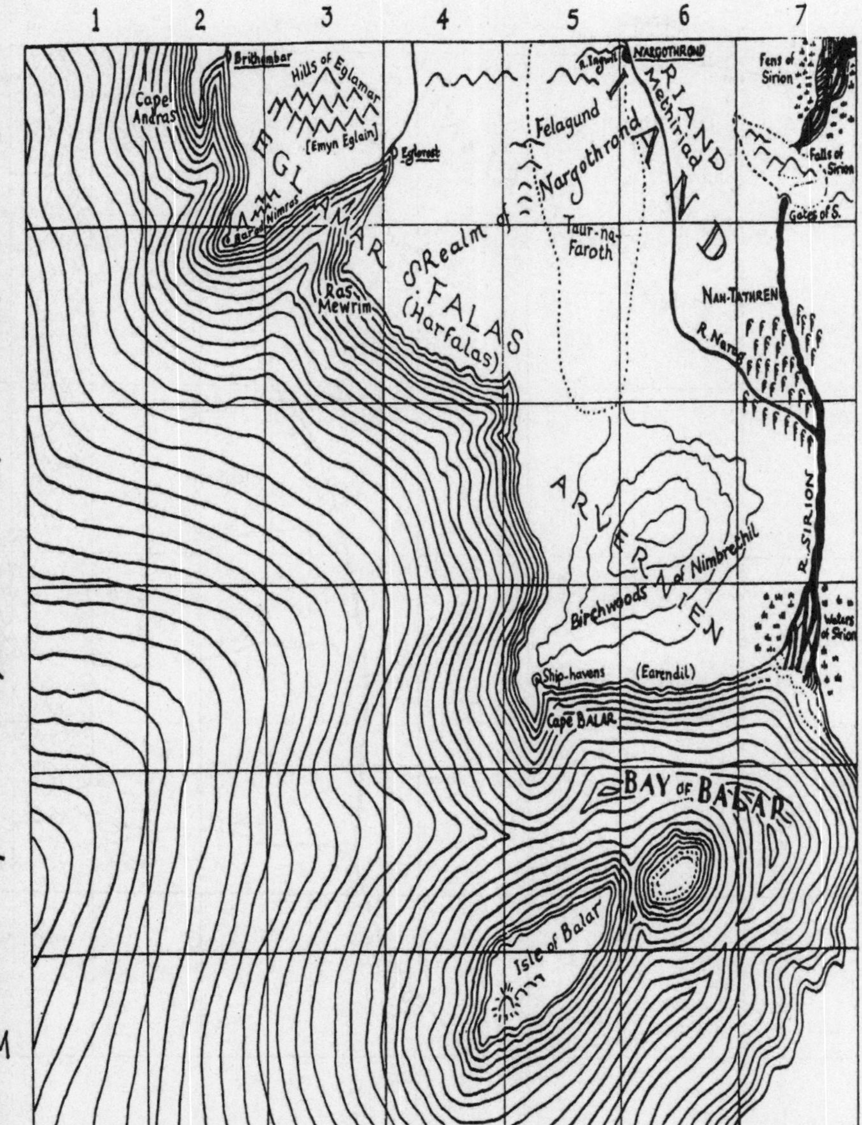

## Seção sudeste

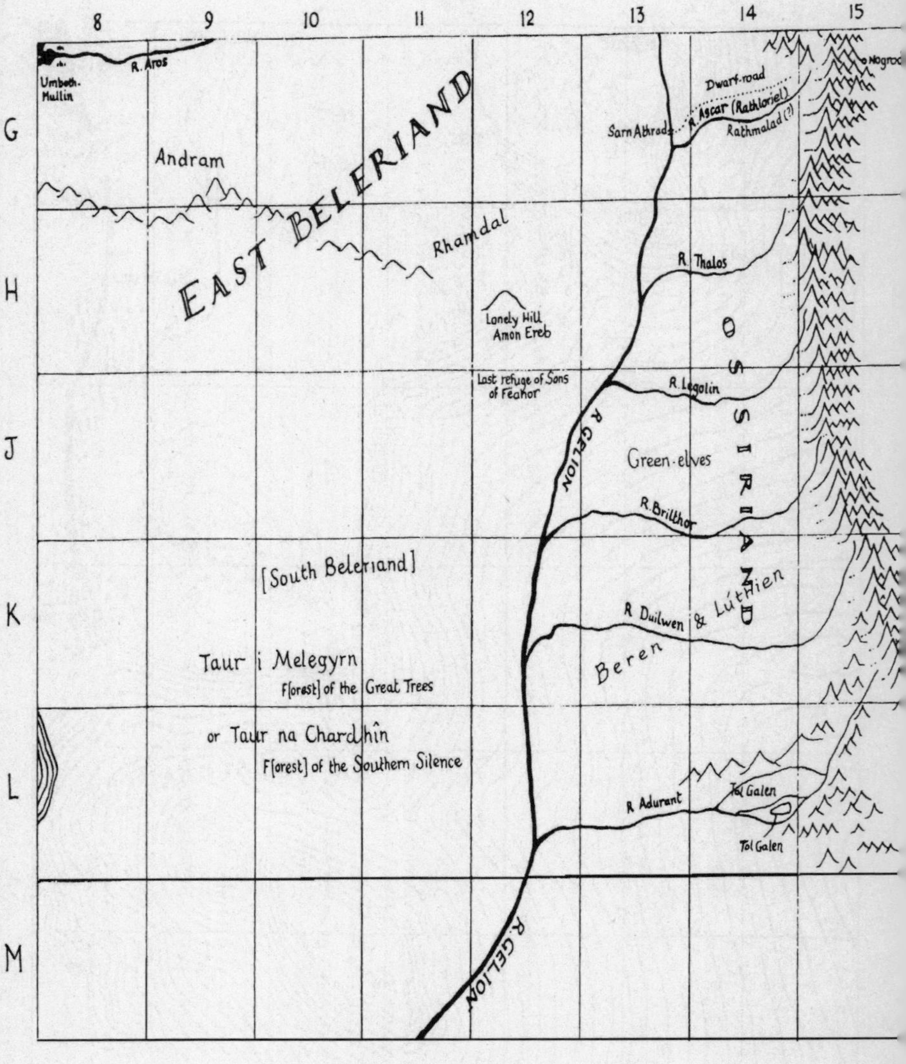

(10) D2–4 Tanto *Nevrast* como os *Marshes of Nevrast* [Charcos de Nevrast] foram primeiramente escritos como *Nivrost* (ver p. 222, §100). Quanto ao Lago Linaewen e os charcos, ver p. 236 e *Contos Inacabados*, p. 45.

(11) D6 Para o rio *Glithui*, ver *Contos Inacabados*, p. 63 e nota 16, e p. 102. Na primeira dessas passagens (o *Conto de Tuor* tardio), o nome é *Glithui* como no mapa, mas, na segunda (o *Narn*), está grafado *Gilthui* de modo igualmente claro. Para *Malduin*, ver *Contos Inacabados*, p. 63 e *O Silmarillion*, p. 277.

(12) D7 A linha de pontos que se estende a leste a partir do Brithiach foi riscada como mostrado; ver Seção 2, §38. Para o vau de Brithiach, ver p. 279, §28.

(13) D7 *Dim* é a primeira parte do nome *Dimbard*: ver Seção 2, D8.

(14) E4 a F4 *anciently Eglador* [antigamente Eglador]: *Eglador* era o nome original Doriath, "terra dos Elfos" (ver as *Etimologias*, V. 429, radical ELED, e foi inserido dessa forma no mapa (Seção 2, F9). Para o seu sentido tardio, "terra dos *Eglain*, o Povo Abandonado, os Sindar", ver p. 233, §57; e aqui *Eglador* é usado com uma referência muito mais ampla: as partes ocidentais de Beleriand (ver pp. 457-8). Isso talvez esteja relacionado à afirmação em *O Conto dos Anos* (pp. 343–4), "Os Eldar da vanguarda chegam às regiões costeiras da Terra-média e àquela região que mais tarde foi chamada de Eglador" — à qual, no entanto, é acrescentada a intrigante frase "Dela Beleriand era a maior parte".

(15) E4 a D5 *Woods of Núath* [Bosques de Núath]: ver o *Conto de Tuor* tardio, *Contos Inacabados*, p. 61 e nota 14.

(16) E5 O nome *Tumhalad* parece estar escrito duas vezes, acima e abaixo das duas linhas paralelas curtas mostradas. Ver pp. 169-70, comentário a AC §275.

(17) E5–6 *Talath Dirnen* foi escrito inicialmente *Dalath Dirnen*; ver p. 279, §28.

(18) E6 a F6 Ao sul das Travessias do Taiglin é difícil ter certeza, entre várias linhas pontilhadas incompletas, de qual era o trajeto da estrada até Nargothrond, mas parece que meu pai subsequentemente a inseriu como uma linha reta de traços curtos como mostrado.

(19) E6–7 Várias linhas, que não consigo interpretar com certeza e não marquei no mapa, seguem para oeste de Ephel

Brandir na direção das Travessias do Taiglin. Possivelmente uma linha marca a estrada para as Travessias e outra, o curso do Celebros. — *Tavrobel* no mapa como originalmente rotulado foi riscado e substituído por *Bar Haleth* (também riscado), mas nenhum local preciso está indicado. Para *Bar Haleth*, ver p. 193, comentário a AC §324.

(20) E7 *Folk of Haleth* [Gente de Haleth] claramente pertence ao primeiro desenho do mapa e deveria ter sido inserido na versão refeita (V. 498).

(21) F2 O nome *Forfalas* ("Falas Norte") parece não ocorrer em nenhum outro lugar, assim como *Harfalas* ("Falas Sul"), Seção 3, H4.

(22) F4 O nome original *R. Eglor* foi riscado e substituído por *Eglahir*. Posteriormente, o nome *Nenning* foi escrito, mas *Eglahir* não foi riscado. Ver p. 142, comentário a AC §85.

(23) F Para a linha pontilhada nesse quadrado, ver §59 abaixo.

(24) F6 A palavra "or" [ou] refere-se ao nome *Methiriad*, Seção 3, G6.

(25) F6 Para a mudança da data de 195 para 495, ver V. 167, 497.

(26) F6–7 *Moors of the Neweglu* [Charnecas dos Neweglu]: entre os papéis do *Narn*, há muitos textos acerca da história de Mîm, e nesses encontram-se uma gama extraordinárias de nomes para os Anãos-Miúdos: *Neweg*, *Neweglîn*; *Niwennog*; *Naug-neben*, *Neben-naug*; *Nebinnog*, *Nibennog*, *Nibinnogrim*, *Nibin-noeg*; *Nognith*. O nome no mapa, *Neweglu*, não ocorre nos papéis do *Narn*.

(27) F7 O nome de um monte isolado, *Carabel*, encontra-se no ponto em que *Amon Rûdh* (a morada de Mîm) é mostrado no meu mapa que acompanha *O Silmarillion*. O nome do monte foi alterado muitas vezes: *Amon Garabel* > *Carabel*; *Amon Carab* (traduzido "Monte do Chapéu"); *Amon Narðol* e *Nardol* (cf. a colina-do-farol *Nardol* em Anórien); *Amon Rhûg* "o Monte Calvo"; e *Amon Rûdh* com o mesmo significado.

(28) F7 Para *Nivrim*, ver QS §110 (V. 311).

## *2 Seção nordeste (p. 226)*

(29) B8 *(Fen) of Serech* [Pântano de Serech]: ver Seção 1, §3.

(30) B12 a A 13 "read [leia-se] (71) *Dor-na-Daerachas*": o número 71 estranha, mas certamente, refere-se ao ano 1971;

o acréscimo é muito tardio, uma vez que não aparece na fotocópia usada por meu pai c. 1970 (ver p. 399 e nota 1, também p. 235-6, após §74).

(31) B12–13 *Lothland*: ver p. 156, comentário a AC §§173–4,

(32) C9 A montanha de nome *Foen*: em um fragmento filológico de data incerta, afirma-se que Dorthonion "também era chamada de *Taur-na-Foen*, a Floresta da Foen, pois esse era o nome (que significa 'Longa Visão') da alta montanha no centro daquela região".

(33) C9–10 *Drûn*: cf. a forma tardia da *Balada de Leithian*, III. 401, verso 520: "em Ladros luta, fogo em Drûn" (ver comentário, III. 407).

(34) C10–11 Para menções a *Ladros*, ver p. 275 e §33 acima; também *Contos Inacabados*, pp. 103–4, onde Túrin é chamado "herdeiro de Dor-lómin e Ladros".

(35) C11 No lado esquerdo do quadrado, meu pai escreveu *Orodreth* e subsequentemente o riscou. Essa disposição do território de Orodreth remonta à antiga história de que, dos filhos de Finrod (Finarfin) em Dorthonion, "a leste de tudo habitava Orodreth, o mais próximo de seus amigos, os filhos de Fëanor" (AB 1, IV. 387).

(36) C12 *Maeðros* foi corrigido de *Maiðros*, assim também em D12; na *Marches of Maidros* [Marcas de Maidros] original, o nome foi corrigido para *Maedros*.

(37) D8 *bard* é o segundo elemento de *Dimbard* (ver Seção 1, D7). O nome certamente foi escrito assim, com um *-d* final, mas em outros lugares a forma é sempre *Dimbar*.

(38) D8–9, E9–10 A linha de pontos marcada como *List Melian* foi riscada a alguma distância a leste do Brithiach, como mostrado (ver Seção 1, D7), e a sua extensão descontínua entre o Esgalduin e o Aros foi inserida posteriormente e de maneira mais descuidada. Quanto ao significado dessas linhas pontilhadas, ver p. 403, e para o nome *List Melian* (o Cinturão de Melian), ver pp. 273, 280.

(39) D9 *Eryd Orgorath* parece ter sido escrito assim, e acima dele aparentemente *Gorgorath*, mas as formas são muito difíceis de se decifrar.

(40) D9 *Goroth*[ ]*ess*: a letra ilegível nesse nome (que foi riscado) totalmente desconhecido pode ser um *r*.

(41) D9 Para a ponte do Esgalduin marcada no mapa publicado (e chamada *Iant Iaur*) na posição equivalente ao canto sudeste de D9, ver pp. 402-3.

(42) D10 Para *Dor Dínen*, ver pp. 239, 403.

(43) D10 É possível demonstrar que o *Ford* [Vau] sobre o Aros é um acréscimo muito tardio ao mapa: ver p. 410, nota 6.

(44) D11 *Pass of Aglon(d* [Passo do Aglon(d]: para as formas *Aglon* e *Aglond*, ver p. 409, nota 3.

(45) D14 *Mt. Rerir*: em QS §114 (V. 313) é dito que o Grande Gelion vinha do Monte Rerir (a primeira ocorrência do nome); à volta dele havia "muitas elevações menores" (§118), e em suas encostas ocidentais foi construída uma fortaleza noldorin (§142). O mapa foi feito antes do surgimento do Monte Rerir, e meu pai se contentou em escrever o nome ao lado da montanha não especialmente conspícua próxima ao final da linha que demarca o Grande Gelion.

(46) E8 a D8 O nome *R. Mindeb* foi escrito no mapa durante a sua criação, mas foi inadvertidamente omitido da minha versão redesenhada (V. 499).

(47) E11 *Himlad*: quanto ao significado do nome, e a razão para ele, ver p. 402 e nota 4.

(48) E11 *Gladuial*: não encontrei esse nome em nenhum outro lugar.

(49) E11 *Raðrim*: a linha direcionando o nome à terra arborizada entre o Aros e o Celon está traçada a lápis e quase apagada no mapa. *Raðrim* não ocorre em nenhum texto narrativo, mas se encontra nas *Etimologias* (V. 464–5, radicais RAD e RĪ: "*Radhrim* Marca-leste (parte de Doriath)".

(50) E12–13, F13 As palavras "north road of Dwarves" [estrada norte dos Anãos] estão quase apagadas e borradas, mas essa parece ser a única interpretação possível. Quanto à questão extremamente intrigante das estradas-anânicas em Beleriand Leste, ver pp. 404-7.

(51) E12 A palavra quase apagada a lápis na parte superior desse quadrado poderia ser interpretada como "Marshes" [Charcos].

(52) F9 *Eglador* escrito a lápis abaixo de *Doriath*: ver §14 acima.

(53) F10 *Arthórien*: ver pp. 135-6, comentário a AC §38; e o próximo item.

(54) F10 *Garthúrian* (que também poderia ser lido como *Garthúrien*): no texto citado em §32 acima é dito que "os Noldor amiúde usavam o nome *Arthúrien* para Doriath, embora essa seja apenas uma alteração do sindarin *Garthúrian*, 'reino oculto'".

(55) F11 *Estoland*: a grafia está clara, mas em todas as outras ocorrências do nome ela é *Estolad*.

### *3 Seção sudoeste (p. 227)*

(56) G2 *Cape Andras* [Cabo Andras] é mencionado em *Quendi e Eldar*, p. 457. Cf. *Andrast*, "Cabo Longo", no extremo oeste de Gondor (Índice Remissivo de *Contos Inacabados*).

(57) G3 a H3 Os nomes *Eglamar* (como aplicado aqui) e *Emyn Eglain* (ou *Hills of Eglamar* [Colinas de Eglamar]) não se encontram em qualquer texto narrativo. *Eglamar* é um dos nomes mais antigos do legendário de meu pai: junto com *Eldamar* de mesmo significado, "Lardelfos", ele se referia à terra dos Elfos em Valinor, sendo *Egla* "o nome dos Gnomo para os Eldar que moravam em Kôr" (ver I. 304, II. 407; também nas *Etimologias*, V. 429, radical ELED). Os nomes antigos *Eglamar*, *Eglador* e *Eglorest* (> *Eglarest*), não abandonados, foram posteriormente relacionados ao nome pelo qual os Sindar chamavam a si mesmos, *Eglath*, "o Povo Abandonado" (ver X. 113, 204). Em *Quendi e Eldar* (p. 442), a etimologia de *Eglain*, *Egladhrim* é fornecida — embora não seja a única aventada por meu pai; e posteriormente naquele ensaio (pp. 457-58) explica-se por que esses nomes eram encontrados na Falas entre o povo de Círdan. (Não consigo explicar a aplicação do nome *Eglamar* a Arthórien, o pequeno pedaço de terra no sudeste de Doriath entre o Aros e o Celon, na nota citada na p. 135, comentário a AC §38.)

(58) G4 O nome *Eglorest* do mapa conforme desenhado originalmente não foi emendado para a forma tardia *Eglarest*.

(59) G5–6, H5–6 A extensão da *Taur-na-Faroth* (ou *Altos Faroth*) está marcada pela linha pontilhada (que se estende um tanto a norte de Nargothrond na Seção 1, F5) como uma região muito ampla, mais ou menos no formato de uma pegada: cf. a representação dos Morros dos Caçadores no primeiro mapa do *Silmarillion* (Vol. IV, p. 261). Os pontos que

delineiam a parte mais meridional foram suprimidos, e linhas mais toscas (não representadas na versão redesenhada) que atravessam G5 (do centro-esquerdo ao canto inferior direito) sugerem uma redução da extensão dos planaltos. Ver mais em §65 abaixo.

(60) G5 O nome *Ingwil* não foi corrigido para a forma tardia *Ringwil* (ver p. 243, §112).

(61) G6 Não encontrei o nome *Methiriad* para "Beleriand Central" em nenhum outro lugar.

(62) H2 *Barad Nimras* substituiu *Tower of Tindabel* [Torre de Tindabel] (pulando o nome intermediário *Ingildon*): ver p. 244, §120.

(63) H3 O litoral a sudoeste de Eglarest foi estendido a um pequeno cabo chamado *Ras Mewrim*, um nome que não se encontra em nenhum outro lugar; em *Quendi e Eldar* (pp. 457-8) ele é chamado *Bar-in-Mŷl*, "Lar das Gaivotas".

(64) H4 *Harfalas*: ver §21 acima.

(65) J5–7, K5–6 Mencionei em §59 acima que a linha pontilhada que marca a extensão de Taur-na-Faroth foi posteriormente suprimida em sua parte meridional; mas a região elevada de *Arvernien* (claramente acrescentada ao mapa depois da linha pontilhada) aparece se estendendo através de um estreito até se unir à extremidade sul da Taur-na-Faroth como originalmente indicado: isto é, há uma grande cadeia de colinas que se estende desde a região próxima à costa sul, passando por esse "estreito" e chegando a um ponto um pouco ao norte de Nargothrond.

(66) K5–6 O nome Earendil em K6, embora separado, provavelmente tem seu lugar junto a *Ship-havens* [Portos-dos-navios] em K5. Cf. o início da canção de Bilbo em Valfenda:

> Eärendil foi um navegante
> errante desde Arvernien;
> buscou madeira pro navio
> em Nimbrethil e foi além …

## *4 Seção sudeste (p. 228)*

(67) G8–9, H8–11 A *Andram* está marcada apenas como uma linha tênue de pequenas curvas a lápis, mais vaga e indistinta do que na minha versão redesenhada.

(68) G11–13 Uma linha de traços vagamente marcada (não representada na versão redesenhada) segue para o oeste a partir de um ponto logo acima de *Sarn Athrad* em G13: ela talvez indique o trajeto da estrada-anânica após a passagem do Gelion. Essa linha se curva levemente para o noroeste através de G12 e sai de G11 pelo canto superior esquerdo, possivelmente reaparecendo na Seção 2, F10, onde (se isso estiver correto) alcança o Aros logo abaixo da confluência do Celon. Ver p. 404.

(69) G14 A correção de *Rathlorion* para *Rathloriel* foi uma alteração inicial (V. 497). Um nome abaixo, escrito rapidamente a lápis, é muito provavelmente *Rathmalad* (cf. o nome *Rathmallen* para esse rio em *O Conto dos Anos*, p. 353).

(70) H11–12 *Rhamdal*: essa grafia encontra-se em QS §142 (ao lado de *Ramdal* em §113, adotada em *O Silmarillion*) e nas *Etimologias*, V. 474, radical TAL; cf. *ibid.* V. 464, radical RAMBĀ, "noldorin *rhamb*, *rham*".

(71) K10–11 O nome rabiscado *South Beleriand* [Beleriand Sul] foi riscado.

(72) K9–11, L9–11 Quanto ao nome *Taur-im-Duinath* para a grande região arborizada entre o Gelion e o Sirion no *Silmarillion* e mapa publicados, ver p. 238, §108.

(73) L14–15 *Tol Galen*: o curso dividido do rio Adurant (de onde vem o seu nome, de acordo com as *Etimologias*, V. 420, radical AT(AT)) circundando a ilha de Tol Galen é mostrado de duas formas. A divisão menos extensa foi desenhada à tinta (parece que a própria forma oblonga representa a ilha e, nesse caso, a área entre ela e os dois cursos d'água talvez deva ser interpretada como uma terra ou charco muito baixo); a divisão muito maior, na qual o curso d'água norte divide-se do outro muito mais a leste e o reencontra muito mais a oeste, foi feita a lápis, junto com o nome. O nome *Tol Galen* foi escrito uma terceira vez (mais uma vez a lápis) de um lado ao outro da parte superior do quadrado M14.

(74) L14–15 As montanhas nesses quadrados, que se estendem ao norte até K15, foram desenhadas a lápis muito rapidamente, e aquelas ao norte de Tol Galen possivelmente foram suprimidas.

Na linha M ao pé do mapa encontram-se estas notas escritas a lápis (mais uma vez com o número 71, ver p. 230, §30): "Esses nomes de rio precisam ser revisados para palavras etimologizáveis. *Celon* deve ser removido. *Gelion* deveria ser *Duin Dhaer*". Quanto a essas alterações, ver pp. 407-8 e nota 10.

★

Passo agora para o desenvolvimento do capítulo *De Beleriand e seus Reinos*. A grande maioria das alterações feitas no texto do QS (Capítulo 9, V. 308–16, §§105–21) encontra-se no texto datilografado inicial QT 1, mas algumas não, e aparecem somente no QT 2: esses casos são mencionados no relato que se segue. Não registro as alterações *Melko* > *Melkor*, *Helkaraksë* > *Helkaraxë*, *Bladorion* > *Ard-galen*, *Eglorest* > *Eglarest*.

§105 Após as palavras "nos dias antigos" no final da primeira frase, a nota de rodapé a seguir foi acrescentada ao QS. Como de costume, a pessoa que datilografou o QT 1 inseriu a nota de rodapé ao corpo do texto, mas ela aparece como nota de rodapé no QT 2, e a pessoa que o datilografou mais uma vez estava trabalhando diretamente a partir do manuscrito.

> Esses assuntos, que não se encontram no *Pennas* de Pengolod, eu acrescentei e tirei do *Dorgannas Iaur* (o relato das formas das terras de outrora que Torhir Ifant compôs e é mantido em Eressëa), para que aqueles que assim desejarem possam compreender mais claramente, quiçá, o que posteriormente é dito de seus príncipes e suas guerras: disse Ælfwine.

Quanto ao *Pennas* de Pengolod, ver V. 238–41.

"Essas Melko erigiu nos dias antigos" > "Essas Melkor erigira em eras passadas".

§106 *Hísilóme* foi escrito na margem do manuscrito ao lado de *Hithlum* no texto (este segundo nome não foi riscado). Ele não se encontra no QT 1, mas o QT 2 possui "Hithlum (Hísilómë)" no texto.

*Eredlómin* > *as Eryd Lammad*. Essa forma (ausente do QT 1) não havia ocorrido antes, e (acredito) não se encontra em nenhum outro lugar: em §105, *Eredlómin* foi mantido sem alteração.

"E Nivrost era uma terra aprazível regada pelos ventos úmidos do mar, e abrigada do Norte, enquanto o resto de Hithlum era aberto aos ventos frios" foi riscado e substituído pelo seguinte trecho (que não aparece no QT 1):

> E Nivrost, segundo alguns, era considerada parte de Beleriand e não de Hithlum, pois era uma terra mais amena, regada pelos ventos úmidos do Mar e abrigada do Norte e do Leste, enquanto Hithlum era aberta a frios ventos setentrionais. Mas era uma terra baixa, cercada por montanhas e grandes encostas litorâneas, mais altas que as planícies atrás delas, e nenhum rio corria para lá. Donde havia um grande alagado no meio, sem margens certas, sendo cercado por amplos charcos. Linaewen era o nome daquele alagado, por causa da multidão de aves que habitavam ali, daquelas que amam caniços altos e poças rasas. Ora, à chegada dos Noldor, muitos dos Elfos-cinzentos (semelhantes àqueles da Falas) viviam ainda em Nivrost, perto das costas, e especialmente em volta do Monte Taras, no sudoeste; pois àquele lugar Ulmo e Ossë usavam vir nos dias de outrora. Toda aquela gente fez de Turgon seu senhor, e assim veio a acontecer que em Nivrost a mistura dos Noldor e dos Sindar começou mais cedo do que alhures; e Turgon habitou longamente naqueles salões, aos quais chamou Vinyamar, sob o Monte Taras, à beira do Mar. Foi lá que Ulmo mais tarde lhe apareceu.

Essa passagem introduziu diversos elementos novos: a topografia de Nivrost (as altas encostas do litoral estão representadas no segundo mapa como desenhado originalmente, p. 225), e o Lago Linaewen (que também aparece no *Conto de Tuor* tardio, *Contos Inacabados*, p. 45, com a mesma descrição de Nivrost como uma "terra baixa"); a vinda de Ulmo e Ossë ao Monte Taras em dias antigos; e a concepção de que Elfos sindarin habitavam em Nivrost próximo ao litoral e especialmente em volta do Monte Taras, e que fizeram de Turgon seu senhor com a chegada dos Noldor à Terra-média. A história tardia de que havia muitos Elfos-cinzentos entre o povo de Turgon aparece no anal reescrito do ano 116 nos AC (ver §§107, 113 e o comentário a essas passagens).

A nota de rodapé no manuscrito do QS, "Nome ilkorin", para a frase "o grande planalto que os Gnomos chamaram pela primeira vez de Dorthonion" foi riscada e, no texto, "Gnomos" foi alterado para "Elfos-escuros".

A extensão de Dorthonion de oeste a leste foi alterada de "cem léguas" para "sessenta léguas"; quanto a essa alteração, feita para harmonizar a distância com o segundo mapa, ver V. 324–5.

§107 A extensão do Sirion do Passo ao Delta foi alterada de "cento e vinte e uma léguas" para "cento e trinta e uma léguas". A antiga medida (ver V. 324) era a extensão do Sirion em uma linha reta da abertura setentrional do Passo ao Delta; a nova medida é de Eithel Sirion ao Delta.

§108 Uma nota de rodapé foi acrescentada à primeira ocorrência de *Eredlindon*:

> Que significa as Montanhas de Ossiriand; pois os Gnomos [Noldor no QT 2] chamaram aquela terra de Lindon, a região da música, e viram pela primeira vez essas montanhas a partir de Ossiriand. Mas o nome correto era Eredluin, as Montanhas Azuis, ou Luindirien, as Torres Azuis.

Essa nota, que pode remontar a uma época próxima da composição do QS, foi apresentada e discutida em V. 318, §108. As últimas cinco palavras foram riscadas no manuscrito e não aparecem no QT 1, e a pessoa que o datilografou colocou a nota de rodapé no corpo do texto e adulterou a passagem inteira que, no entanto, permaneceu sem correção. As palavras "disse Ælfwine" foram acrescentadas ao manuscrito no final da nota de rodapé, mas aparecem somente no QT 2.

"uma floresta enredada" > "Taur-im-Duinath, uma floresta enredada" (da terra entre o Sirion e o Gelion ao sul da Andram; ver §113 abaixo). No segundo mapa, essa região é chamada *Taur i Melegyrn* ou *Taur na Chardhîn* (ver p. 228).

"enquanto aquela terra perdurou" > "enquanto o reino deles perdurou".

§109 A extensão de Beleriand Oeste entre o Sirion e o Mar foi alterada de "setenta léguas" para "noventa e nove léguas", outra alteração em harmonia com a distância no segundo mapa (ver V. 324).

Em "o reino de Nargothrond, entre o Sirion e o Narog", "Sirion" foi alterado para "Taiglin".

§110 Tudo o que no QS veio após as palavras "primeiro as terras vazias" no início do parágrafo até "A seguir ao sul ficava o reino de Doriath" foi riscado e substituído pelo seguinte trecho em um adendo anexado:

> primeiro, entre o Sirion e o Mindeb, a terra vazia de Dimbar sob os picos das Crissaegrim, morada de águias, ao sul de Gondolin (embora isso não fosse sabido por muito tempo); então, entre o Mindeb e as águas a montante do Esgalduin, a terra-de-ninguém de Nan Dungorthin. E aquela região estava repleta de medo, pois de um de seus lados o poder de Melian cercava a marca-norte de Doriath, mas, do outro lado, os precipícios íngremes das Ered Orgoroth [> Orgorath], montanhas de terror, desciam da altaneira Dorthonion. Para lá Ungoliantë fugira dos açoites dos Balrogs, e habitara ali por algum tempo, enchendo as ravinas hediondas com sua treva mortal e, ali ainda, quando ela tinha desaparecido, sua prole imunda rastejava e tecia suas teias malignas; e as águas ralas que brotavam das Ered Orgoroth [> Orgorath] eram todas conspurcadas e perigosas de beber, pois os corações daqueles que as provavam ficavam cheios de sombras de loucura e de desespero. Todas as demais coisas vivas evitavam aquela terra, e os Noldor passavam por Nan Dungorthin só em grande necessidade, por caminhos perto das fronteiras de Doriath, e bem distantes das colinas assombradas.
>
> Mas caso se seguisse por aquele caminho, chegava-se rumando a leste do outro lado do Esgalduin e do Aros (e Dor Dínen, a terra silenciosa entre eles) nas Marcas Setentrionais de Beleriand, onde os filhos de Fëanor habitavam. Porém, o rumo sul levava ao reino de Doriath ...

Quanto ao nome *Crissaegrim* (que ocorre com a grafia *Crisaegrim* em AC §161), ver V. 346–7, §147. Nessa passagem há a primeira aparição de *Dor Dínen*, "a Terra Silenciosa" (acrescentada ao mapa, p. 226, quadrado D10). A história de que Ungoliantë habitou em Nan Dungorthin quando fugiu dos Balrogs aparece nos *Anais de Aman* (X. 140, 156; cf. também X. 360, §20).

"onde ele se voltava para o oeste" (com referência ao rio Esgalduin) > "onde este se voltava para oeste".

§111 A nota marginal ao nome Thargelion "ou Radhrost" foi alterada para "Radhrost na língua de Doriath".

"Essa região os Elfos de Doriath chamavam de Umboth Muilin, os Alagados do Crepúsculo, pois havia muitas brumas" > "Essa região os Noldor chamavam Aelinuial e os Elfos-escuros, Umboth Muilin, os Alagados do Crepúsculo, pois ficavam envoltos em brumas", e a nota de rodapé que fornece os nomes gnômicos Hithliniath e Aelin-uial foi riscada (assim no QT 1). Uma emenda posterior removeu as palavras "e os Elfos-escuros, Umboth Muilin" (assim no QT 2).

§112 A palavra inicial, "Pois", foi alterada para "Ora"; e, na frase seguinte, "Umboth Muilin" foi alterado para "Aelin-uial".

A passagem que começa com "Contudo, toda a planície inferior do Sirion" foi alterada para: "Contudo, todos os campos inferiores do Sirion eram divididos dos superiores por essa queda repentina, a qual, para alguém olhando do sul no rumo norte, aparecia como uma cadeia interminável de montes". Na frase seguinte, "O Narog atravessava para o sul em um desfiladeiro profundo > "O Narog atravessava esses montes em um desfiladeiro profundo". (Há um erro no texto dessa frase conforme publicada (V. 312): "na sua encosta oeste se erguia" deveria ser "na sua encosta oeste, a terra se elevava").[**]

§113 A última frase do parágrafo (e o início de §114) foi reescrito para:

> Mas até aquele tempo todas as vastas matas ao sul da Andram e entre o Sirion e o Gelion eram pouco conhecidas. Taur-im--Duinath, a floresta entre os dois rios, os Gnomos [no QT 2, Noldor] chamavam aquela região, mas poucos chegavam a se aventurar naquela terra selvática; e a leste dela ficava o país longínquo e verdejante de Ossiriand …

Quanto a *Taur-im-Duinath*, ver §108 acima.

[*]Isso foi corrigido em edições posteriores de *The Lost Road and Other Writings* e, consequentemente, já aparece na forma correta na tradução brasileira. [N.T.]

§114 No nome *Adurant* há uma nota de rodapé no texto do QS, a qual, como aquela em §108, pode pertencer a uma época relativamente antiga (ver as minhas observações no comentário, V. 319–20):

> E em um ponto quase no meio de seu curso a corrente do Adurant se dividia e depois se juntava de novo, encerrando uma bela ilha; e esta era chamada de Tolgalen, a Ilhota Verde. Ali Beren e Lúthien habitaram depois de seu retorno.

§115 A frase inicial do parágrafo foi reescrita assim: "Lá habitavam os Nandor, os Elfos da Hoste de Dân, que no princípio eram da raça teleriana, mas abandonaram seu senhor Thingol na marcha desde Cuiviénen ...". Quanto à primeira aparição do nome *Nandor*, um povo originalmente da hoste dos Noldor, ver X. 211, §28.

"Outrora o senhor de Ossiriand havia sido Denethor": "filho de Dân" foi acrescentado após "Denethor". Na mesma frase, "Melko" > "Morgoth".

É notável que a frase "nos dias em que os Orques pela primeira vez foram feitos" nunca tenha sido alterada.

Ao final do parágrafo foi acrescentado: "Razão pela qual os Noldor chamavam aquela terra de Lindon", com uma nota de rodapé "[O País da Música >] A Terra da Canção" (ver §108 acima); e "(Aqui termina a matéria tirada do *Dorgannas*)", sobre o qual ver §105 acima.

§116 Toda a segunda metade desse parágrafo, das palavras "Mas Turgon, o sábio, segundo filho de Fingolfin, manteve Nivrost", foi riscada e substituída pelo seguinte (que não aparece no QT 1):

> (Mas Turgon, o sábio ... manteve Nivrost), e lá governou uma gente numerosa, tanto Noldor como Sindar, por cem anos e dezesseis, até partir em segredo para um reino oculto, como se conta depois".

Essa passagem tem seu lugar com o longo trecho substituto em §106 apresentado acima que, da mesma forma, não aparece no QT 1.

§117 "Mas Angrod e Egnor vigiavam Bladorion" > "Seus irmãos mais novos Angrod e Egnor vigiavam os campos de Ard-galen".

§120 *Tindobel* (ver V. 321, comentário a QS §§119–20) > *Ingildon* (cf. AC §90 e comentário, p. 142).

★

Essas são todas as alterações (salvo por algumas poucas sem importância) feitas no manuscrito do QS. Diversas outras alterações adicionais foram feitas no original do texto datilografado tardio QT 2 (a cópia em papel carbono não foi tocada).

O número de capítulo "XIV" foi inserido (ver p. 222, §100); e no alto da primeira página meu pai escreveu: "Essa é uma inserção geográfica e política e pode ser omitida. Ela necessita de um mapa, do qual não tive tempo para fazer uma cópia". Isso soa como se ele estivesse preparando o texto datilografado QT 2 para alguém ver (cf. as palavras dele ao lado de §82 no capítulo "Dos Homens" no QT 2: "Isso depende de uma antiga versão na qual o Sol foi feito pela primeira vez após a morte das Árvores (descrita em um capítulo omitido)", p. 216); nesse caso, as palavras aqui "e pode ser omitida" muito mais provavelmente eram um conselho para o leitor presumido do que uma afirmação de intenção acerca da inclusão do capítulo em *O Silmarillion*.

§105 *Ered-engrin* > *Eryd Engrin*

"(Utumno) ... na extremidade oeste" > "no centro". Essa mudança de Utumno para o leste é sugerida na nota apressada escrita a lápis no texto do QT 2 do Capítulo 2, *De Valinor e as Duas Árvores*, no qual a história introduziu o fato de que Angband também foi construída nos dias antigos, "não distante da costa noroeste do Mar" (ver X. 195, §12, e o acréscimo feito a esse parágrafo, apresentado abaixo).

*Eredwethion* > *Erydwethrin* (e subsequentemente).

*Eredlómin* > *Erydlómin*. Em QT 2 §106, o nome das Montanhas Ressoantes é *Eryd Lammad*, seguindo a alteração feita no manuscrito do QS nesse ponto (p. 236), mas não aqui; e *Eryd Lammad* permaneceu assim.

A passagem "Detrás das muralhas delas, Melkor, ao voltar para a Terra-média, fez as masmorras infindáveis de Angband, os infernos de ferro, onde outrora Utumno estivera. Mas ele fez um grande túnel debaixo delas ..." foi emendada no QT 2 para:

> Detrás das muralhas delas, Melkor fizera também uma fortaleza (depois chamada Angband) como uma defesa contra o Oeste, caso algum ataque viesse de Valinor. Esta fortaleza estava sob o comando de Sauron. Ela foi capturada pelos Valar, e Sauron fugiu e escondeu-se; mas, na pressa de derrotar Melkor em sua grande cidadela de Utumno, os Valar não destruíram por completo Angband, nem vasculharam todos os seus lugares profundos; e para lá Sauron retornou e muitas outras criaturas de Melkor, e lá aguardavam em esperança pelo retorno de seu mestre. Portanto, quando retornou à Terra-média, Melkor fez sua morada nas masmorras infindáveis de Angband, os infernos de ferro; e ele fez um grande túnel debaixo delas ...

§106 *Nivrost* > *Nevrast* (e subsequentemente; ver p. 222, §100). A nota de rodapé à primeira ocorrência de *Nivrost*, "Que é Vale Oeste na língua de Doriath", foi riscada e substituída pelo seguinte texto:

> Que é "Costa de Cá" na língua sindarin, e o nome foi dado, no princípio, a todas as terras costeiras ao sul de Drengist, mas, mais tarde, limitava-se à terra cujas costas ficavam entre Drengist e o Monte Taras.

§108 Uma nota de rodapé foi acrescentada ao nome *Taur-im-Duinath* (um acréscimo tardio ao QS, p. 238): "Floresta entre os Rios (isto é, o Sirion e o Gelion)". Essa interpretação, na verdade, ocorre em uma reelaboração do texto do QS em um ponto posterior: p. 240, §113.

§110 As duas ocorrências de *Nan Dungorthin* na longa passagem substituta nesse parágrafo, apresentada nas pp. 238-9, foram substituídas pela forma tardia *Nan Dungortheb*.

§111 *Damrod e Díriel* > *Amrod e Amras*, e em §118; cf. X. 220.

A nota de rodapé revisada junto ao nome *Thargelion*, "Radhrost na língua de Doriath" (p. 240), foi riscada e não foi substituída (ver §118 abaixo).

*Cranthir* > *Caranthir*, e em §118; cf. X. 220, 225.

§112 *Taur-na-Faroth* > *Taur-en-Faroth* em ambas as ocorrências.

*Ingwil* (a torrente que se unia ao Narog em Nargothrond) > *Ringwil*.

*Inglor* > *Finrod* (e subsequentemente).

§117 *Finrod* > *Finarfin*.

§118 No final do parágrafo, *Dor Granthir* > *Dor Caranthir*; na nota de rodapé, a mesma mudança foi feita, e *Radhrost* foi substituído por *Talath Rhúnen*, permanecendo a tradução "o Vale Leste". Ver §111 acima.

§119 "Mas Inglor era Rei de Nargothrond e suserano dos Elfos--escuros dos portos ocidentais; e com seu auxílio Brithombar e Eglorest foram reconstruídos" foi reescrito assim:

> Mas Finrod era rei de Nargothrond e suserano de todos os Elfos-escuros de Beleriand entre o Sirion e o Mar, salvo apenas na Falas. Lá habitavam ainda aqueles dos Sindar que ainda amavam navios e o Mar, e tinham grandes portos em Brithombar e Eglarest. Seu senhor era Círdan, o Armador. Havia amizade e aliança entre Finrod e Círdan, e, com o auxílio dos Noldor, Brithombar e de Eglarest foram reconstruídos ...

Finrod (Inglor) perde agora a suserania dos Elfos da Falas, com o surgimento de Círdan, mas meu pai deixou de corrigir a passagem anterior no QS (§109) que dizia que "os Elfos-escuros dos portos ... tomaram Felagund, senhor de Nargothrond, como rei". A afirmação aqui em §119 está de acordo com o que é dito em AC §85 (ver também o comentário, p. 142).

§120 Na frase inicial desse parágrafo, o antigo nome *Tindobel* havia sido alterado para *Ingildon* (p. 242); ele agora foi alterado para *Nimras* (cf. *Barad Nimras*, a substituição de *Tower of Tindabel* [Torre de Tindabel] no segundo mapa, p. 234, §62).

Algumas das alterações feitas no QT 2 também foram feitas ao texto datilografado QT 1 muito mais antigo: *Ringwil* (§112), *Talath Rhúnen* (§118), *Nimras* (§120). Além disso, *Dor Granthir* foi corrigido para *Dor Cranthir* (§118), e a passagem acerca da suserania da Falas (§119) foi inserida, mas ainda com o nome *Inglor*: assim, essas alterações não foram feitas na mesma época que aquelas no QT 2, que possui *Dor Caranthir* e *Finrod*.

# 12. DE TURGON E DA CONSTRUÇÃO DE GONDOLIN

Esse capítulo curto em três páginas manuscritas, com esse título, mas sem número, foi inserido no manuscrito do QS após *De Beleriand e seus Reinos.*

Em um ponto anterior do manuscrito (§101 no capítulo *Do Cerco de Angband*), um longo adendo foi introduzido acerca da fundação de Nargothrond por Inglor e da descoberta de Gondolin por Turgon: ver pp. 218-21. Como expliquei lá, esse adendo foi preservado em duas formas parcialmente distintas, a primeira na antiga série do texto datilografado QT 1 e a segunda em uma folha inserida no manuscrito do QS (a partir da qual ele aparece no texto datilografado tardio QT 2). Não há dúvidas de que o novo capítulo (que não aparece na série QT 1) foi escrito na mesma época que a forma revisada desse adendo a §101, e é a essa forma que as palavras iniciais do novo capítulo ("Já se contou como, guiado por Ulmo ...") se referem. (Também comentei, p. 221, que no verso desse adendo há um rascunho rejeitado para o texto substituto do ano 116 nos *Anais Cinzentos,* §§111–13; quanto a isso, ver abaixo, ao final do terceiro parágrafo do texto.)

Não há necessidade de apresentar *De Turgon e da Construção de Gondolin* na íntegra, pois, como logo se verá, uma parte substancial dele já foi apresentada.

## De Turgon e da Construção de Gondolin

Já se contou como, guiado por Ulmo, Turgon de Nivrost descobriu o vale oculto de Tum-laden; e esse vale (como se soube depois) ficava a leste das águas a montante do Sirion, em um alto e íngreme círculo de montanhas, e nenhuma coisa viva vinha até lá, salvo as águias de Thorondor. Mas havia um caminho profundo sob as montanhas, escavado na escuridão do mundo por águas que corriam para se unir à torrente do Sirion; e esse caminho Turgon achou e, assim, chegou à planície verdejante em meio às montanhas e viu a colina-ilha postada lá, de pedra dura e lisa; pois o vale fora um grande lago em dias antigos. Então Turgon soube que achara o lugar de seu desejo e resolveu ali construir uma bela cidade, um memorial de Tirion sobre Túna, pela qual seu coração ainda ansiava no exílio. Mas retornou a Nivrost, e permaneceu lá em paz, embora ponderasse sempre, em seu pensamento, como haveria de realizar seu desígnio.

A conclusão desse parágrafo já havia sido usada, mas foi abandonada antes de ser concluída, no final do adendo a QS §101, p. 219-21.

Portanto, depois da Dagor Aglareb, a inquietação que Ulmo pusera em seu coração retornou a ele, e Turgon convocou muitos dos mais pertinazes e hábeis de seu povo, e os levou secretamente até o vale oculto, e lá começaram a construir a cidade que Turgon tinha imaginado em seu coração; e montaram vigilância à volta de toda a região para que ninguém de fora topasse com o trabalho deles, e o poder de Ulmo, que corria no Sirion, protegeu-os.

Nesse segundo parágrafo, meu pai estava seguindo e quase simplesmente copiando o registro revisado do ano 64 nos AC (§89); "o vale oculto" substituiu "Gondolin" dos AC porque Turgon agora não daria nome à sua cidade até que estivesse terminada.

Ora, Turgon habitava ainda, na maior parte do tempo, em Nivrost, mas veio a acontecer que enfim a Cidade estava completada, depois de dois e cinquenta anos de labor; e Turgon lhe designou o nome, e foi chamada Gondolin [*na margem:* a Rocha Oculta] Então Turgon se preparou para partir de Nivrost e deixar seus belos salões em Vinyamar à beira do Mar; e lá Ulmo veio a ele outra vez e lhe falou.

A partir desse ponto, o novo capítulo do *Silmarillion* segue quase que palavra por palavra o texto substituto do anal 116 nos AC (§§111–13): as palavras de Ulmo a Turgon, e a partida de Vinyamar para Gondolin. A razão para isso é simples: como mencionei no comentário a AC §113 (p. 146), meu pai escreveu ao lado do anal revisado de 116: "Colocar isso preferivelmente no *Silmarillion* com um comentário curto substituto:" (o "comentário curto" proposto foi apresentado *ibid.*).

O texto do novo capítulo deixa de seguir o dos *Anais Cinzentos* nas palavras "passou os portões das montanhas e os trancou atrás de si"; as palavras finais de AC §113 ("Mas Nivrost esvaziara-se de gente e assim permaneceu até a ruína de Beleriand") não foram repetidas aqui, mas foram inseridas subsequentemente.

E através de muitos e longos anos, ninguém passou para dentro dali em diante (salvo Húrin e Handir apenas, enviados por Ulmo); e a hoste de Turgon nunca mais saiu de novo até o Ano da Lamentação [*riscado, provavelmente na época da composição:* e a ruína dos Noldor], depois de trezentos e cinquenta anos e mais. Mas, atrás do círculo das montanhas, a gente de Turgon cresceu, e prosperou, e usou de seu engenho em labor incessante, de modo que Gondolin, sobre o Amon Gwareth, tornou-se bela de fato, e digna de ser comparada até mesmo com a élfica Tirion, no além-Mar. Altas e alvas eram suas muralhas, e lisas eram suas escadas, e alta e forte era a Torre do Rei. Lá fontes luzentes brincavam, e nos pátios de Turgon estavam imagens das Árvores de outrora que o próprio Turgon fizera com arte-élfica; e a Árvore que fizera d'ouro ele chamou de Glingal e à Árvore cujas flores fizera com prata ele deu o nome de Belthil, e a luz que vinha delas enchia todos os caminhos da cidade. Mas mais bela que todas as maravilhas de Gondolin era Idril, filha de Turgon, ela que era chamada de Celebrindal, a Pé-de-Prata, pela alvura de seus pés descalços, mas seus cabelos eram como o ouro de Laurelin antes da vinda de Melkor. Assim, Turgon viveu longamente em ventura maior do que qualquer um que já estivera a leste do Mar; mas Nivrost ficou desolada, e permaneceu vazia de povo vivente até a ruína de Beleriand; e para outro lugar a sombra de Morgoth estendeu seus dedos desde o Norte.

A frase inicial dessa seção final, com a referência à entrada de Húrin e Handir de Brethil em Gondolin, mostra que ela tem seu lugar com a forma original daquela história nos *Anais Cinzentos* (§§149–50, e ver o comentário, pp. 151-2); a história posterior de que foi Húrin e seu irmão Huor aparece no longo adendo AC §§161–6.

Esse é o único relato, por mais breve que seja, da cidade de Gondolin em si que meu pai escreveu após aquele presente no Q (IV. 160–1) — embora haja também as notas que se seguem ao texto abandonado do *Conto de Tuor* tardio (*Contos Inacabados*, p. 85, nota 31). Foi afirmado em uma nota de rodapé ao Capítulo 2, *De Valinor e as Duas Árvores*, no QS que as Árvores de Gondolin eram imagens feitas por Turgon (ver V. 248, 250; X. 193-4), e isso é repetido aqui — mas com o acréscimo de que "a luz que vinha delas enchia todos os caminhos da cidade".

Há somente mais um texto do novo capítulo, o datiloscrito QT 2, em que ele é numerado "XV" (ver p. 242). Meu pai fez algumas correções nele: *Nivrost* > *Nevrast* como nos capítulos anteriores; *Eryd Wethion* > *Eryd Wethrin*; *Handir* > *Huor* (ver acima); e *Amon Gwareth* > *Amon Gwared*. A nota marginal que traduz Gondolin como "a Rocha Oculta" foi colocada em uma nota de rodapé no QT 2, que depois meu pai expandiu da seguinte forma:

> Ou assim seu nome mais tarde foi conhecido e interpretado; mas há dúvidas quanto à sua forma e significado antigos. Diz-se que o nome foi dado primeiro em quenya (pois essa língua era falada na casa de Turgon), e era *Ondolindë*, a Rocha da Música da Água, pois havia muitas fontes sobre a colina. Mas o povo (que falava somente a língua sindarin) alterou esse nome para *Gondolin* e [o] interpretou com o significado de Rocha Oculta: *Gond dolen* na própria fala deles.

Compare a interpretação do quenya *Ondolindë* como "Rocha da Música da Água" com a tradução antiga de *Gondolin* como "Pedra da Canção" na lista de nomes do conto *A Queda de Gondolin* (II. 260); e compare a interpretação "Rocha Oculta" com as *Etimologias* no Vol. V, p. 428, radical DUL, onde é dito que *Gondolin(n)* possui três elementos: "coração de rocha oculta".

## 13. ACERCA DOS ANÃOS

Ver-se-á a razão para esse título ao final do capítulo (pp. 263-4). Apenas algumas alterações foram feitas ao Capítulo 10 original, *Dos Homens e dos Anões*, no manuscrito do QS (V. 325–30, §§122–31) antes que fosse submetido a uma revisão radical.

§122 "a quem os Elfos-escuros chamam Naug-rim" > "a quem chamam de os Naug-rim", isto é, esse se tornou o nome noldorin para os Anãos dado a eles pelo povo de Cranthir.

§123 A nota marginal "disse Pengolod" ao lado da passagem entre colchetes acerca da origem e natureza dos Anãos foi riscada (ver V. 331–2, §123).

§124 "Nogrod, a Mina-anânica": acima de "Mina-anânica" está escrito a lápis "Covanana", e na margem mais uma vez "Covanana

Nogrod ficava muito longe no Leste, nas Montanhas de Névoa; e Belegost ficava nas Eredlindon ao sul de Beleriand". No alto da página, com uma indicação para inserção no texto após "Belegost, a Grande Fortaleza", o seguinte trecho foi escrito muito rapidamente:

> A maior dessas era Khazaddûm, que foi mais tarde chamada, nos dias de sua escuridão, de Moria, e ficava muito longe no leste, nas Montanhas de Névoa; mas Gabilgathol ficava na face leste das Eredlindon e ao alcance dos Elfos.

No texto do QS conforme escrito, *Nogrod* (que remonta ao antigo *Conto do Nauglafring*) é uma tradução de *Khazaddûm*, e o significado é "Mina-anânica"; afirma-se especificamente (QS §122) que tanto Nogrod como Belegost (Gabilgathol) ficavam "nas montanhas a leste de Thargelion", e assim foram situadas em acréscimos ao segundo mapa. Em *O Senhor dos Anéis*, Khazad-dûm é Moria, e Nogrod e Belegost são "antigas cidades nas Montanhas Azuis" (Apêndice A, III). As notas na margem do QS apresentadas acima devem representar uma ideia que não foi adotada, segundo a qual Belegost permaneceu nas Eredlindon, mas *Nogrod / Khazad-dûm foi removida para as Montanhas Nevoentas, e Nogrod tornou-se o antigo nome élfico de Moria.*

A afirmação na primeira dessas notas de que "Belegost ficava nas Eredlindon *ao sul de Beleriand*" é surpreendente: ela parece representar uma reversão à concepção mais antiga do local das cidades-anânicas (ver a Expansão a Leste do primeiro mapa do *Silmarillion*, IV. 275, onde a estrada-anânica que atravessa as Montanhas Azuis abaixo do Monte Dolmed vira para o sul e sai do mapa no canto sudeste, com a indicação "Southward in East feet of Blue Mountains are Belegost and Nogrod." [Ao sul, nos sopés orientais das Montanhas Azuis, ficam Belegost e Nogrod".]

§126 Ao lado das palavras na primeira frase do parágrafo "quando cerca de quatrocentos anos haviam se passado desde que os Gnomos haviam chegado a Beleriand", meu pai anotou: "Isso precisa ser passado para 300", alterado para "310". Ver p. 277, §1.

§127 "Eram eles os primeiros Homens que ao vagarem para o oeste" > "Eram eles os primeiros Homens que depois de muitas vidas de vagar para o oeste".

*Gumlin* > *Galion* (ver p. 149, §127).

§128 Essa nota de rodapé foi alterada para:

> Está registrado que esse nome era *Vidri* na antiga fala desses Homens, que agora está esquecida; pois mais tarde em Beleriand eles abandonaram a própria fala pela língua dos Gnomos. Disse Pengolod.

Na frase que se segue à indicação da nota de rodapé, "a quem chamamos Gnomos" foi alterado para "(a quem aqui chamamos Gnomos)".

§129 "o senhorio de Gumlin era em Hithlum" > "o senhorio de Galion era em Dorlómen".

Em todo o texto, a forma *Dwarfs* [Anões] (ver V. 330, §122) foi alterada para *Dwarves* [Anãos].

★

O próximo passo foi o texto inteiro do Capítulo 10 ser riscado, do início até "Hador, o de Cabelos Dourados" no final de §125, e substituído por uma forma nova e muito ampliada, escrita com cuidado e inserida no manuscrito do QS. Essa versão possui algumas emendas subsequentes (quase todas feitas na mesma época, à tinta vermelha), e elas são mostradas no texto que se segue agora. Uma dessas emendas diz respeito ao próprio título. Como a versão revisada foi escrita inicialmente, o título era *De Anãos e Homens*, com um subtítulo *Acerca dos Anãos* (mas sem subtítulo no ponto em que começa a seção sobre os Homens). O título foi riscado e substituído por *Dos Naugrim e dos Edain*; o subtítulo *Acerca dos Anãos* foi mantido; e um novo subtítulo, *Dos Edain*, foi inserido no lugar apropriado.

Para não interromper a numeração do texto do QS no Vol. V, para referência no comentário após o texto, numero os parágrafos da versão revisada a partir de §1. — Ver-se-á que o parágrafo inicial repete quase que exatamente aquele do QS (§122), mas perde a frase final original: "Pois embora os Anões não servissem Morgoth, ainda assim em algumas coisas eram mais parecidos com o povo dele do que com os Elfos".

## Dos Naugrim e dos Edain

*Acerca dos Anãos*

§1Ora, com o tempo a construção de Nargothrond foi terminada, e Gondolin havia sido erigida em segredo; mas nos dias do Cerco de Angband os Gnomos tinham ainda pouca necessidade de esconderijos, e vagavam por toda a parte entre o Mar do Oeste e as Montanhas Azuis. E é dito que eles subiram as Eredlindon e olharam para o leste com assombro, pois as terras da Terra-média pareciam selvagens e vastas; mas poucos alguma vez atravessaram as montanhas, enquanto Angband durou. Naqueles dias a gente de Cranthir topou com os Anãos, a quem eles [> os Elfos-escuros] chamam de Naugrim; pois as principais moradas daquela raça ficavam nas montanhas a leste de Thargelion, a terra de Cranthir, e eram escavadas fundo nas encostas orientais das Eredlindon. De lá viajavam amiúde para Beleriand, e eram recebidos até mesmo em Doriath. Naquela época não havia inimizade entre Elfos e Anãos, mas, no entanto, pouco amor havia.

*Eis aqui as palavras de Pengolod a respeito dos Naugrim**

§2 Os Naugrim não são da raça-élfica nem da gente dos Homens, tampouco crias de Melkor; e os Noldor na Terra-média não sabiam de onde eles vinham, julgando que eram diferentes dos Filhos, ainda que de muitas maneiras fossem parecidos. Mas em Valinor os sábios tomaram conhecimento de que os Anãos foram feitos em segredo por Aulë, enquanto a Terra ainda estava escura; pois ele desejava a chegada dos Filhos de Ilúvatar, para que pudesse ter aprendizes aos quais pudesse ensinar seu saber e ofícios, e por não querer aguardar o cumprimento dos desígnios de Ilúvatar. Donde, embora os Anãos sejam como os Orques nisto: por terem vindo da obstinação de um dos Valar, eles não são malignos; pois não foram feitos por malícia em zombaria dos Filhos, tendo vindo do desejo do coração de Aulë de fazer coisas próprias de acordo com o padrão dos desígnios de Ilúvatar. E, já que surgiram nos dias do poder de Melkor, Aulë os criou para serem fortes e resistentes. Portanto, são duros como pedra, teimosos, de amizade e inimizade

*Tudo o que se segue na seção "Acerca dos Anãos" está escrito em uma letra muito menor do que a do parágrafo inicial.

estreitas e sofrem trabalhos e fome e ferida de corpo com mais firmeza do que todas as outras gentes que falam. E vivem muito, bem além do tempo dos Homens e, ainda assim, não para sempre. Em antanho, os Noldor sustentavam que, morrendo, os Anãos retornavam à terra e à pedra das quais eram feitos; contudo, não é essa a crença deles. Pois eles dizem que Aulë tem cuidado deles e os recolhe a Mandos em salões separados para eles, e lá aguardam, não na ociosidade, mas na prática de ofícios e no aprendizado de saber ainda mais profundo. E Aulë, dizem eles, declarou aos seus Pais de outrora que Ilúvatar aceitara dele a obra de seu desejo, e que Ilúvatar vai abençoá-los e dar a eles um lugar entre os Filhos no Fim. Então seu papel será servir a Aulë e auxiliá-lo na recriação de Arda depois da Última Batalha.

§3 Ora, esses Pais, dizem eles, eram sete em número, e somente eles voltam (à maneira dos Quendi) a viver de novo entre sua própria gente e a portar uma vez mais seus nomes antigos. Desses, Durin era o mais afamado em eras posteriores, o pai daquela gente-anânica mais amiga dos Elfos, cujas mansões ficavam em Khazad-dûm.

§4 Na escuridão de Arda, já os Naugrim haviam feito grandes obras, pois eles tinham, desde os primeiros dias de seus Pais, engenho maravilhoso para lidar com metais e pedras, embora suas obras tivessem pouca beleza até encontrarem os Noldor e aprenderem algo da arte destes. E eles deram sua amizade mais livremente aos Noldor do que a quaisquer outros dos Elfos ou dos Homens por causa de seu amor e reverência a Aulë; e as gemas dos Gnomos eles louvavam acima de qualquer outra riqueza. Mas, naquele tempo antigo, os Anãos ainda trabalhavam o ferro e o cobre, antes que a prata e o ouro; e a feitura de armas e petrechos de guerra era o seu principal ofício. Eles foram os primeiros a criar uma cota de anéis interligados, e na feitura de corseletes e de couraças ninguém dentre Elfos ou Homens mostrou-se seu igual. Assim, ajudaram os Eldar grandemente na guerra destes com os Orques de Morgoth; embora os Noldor acreditassem que alguns daquela gente não teriam sido avessos também a forjar para Morgoth, caso tivesse tido necessidade do trabalho deles, ou estivesse aberto ao seu comércio. Pois comprar e vender e permutar eram o deleite deles, e o acúmulo de riquezas; e essas eles antes acumulavam do que usavam, exceto para comerciar ainda mais.

§5 Os Naugrim sempre foram, como ainda permanecem, baixos e atarracados de estatura; tinham peitos largos, braços fortes e pernas robustas, e suas barbas eram longas. De fato, essa singularidade eles têm de que Homem ou Elfo algum jamais viu um Anão sem barba — a não ser que fosse raspada em zombaria, e então seria mais provável que esse Anão morresse de vergonha do que por muitas outras feridas que nos pareceriam mais mortais. Pois os Naugrim possuem barbas desde o início de suas vidas, homens e mulheres da mesma forma; tampouco podem as suas mulheres serem distinguidas por aqueles de outras raças, seja em traços, seja no andar ou na voz, nem de qualquer modo além deste: pelo fato de que elas não vão à guerra, e raramente, salvo na mais extrema necessidade, saem de suas alcovas e salões profundos. Também é dito que há poucas de suas mulheres, e que salvo por seus reis e chefes poucos Anãos chegam a casar; donde sua raça se multiplicava lentamente, e agora está minguando.

§6 A língua paterna dos Anãos o próprio Aulë engendrou para eles, e seus idiomas, assim, não possuem parentesco com aqueles dos Quendi. Os Anãos não ensinam de bom grado sua língua àqueles de outras raças; e no uso eles a tornaram áspera e intrincada, de modo que, daqueles poucos que os Anãos recebiam em plena amizade, um número ainda menor deles a aprendia bem. Mas eles próprios aprendiam depressa outras línguas, e em colóquio usam como podem a fala dos Elfos e dos Homens com os quais tratam. Porém, em segredo usavam apenas a sua própria língua, e essa (diz-se) demora a mudar; de modo que mesmo os seus reinos e suas casas separados por muito tempo e por longas distâncias podem, até hoje, compreender-se bem. Em dias antigos, os Naugrim habitavam em muitas montanhas da Terra-média, e lá encontraram Homens mortais (dizem eles) muito antes de os Eldar tomarem conhecimento deles; donde se afirma que das línguas dos Lestenses muitas exibem antes um parentesco com a fala-anânica do que com as falas dos Elfos.*

§7 Em sua própria língua, os Anãos chamam a si mesmos Khuzûd [> Khazâd]; e os Elfos-escuros os chamam de / Naugrim [> Naug], os mirrados. Esse nome os Noldor exilados também usavam [> da mesma forma adotaram para eles], mas os

*[Nota marginal] Assim diz o *Lammas*.

chamavam também de Nyrn [*riscado:* de significado similar], e de Gonnhirrim, mestres da pedra; e os que habitavam em Belegost eles chamavam de Ennfeng, ou Barbas-longas, pois suas barbas roçavam o chão diante de seus pés. As principais cidades dos Khuzûd [> Khazâd] no oeste da Terra-média naqueles dias ficavam em Khazaddûm, e em Gabilgathol e Tumunzahar, que são interpretados na língua gnômica Nornhabar, a Covanana, e Belegost Magnoforte, e Nogrod, a Casacava. A maior de todas as mansões dos Naugrim era Khazaddûm, a qual, mais tarde, nos dias de sua escuridão, foi chamada de Moria, mas ficava muito longe, nas Montanhas de Névoa, além das vastas léguas de Eriador; enquanto Belegost e Nogrod ficavam na face leste das Eredlindon e próximo das terras dos Eldar. Contudo, poucos dos Elfos, salvo Meglin de Gondolin, iam lá; e os Anãos comerciavam em Beleriand, e construíram uma grande estrada que passava sob as encostas do Monte Dolmed e que seguia de lá o curso do Ascar, cruzando o Gelion em Sarn-athrad. Ali mais tarde uma batalha foi travada; mas por ora os Anãos pouco preocupavam os Elfos, enquanto o poder dos Gnomos durava.

§8 *Aqui terminam as palavras que Pengolod me falou acerca dos Anãos*, que não são parte do *Pennas* como foi escrito, mas vêm de outros livros de saber, do *Lammas*, do *Dorgannas* e do *Quentalë Ardanómion*: disse Ælfwine.

## *Dos Edain*

§9 É considerado que o primeiro encontro dos Noldor e dos Naugrim ocorreu na terra de Cranthir, filho de Fëanor, por volta daquela época em que Fingolfin destruiu os Orques em Drengist, cento e cinquenta e cinco anos após a travessia do Gelo, e cento e cinco antes da primeira aparição de Glómund, o dragão. Após a derrota dele houve uma longa paz, e ela durou por quase duzentos anos do sol. Durante esse tempo, os pais das Casas dos Homens do Oeste, os Atani [> Edain], dos Amigos-dos-Elfos de outrora, nasceram na terra de Eriador, a leste das montanhas: Bëor, o Vassalo; Haleth, o Caçador; e Hador, o de Cabelos Dourados.

Aqui a parte revisada do Capítulo 10 do QS chega ao fim. Ver-se-á que, embora ela tenha sido composta com o texto original do QS diante de si e de fato mantendo parte dela, meu pai agora introduzira muitas concepções novas acerca dos Anãos. A visão "hostil" que durara muito tempo enfim praticamente desapareceu, com a perda da frase no final do primeiro parágrafo (ver p. 250) — embora no texto original do QS se falasse subsequentemente (§123) da semelhança de Orques e Anãos somente em termos da origem análoga das duas raças, cada uma originando-se de um dos Valar agindo de forma independente, e isso permanece na revisão. Ficamos sabendo agora que:

— os Anãos vivem por muito mais tempo que os Homens (§2);
— eles próprios acreditam que Aulë os reúne após a morte em salões separados em Mandos, e que após a Última Batalha auxiliarão Aulë na recriação de Arda (§2);
— havia Sete Pais dos Anãos, que reencarnam na sua própria gente (à maneira dos Elfos), portando seus nomes antigos (§3);
— Durin era o pai da gente-anânica de Khazad-dûm, mais amiga dos Elfos (§3);
— os Anãos eram mais bem intencionados com os Noldor do que com quaisquer outros entre Elfos ou Homens por causa da reverência deles por Aulë (§4);
— os Anãos eram barbados de nascimento, tanto homens como mulheres (§5);
— membros de outras raças não conseguem distinguir as mulheres anãs dos homens (§5);
— há poucas mulheres anãs, e elas jamais vão à guerra, nem deixam seus lares profundos, exceto em extrema necessidade (§5);
— poucos Anãos se casam (§5);
— a fala-anânica muda muito lentamente, de maneira que a separação de casas e reinos não prejudica em muito a compreensão mútua (§6);
— os Anãos encontraram os Homens na Terra-média muito antes de os Eldar os encontrarem e, por isso, há um parentesco entre a fala-anânica e as línguas dos Homens lestenses (§6).

Essa versão revisada naturalmente fazia parte da versão de 1951. Há semelhanças notáveis com o que é dito nos Apêndices de *O Senhor dos Anéis* acerca dos Anãos: assim, no Apêndice A, III (*O Povo de Durin*), há referências ao pequeno número de mulheres anãs, que permanecem escondida em suas moradas; à indistinguibilidade das mulheres anãs dos homens anãos por pessoas de outras raças; e à raridade dos casamentos (III. 1536); e no Apêndice F (III. 1613) é descrita a lenta mudança de sua língua.

Segue-se agora um comentário a respeito de pontos específicos.

§1 A mudança feita no texto original do QS (p. 248, §122) de "a quem os Elfos-escuros chamam de Naug-rim" para "a quem eles [os Noldor] chamam de Naug-rim" foi agora revertida por uma emenda subsequente (posteriormente, em §7, a atribuição do nome aos Elfos-escuros aparece no texto como escrito).

§2 "E já que surgiram nos dias do poder de Melkor": isto é, antes do despertar dos Elfos, da Batalha dos Deuses e do cativeiro de Melkor em Mandos.

§3 É aqui que Durin de Khazad-dûm, "o mais afamado" dos Sete Pais dos Anãos, entra em *O Silmarillion*. Não é dito aqui que o povo de Durin era os Barbas-longas; mas a associação dele com os Barbas-longas remonta de fato a *O Hobbit*, onde, no final do capítulo *Um Pouco de Descanso*, Thorin diz (no texto como publicado originalmente): "Ele era o pai dos pais de *uma das duas raças dos anãos, os Barbas-longas*, e ancestral de meu avô". No *Conto do Nauglafring* havia dois povos, os Anãos de Nogrod e os Anãos de Belegost, e estes eram os Indrafangs ou Barbas--longas; da mesma forma no *Quenta* (ou pelo menos nenhum outro povo é mencionado), embora os Barbas-longas tivessem se tornado os Anãos de Nogrod (IV. 123), e continuou sendo esse o caso no QS (§124).

No presente texto, são ditas duas coisas acerca desse assunto. Durin era "o pai daquela gente-anânica ... cujas mansões ficavam em Khazad-dûm" (§3); mas (revertendo ao *Conto do Nauglafring*) os Barbas-longas eram os Anãos de Belegost (§7) — e isso é dito também nos *Anais de Aman* e nos *Anais Cinzentos* (ver p. 130, §22). Não estou completamente certo de como interpretar isso; mas a solução mais simples é supor que, quando meu pai escreveu esses textos, ele havia se esquecido da menção de Thorin a Durin como ancestral dos Barbas-longas em *O Hobbit* (ou, o que é menos provável, que ele a desconsiderou conscientemente), e as ponderações a seguir corroboram isso.

No início da seção *O Povo de Durin* no Apêndice A (III) de *O Senhor dos Anéis*, a Primeira Edição dizia o seguinte: "Durin é o nome que os Anãos usam para o mais velho dos Sete Pais de toda a sua raça", sem menção aos Barbas-longas. Anos mais tarde, em seu exemplar da segunda edição de *O Hobbit*, meu pai anotou; "Não é assim no *Silmarillion*, nem ver [*sic*] SdA III, p. 352" — sendo essa uma referência à passagem recém-citada do Apêndice A na Primeira Edição: o que "não era assim" era a referência de Thorin a "uma das duas raças dos anãos", que se tornava obsoleta desde o surgimento da concepção dos Sete Pais. Ao mesmo tempo, ele escreveu nesse exemplar muitas frases experimentais para substituir as palavras originais de Thorin, como "o mais velho dos Sete Pais dos Anãos", "o pai dos pais da mais antiga linhagem dos reis-anânicos, os Barbas-longas", antes de chegar à forma final como subsequentemente publicada, "Ele era o pai dos pais da raça mais antiga dos anãos, os Barbas-longas, e meu primeiro ancestral: sou o herdeiro dele". Foi obviamente a reflexão sobre as palavras de Thorin em *O Hobbit* e a necessidade de corrigi-las que o levaram a alterar o texto do Apêndice A, que na Segunda Edição (1966) diz: "Durin é o nome que os Anãos usavam para o mais velho dos Sete Pais de sua raça, *e o ancestral de todos os reis dos Barbas-longas*", com o acréscimo de uma referência em uma nota de rodapé à passagem em *O Hobbit*, agora publicada em sua forma corrigida.

Assim, de forma tortuosa, os Barbas-longas enfim entraram em *O Senhor dos Anéis*, como os Anãos de Khazad-dûm; mas os textos de *O Silmarillion* e dos *Anais* jamais foram alterados, e os Barbas-longas permaneceram os Anãos de Belegost.

§6 A nota marginal "Assim diz o *Lammas*" aparentemente se refere especificamente à afirmação no texto acerca do parentesco das línguas dos Lestenses com a fala-anânica. Cf. V. 210 (*Lhammas* §9): "os idiomas dos Homens são derivados em parte delas" (as línguas dos Anãos); isso foi repetido na nota de rodapé a QS §123, a partir do qual o presente parágrafo foi desenvolvido, e que também possui a nota marginal "Assim, o *Lhammas*".

§7 Os nomes e locais das cidades-anânicas atingem agora quase a sua forma final, e recapitulo aqui o complexo desenvolvimento:

Forma original do QS, §124 (V. 326–7)

*Khazad-dûm* = *Nogrod* = *Mina-anânica* (nas Montanhas Azuis)

*Gabilgathol* = *Belegost* = *Grande Fortaleza*

Forma original emendada do QS, p. 248
*Khazad-dûm* = *Nogrod* = *Covanana*, posteriormente *Moria*
*Gabilgathol* = *Belegost* = *Grande Fortaleza*

Versão revisada do QS, §7
*Tumunzahar* = *Nogrod* = *Casacava* (nas Montanhas Azuis)
*Gabilgathol* = *Belegost* = *Magnoforte*
*Khazad-dûm* = *Nornhabar* = *Covanana*, posteriormente *Moria*

O nome anânico *Tumunzahar* para Nogrod aparece em AC §19, mas essa é a primeira ocorrência do nome élfico *Nornhabar*.

Dos nomes dos próprios Anãos, ocorrem pela primeira vez aqui *Gonnhirrim*, mestres da pedra, e *Nyrn* (cf. *Nornwaith* nos AAm, X. 122, *Gente-Norn* in AC §19 e o nome *Nornhabar* para Khazad-dûm). É dito agora que *Naugrim* significa "mirrados" e que *Nyrn* é "de significado similar", embora essa afirmação tenha sido riscada; no texto original (§124), *Neweg* = "mirrados". Além disso, *Khuzûd* foi subsequentemente alterado para *Khazâd*, e *Naugrim* para *Naug*. Forneço aqui um sumário do desenvolvimento desses nomes e formas confusos:

| | |
|---|---|
| *Conto do Nauglafring* | *Nauglath* |
| Q | *Nauglir* |
| AB 1 (IV. 364) | *Nauglar* (também na Lista de Nomes, V. 494: nome élfico-escuro, adotado pelos Gnomos) |
| QS (forma original) | *Naugrim* (nome élfico-escuro > (p. 248) nome gnômico)<br>*Neweg* "mirrados" (nome gnômico) |
| QS (versão revisada) | *Naugrim* (> *Naug*) "mirrados" (nome gnômico > nome élfico-escuro, adotado pelos Gnomos)<br>*Nyrn* (nome gnômico, "mirrados" — mas esse significado foi rejeitado) |
| AAm | *Nauglath* > *Naugrim*<br>*Nornwaith* (posteriormente rejeitado, X. 136, §84) |
| AC | *Naugrim*<br>*Gente-Norn* (§19) |

Falta ainda mencionar um elemento importante nessa seção revisada: nesse estágio, o mito da criação dos Anãos não possuía o elemento dos Pais sendo colocados para dormir, por ordem de Ilúvatar, após o seu primeiro despertar. Isso é evidente no texto como se encontra; e a inserção desse elemento será vista num momento.

O texto seguinte foi a versão datilografada da série QT 1, que seguiu exatamente o texto manuscrito (mas as alterações de *Khuzûd* > *Khazâd* e *Naugrim* > *Naug* em §7 não aparecem, nem no QT 2), e após o primeiro parágrafo da seção *Dos Edain* (§9), onde termina a versão revisada, seguiu o texto original do QS, com as pouquíssimas alterações que foram feitas nele, apresentadas nas pp. 248-9.

O início das "palavras de Pengolod [> Pengoloð] acerca dos Naugrim" (§2) foi riscado, muito tempo depois, no QT 1, até "do desejo do coração de Aulë de fazer coisas próprias de acordo com o padrão dos desígnios de Ilúvatar". Há duas páginas intituladas "De Aulë e dos Anãos", envoltas em um embrulho de papel com as palavras "Lenda Emendada da Origem dos Anãos", associadas com o manuscrito do QS nesse ponto; elas começam como um manuscrito legível, mas se tornam confusas e com formas variantes. Um novo texto foi escrito com clareza em uma letra tardia de meu pai, sem título, e foi anexado ao QT 1 como um substituto para a passagem riscada; ele começa da seguinte forma, diferindo pouco da forma rejeitada:

> Os Naugrim não são da raça-élfica nem da gente dos homens, tampouco crias de Melkor; e os Noldor, quando os encontraram na Terra-média, não sabiam de onde eles vinham, julgando que eram diferentes dos Filhos, ainda que de muitas maneiras se assemelhassem a eles. Mas aqui, em Valinor, ficamos sabendo que, em seu princípio, os Anãos foram criados por Aulë, enquanto a Terra ainda estava escura; pois Aulë desejava a vinda dos Filhos tão grandemente, para ter aprendizes a quem pudesse ensinar seu saber e seus ofícios, que ele não queria esperar o cumprimento dos desígnios de Ilúvatar.

O restante do texto encontra-se no *Silmarillion* publicado, Capítulo 2, *De Aulë e Yavanna*, pp. 91-2, até o final em "Então Aulë tomou os Sete Pais dos Anãos e os colocou a descansar em lugares afastados; e retornou a Valinor e esperou conforme os longos anos se estendiam". Há diversas alterações editoriais insignificantes no texto publicado, e entre elas é preciso mencionar um ponto: meu pai não tinha certeza se usava "tu" ou "você" no diálogo de Aulë com Ilúvatar (em um caso ele alterou "pode" para "podes", e então reverteu para "pode"). No fim, ele optou por "você", enquanto o texto publicado possui "tu" em toda a sua extensão.

No final da inserção, o capítulo continua com "Já que surgiram nos dias do poder de Melkor ..." (p. 251), mas, concomitantemente com a introdução da nova forma da lenda, na qual os Pais dos Anãos foram colocados para dormir até depois do despertar dos Elfos e do aprisionamento de Melkor, isso foi alterado no QT 1 para "Já que deviam surgir ...". A única outra mudança significativa feita no QT 1 foi a frase inicial de §3, que foi alterada para: "Ora, esses Sete Pais, dizem eles, voltam a viver de novo e a portar uma vez mais seus nomes antigos". Seria de se esperar que meu pai tivesse feito alguma alteração na frase inicial de §4 após a inserção da nova forma da lenda, mas ele evidentemente estava contente com a mudança interna de significado: "desde os primeiros dias de seus Pais" deve ser compreendida como "desde os primeiros dias de seus Pais, quando despertaram de seu sono".

O mais antigo desses dois textos da passagem inserida mostra meu pai muito preocupado com os detalhes da criação dos primeiros Anãos. Assim, há as seguintes passagens escritas de maneira experimental sem muito cuidado:

*(a)* Mas é dito que a cada Anão Ilúvatar acrescentou uma companheira, mas, como ele não desejava corrigir a obra de Aulë, e Aulë até então havia feito apenas seres de forma masculina, as mulheres dos Anãos, portanto, assemelham-se aos seus homens mais do que todas as outras raças [?falantes].

*(b)* Ele trabalhou em segredo num salão sob as montanhas na Terra-média. Lá ele fez o primeiro Anão, o mais velho de todos, e depois fez seis outros, os pais de sua raça; e então começou a fazer outros, como eles, mas de espécie feminina, para serem suas companheiras. Mas ele se cansou, e quando [tinha] feito mais seis, descansou, e retornou aos sete pais e olhou para eles, e estes olharam para Aulë, e qualquer movimento que estivesse no pensamento dele, esse movimento

eles realizavam. E Aulë ficou desagradado, mas começou a ensiná-los a língua que criara para eles, esperando dessa forma instrui-los.

Mas Ilúvatar sabia de tudo que fora feito, e na mesma hora em que o Anão Mais Velho falou pela primeira vez, Ilúvatar falou com Aulë, e Aulë

*(c)* Aulë fez um, e então seis, e começou a fazer companheiras para eles de forma feminina, e fez seis, e então se cansou. Assim, ele enterrou seis pares, mas um (Durin), o mais velho, ele deitou sozinho.

*(d)* E Aulë tomou os Sete Anãos e os colocou a descansar sob pedra em lugares afastados, e, ao lado de cada [um] deles, colocou uma companheira como a Voz lhe ordenara, e então retornou a Valinor.

*(e)* Então Aulë tomou os Sete Anãos e os colocou a descansar sob pedra em lugares afastados, e, ao lado de cada um, colocou a companheira deste, salvo apenas ao lado do Mais Velho, e este ficou sozinho. E Aulë retornou a Valinor e esperou por muito tempo da melhor forma que podia. Mas não se sabe quando Durin ou seus irmãos despertaram pela primeira vez, embora alguns acreditem que tenha sido na época da partida dos Eldar por sobre o mar.

Compare a passagem *(b)* com o ensaio acerca dos Orques no Vol. X, p. 502:

> Mas, se de fato [Melkor] tivesse tentado fazer criaturas só suas, em imitação ou arremedo dos Encarnados, ele, como Aule, só teria conseguido produzir fantoches: suas criaturas teriam agido apenas quando a atenção da vontade de Melkor pousasse sobre eles e não mostrariam nenhuma relutância para executar qualquer ordem sua, mesmo que fosse para destruir a si mesmas.

No texto final, conforme publicado em *O Silmarillion*, meu pai evidentemente abandonou a questão da origem das Anãs, considerando-a intratável e as soluções, insatisfatórias. Ademais, na forma terminada, não há lugar para que o elemento "o Mais Velho" (Durin) seja distinto dos outros, e sem companheira.

Existe outra versão da lenda na continuação rascunhada (e não enviada) de uma carta para a Srta. Rhona Beare datada de 14 de outubro de 1958 (*As Cartas de J.R.R. Tolkien*, nº 212); e aqui aparece a ideia do um e dos seis, e das seis companheiras dos seis, perfazendo treze ao todo. Republico a passagem aqui, uma vez que ela pode não estar prontamente disponível.

> Aulë, por exemplo, um dos Grandes, de certa forma "caiu"; pois ele desejava tanto ver os Filhos que ficou impaciente e tentou antecipar a vontade do Criador. Sendo o maior de todos os artesãos, ele tentou *fazer* filhos de acordo com seu conhecimento imperfeito da raça deles. Quando fizera treze,* Deus lhe falou com raiva, mas não sem piedade: pois Aulë havia feito isso *não* pelo desejo maligno de possuir escravos e súditos próprios, mas por amor impaciente, desejando filhos com os quais conversar e ensinar, compartilhando com eles o louvor a Ilúvatar e seu grande amor pelos *materiais* dos quais o mundo é feito.
>
> O Uno repreendeu Aulë, dizendo que ele havia tentado usurpar o poder do Criador; mas ele não podia conceder *vida* independente às suas feituras. Ele possuía apenas uma vida, a sua própria derivada do Uno, e no máximo podia apenas distribuí-la. "Vê", disse o Uno: "estas tuas criaturas possuem apenas a tua vontade e teu movimento. Embora tenhas inventado uma língua para elas, elas só podem relatar-te teu próprio pensamento. Isto é uma zombaria de mim."
>
> Então Aulë, com pesar e arrependimento, humilhou-se e pediu perdão. E ele disse: "Destruirei estas imagens de minha presunção e esperarei pela tua vontade." E ele pegou um grande martelo, erguendo-o para esmagar a mais velha de suas imagens; mas esta recuou e se encolheu com medo dele. E, ao conter seu golpe, atônito, ele ouviu a risada de Ilúvatar.
>
> "Assombras-te com isto?", disse ele. "Vê! tuas criaturas agora vivem, livres da tua vontade! Pois vi tua humildade e apiedei-me de tua impaciência. Tua feitura aceitei em meu desígnio."
>
> Essa é a lenda élfica da criação dos Anãos; mas os Elfos relatam que Ilúvatar também disse isto: "Entretanto, não tolerarei que meu desígnio seja antecipado: teus filhos não despertarão antes dos meus." E ele ordenou que Aulë colocasse os pais dos

*Um, o mais velho, sozinho, e mais seis com seis companheiras.

> Anãos separadamente em lugares profundos, cada qual com sua companheira, exceto Dúrin, o mais velho, que não possuía uma. Lá deveriam dormir por um longo tempo até que Ilúvatar os despertasse. Contudo, na maior parte do tempo houve pouco amor entre os Anãos e os filhos de Ilúvatar. E do destino que Ilúvatar designou aos filhos de Aulë além dos Círculos do mundo Elfos e homens nada sabem, e se os Anãos sabem, não falam sobre ele.

Parece-me praticamente certo que todo esse trabalho na lenda tardia de Aulë e os Anãos deriva da mesma época, e é óbvio que essa carta tem seu lugar com o primeiro texto ou rascunho do qual excertos foram fornecidos nas pp. 261-2, precedendo o texto final anexado ao QT 1 e publicado em *O Silmarillion*. Aquele texto foi incorporado ao QT 2 conforme datilografado, e para essa versão datilografada propus (por razões completamente distintas) 1958 como a data aproximada (ver X. 177-8, 363). Creio que isso se encaixa bem com a data da carta (outubro de 1958). Parece provável que meu pai revisou os materiais existentes do *Silmarillion pari passu* com a elaboração do texto datilografado QT 2, feito sob sua orientação.

Como já mencionado (ver p. 259), o texto original do QS (ligeiramente emendado) na segunda parte do capítulo, a respeito dos Edain, foi seguido no primeiro texto datilografado QT 1. Posteriormente, a seção inteira acerca dos Edain foi riscada tanto no manuscrito do QS (com a indicação "Substituir pela nova forma") como no QT 1 (com a indicação "Cancelar"). Essa nova forma era um texto datilografado, feito pelo meu próprio pai, com o título *Da Vinda dos Homens para o Oeste e do Encontro dos Edain com os Eldar*. Na série QT 2, a seção a respeito dos Anãos, agora muito alterada e expandida de sua forma original, foi transformada em um capítulo separado, no qual meu pai inseriu o número "XVI" (seguindo "XV" *De Turgon e da Construção de Gondolin*, p. 200), mantendo como título o subtítulo original *Acerca dos Anãos* (p. 251). O novo texto da segunda parte, *Da Vinda dos Homens para o Oeste*, seguiu-se então no QT 2 como um capítulo adicional e recebeu o número "XVII". Segui essa organização.

A complexa evolução textual do capítulo original no QS pode ser desdobrada da seguinte forma (as datas foram tornadas definidas, exceto em um caso).

Cap. 10 do QS, *Dos Homens e dos Anões* (1937)

↓

Cap. 10 do QS, Novo título, *Dos Naugrim e dos Edain*: seção acerca dos Anãos reescrita; seção acerca dos Edain mantida (1951)

↓

Texto datilografado QT 1 (1951)

↓

Inserção de nova lenda de Aulë e os Anãos (1958) → Texto datilografado QT 2 (1958): cap. XVI, *Acerca dos Anãos* (nenhuma seção acerca dos Edain)

Texto completamente novo acerca dos Edain: *Da Vinda dos Homens para o Oeste* (data incerta: 1958?) → Texto datilografado QT 2 (1958): cap. XVII

★

Resta apenas comentar as alterações feitas a *Acerca dos Anãos* do QT 2. A principal delas é uma revisão adicional dos nomes dos Anãos (ver a tabela na p. 258). Em §1 (p. 251), "a quem os Elfos-escuros chamam de Naugrim" foi riscado, e cada ocorrência do nome *Naugrim* foi substituída por *Anãos* (exceto no cabeçalho de §2, onde sem dúvida foi mantido inadvertidamente). Em §7, a passagem inicial, tanto no QT 1 como no QT 2, agora diz:

> Em sua própria língua, os Anãos chamam a si mesmos Khuzûd; mas os Elfos-escuros os chamam de Naugrim, os mirrados. Esse nome os Noldor exilados da mesma forma adotaram para eles, mas os chamavam também de Nyrn …

(As alterações de *Khuzûd* para *Khazâd* e *Naugrim* para *Naug* feitas no manuscrito não aparecem nos textos conforme datilografados, ver pp. 253, 259.) A passagem foi reescrita no QT 2 da seguinte maneira:

> Em sua própria língua, os Anãos chamam a si mesmos Khazâd; mas os Elfos-cinzentos os chamam de Nyrn, os rígidos. Esse nome os Noldor exilados da mesma forma adotaram para eles, mas os chamavam também de Naugrim, a gente mirrada ...

Outras alterações foram: em §1, na frase "poucos alguma vez atravessaram as montanhas", "poucos" > "ninguém"; também *Cranthir* > *Caranthir*. Em §7, na frase acerca de Nornhabar, Belegost e Nogrod, onde se diz que eram interpretações "na língua gnômica" dos nomes anânicos, "gnômica" > "élfica".

## 14. DA VINDA DOS HOMENS PARA O OESTE

A introdução do que logo se tornou um capítulo inteiramente novo — uma grande expansão e digressão da história "tradicional" dos Edain — foi descrita brevemente na p. 263. Ela surge em um texto datilografado (com uma cópia em papel carbono) elaborado por meu pai: não há sinal de materiais rascunhados antecedentes, mas me parece muito improvável que o texto tenha alcançado essa forma *ab initio*. Ele na verdade possui dois títulos: o que está datilografado como cabeçalho do texto é *Da Vinda dos Homens para o Oeste e do Encontro dos Edain com os Eldar*, mas, em uma folha de rosto à parte, escrita à mão, ele é chamado *Da Vinda dos Edain e de suas Casas e Senhorios em Beleriand.*

O texto foi emendado à tinta em ambas as cópias de maneira quase idêntica; tenho certeza de que essas alterações foram feitas praticamente na mesma época em que ele foi originalmente datilografado e, no texto que se segue, adoto as emendas, mas discuto alguns dos fraseados originais no comentário. A folha de rosto com o título diferente pode ter seu lugar com essas emendas, mas uso aqui o outro, na forma encurtada *Da Vinda dos Homens para o Oeste*, como foi feito no *Silmarillion* publicado. O capítulo (como emendado) foi incorporado à série datilografada QT 2, como já mencionado, e subsequentemente recebeu o número "XVII"; talvez (como a nova lenda de Aulë e os Anãos, ver p. 263) ele pertença ao período em que o texto datilografado do QT estava sendo feito (ver p. 278, §13, e p. 281).

O texto encontra-se no *Silmarillion* publicado, Capítulo 17, mas achei melhor, neste caso, fornecer o original na íntegra. Apresentar as alterações e inserções editoriais no texto publicado ocupa muito espaço, e é difícil deixá-las claras, enquanto o capítulo é um acompanhamento essencial para *As Andanças de Húrin* na Parte Três.

## Da Vinda dos Homens para o Oeste e do Encontro dos Edain com os Eldar

§1 Ora, veio a se dar que, quando trezentos anos e dez tinham passado desde que os Noldor chegaram a Beleriand, nos dias da Longa Paz, Felagund viajou a leste do Sirion e foi caçar com Maglor e Maedros, filhos de Fëanor. Mas se cansou da perseguição e continuou sozinho na direção das Montanhas de Ered-lindon, que via brilhar ao longe; e, tomando a estrada dos Anãos, cruzou o Gelion no vau de Sarn-athrad e, virando para o sul na região do alto Ascar, chegou ao norte de Ossiriand.

§2 Num vale em meio aos sopés das Montanhas, abaixo das nascentes do Thalos, viu luzes ao anoitecer e, ao longe, escutou som de canção. Com isso, se admirou muito, pois os Elfos-verdes daquela terra não acendiam fogueiras, e não cantavam à noite. No começo, temeu que uma incursão de Orques tivesse atravessado as barreiras do Norte, mas, conforme se aproximava, percebeu que não era isso. Pois os cantores usavam uma língua que ele não ouvira antes, nem de Anãos, nem de Orques, e suas vozes eram belas, embora não instruídas na música.

§3 Então Felagund, de pé em silêncio sob a sombra noturna das árvores, observou o acampamento e lá contemplou uma gente estranha. Eram altos, e fortes, e formosos, porém rudes e pouco vestidos; mas o seu acampamento era bem organizado, e tinham tendas e choupanas de galhos ao redor da grande fogueira no centro; e havia belas mulheres e crianças entre eles.

§4 Ora, esses eram uma parte da gente e dos seguidores de Bëor, o Velho, como foi chamado mais tarde, um chefe entre os Homens. Depois de muitas vidas de andança vindo do Leste, levou-os enfim através das Montanhas, os primeiros da raça dos Homens a entrar em Beleriand; e cantavam porque estavam contentes e acreditavam que tinham escapado de todos os perigos e chegado a uma terra sem medo.

§5 Longamente Felagund os observou, e o amor por eles surgiu em seu coração; mas permaneceu escondido nas árvores até que todos tivessem adormecido. Então foi ao meio do povo que dormia e se sentou ao lado de sua fogueira, que se apagava porque ninguém montava guarda; e tomou uma harpa rude, que Bëor pusera de lado e fez música com ela tal como os ouvidos dos Homens não tinham ouvido; pois ainda não tinham mestres nessa arte, salvo apenas os Elfos-escuros nas terras agrestes.

§6 Ora, eles despertaram e escutaram Felagund enquanto tangia a harpa e cantava, e cada um pensava estar em algum belo sonho, até que via que seus companheiros estavam despertos também a seu lado; mas não falaram nem se moveram enquanto Felagund ainda tocava por causa da beleza da música e da maravilha da canção. Sabedoria havia nas palavras do Rei-élfico, e os corações se tornavam mais sábios se o escutassem; pois as coisas as quais cantava, sobre a criação de Arda e sobre a ventura de Aman além das sombras do Mar, chegavam como visões claras diante dos olhos deles, e sua fala élfica era interpretada por cada mente de acordo com sua medida.

§7 Assim foi que os Homens chamaram ao Rei Felagund, a quem encontraram primeiro entre todos os Eldar, Sabedoria, e por causa dele deram ao seu povo o nome Os Sábios.* De fato, acreditaram no começo que Felagund fosse um dos deuses, a respeito dos quais tinham ouvido rumores de que habitavam longe no Oeste; e essa era (alguns dizem) a principal causa de sua jornada. Mas Felagund habitou entre eles e lhes ensinou saber verdadeiro; e eles o amaram, e fizeram dele seu senhor, e foram sempre leais à Casa de Finrod.†

§8 Ora, os Eldar eram, acima de todos os outros povos, hábeis em línguas; e Felagund descobriu também que podia ler nas mentes dos Homens tais pensamentos, como os que desejavam revelar na fala, de modo que suas palavras eram facilmente interpretadas.‡ Não demorou, portanto, para que ele pudesse ter colóquio

*Nóm e [*Nómil* >] *Nómin* na antiga língua desse povo (que mais tarde foi esquecida); pois Bëor e sua gente posteriormente aprenderam a língua dos Eldar e abandonaram a sua própria, embora tenham mantido muitos nomes que lhes foram passados [que vinham do passado >] por seus pais.

†Assim Bëor recebeu o seu nome; pois significava Vassalo na língua deles, e cada um de seus chefes depois dele usou esse nome como um título até a época de Bregolas e Barahir.

‡Diz-se também que esses Homens, havia muito, tratavam com os Elfos-escuros da Terra-média, e deles aprenderam muito de sua fala; e, já que todas as línguas dos Quendi eram de uma só origem, a língua de Bëor e de seu povo assemelhava-se às línguas-élficas em muitas palavras e traços.

com Bëor; e, enquanto habitou com ele, falaram muito um ao outro. Mas, quando Felagund questionava Bëor acerca do surgimento dos Homens e de suas jornadas, Bëor pouco dizia; e, de fato, pouco sabia, pois os pais de seu povo tinham contado poucas histórias sobre seu passado, e um silêncio caíra sobre sua memória.

§9 "Uma escuridão jaz detrás de nós," disse Bëor; "e demos as costas a ela, e não desejamos retornar para lá, mesmo em pensamento. Para oeste nossos corações se voltaram, e acreditamos que lá havemos de achar Luz."

§10 Ora, Felagund soube de Bëor que havia muitos outros Homens de intenções semelhantes, que também estavam viajando para o oeste. "Outros de minha própria gente cruzaram as Montanhas", disse, "e estão vagando não muito longe daqui; e os Haladin, um povo que fala a mesma língua que nós, estão ainda nos vales das encostas do leste, esperando notícias antes que se aventurem mais longe. Há também outros Homens de uma fala diferente, com quem temos trato por vezes. Estavam à nossa frente na marcha para o oeste, mas passamos por eles; pois são um povo numeroso e, mesmo assim, mantêm-se juntos e seguem devagar, sendo todos regidos por um só chefe, a quem chamam de Marach."

§11 Ora, os Nandor, os Elfos-verdes de Ossiriand, estavam preocupados com a vinda dos Homens e, quando ouviram que um senhor dos Eldar d'além-Mar estava em meio a eles, mandaram mensageiros a Felagund. "Senhor," disseram, "se tendes poder sobre esses recém-chegados, mandai-os retornar pelos caminhos que vieram ou então que sigam adiante. Pois não desejamos estranhos nesta terra para romper a paz em que vivemos. E essas gentes são cortadoras de árvores e caçadoras de feras; portanto, somos seus desamigos e, se não partirem, havemos de afligi-los de todos os modos que pudermos."

§12 Então, aconselhado por Felagund, Bëor reuniu todas as famílias e parentela andarilhas de sua gente, e se mudaram para o outro lado do Gelion e fizeram sua morada nas terras de Diriol, na margem leste do Celon, perto das fronteiras de Doriath. Mas quando, depois que um ano passou, Felagund desejou retornar a seu próprio país, Bëor implorou licença para ir com ele; e permaneceu a serviço do rei enquanto sua vida durou. Dessa maneira ganhou seu nome, Bëor, enquanto seu nome antes havia sido Balan; pois Bëor significa Serviçal na antiga língua de seu povo. O governo de sua gente ele entregou ao seu filho mais velho, Baran; e não retornou mais a Estolad.*

*Das Gentes e das Casas dos Edain*

§13 Logo depois da partida de Felagund, os outros Homens de quem Bëor falara também entraram em Beleriand. Primeiro vieram os Haladin; mas, encontrando a desamizade dos Nandor, viraram para o norte e habitaram em Radhrost, no país de Caranthir, filho de Fëanor; e lá, por um tempo tiveram paz, embora o povo de Caranthir lhes desse pouca atenção. Contudo, no ano seguinte, Marach levou seu povo a atravessar as Montanhas; e eram uma gente alta e guerreira, e marchavam em companhias ordenadas; e os Elfos-verdes se esconderam e não os emboscaram. E Marach, ouvindo que o povo de Bëor estava habitando em uma terra verdejante e fértil, seguiu pela estrada dos Anãos e fixou seu povo no país ao sul e a leste das habitações de Baran, filho de Bëor. Havia grande amizade entre os povos, embora estivessem separados na fala, até que ambos aprenderam a língua sindarin.

§14 O próprio Felagund amiúde retornava para visitar os Homens; e muitos outros Elfos das terras do oeste, tanto Noldor quanto Sindar, viajavam a Estolad, estando ávidos por ver os Edain, cuja vinda havia muito fora anunciada.† E Fingolfin, Rei de todos os Noldor, enviou mensagens de boas-vindas a eles. Então muitos homens jovens e voluntariosos dos Edain partiram e se puseram a serviço dos reis e senhores dos Eldar. Entre esses estava Malach, filho de Marach, e ele habitou em Hithlum por catorze anos; e aprendeu a língua-élfica, e lhe foi dado o nome de Aradan.

§15 Os Edain não habitaram contentes em Estolad por muito tempo, pois vários ainda desejavam ir para o oeste; mas não sabiam

*O Acampamento. Esse foi o nome desde então da terra a leste do Celon e ao sul de Nan Elmoth.

†*Atani* era o nome dado aos Homens em Valinor, no saber que contava de sua vinda; de acordo com os Eldar, significava "Segundos", pois a gente dos Homens era os segundos dos Filhos de Ilúvatar. *Edain* era a forma do nome em Beleriand, e lá era usada apenas para as três gentes dos primeiros Amigos-dos-Elfos. Homens de outras gentes eram chamados *Hravani* (ou *Rhevain*), os "Selvagens". Mas todos os Homens os Elfos chamavam de *Hildi* [> *Hildor*], os Seguidores, ou *Firyar*, os Mortais (em sindarin *Echil* e *Firiath*).

o caminho: diante deles estavam as cercas de Doriath, e ao sul ficava o Sirion e seus charcos intransponíveis. Portanto, os reis das três casas dos Noldor, vendo esperança de força nos filhos dos Homens, mandaram dizer que quaisquer dos Edain que desejassem podiam sair dali e vir habitar entre o povo deles. Desse modo, a migração dos Edain começou: no princípio, pouco a pouco, mas depois em famílias e clãs que levantaram-se e deixaram Estolad até que, depois de uns cinquenta anos, muitos milhares tinham entrado nas terras dos reis.

§16 A maioria desses tomou a longa estrada para o norte, sob a guia dos Elfos, até que os caminhos se tornaram bem conhecidos deles. O povo de Bëor chegou a Dorthonion e habitou em terras governadas pela Casa de Finrod. O povo de Aradan (pois Marach, seu pai, permaneceu em Estolad até sua morte), em sua maior parte, continuou no rumo oeste; e alguns chegaram a Hithlum, mas Magor, filho de Aradan, e muitos de sua gente desceram o Sirion até Beleriand e habitaram nos vales das encostas ao sul das Ered-wethion. Apenas alguns de ambos os povos foram até Maedros e as terras em torno do Monte de Himring.

§17 Entretanto, muitos Homens permaneceram em Estolad; e havia ainda uma gente misturada de Homens vivendo ali muitos anos depois, até que, na ruína de Beleriand, foram destroçados ou fugiram de volta para o Leste. Pois, além dos velhos, que julgavam que seus dias de andança tinham terminado, havia não poucos que desejavam seguir seus próprios caminhos e que temiam os Eldar e a luz de seus olhos; e então dissensos despertaram entre os Edain, nos quais a sombra de Morgoth se podia discernir, pois não há dúvida de que ele sabia da vinda dos Homens e de sua amizade crescente com os Elfos.

§18 Os líderes do descontentamento eram Bereg, da Casa de Bëor, e Amlach, um dos netos de Marach; e diziam abertamente: "Seguimos longa estrada, desejando escapar dos perigos da Terra-média e das coisas sombrias que lá habitam; pois ouvimos que havia Luz no Oeste. Mas agora descobrimos que a Luz está além do Mar. Para lá não podemos ir, onde os deuses habitam em ventura. Salvo um deles. Pois o Senhor do Escuro está aqui diante de nós, e os Eldar, sábios, mas feros, que lhe fazem guerra interminável. No Norte ele habita, dizem; e lá está a dor e a morte da qual fugimos. Não seguiremos nesse caminho."

§19 Então um conselho e uma assembleia dos Homens foram chamados, e grande número deles se reuniu. E os Amigos-dos-Elfos responderam a Bereg, dizendo: "Em verdade, do Rei Sombrio vêm todos os males dos quais fugimos; mas ele busca ter domínio sobre toda a Terra-média, e para onde então havemos de nos voltar para que ele não nos persiga? A menos que seja derrotado aqui, ou ao menos contido. Só pelo valor dos Eldar ele é cerceado, e talvez tenha sido por esse propósito, para auxiliá-los na necessidade, que fomos trazidos a esta terra."

§20 A isso Bereg respondeu: "Que os Eldar cuidem disso! Nossas vidas já são curtas o suficiente." Mas levantou-se um que parecia a todos ser Amlach, filho de Imlach, dizendo feras palavras que fizeram tremer os corações de todos os que o ouviam: "Tudo isso não passa de engodo élfico, contos para iludir recém-chegados em seu descuido. O Mar não tem outra costa. Não há Luz no Oeste. Seguistes um fogo-fátuo dos Elfos até o fim do mundo! Qual de vós já viu o menor dos deuses? Quem contemplou o Rei Sombrio no Norte? Aqueles que buscam o domínio da Terra-média são os Eldar. Sequiosos de riqueza, escavaram a Terra em busca de seus segredos e atiçaram a ira das coisas que habitam debaixo dela, como sempre fizeram e sempre hão de fazer. Que aos Orques caiba o reino que é deles, e que tenhamos o nosso. Há espaço no mundo, se os Eldar nos deixarem em paz!"

§21 Então aqueles que ouviam se sentaram por algum tempo, espantados, e uma sombra de medo caiu sobre seus corações; e resolveram partir para longe das terras dos Eldar. Mas depois disso Amlach retornou em meio a eles e negou que tivesse estado presente no debate ou falado tais palavras como as que relatavam; e houve dúvida e desconcerto entre os Homens. Então os Amigos-dos-Elfos disseram: "Haveis de acreditar nisto, ao menos: há de fato um Senhor sombrio, e seus espiões e emissários estão entre nós; pois ele nos teme, assim como a força que podemos dar a seus inimigos."

§22 Mas alguns ainda responderam: "Na verdade, ele nos odeia, e seu ódio crescerá ainda mais se continuarmos a viver aqui, metendo-nos em sua querela com os reis dos Eldar, sem nada ganharmos com isso." Muitos, portanto, daqueles que ainda permaneciam em Estolad se prepararam para partir; e Bereg levou mil do povo de Bëor para o sul, e eles não mais figuram nas canções daqueles dias. Mas Amlach se arrependeu, dizendo: "Agora tenho uma querela só minha com esse Mestre de Mentiras, que durará até o fim da minha vida"; e foi embora para o norte e se pôs a serviço de Maedros. Mas aqueles de seu povo que pensavam como Bereg escolheram um novo líder e retornaram, através das Montanhas a Eriador, e foram esquecidos.

§23 Durante esse tempo, os Haladin permaneceram em Radhrost e estavam contentes. Mas Morgoth, vendo que por mentiras e enganos não podia ainda alienar totalmente Homens de Elfos, encheu-se de ira e buscou fazer aos Homens o mal que pudesse. Portanto, enviou uma incursão de Orques que, passando pelo leste, escapou do cerco e chegou sorrateira, através das Montanhas, pelos passos da estrada dos Anãos, e caiu sobre os Haladin nos bosques ao sul da terra de Caranthir.

§24 Ora, os Haladin não viviam sob o domínio de senhores ou muitos juntos, mas cada morada se punha à parte e governava seus próprios negócios, e eram lentos para se unir. Mas havia entre eles um homem chamado Haldad, que tinha autoridade e era destemido; e ele reuniu todos os homens corajosos que pôde achar e recuou para o ângulo de terra entre o Ascar e o Gelion e, no canto mais recôndito, construiu uma estacada de um rio a outro; e, para detrás dela, levou todas as mulheres e crianças que podia salvar. Ali foram sitiados até ficarem sem comida.

§25 Ora, Haldad tinha filhos gêmeos: Haleth, sua filha, e Haldar, seu filho; e ambos eram valentes na defesa, pois Haleth era uma mulher de grande coragem e força. Mas, por fim, Haldad foi morto numa surtida contra os Orques; e Haldar, que se apressou para salvar o corpo de seu pai de ser mutilado, tombou ao lado dele. Então Haleth reuniu a gente, embora não tivessem esperança; e alguns se lançaram nos rios e se afogaram. Sete dias depois, enquanto os Orques lançavam seu último ataque e já tinham atravessado a estacada, veio, de repente, uma música de trombetas, e Caranthir, com sua hoste, desceu do norte e empurrou os Orques para os rios.

§26 Então Caranthir olhou com bondade para os Homens e fez a Haleth grandes honras; e lhe ofereceu recompensa por seu pai e irmão. E vendo, tarde demais, que valor havia nos Edain, disse a ela: "Se vos mudardes para habitar mais ao norte, lá tereis a amizade e a proteção dos Eldar, e terras livres que serão vossas."

§27 Mas Haleth era orgulhosa e avessa a ser guiada ou governada, e a maioria dos Haladin era de ânimo semelhante. Portanto, agradeceu a Caranthir, mas respondeu: "Minha mente agora se decidiu, senhor, a deixar a sombra das Montanhas e ir para o oeste, aonde outros de nossa gente foram." Quando, portanto, os Haladin tinham reunido todos a quem puderam achar vivos de seu povo, dos que tinham fugido em desvario para as matas diante dos Orques, e recolhido o que restava de seus bens em seus lares incendiados, fizeram de Haleth sua chefe; e ela os levou, enfim, a Estolad, e lá habitaram por um tempo.

§28 Mas permaneceram como um povo à parte e, desde então, sempre foram conhecidos por Elfos e Homens como o Povo de Haleth. Ela continuou a ser sua chefe enquanto seus dias duraram, mas não se casou, e a chefia passou depois para Hardan, filho de Haldar, seu irmão. Logo, entretanto, Haleth desejou se mudar mais para oeste de novo; e, embora a maioria de seu povo fosse contra esse alvitre, ela os levou adiante mais uma vez; e seguiram sem ajuda ou guia dos Eldar e, passando pelo Celon e pelo Aros, viajaram pela terra perigosa entre as Montanhas de Terror e o Cinturão de Melian. Aquela terra ainda não era tão maligna quanto depois se tornou, mas não era estrada que Homens mortais pudessem tomar sem auxílio, e Haleth só conseguiu trazer sua gente por ela com sofrimento e perda, obrigando-os a seguir adiante pela força de sua vontade. Enfim cruzaram o Brithiach, e muitos se arrependeram amargamente de sua jornada; mas agora não havia retorno. Portanto, em novas terras, voltaram à sua vida antiga do melhor modo que podiam; e habitaram em moradas livres nas matas da Dalath Dirnen, além do Teiglin, e alguns vagaram longe pelo reino de Nargothrond. Mas havia muitos que amavam a Senhora Haleth e desejavam ir aonde ela fosse e viver sob seu domínio; e a esses ela levou à Floresta de Brethil. Para lá, nos dias malignos que se seguiram, muitos membros de seu povo espalhado retornaram.

§29 Ora, Brethil era reclamada como parte de seu domínio pelo Rei Thingol, embora não estivesse dentro do List Melian, e ele queria negá-la a Haleth; mas Felagund, que tinha a amizade de Thingol, quando ouviu tudo o que sobreviera ao povo de Haleth, obteve esta graça para ela: que havia de habitar livre em Brethil, com a única condição de que sua gente devia guardar as Travessias do Teiglin contra todos os inimigos dos Eldar e não permitir que

Orques adentrassem suas matas. A isso Haleth respondeu: "Onde está Haldad, meu pai, e Haldar, meu irmão? Se o rei teme uma amizade entre Haleth e aqueles que devoraram sua gente, então os pensamentos dos Eldar são estranhos para os Homens." E Haleth habitou em Brethil até morrer; e seu povo ergueu um teso verdejante sobre ela nas alturas da Floresta: Tûr Daretha, o Túmulo-da-Senhora, Haudh-en-Arwen na língua sindarin.

§30 Dessa maneira veio a acontecer que os Edain habitaram nas terras dos Eldar, alguns aqui, outros ali, alguns vagando, outros fixando-se em clãs ou pequenas gentes. Quase todos logo aprenderam a língua élfico-cinzenta, tanto como uma fala comum entre si quanto porque muitos estavam ávidos para aprender o saber dos Elfos. Mas, depois de um tempo, os Reis-élficos, vendo que não era bom para Elfos e Homens habitarem mesclados juntos sem ordem, e que os Homens precisavam de senhores de sua própria gente, puseram à parte regiões onde pudessem conduzir suas próprias vidas e designaram chefes para governar livremente essas terras. Nenhuma condição lhes foi imposta, exceto de considerar Morgoth seu inimigo e de não tratar com ele ou com aqueles enviados por ele. Eram os aliados dos Eldar na guerra, mas marchavam sob seus próprios líderes. Contudo, muitos dos Edain tinham deleite na amizade dos Elfos, e habitavam em meio a eles por tanto tempo quanto lhes permitissem; e os seus homens jovens amiúde se punham, por um tempo, a serviço das hostes dos Reis.

§31 Ora, Hador Glorindol, filho de Hathol, filho de Magor, filho de Malach Aradan, pôs-se a serviço da casa de Fingolfin em sua juventude e foi amado pelo rei. Fingolfin, portanto, deu-lhe o senhorio de Dor-lómin, e naquela terra ele reuniu a maioria do povo de sua gente e se tornou o mais poderoso dos chefes dos Edain. Em sua casa apenas a língua-élfica era falada; embora a fala deles próprios não tivesse sido esquecida pelo seu povo.* Mas, em Dorthonion, o senhorio do povo de Bëor e do país de Ladros foi dado a Boromir, filho de Boron, que era neto de Bëor, o Velho.

§32 Os filhos de Hador eram Galdor e Gundor; e os filhos de Galdor eram Húrin e Huor; e o filho de Húrin era Túrin, a ruína de Glaurung; e o filho de Huor era Tuor, pai de Eärendil,

*Dessa fala veio a língua comum de Númenor.

o Abençoado. E o filho de Boromir era Bregor, cujos filhos eram Bregolas e Barahir; e as filhas dos filhos de Bregolas eram Morwen, a mãe de Túrin, e Rían, a mãe de Tuor; mas o filho de Barahir era Beren Uma-Mão, que ganhou o amor de Lúthien, filha de Thingol, e retornou dos Mortos; deles vieram Elwing, a esposa de Eärendil, e todos os Reis de Númenor mais tarde.

§33 Todos esses foram apanhados na rede da Condenação dos Noldor; e realizaram grandes feitos dos quais os Eldar se lembram ainda, em meio aos tratados históricos dos Reis de outrora. E, naqueles dias, a força dos Homens foi acrescentada ao poder dos Noldor, e a esperança foi renovada; e o povo das três casas dos Homens prosperou e se multiplicou. A maior delas era a Casa de Hador Cabeça-dourada, par de senhores-élficos. Muitos de seu povo eram como ele, de cabelos dourados e olhos azuis; eram altos e fortes, rápidos para a ira e o riso, ferozes em batalha, generosos com os amigos e os inimigos, ligeiros na determinação, firmes na lealdade, alegres de coração, os filhos de Ilúvatar na juventude da Gente dos Homens. Mas o povo da Casa de Bëor tinha cabelos morenos ou castanhos; seus olhos eram cinzentos e aguçados e, seus rostos, belos e formosos. Esguios e esbeltos de corpos, por muito tempo resistiam a privações. De todos os Homens eram os mais semelhantes aos Noldor e os mais amados por eles; pois eram de mente ávida, de mãos hábeis, rápidos no entendimento, de longa memória; e tendiam antes à piedade que ao júbilo, pois a tristeza da Terra-média estava em seus corações. Semelhantes a eles era o povo das florestas de Haleth; mas eram mais baixos e de ombros largos, mais austeros e menos velozes. Eram menos ávidos por saber e usavam poucas palavras; pois não amavam grande multidão de homens, e muitos entre eles se deleitavam na solidão, vagando livres nas matas verdes enquanto as maravilhas do mundo lhes eram novas. Mas, nas terras do Oeste, seu tempo era breve e seus dias, infelizes.

§34 Os anos dos Edain se prolongaram, de acordo com a medida dos Homens, depois de sua vinda a Beleriand; mas, por fim, Bëor, o Velho, morreu, quando já tinha vivido três e noventa anos, dos quais quatro e quarenta servira ao Rei Felagund. E, quando jazeu morto, por nenhuma ferida ou enfermidade, mas afetado pela idade, os Eldar viram pela primeira vez a morte de cansaço que não conheciam em si mesmos, e prantearam a perda célere de seus amigos. Mas Bëor, por fim, desfizera-se de sua vida de boa vontade e morrera em paz; e os Eldar muito se admiraram da estranha sina dos Homens, pois em todo o seu saber não havia relato dela, e seu fim estava oculto deles. Mesmo assim, os Edain de outrora, sendo de raças ávidas e jovens, aprenderam rapidamente dos Eldar toda arte e conhecimento que pudessem receber, e seus filhos cresceram em sabedoria e engenho até superarem muito todos os outros da Gente dos Homens, que habitavam ainda a leste das Montanhas e não tinham visto os Eldar e os rostos dos que tinham contemplado a Luz.

★

Registro aqui as poucas alterações que foram feitas no texto datilografado do novo capítulo do QT 2.

§1 *Felagund* > *Finrod Felagund*.
§4 "chegado a uma terra" > "chegado enfim a uma terra".
§7 A segunda nota de rodapé foi riscada (assim como no texto datilografado original).
§12 *Diriol* > *Diriel* > *Amras*.
§13 *Radhrost* > *Thargelion*, e novamente em §23.
§28 *Dalath Dirnen* > *Talath Dirnen*.
§29 *List Melian*: "Cinturão de" escrito acima da palavra *List* (que não foi riscada).
§31 *Glorindol* > *Glórindol*.
§33 "as maravilhas do mundo" > "as maravilhas das terras dos Eldar".
"Mas, nas terras do Oeste" > "Mas, nos reinos do Oeste".

Além disso, certas alterações foram feitas a lápis na cópia em papel carbono apenas do texto datilografado original, e essas não foram incorporadas no QT 2, nem acrescentadas a ele. São elas:

§16 "Magor, filho de Aradan" > "Hador, filho de Aradan".
§29 *List Melian* > *Lest Melian*.
*Tûr Daretha* > *Tûr Haretha*.
§31 "Ora, Hador Glorindol, filho de Hathol, filho de Magor, filho de Malach Aradan" foi emendado para o seguinte (a

emenda foi feita de modo incorreto, mas a intenção de meu pai é clara): "Ora, Magor Dagorlind, filho de Hathol, filho de Hador Glorindal, filho de Malach Aradan".

§32 "Os filhos de Hador" > "Os filhos de Magor".

Quanto à inversão dos lugares de Magor e Hador na genealogia, ver p. 288.

## *Comentário*

§1 "trezentos anos e dez": as palavras "e dez" foram um acréscimo. O capítulo original do QS dizia "quatrocentos", junto ao qual meu pai anotou (p. 249, §126): "Isso precisa ser passado para 300", alterando a data para "310". Essa mudança radical, antecipando em noventa anos a data do encontro de Felagund com Bëor (e, assim, estendendo as linhagens dos Edain em Beleriand em várias gerações), foi encontrada no início do *Athrabeth Finrod ah Andreth* (X. 372 e terceira nota de rodapé).

§4 "Bëor, o Velho": as palavras "o Velho" foram um acréscimo, e "como foi chamado mais tarde" refere-se simplesmente a "Bëor" (ver a segunda nota de rodapé a §7). — Compare "Depois de muitas vidas de andança vindo do Leste" com a alteração feita no capítulo original do QS, p. 249, §127.

§7 A frase inicial desse parágrafo, conforme datilografada, dizia o seguinte:

> Assim foi que os Homens chamaram ao Rei Felagund, a quem encontraram primeiro entre todos os Eldar, *Sômar*, que é Sabedoria, e por causa dele deram ao seu povo o nome *Samûri* (que é os Sábios).

Como datilografada, a nota de rodapé foi acrescentada à palavra "Sabedoria" e dizia:

> Na antiga língua dos Edain (de qual mais tarde veio a língua númenóreana); mas Bëor e sua Casa posteriormente aprenderam a língua dos Eldar e abandonaram a sua própria.

Ver V. 328 (nota de rodapé) e p. 250, §128. — Em "a Casa de Finrod", *Finrod* = *Finarfin*. A nota de rodapé nesse ponto do texto, conforme datilografada, dizia o seguinte:

> Assim Bëor recebeu o seu nome; pois significa Vassalo na língua dos Edain. Mas, depois de Bëor, todos os filhos de sua Casa portaram nomes élficos.

A nota de rodapé revisada como apresentada no texto impresso foi posteriormente riscada a lápis. Ver §12 no texto.

§9 O parágrafo que começa por "Mas o que se disse depois ..." no *Silmarillion* publicado entre §9 e §10 do texto original foi derivado dos *Anais Cinzentos*, §§79–80 (pp. 52-3).

§10 A inversão no *Silmarillion* publicado do que é dito no texto original (e cf. X. 370) acerca das afinidades das línguas dos Edain (de maneira que os Haladin se tornam "separados em fala" do Povo de Bëor, e a língua do Povo de Marach se torna "mais semelhante à nossa") baseia-se em afirmações tardias e bastante expressas de meu pai. — Na presente passagem há as primeiras ocorrências dos nomes *Haladin* e *Marach*.

§12 A forma *Diriol* parece não ocorrer em nenhum outro lugar (ver p. 276, §12). — Acima da palavra "Serviçal", meu pai escreveu a lápis "Vassalo", mas depois a riscou. — A região de *Estolad* foi inserida no segundo mapa, mas na forma *Estoland* (p. 233, §55).

§13 O título *Das Gentes e das Casas dos Edain* foi um acréscimo ao manuscrito. A data 311 foi datilografada ao lado das palavras iniciais "Logo depois da partida de Felagund"; 312 ao lado da chegada dos Haladin; e 313 ao lado da chegada de Marach e seu povo.

*Radhrost*: nome élfico-escuro de Thargelion. Ver p. 276, §13.

*Caranthir*: o nome foi datilografado (duas vezes) como *Cranthir*, emendado para *Caranthir*, mas posteriormente no texto (§23 e subsequentemente) *Caranthir* foi a forma datilografada de início. Esse é um indício de que a emenda do texto ocorreu logo após ter sido datilografado (p. 140), e pode corroborar a indicação (*ibid.*) de que *Da Vinda dos Homens para o Oeste* pertence ao período em que o texto datilografado QT 2 estava sendo feito, uma vez que a alteração de *Cranthir* > *Caranthir* ocorre como uma emenda em *De Beleriand e seus Reinos* na série QT 2 (p. 243, §111).

Quanto à afirmação de que os povos de Bëor e Marach estavam "separados em fala", omitida no texto publicado, ver §10 acima.

§14 Após as palavras "habitou em Hithlum", seguiu-se no texto datilografado "na casa de Fingolfin", que foi riscada.

§15 A data 330–380 foi datilografada na margem ao lado das palavras "uns cinquenta anos".

§16 "a Casa de Finrod": ver §7 acima. — O parágrafo que começa por "Diz-se que em todas essas matérias ..." no *Silmarillion* publicado foi derivado dos *Anais Cinzentos*, §§130–1 (pp. 65-66).

§18 Comparar a fala de Bereg e de Amlach às palavras de Andreth a Felagund no *Athrabeth*, X. 375-6.

§19 A data 369 foi acrescentada ao lado da primeira frase do parágrafo.

§20 Após "recém-chegados em seu descuido", o texto, conforme datilografado, dizia o seguinte antes de ser emendado:

> Qual de vós já viu a Luz ou o menor dos deuses? Quem contemplou o Rei Sombrio no Norte? O Mar não tem outra costa. Não há Luz no Oeste, pois nos encontramos agora no Oeste do mundo.

§23 A forma *Caranthir* aparece aqui no texto conforme datilografado: ver §13 acima. Na cópia em papel carbono, foi feito um risco sobre o *n* de *Caranthir*, isto é, *Carathir*, e o mesmo foi feito na primeira ocorrência do nome (§13) no texto original.

§24 O cerco dos Haladin atrás de sua estacada está datado de 375, datilografado na margem.

§25 É aqui que a Senhora Haleth entra na história; Haleth, o Caçador, Pai de Homens, que apareceu pela primeira vez muito antes no *Quenta* como o filho de Hador (quando as casas "hadoriana" e "halethiana" eram uma só, ver IV. 123, 200), agora desaparece.

§27 A data 376–390 foi datilografada na margem ao lado da última frase, que se refere à estada dos Haladin em Estolad.

§28 *Hardan*, filho de *Haldar*: a substituição de *Hardan* por *Haldan* no texto publicado teve origem em uma alteração tardia de uma tabela genealógica dos Haladin (ver p. 291).

*Brithiach*: o Vau de Brithiach acima do Sirion ao norte da Floresta de Brethil aparecera pela primeira vez no *Conto de Tuor* tardio (*Contos Inacabados*, p. 67), e mais uma vez em AC §161; ver o mapa na p. 225, quadrado D7. — Ao lado da frase "Enfim cruzaram o Brithiach" há a data 391.

*Dalath Dirnen*: a Planície Protegida a leste do Narog. O nome aparece pela primeira vez no conto de Beren e Lúthien no QS (V. 358) e foi marcado no segundo mapa onde foi subsequentemente alterado para *Talath Dirnen* (p. 229, §17), como também na versão datilografada LQ 2 do presente texto (p. 276, §28).

*Teiglin*: essa foi a forma do nome adotada no *Silmarillion* publicado; ver pp. 309–10, ao final da nota 55.

§29 Nos *Anais Cinzentos* §132 (p. 66), foi inserida a história (no ano 422) de que "pelo rogo de Inglor [Felagund], Thingol permitiu que o povo de Haleth vivesse em Brethil, pois tinham boa amizade com os Elfos da floresta" (Haleth aqui obviamente é Haleth, o Caçador, que entrara em Beleriand dois anos antes).

*List Melian*, o Cinturão de Melian: esse nome foi inserido no segundo mapa (p. 226, D8–9) e alterado para *Lest Melian* na cópia em papel carbono do texto datilografado original do capítulo (p. 276, §29).

*Tûr Daretha*: para a forma *Tûr Haretha* no texto publicado, ver p. 276, §29. — A data da morte da Senhora Haleth é fornecida na margem: 420.

§31 Na história recém-elaborada, em que Marach substitui Hador Cabeça-dourada como o líder do povo na jornada para fora de Eriador, Hador agora aparece como o descendente de Marach na quarta geração; mas a Casa de Hador manteve seu nome (ver IV. 199–200). Essa é a primeira ocorrência do nome *Glorindol*; mas a forma tardia *Lorindol* (adotada no *Silmarillion* publicado) foi encontrada no *Athrabeth* (X. 370), e ver pp. 285-7.

Datas marginais dão os anos de Hador na casa de Fingolfin como 405–415, e a obtenção do senhorio de Dor-lómin como 416.

A última frase do parágrafo, conforme datilografada, dizia o seguinte:

> Mas, em Dorthonion, o senhorio do povo de Bëor foi dado a Bregor, filho de Boromir ...

A data dessa concessão, como datilografada na margem, era 410. — O "país de Ladros", na versão emendada, foi marcado no segundo mapa no nordeste de Dorthonion: p. 231, §34.

§32 Pelo restante de sua extensão, *Da Vinda dos Homens para o Oeste* volta a seguir, com muitos trechos reescritos e expandidos, a forma do capítulo original no QS. — *Galdor* ocorre pela primeira vez aqui (sem ser nas correções tardias), substituindo *Galion*, que por sua vez substituíra *Gumlin* (p. 149, §127).

## *As novas genealogias dos Edain*

A decisão de meu pai de que a vinda dos Edain para Beleriand por sobre as Montanhas Azuis ocorreu quase um século mais cedo do que supusera levou à vasta revisão da cronologia e das genealogias.

### *(i) A Casa de Bëor*

Vê-se pelo novo capítulo que, no caso dos Bëorianos, o "Pai" original, Bëor, o Velho, permaneceu, mas quatro novas gerações foram introduzidas entre ele e Bregolas e Barahir, que até então haviam sido seus filhos. Essas gerações são representadas por Baran, Boron, Boromir e Bregor (que se torna o pai de Bregolas e Barahir), descendentes na linhagem direta de Bëor, o Velho — embora não seja afirmado de fato que Boron era filho de Baran, apenas que era neto de Bëor (§31). Nos *Anais Cinzentos* (§121), Bëor nasceu no ano 370, seu encontro com Felagund ocorreu em 400, o ano em que seu filho mais velho Bregolas nasceu (§124), e ele morreu em 450. Na nova história, ele encontrou-se com Felagund em 310, partiu com ele em 311 (comentário a §13) e permaneceu em serviço por quarenta e quatro anos, até sua morte com a idade de 93 anos (§34); com base nisso, pode-se ver que suas datas são 262–355. Seu nome verdadeiro era *Balan* (§12); e é afirmado na segunda nota de rodapé a §7 que cada um dos chefes de seu povo usou o nome *Bëor* ("Vassalo") como um título até a época de Bregolas e Barahir — embora essa nota tenha sido riscada posteriormente (comentário a §7). Boromir, seu neto, recebeu o senhorio de Dorthonion e Ladros em 410 (§31 e comentário).

Existem duas tabelas genealógicas da Casa de Bëor que possuem estreita relação com o novo capítulo e quase que certamente pertencem ao mesmo período (há fortes indícios disso pelo fato de que um grupo de genealogias élficas, muito semelhantes em forma às dos Edain, está acompanhado por notas datadas de dezembro de 1959). As duas tabelas obviamente foram feitas na mesma época. A primeira ("tabela I de Bëor") foi escrita com cuidado e clareza; ela difere da segunda em muitas das datas e na apresentação dos descendentes de Boron (neto de Bëor, o Velho):

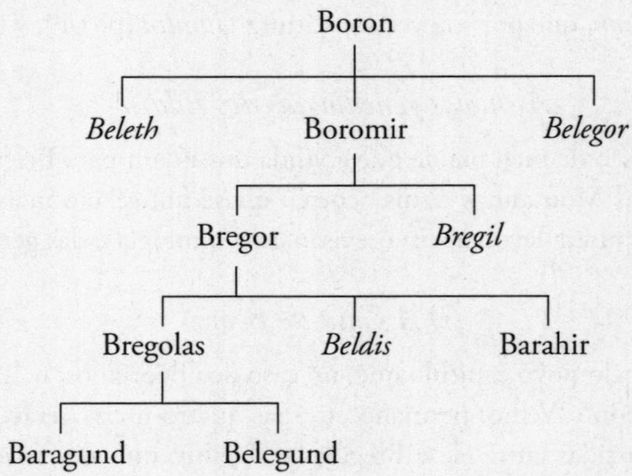


Nomes em itálico representam membros da Casa de Bëor que não haviam aparecido antes; desses, os nomes Beleth, Bregil e Beldis estão marcados na tabela como filhas. Alterações subsequentes, realizadas em estágios complexos, levaram a genealogia à forma mais completa que ela possui na "tabela II de Bëor"; dessas mudanças, a mais notável é a substituição de Bregil (que é deslocada uma geração adiante), filha de Boromir, por *Andreth*, a primeira aparição do nome. O único outro ponto a se notar na tabela I é que Morwen foi chamada *Eledhwen* (com *Eðelwen*, como na tabela II, acrescentado acima).

A tabela II de Bëor aplica todas as alterações feitas em I, e eu a redesenhei na p. 283 na forma que foi elaborada inicialmente. Os números acrescentados a certos nomes indicam os governantes da Casa em sua ordem.

Vê-se por essa genealogia que Boron era de fato o filho de Baran ("Bëor, o Jovem"); e que Bereg, o dissidente (§18), que no texto é mencionado apenas como "da Casa de Bëor", era o filho de Baranor, filho de Baran, e, assim, bisneto de Bëor, o Velho. Vê-se também que a ampliação adicional da Casa de Bëor que aparece no *Athrabeth Finrod ah Andreth* (X. 370-1) agora está presente, com Andreth, irmã de Bregor, e Belen, o segundo filho de Bëor, o Velho, pai de Beldir (não nomeado anteriormente), pai de Belemir, esposo

## A Casa de Bëor

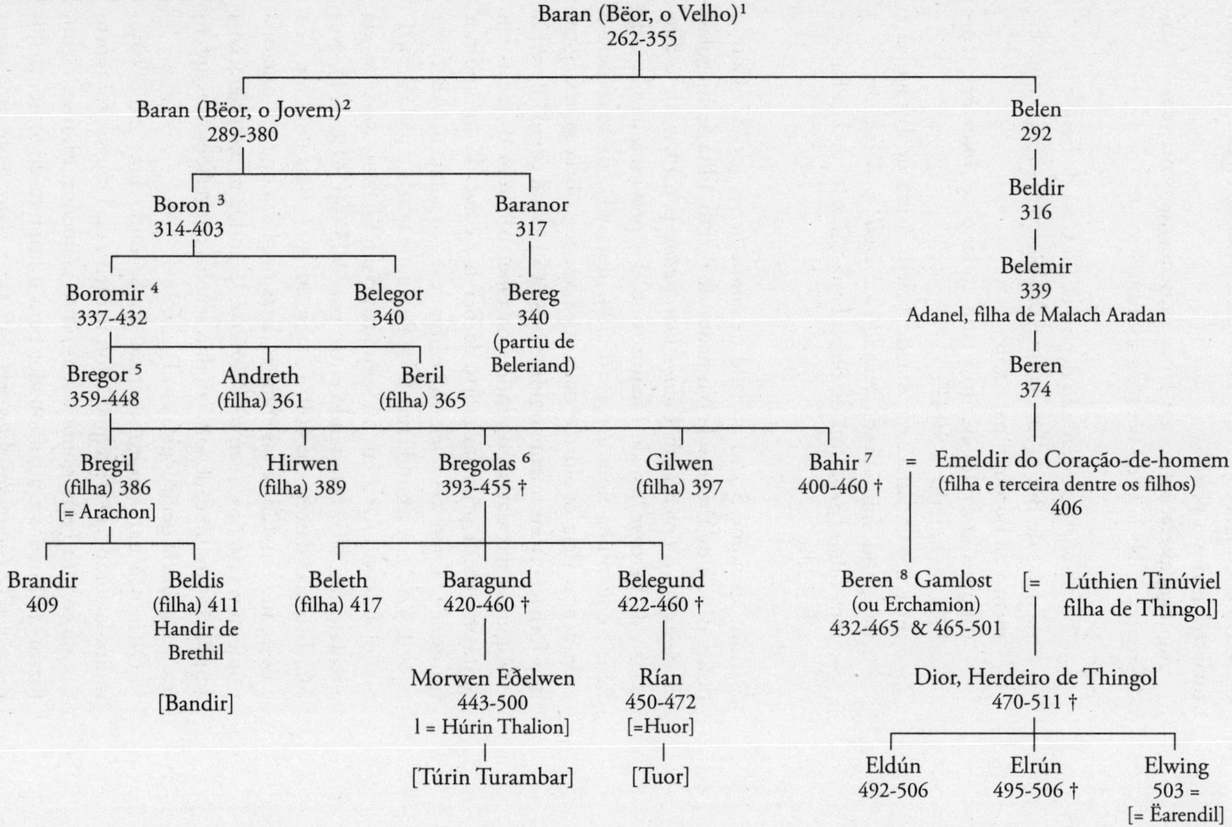

de Adanel. (É dito aqui que Adanel é filha de Malach Aradan, filho de Marach, enquanto no *Athrabeth* ela é irmã de Hador Lorindol: quanto a isso, ver p. 288.)

Algumas alterações foram feitas subsequentemente, em épocas diferentes, à tabela II de Bëor, da seguinte forma:

- *(Bar Bëora)* acrescentado depois de "A Casa de Bëor";
- As datas de Boron foram alteradas para 315–408, e o nascimento de Boromir, para 338;
- o nome *Saelin* foi escrito a lápis ao lado de *Andreth*, e também "A[ndreth], a Sábia";
- uma descendência remota de Beleth, irmã de Baragund e Belegund, foi indicada, levando a *Erendis de Númenor*;
- uma filha, *Hiril*, irmã de Beren Uma-Mão, foi dada a Barahir e Emeldir.

Quanto ao nome *Saelin* ao lado de *Andreth*, ver p. 287. Com a descendência de Erendis de Númenor de Beleth, filha de Bregolas, cf. *Aldarion e Erendis* em *Contos Inacabados*, p. 244, onde é dito acerca de Beregar, pai de Erendis, que ele "provinha da Casa de Bëor": em minha nota a isso (p. 294, nota 11), fiz referência à ascendência dela conforme dada na presente tabela genealógica, mas forneci erroneamente o nome de sua ancestral como "Bereth".

Algumas das datas posteriores na tabela diferem daquelas em outras fontes. A primeira morte de Beren é colocada em 466 nos textos de *O Conto dos Anos*: 465 é uma reversão à data no AB 2 (ver p. 160, §203). A segunda morte de Beren, na tabela datada de 501, foi colocada no AB 2 em 503, enquanto em *O Conto dos Anos* ela é dada como 505, revertendo então para 503 (pp. 419, 421). Nos AC, Bregolas nasceu em 400, Barahir em 402, Baragund em 424 e Belegund em 428 (essas eram as datas originais que remontam à primeira versão dos *Anais de Beleriand*, levando em consideração a ampliação em um e, depois, em dois séculos em versões subsequentes; ver a tabela genealógica em IV. 369).

Quanto à data muito alterada do Segundo Fratricídio (aqui indicada como 511), no qual Dior, herdeiro de Thingol, foi morto na luta com os Fëanorianos e seus filhos pequenos, Eldún e Elrún, foram capturados e abandonados para morrerem de fome na floresta, ver *O Conto dos Anos*, pp. 345 ss.; é claramente uma mera inadvertência que, na mesma tabela, a data da morte das crianças seja dada como 506, cinco anos antes da morte de Dior. Em fontes (tardias), Eldún e Elrún são irmãos gêmeos, nascidos no ano 500 (ver p. 314 e nota 16 na p. 362; p. 423).

## *(ii) A Casa de Hador*

Na antiga história dos Edain, agora rejeitada, Hador, o de Cabelos Dourados, terceiro dos "Pais de Homens do Oeste", nasceu em Eriador em 390, e veio por sobre as Montanhas Azuis até Beleriand em 420. No entanto, ao contrário do desenvolvimento na Casa de Bëor, Hador (Glorindol, §31) manteve o seu lugar cronológico na história (como logo se verá, sua data de nascimento original permaneceu a mesma), e seus filhos Galdor (< Galion < Gumlin) e Gundor; mas, com a data muito mais antiga da "Vinda dos Homens para o Oeste", ele foi deslocado na genealogia e se tornou o governante do povo na quarta geração desde Marach, sob cuja liderança eles entraram em Beleriand em 313 (comentário a §13). Seu pai era Hathol, filho de Magor, filho de Malach, filho de Marach (§31).

Assim como a Casa de Bëor, há também duas tabelas genealógicas de estreita associação com a nova concepção. A mais antiga delas ("tabela I de Hador") foi feita na velha máquina de escrever de meu pai usando o seu "tipo minúsculo" (VIII. 279). Ela foi bastante alterada por revisões de datas, e por acréscimos, mas estes dizem respeito principalmente à ampliação da genealogia para a inclusão dos descendentes de Húrin e Huor, com os quais a tabela termina na forma em que foi datilografada: a estrutura da descendência a partir do ancestral foi bem menos alterada do que no caso da tabela I de Bëor, e, de fato, o único acréscimo aqui foi a incorporação de Amlach, um dos líderes do descontentamento em Estolad, sobre o qual se diz no texto do capítulo (§18) que havia sido "um dos netos de Marach". Alterações também foram feitas nos nomes dos Haladin que aparecem na genealogia.

Uma cópia limpa feita à mão ("tabela II de Hador"), idêntica em aparência às tabelas da Casa de Bëor, veio a seguir, sem dúvida imediatamente, e essa eu redesenhei na p. 286, na forma em que foi elaborada (isto é, omitindo alterações subsequentes). Destaco aqui alguns pontos dessas tabelas.

A data da entrada de Marach em Beleriand difere em um ano (314 no lugar de 313) daquela fornecida no capítulo (comentário

## A casa de Hador

A "gente de Marach" (nothlir Maracha) posterior e geralmente chamada a "Casa de Hador"

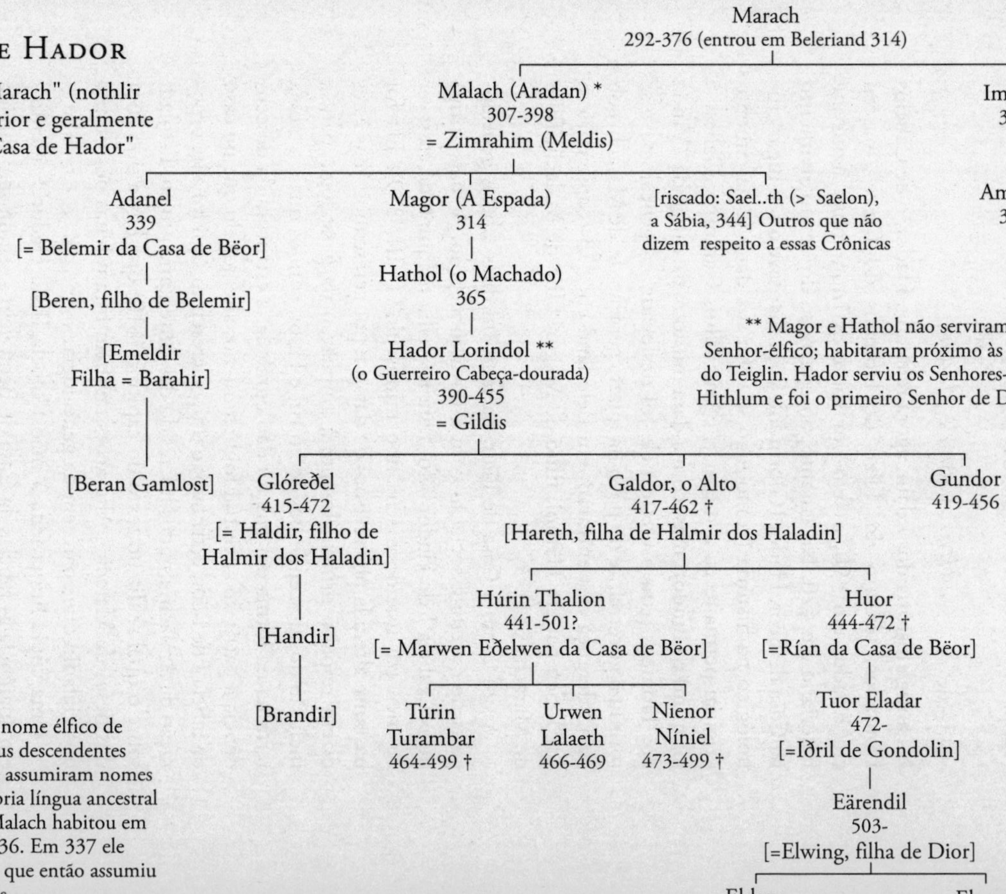


** Magor e Hathol não serviram nenhum Senhor-élfico; habitaram próximo às nascentes do Teiglin. Hador serviu os Senhores-élficos de Hithlum e foi o primeiro Senhor de Dor-lómin

* Malach assumiu o nome élfico de Aradan. Todos os seus descendentes sabiam a fala élfica e assumiram nomes élficos, mas sua própria língua ancestral não foi esquecida. Malach habitou em Hithlum de 322 a 336. Em 337 ele desposou Zimrahin, que então assumiu o nome élfico Meldis.

a §13); na tabela I, 315 foi alterado para 314. Na tabela I, Imlach, filho de Marach, pai de Amlach, chama-se *Imrach*.

Em concordância com as tabelas genealógicas da Casa de Bëor, Adanel, esposa de Belemir, é a filha de Malach Aradan; na tabela I de Hador, é dito que Adanel "desposou Belemir da Casa de Bëor, e ele se juntou ao povo de Aradan", e as últimas palavras foram riscadas. Também é dito na tabela I que Beren (I) foi o quinto filho de Adanel e Belemir; e que Emeldir era a terceira dentre os filhos de Beren.

Na tabela I de Hador, há a afirmação de que "os outros filhos de Aradan" (isto é, fora Adanel e Magor) "não são nomeados nas Crônicas". Contudo, na tabela II, uma terceira descendente de Malach Aradan foi nomeada: "Sael..th, a Sábia 344", junto com a menção a "outros que não dizem respeito a essas Crônicas"; *Sael..th* foi inicialmente alterado para *Saelon*, e então o nome e a data de nascimento foram riscados, de modo que as letras do meio do primeiro nome não podem ser lidas. Isso provavelmente foi feito na época da criação da tabela. *Saelon* aparece em rascunhos do *Athrabeth* (X. 422-3) como o nome de *Andreth*, substituído no texto concluído (X. 370) por *Saelind* ("os Eldar a chamavam de Saelind, "Coração-sábio""). Muito provavelmente nessa irmã de Magor e Adanel é vista a primeira indicação do *Athrabeth*; subsequentemente, quando meu pai percebeu que as mulheres sábias vinham de diferentes casas dos Edain, com "saberes e tradições" diferentes (X. 370), ele escreveu *Saelin* e *Andreth, a Sábia* ao lado do nome *Andreth* na tabela II de Bëor (p. 282). Parece possível que Adanel e Andreth já estivessem presentes nas genealogias antes que sua importância como "mulheres sábias" surgisse.

Na tabela I de Hador, Hador foi chamado de *Glorindol*, como no texto do capítulo (§31), emendado para *Lorindol*, a forma na tabela II. — Não sei por que a morte de Gundor deveria ser datada (tanto em I como em II) um ano depois (456) da morte de seu pai, Hador. Todas as fontes afirmam que ambos morreram em Eithel Sirion.

O "casamento duplo" da filha e do filho mais velho e Hador, chamados Glorwendil e Galion, com o filho (Hundor) e a filha (não nomeada) de Haleth, o Caçador, já havia surgido nos *Anais Cinzentos* (ver o comentário a §§161, 171, pp. 153, 156). Agora chamados Glóreðel e Galdor, o casamento duplo permanece, mas, com a completa reconstituição do Povo de Haleth, o lugar cronológico de Haleth, o Caçador, foi tomado por *Halmir*: agora são o seu filho *Haldir* e a sua filha *Hareth* que se casam com Glóreðel e Galdor.*

A data da morte de Húrin é assinalada como "500?" na tabela I ("501?" na tabela II).

O nome *Eladar* de Tuor é traduzido como "Pai-da-estrela" na tabela I e, além disso, ele é chamado de *Ulmondil*; a forma *Irildë* foi acrescentada após Idril (assim grafada): ver II. 412 e V. 443–4 (radical KYELEP); e a Eärendil foi acrescentado "cujo nome foi previsto por Ulmo".

Para *Urwen Lalaeth*, ver *Contos Inacabados*, pp. 88–90.

Em anotações apressadas a lápis na tabela II de Hador, a nota que diz que Magor e Hathol não serviram nenhum senhor-élfico, mas habitaram próximo às nascentes do Teiglin, e que Hador foi o primeiro senhor de Dor-lomin, foi riscada; enquanto que, ao mesmo tempo, *Hador Lorindol primeiro senhor de Dorlómin* foi escrito acima de *Magor (a Espada)*, e *Magor Dagorlind a Espada cantor na batalha*, acima de *Hador Lorindol*. Essa inversão já foi vista na emenda feita apenas na cópia em papel carbono do texto do capítulo (pp. 276-7, §§16, 31–2 — onde meu pai alterou *Glorindol* não para *Lorindol*, mas para *Glorindal*). Vê-se que essa não foi uma alteração efêmera pelo *Athrabeth*, onde Adanel é a irmã de Hador Lorindol, não de Magor.

Não estou ciente de qualquer afirmação em outro lugar que seja relevante para essa alteração, mas as palavras "primeiro senhor de Dorlómin" que (por assim dizer) acompanharam o deslocamento de Hador em meio século para trás são evidentemente significantes, sugerindo que meu pai tinha em mente situar a doação do senhorio de Dorlómin por parte de Fingolfin muito antes: ele havia dito, tanto no texto do capítulo como na tabela genealógica, que Malach (cujo filho agora era Hador Lorindol) passou catorze anos em Hithlum. Essa mudança, por si só, não acarretaria na inversão dos nomes Magor e Hador; mas a Casa de Hador era um nome tão engastado na tradição que meu pai não queria abrir mão dele mesmo quando Hador não era mais o primeiro governante em Beleriand, ao mesmo tempo que, por outro lado, a importância

*Na tabela I, o filho de Halmir ainda era *Hundor*, e sua filha era *Hiriel*. *Hiriel* foi alterado para *Hareth*; e *Hundor* foi alterado para *Hundar* antes de chegar a *Haldir*. Ver pp. 289-90.

e a fama daquela casa tinham estreita relação com o senhorio de Dorlómin — em outras palavras, o nome precisava acompanhar o primeiro senhorio. Mas parece que ele nunca escreveu mais nada sobre esse assunto, nem fez quaisquer outras alterações nos textos existentes à luz dessa situação.

A única outra alteração feita na tabela II de Hador (também feita na tabela I) foi o nome *Ardamir* ter sido escrito acima de Eärendil.

## *(iii) Os Haladin*

Essa casa dos Edain passou pela maior alteração, uma vez que, nesse caso, o "Pai" original, Haleth, o Caçador, desapareceu, e é dito (§24) sobre os Haladin (um nome que ocorre pela primeira vez nesse novo capítulo, §10) que eles "não viviam sob o domínio de senhores ou muitos juntos". O nome *Haleth* agora se torna o da formidável Senhora Haleth, filha de Haldad, que se tornara o líder quando os Haladin foram atacados por Orques em Thargelion. Na tabela genealógica da Casa de Hador, *Halmir* ocupa o lugar na história previamente ocupado por Haleth, o Caçador, e foram o seu filho e a sua filha que se casaram com o filho e a filha de Hador Cabeça-dourada.

Uma tabela genealógica dos Haladin existe em uma única cópia (precedida por esboços descuidados onde os nomes foram deslocados de maneira desnorteante), e ela, obviamente feita na mesma época, está associada àquelas das Casas de Bëor e de Hador. Apresento essa tabela na p. 290 conforme inicialmente elaborada. Como na tabela dos Bëorianos, os números junto a certos nomes referem-se aos líderes dos Haladin em sequência.

Um elemento particularmente confuso na transformação do "Povo de Haleth" (que já é confuso o suficiente, de qualquer forma) encontra-se na prole de Halmir.

(1) Em AC §212 (p. 87), no anal 468 foi dito que, na época da União de Maidros, Haleth, o Caçador, "reuniu sua gente em Brethil, e eles afiaram seus machados; mas ele morreu de velhice antes que chegasse a guerra, e Hundor, seu filho, governou o seu povo" (mantive isso em *O Silmarillion*, Capítulo 20, p. 258, substituindo Haleth, o Caçador, por Halmir, e Hundor por Haldir).

(2) Mencionei (p. 288, nota de rodapé) que, na "tabela I de Hador", o filho de Halmir ainda era *Hundor*; e que esse nome foi alterado para *Hundar* (também encontrado em um dos textos

## A casa dos Haladin

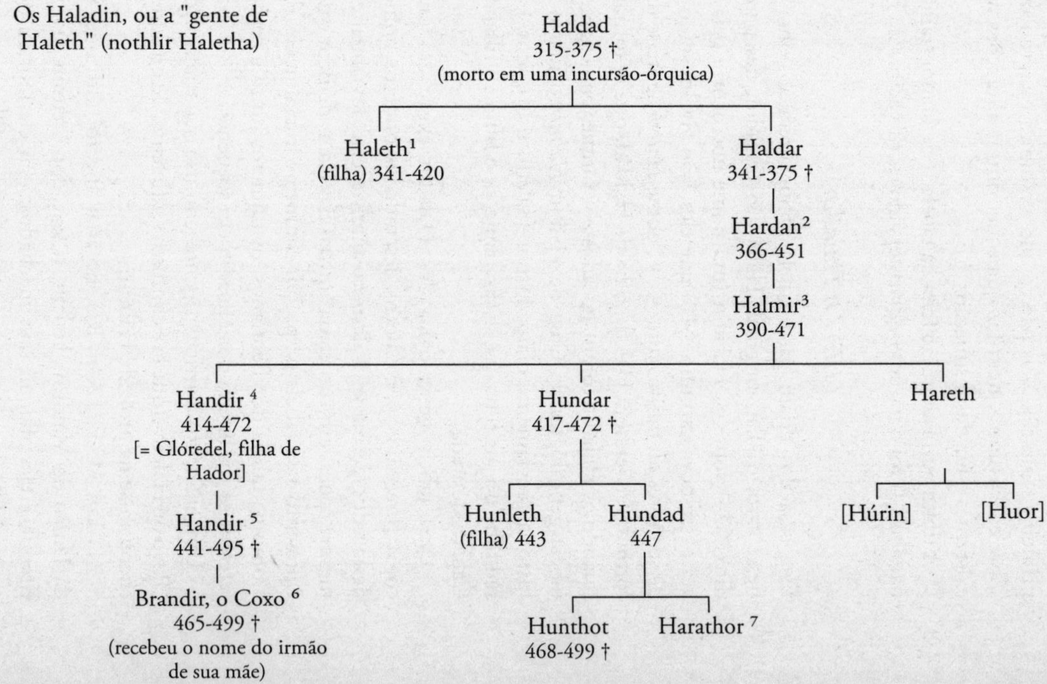

constituintes do *Narn* como o nome do filho) antes de chegar à forma final *Haldir*.

(3) Na versão do *Narn* da história da Batalha das Lágrimas Inumeráveis, o líder dos homens de Brethil é *Hundar* (pp. 205, 207).

(4) Em uma alteração tardia na versão do AC da história (ver p. 162, comentário a §221), a frase "muitos dos homens-da-floresta vieram também com Hundor de Brethil" foi alterada para "vieram também com Haldir e Hundar".

(5) Na tabela genealógica dos Haladin é mostrado que tanto *Haldir*, filho de Halmir e líder dos Haladin após a morte de seu pai, como seu irmão *Hundar* foram mortos nas Nirnaeth no ano 472.

Portanto, vê-se que quando *Hundar*, filho de Halmir, tornou-se *Haldir*, o nome *Hundar* não foi perdido, mas atribuído a um irmão de Haldir; e ambos foram à batalha e ambos foram mortos. Isso é afirmado expressamente em *As Andanças de Húrin* (p. 341 e nota 37); e, de fato, a linhagem de Hundar é de grande importância naquela história.

Handir, filho de Haldir, manteve seu nome de versões antigas; mas a história original de sua morte na batalha de Tumhalad em 495 havia sido alterada: ele foi morto em Brethil no início daquele ano por "Orques que invadiram sua terra" (AC §275). Quanto ao seu casamento com Beldis da Casa de Bëor, ver p. 329.

Hunthor era o companheiro de Túrin no ataque a Glaurung, morto por uma pedra que despencou (*Contos Inacabados*, p. 188); chamado *Torbarth* nos AC (ver p. 194).

A maioria das alterações tardias feitas nessa tabela possuem estreita relação com a história de *As Andanças de Húrin*, e essas omito aqui. Das outras alterações, uma já foi mencionada (comentário a §28, p. 279): *Hardan*, filho de Haldar (irmão gêmeo da Senhora Haleth), foi alterado para *Haldan*, e esse nome foi adotado no *Silmarillion* publicado; mas também escrito a lápis junto a *Hardan* (antes ou depois da alteração para *Haldan*) há o nome *Harathor* (o nome repetido em seu descendente, o sétimo líder dos Haladin, quatro gerações depois). — As datas de nascimento de Hundar e Hareth foram alteradas para 418 e 420; e a filha e Hundar, *Hunleth*, foi um acréscimo, embora provavelmente da época da elaboração da tabela.

Em um canto da página está escrito a lápis: "*Hal-* na antiga língua desse povo = líder, principal, *bar* = homem. *Halbar* = chefe";

na mesma época, meu pai escreveu "*b*" junto ao nome *Haldar* (irmão de Haleth) e talvez tenha riscado muito levemente o "*d*" desse nome: isto é, *Halbar*. Quanto a isso, ver p. 372.

## 15 DA RUÍNA DE BELERIAND E DA QUEDA DE FINGOLFIN

Chegamos agora ao Capítulo 11 no QS, apresentado em V. 333–44. O texto não foi muito emendado no manuscrito, e apresento as alterações que foram feitas na forma de notas que fazem referência aos parágrafos numerados no Vol. V.

§134 *Bladorion* > *Ard-galen* e subsequentemente.

"fogos de muitas cores, e o fumo empesteava o ar" > "fogos de muitos matizes venenosos, e o fumo deles empesteava o ar".

*Dor-na-Fauglith* > *Dor-no-Fauglith*.

*Dagor Vreged-úr* > *Dagor Bragollach*.

"a Batalha do Fogo Repentino" > "a Batalha da Chama Repentina" (e subsequentemente).

§137 "Naquela batalha o Rei Inglor Felagund foi separado de sua gente e cercado pelos Orques, e teria sido morto ..." > "cercado pelos Orques no Pântano de Serech, entre Mithrim e Dorthonion, e ali teria sido morto". O *Fen of Rivil* [Pântano do Rivil], alterado para *Fen of Serech* [Pântano de Serech], foi acrescentado ao segundo mapa (p. 224, §3), e o segundo nome ocorre diversas vezes nos AC.

§138 "fugira agora de Dorthonion" > "fugira para longe de Dorthonion".

"foi chamada pelos Gnomos de Taur-na-Fuin, que é Trevamata, e Deldúwath, Sombra Mortal da Noite" > "foi chamada pelos Elfos-escuros de Taur-na-Fuin, que é Trevamata, mas pelos Gnomos de Deldúwath, Sombra Mortal da Noite".

§141 "Celegorn e Curufin ... buscaram asilo com seu amigo Orodreth" > "... buscaram asilo com Inglor e Orodreth". Ver V. 345, §141.

§142 "nem nos ermos de Beleriand Sul" > "nem em Taur-im-Duinath e nos ermos do sul". Quanto a *Taur-im-Duinath*, ver p. 238, §108, e p. 240, §113.

§143 "Sauron era o principal serviçal do maligno Vala, a quem corrompera ao seu serviço em Valinor dentre o povo dos Deuses. Ele se tornara um mago de poder horrendo, mestre de necromancia, de saber imundo" > "Ora, Sauron, a quem os Noldor chamam de Gorthú, era o principal serviçal de Morgoth. Em Valinor ele habitara entre o povo dos deuses, mas lá Morgoth o atraíra para o mal e ao seu serviço. Ele se tornara então um feiticeiro de poder horrendo, mestre de sombras e fantasmas, de saber imundo". Quanto a essa passagem, e ao nome *Gorthú*, ver V. 399, 406, e o comentário a QS §143 (V. 346).

Na nota de rodapé a esse parágrafo, *Tol-na-Gaurhoth* > *Tol--in-Gaurhoth* (cf. AC §154 e comentário, pp. 70, 152).

§144 Em "pois, embora seu poder seja o maior de todas as coisas neste mundo, é o único dos Valar a conhecer o medo", as palavras "seja" e "a conhecer" foram alteradas para "fosse" e "que conhecera".

§147 "pela tristeza. Mas a história é recordada, pois Thorondor, rei das águias, trouxe notícias a Gondolin, e a Hithlum. Pois Morgoth" > "pois a tristeza delas é profunda demais. Contudo, a história é recordada ainda, pois Thorondor, rei das águias, trouxe notícias a Gondolin e a Hithlum, longe dali. E eis que Morgoth".

*Gochressiel* > *Crisaegrim* (ver V. 346, §147).

§149 "E a maioria dos Gnomos temia" > "E os Gnomos sempre temiam mais".

§151 "Anões" > "Anãos".

Todas essas alterações foram aplicadas ao texto datilografado inicial QT 1 (no qual as notas de rodapé a §§143, 156, como de costume, foram incorporadas ao texto, e assim permaneceram). Meu pai não fez emendas ao QT 1, nem mesmo a correção de nomes escritos erroneamente e de outros erros. Esses erros reaparecem no texto datilografado tardio da série QT 2, demonstrando que, nesse caso, a pessoa que o datilografou não trabalhou a partir do manuscrito. Meu pai numerou o capítulo como "XVIII" (ver p. 265) no texto no QT 2, e fez as seguintes emendas.

§134 *Dor-no-Fauglith* (alterado de *Dor-na-Fauglith* no manuscrito, como mencionado acima) > *Dor-nu-Fauglith*; uma tradução do nome foi acrescentada em uma nota de rodapé "Que é Terra sob a Cinza Sufocante"; e "na língua noldorin" (onde o QT 1 dizia "na língua gnômica") > "na língua sindarin".

*Eredwethion* > *Eredwethrin* (e subsequentemente).

§135 *Glómund* > *Glaurung* (e subsequentemente). Ver p. 222, §104.

§137 *Finrod* > *Finarfin* (essa alteração não ocorreu em §144).

"Bregolas, filho de Bëor [o texto datilografado possui *Breor*, um simples erro que remonta ao QT 1], que era senhor daquela casa de homens após a morte de seu pai" > "Bregolas, filho de Bregor … após a morte de Boromir, seu pai". Isso ajusta o texto à nova genealogia que foi inserida com o novo capítulo *Da Vinda dos Homens para o Oeste*. Ele foi preservado na série QT 2, mas, para o presente capítulo, meu pai entregou à pessoa que o datilografou o antigo texto QT 1 para ser copiado.

*Inglor* > *Finrod* (e subsequentemente).

"Barahir, filho de Bëor" > "Barahir, filho de Bregor".

§138 *Taur-na-Fuin* > *Taur-nu-Fuin* (cf. AC §158 e comentário, pp. 73, 153).

§139 O nome *Arthod* de um dos companheiros de Barahir havia sido escrito erroneamente *Arthrod* pela pessoa que datilografou o QT 1, e esse erro, preservado no QT 2, não foi notado por meu pai. Nos AC (§159, p. 73), o nome é *Arthad*, que foi adotado no *Silmarillion* publicado.

§140 *Gumlin* > *Galdor* e subsequentemente (ver p. 281, §32); o nome intermediário *Galion*, que aparece nos AC (§127), foi pulado aqui.

§141 "buscaram asilo com Inglor e Orodreth" (ver p. 292, §141) > "buscaram asilo com Finrod e Orodreth".

§142 *Cranthir* > *Caranthir*

*Damrod e Díriel* > *Amrod e Amras*

§143 "Ora, Sauron, a quem os Noldor chamam de Gorthú" (ver p. 293, §143) > "Ora, Sauron, a quem os Sindar chamam de Gorthaur".

"Em Valinor ele habitara entre o povo dos Valar, mas lá Morgoth o atraíra para o mal e ao seu serviço" (ver p. 293, §143; o QT 1 diz "deuses"): isso foi riscado.

§147 Em "Morgoth ficou para sempre manco de um pé desde daquele dia, e a dor de suas feridas não pode ser curada; e em seu rosto está a cicatriz feita por Thorondor", as palavras "desde", "não pode" e "está" foram alteradas para "após", "não podia" e "estava". Cf. p. 293, §144.

§151 *Borlas e Boromir e Borthandos* > *Borlad e Borlach e Borthand.* Nos AC, em uma passagem preservada em duas versões, aparecem tanto *Borthandos* como *Borthand* (pp. 78, 81), e os outros nomes permaneceram como no QS. Aqui *Borlad* substitui *Borlas* e *Borlach* substitui *Boromir*, que posteriormente se tornou o nome do quarto governante do Povo de Bëor.

§152 "Contudo, Haleth e seus homens" > "Contudo, o Povo de Haleth".

*Haleth* > *Halmir* (e subsequentemente); na primeira ocorrência > "Halmir, Senhor dos Haladin". Para *Halmir*, ver p. 289 e a tabela genealógica dos Haladin na p. 290.

§153 Como nenhuma alteração jamais foi feita nessa passagem no QS, nessa data tardia o texto datilografado QT 2 ainda possuía a antiga história de que foi Haleth, o Caçador, e seu filho de criação Húrin que, caçando no vale do Sirion no outono do ano da Batalha da Chama Repentina (455), toparam com a entrada de Gondolin. A história já havia sido alterada nos *Anais Cinzentos* (§149), onde o companheiro de Húrin se tornara Handir, neto de Haleth, e em um longo adendo inserido nos *Anais* (§§161–6, e ver o comentário, pp. 153-4) ela sofreu muitas outras alterações: o companheiro de Húrin agora era o seu irmão Huor, e foi a presença deles (como filhos de criação de Haleth) entre os Homens de Brethil na batalha contra os Orques três anos antes (458) que levou à ida deles a Gondolin. No entanto, as únicas alterações que meu pai fez na passagem no QT 2 foram a substituição de *Gumlin* por *Galdor* e *Haleth* por *Halmir* — mantendo assim a história há muito rejeitada ao mesmo tempo em que inseria os novos nomes que haviam surgido com o capítulo *Da Vinda dos Homens para o Oeste*. Essa obviamente não era a sua intenção (ele provavelmente alterou os nomes com rapidez no decorrer do capítulo sem levar em consideração o conteúdo desse parágrafo) e, de fato, ele marcou o trecho na margem com um X e anotou ao lado dela: "Essa história está incorreta. Ver Anais e conto de Túrin". Esse tratamento pode ter se dado em decorrência da pressa, ou indisposição de lidar com o texto naquele momento; mas possivelmente sugere uma incerteza quanto à maneira como ele deveria relacionar o conteúdo do *Quenta Silmarillion* a essa altura ao mesmo material que aparecia de forma bastante similar nos *Anais Cinzentos* e no *Narn*: ver pp. 204 ss. Na obra publicada, o antigo texto de QS §153 foi substituído pelo de AC §§161–6 (com um final diferente: ver p. 209).

Duas alterações feitas rapidamente no manuscrito do QS não se encontram nos textos datilografados. A primeira dessas diz respeito ao início de §133: "Mas quando os filhos dos filhos dos Pais de Homens haviam recém chegado à vida adulta"; isso se refere à segunda geração depois de Bëor, Hador e Haleth de acordo com as antigas genealogias, isto é, Baragund, Belegund, Beren; Húrin, Huor; Handir de Brethil. Ao corrigir o texto QT 2, meu pai não percebeu a necessidade de corrigir isso à luz da história revisada dos Edain em Beleriand, e quando de fato a reconheceu, ele fez a alteração somente no manuscrito do QS, da seguinte forma:

> Mas, quando a quinta geração de Homens depois de Bëor e Marach ainda não chegara à vida adulta

Ainda assim, a alteração não foi exatamente como seria de se esperar; pois na quinta geração depois de Bëor e Marach estavam Bregolas, Barahir; Gundor, Galdor. Obviamente não há dúvidas de que os homens aos quais se faz menção não são esses, mas seus filhos — e, ainda assim, o novo fraseado "não chegara à vida adulta" dificilmente é adequado a Baragund e Belegund, os quais, de acordo com as datas alteradas na tabela genealógica (pp. 283-4), tinham nessa época 35 e 33 anos. De qualquer forma, parece claro que "quinta" foi um erro para "sexta".

A outra alteração feita apenas no QS, e obviamente feita muito antes do que a apresentada acima, foi um acréscimo ao final de §137, após as palavras "ele [Felagund] deu a Barahir seu anel".

> Mas temendo agora que todos os lugares fortificados estavam fadados a sucumbir por fim diante do poderio de Morgoth, ele enviou sua esposa Meril à própria gente dela em Eglorest, e com ela foi o filho deles, ainda uma criança-élfica, e *Gilgalad* Luz-das-estrelas ele era chamado devido ao brilho de seus olhos.

A esposa de Felagund, Meril, não foi mencionada antes, nem qualquer filho dele; e essa é a primeira aparição de Gil-galad de *O Senhor dos Anéis*. Outra nota sobre o assunto encontra-se no manuscrito do QS próximo ao início da versão "curta" (isto é, condensada) da história de Beren e Lúthien (ver V. 349), escrita rapidamente a lápis ao pé de uma página, mas que se refere claramente à afirmação no texto de que Felagund entregou a coroa de Nargothrond a Orodreth antes de partir com Beren (*O Silmarillion*, p. 234):

> Mas, prevendo o mal, ordenou que Orodreth enviasse seu filho Gilgalad e sua esposa para longe.

Isso foi riscado; e em um ponto mais adiante no conto de Beren e Lúthien na mesma versão há uma terceira nota apressada, sem indicação para inserção, mas que evidentemente se refere à passagem na qual Orodreth expulsou Celegorn e Curufin de Nargothrond (*O Silmarillion*, p. 241):

> Mas a Senhora                                  esposa de Inglor, abandonou a gente de Nargothrond e foi com o seu filho Gilgalad para os Portos da Falas.

Um espaço em branco foi deixado aqui para o nome da esposa de Felagund. Em cada uma dessas menções, considerando-as em sequência, a partida dela é transferida para um ponto posterior; mas, é claro, elas não precisam ter sido escritas nessa sequência (embora a terceira presumivelmente tenha substituído a segunda, que foi riscada). Por outro lado, parece muito improvável que os três acréscimos não andem lado a lado, apesar de aparentemente não haver meio de se descobrir com certeza quando foram escritos. — Também se pode mencionar que uma correção tardia no antigo manuscrito AB 2 alterou a frase no último anal (V. 172), de "Mas Elrond Meio-Elfo permaneceu e governou no Oeste do mundo" para "Mas Elrond Meio-Elfo permaneceu com Gilgalad, filho de Inglor Felagund, que governou no Oeste do mundo".

Em relação a isso, é preciso mencionar a passagem nos *Anais Cinzentos* §§108–9 (p. 59-60), onde é afirmado expressamente que "o Rei Inglor Felagund não tinha esposa", e que, quando Galadriel foi a Nargothrond para a festa de celebração pelo término da construção no ano 102, ela lhe perguntou por quê:

> … mas veio sobre Felagund um presságio, conforme ela falava, e ele disse:
>
> "Um juramento também hei de fazer, e devo estar livre para cumpri-lo e adentrar a escuridão. Nem nada de todo meu reino há de durar para que um filho possa herdá-lo."
>
> Mas diz-se que, até aquela hora, tais pensamentos gélidos não o tinham governado; pois, de fato, aquela a quem ele amara fora Amárië dos Vanyar, e ela não teve permissão de seguir com ele para o exílio.

Amárië aparece novamente nos AC, em ambas as versões da história recontada de Beren e Lúthien (§§180, 199), onde é dito que Felagund habita em Valinor com Amárië.

Evidências tardias tornam certo o fato de que as notas no manuscrito do QS representam uma ideia rejeitada para a incorporação de Gil-galad nas tradições dos Dias Antigos; e a passagem recém-citada dos *Anais Cinzentos* deve ser interpretada como uma demonstração de que foi abandonada. A ideia de que Gil-galad era o filho de Fingon (*O Silmarillion*, p. 215) deriva da nota tardia escrita a lápis no manuscrito dos AC (§157), que afirma que, quando Fingon tornou-se Rei dos Noldor com a morte de Fingolfin, "seu jovem filho (?Findor) [*sic*] Gilgalad ele enviou aos Portos". Mas essa, adotada depois de muita hesitação, na verdade não foi de modo algum a última das especulações de meu pai acerca dessa questão.

## OS ÚLTIMOS CAPÍTULOS DO *QUENTA SILMARILLION*

Aos capítulos seguintes no QS (12–15), a história de Beren e Lúthien, não há quase nada a ser acrescentado ao meu relato em V. 348 ss. Um texto datilografado na série QT 1 foi elaborado, mas meu pai apenas passou os olhos por ele rapidamente, corrigindo alguns erros de datilografia e deixando passar um considerável; a partir desse foi feita uma cópia na série QT 2, que ele mais uma vez olhou de forma rápida e sem fazer comparações: nomes antigos como *Inglor* e *Finrod* não foram alterados para *Finrod* e *Finarfin*. A única alteração que ele fez no texto QT 2 estava logo no início (V. 354), onde junto a "Noldor" ele escreveu na margem "Númenor", isto é, "que é a segunda mais longa das canções [dos Noldor >] de Númenor acerca do mundo de outrora". Com isso, cf. X. 450.

A história textual dos capítulos seguintes (16 e 17) do *Quenta Silmarillion* foi descrita na íntegra no Vol. V (ver especialmente pp. 350–1) e não precisa ser repetida aqui. Nenhuma outra mudança foi feita no texto do Capítulo 16, a história da Batalha das Lágrimas Inumeráveis, conforme apresentado em V. 367–75 (à exceção daquelas mencionadas em V. 375–6, §1) quando o texto datilografado QT 1 foi baseado nele, e esse meu pai não corrigiu ou alterou em nenhum momento. Anos mais tarde, o texto datilografado QT 2 era simplesmente uma cópia do QT 1, perpetuando os seus erros, e foi negligenciado de maneira similar. Assim, o relato confuso da saída de Turgon de Gondolin, discutido em V. 377–8, que foi resolvido na história contada nos *Anais Cinzentos* (ver p. 162, §221), permaneceu nesse texto sem ao menos um comentário na margem.

Com o Capítulo 17, o início da história de Túrin (V. 379–86), meu pai abandonou, em dezembro de 1937, a composição do *Quenta Silmarillion* contínuo. Ele não fez qualquer alteração no capítulo quando o último texto datilografado da série QT 1 foi baseado nele, e nesse texto ele nunca tocou. Nesse caso, ele de fato retornou mais tarde ao manuscrito, fazendo muitos acréscimos e correções (e rejeitando toda a segunda parte do capítulo, V. 383–6, §34–40); mas é melhor considerar isso como um aspecto do vasto trabalho inacabado na "Saga de Túrin" que o ocupou durante dos anos 1950, do qual nenhuma versão recontada e breve, adequada em escala ao *Quenta Silmarillion*, jamais surgiu. O QT 2 era mais uma vez uma simples cópia do QT 1, àquela altura completamente obsoleto.

O Capítulo 17 terminava com Túrin fugindo de Menegroth após matar Orgof e reunindo um bando de proscritos além das fronteiras de Doriath: "suas mãos se voltavam contra todos os que cruzavam o seu caminho, Elfos, Homens e Orques" (V. 386). O antecedente dessa passagem encontra-se no Q (*Quenta Noldorinwa*), IV. 142; e, a partir desse ponto, em termos da narrativa do *Silmarillion* definida de modo estrito ou restrito, não há nada mais tardio do que o Q (escrito, ou a maior parte dele, em 1930) para o resto do conto de Túrin, e para toda a história do retorno de Húrin, do Nauglamír, da morte de Thingol, da destruição de Doriath, da queda de Gondolin e do ataque ao Porto do Sirion, até que chegamos à versão reescrita da conclusão do Q que meu pai realizou em 1937.

Naturalmente, isso não quer dizer de modo algum que ele havia perdido o interesse nos contos tardios: "Túrin" é a contradição mais óbvia a essa hipótese, enquanto a intenção era que o *Conto de Tuor* tardio levasse a um relato ricamente detalhado da Queda de Gondolin, e *As Andanças de Húrin* não terminaria com a partida dele de Brethil, mas levaria ao conto do Colar dos Anãos. Porém, o *Quenta Silmarillion* estava chegando ao fim. Eu disse o seguinte acerca do *Quenta Noldorinwa* (Q) em IV. 94:

> O título ["Esta é a breve História dos Noldoli ou Gnomos, extraída do Livro dos Contos Perdidos"] deixa bem claro que, embora o Q tenha sido escrito de uma maneira acabada, meu pai o via como um compêndio, uma "breve história" que foi "extraída" de uma obra muito mais longa; e esse aspecto permaneceu um elemento importante na sua concepção de "O Silmarillion" assim propriamente chamado. Não sei se essa ideia realmente surgiu do fato de que o ponto de partida da segunda fase da narrativa mitológica era uma sinopse condensada (Esb) [o *Esboço da Mitologia*]; mas parece bastante provável, a julgar pela continuidade gradativa que vai do Esb, passando pelo Q, até a versão que foi interrompida perto do fim em 1937.

Nessas versões meu pai tomava por base (enquanto, é claro, também desenvolvia e estendia) longas obras que já existiam em prosa e verso e, no *Quenta Silmarillion,* ele aperfeiçoou esse tom característico, melodioso, grave, elegíaco, carregado com a sensação de perda e distância temporal, que reside parcialmente, conforme creio, no fato literário de que ele colocava em uma breve história compendiosa o que também podia ver de forma muito mais detalhada, imediata e dramática. Com a finalização da grande "intrusão" e partida de *O Senhor dos Anéis,* parece que ele voltou aos Dias Antigos com o desejo de retomar a escala muito mais ampla que iniciara muito antes, em *O Livro dos Contos Perdidos*. Terminar o *Quenta Silmarillion* continuou sendo uma meta; mas os "grandes contos", vastamente evoluídos desde suas formas originais — de onde deveriam derivar seus capítulos posteriores — jamais foram concluídos.

Resta apenas registrar a história tardia do elemento final do QS, a conclusão reescrita do *Quenta Noldorinwa*, que foi apresentada em V. 387 ss. com as emendas que julguei terem sido feitas muito inicialmente e antes que o trabalho no QS cessasse no final de 1937.

É curioso descobrir que um último texto datilografado da série QT 2 de 1958(?) foi elaborado, no qual o texto do Q foi copiado das palavras "Húrin, portanto, reuniu alguns proscritos das matas à sua volta, e chegaram a Nargothrond" (IV. 152) até o final. Ele não possui título e, com exceção de algumas correções feitas por meu pai, não possui valor independente: ele é interessante apenas pelo fato de sua existência. Creio que a razão de ele começar nesse lugar da narrativa seja clara (embora não o porquê de começar precisamente nesse ponto). Na época em que meu pai decidiu "fazer cópias de todo o material copiável" (dezembro de 1957, ver X. 177-8), ele não só forneceu à pessoa que o datilografou os papéis do *Quenta Silmarillion* como também (entre outros manuscritos) os *Anais Cinzentos*. Assim, a história de Túrin, naquela forma, foi (ou seria) preservada em duas cópias datilografadas. Mas, a partir da morte de Túrin, se algo das partes finais de *O Silmarillion* deveria ser copiado nessa maneira, teria de ser o texto do Q: pois não havia nada posterior (exceto pela versão reescrita da conclusão). Contudo, nesse texto naturalmente ainda nos encontramos em escritos muito antigos: para um único exemplo entre muitos, o Q diz (IV. 159) "Pois Turgon julgava, quando pela primeira vez chegaram àquele vale depois da batalha terrível ..." — uma referência explícita à história então há muito descartada da fundação de Gondolin após a Batalha das Lágrimas Inumeráveis; e, assim, isso aparece no texto datilografado tardio. Isso, é claro, era apenas um *pis-aller* [último recurso], uma garantia contra a possibilidade de uma catástrofe, mas a sua existência ressalta — e deve ter ressaltado para meu pai — o trabalho essencial e abrangente que ainda o aguardava, mas que ele jamais levaria a cabo.

A pessoa que datilografou o QT 2 recebeu o manuscrito (ver V. 388) da versão reescrita de 1937 da conclusão do Q, que começa por "e viram a Ilha Solitária e não se demoraram lá". Algumas das emendas descuidadas posteriores (ver V. 389) já haviam sido feitas no manuscrito, mas outras, não. Até o ponto em que o texto reescrito começa, meu pai, compreensivelmente, não deu atenção alguma ao texto datilografado, mas a parte final ele corrigiu superficialmente: é evidente que ele não tinha o manuscrito à mão para consultar. Essas correções em sua maioria não são mais do que mudanças regulares de nomes, mas ele também fez uma ou duas alterações independentes, e essas estão registradas nas notas a seguir.

As correções no manuscrito, realizadas, como parece, em dois estágios (antes e depois da elaboração do texto datilografado), são na maior parte de pouca monta, e algumas são tão insignificantes a ponto de não valer a pena registrá-las. Faço referências aos parágrafos numerados em V. 389–400.

Alterações de nomes ou formas de nomes que ocorreram: *Airandir* > *Aerandir* (§1); *Tûn* > *Tirion* (§3 e subsequentemente); *Kôr* > *Túna* (§4); *Lindar* > *Vanyar* (§§6, 26); *Vingelot* > *Vingilot* (§11, mas não nas outras ocorrências); *Gumlin* > *Galion* (§16); *Gorthû* > *Gorthaur* (§30, ver p. 294, §143); *Palúrien* > *Kementári* (§32); *Eriol* > *Ereol* (§33).

*Fionwë* foi alterado para *Eonwë* do início ao fim, e "filho de Manwë" para "arauto de Manwë" em §5 (mas em §6, "Fionwë, filho de Manwë" > "Eönwë, a quem Manwë deu sua espada"); "os filhos dos Valar" tornou-se "a hoste dos Valar" em §6, mas "os Filhos dos Valar" em §18, "os filhos dos Deuses" em §20, e "os filhos dos Valar" em §§29, 32, não foram corrigidos (ver também §15 abaixo).

Outras alterações:

§6 "Ingwiel, filho de Ingwë, era seu chefe": ao notar o aparente erro, em que Ingwiel parece ser chamado de líder dos Noldor (ver V. 401, §6), meu pai alterou isso para "Finarphin, filho de Finwë": ver IV. 227, primeira nota de rodapé. No texto datilografado, ele manteve a passagem, mas alterou *Ingwiel* para *Ingwion* (e também "Elfos-da-luz" para "Belos-elfos", ver X. 209-210, 223).

§9 "Manwë" > "Manwë, o Rei Antigo".

§12' "fez que lhe fosse construída" > "lá lhe foi construída".

§13 "o tomaram por um sinal de esperança" > "o tomaram por um sinal, e o chamaram Gil-Orrain, a Estrela da alta esperança", com *Gil-Orrain* subsequentemente alterado para *Gil-Amdir* (ver X. 387). O texto datilografado possuía o fraseado revisado, com *Gil-Orrain*, que meu pai emendou para *Gil-Estel*; na cópia em papel carbono, ele escreveu *Orestel* acima de *Orrain*.

§15 "os Elfos-da-luz de Valinor" > "os Elfos-da-luz em Valinor".

"os filhos dos Deuses eram jovens e belos e terríveis" > "a hoste dos Deuses se ataviara em formas de Valinor".

§16 "a maior parte dos filhos dos Homens" > "uma grande parte dos filhos dos Homens".

§17 "foi como um grande ribombar de trovão, e uma tempestade de fogo" > "foi com um grande trovão, e relâmpago, e uma tempestade de fogo".

§18 "e em sua queda as torres das Thangorodrim foram derrubadas" > "e ele caiu sobre as torres das Thangorodrim e elas se quebraram e foram derrubadas".

"a corrente Angainor, que há muito estava preparada" > "a corrente Angainor, que tinha usado outrora".

§20 "Mas Maidros não quis ouvir, e preparou-se ... para tentar em desespero o cumprimento de seu juramento" > "Mas Maidros e Maglor não quiseram ouvir...".

§26 "e especialmente nas grandes ilhas" > "e nas grandes ilhas".

§30 "e dá fruto sombrio até mesmo nestes últimos dias" > "e dará fruto sombrio até os últimos dias".

"Sauron ... que servia a Morgoth ainda em Valinor e veio com ele" > "... que servira Morgoth há muito tempo e viera com ele para o mundo" (cf. a remoção da passagem acerca desse assunto do capítulo *Da Ruína de Beleriand*, p. 294, §143).

§31 "Túrin Turambar ... vindo dos salões de Mandos" > "Túrin Turambar ... retornado da Sina dos Homens no fim do mundo". Na margem do manuscrito, meu pai escreveu "e Beren Camlost" sem indicação para a sua inserção.

§32 "e ela as quebrará [as Silmarils] e, com seu fogo, reacenderá as Duas Árvores": isso foi emendado apenas na cópia em papel carbono do texto datilografado para: "e ele [Fëanor] as quebrará e, com seu fogo, Yavanna reacenderá as Duas Árvores".

Próximo às duas últimas frases do parágrafo (a partir de "Naquela luz os Deuses ficarão jovens de novo ..."), meu pai colocou um X grande na margem do manuscrito.

Entre essas últimas alterações estavam também os subtítulos (*Da Grande Batalha e da Guerra da Ira* em §15, *Do Fim Último do Juramento de Fëanor e seus Filhos* em §20, e *Da Passagem dos Elfos* em §26), que foram mencionados no comentário a esse texto,

V. 403–4; contudo, deixei de mencionar lá a introdução de um outro subtítulo, *A Segunda Profecia de Mandos*, em §31.

Sobre esse texto, eu disse o seguinte em V. 389: "O simples fato de que o final de 'O Silmarillion' ainda tinha essa forma quando *O Senhor dos Anéis* foi iniciado é suficientemente notável". Parece muito mais notável, e difícil de interpretar, que meu pai o estivesse tratando como um texto que necessitava apenas de revisões menores e específicas nessa época tão posterior. Mas o seu modo de fazer emendas às vezes podia ser de fato superficial, sugerindo não um exame comparativo atento de um texto mais antigo, mas antes uma série de desvios a pontos específicos que atraíam a sua atenção; e é possível que as emendas tardias que ele fez nesse caso devam ser consideradas nesse contexto, e não como se estivessem implicando algum tipo de aprovação final do conteúdo. Porém, esse texto era peculiar em seus primórdios, avançando do início da história de Túrin ao meio de uma frase muito mais adiante no *Quenta*, e a sua história tardia não atenua a sua natureza um tanto quanto misteriosa.

PARTE TRÊS

# AS ANDANÇAS DE HÚRIN

## E OUTROS ESCRITOS QUE NÃO FAZEM PARTE DO *QUENTA SILMARILLION*

# I

# As Andanças de Húrin

Em *As Andanças de Húrin* ("AH"), não é conveniente usar o padrão de parágrafos numerados, e o comentário (pp. 360 ss.) relaciona-se aqui às notas numeradas no texto.

O relato mais antigo de Húrin após ser libertado por Morgoth encontra-se no *Conto de Turambar* (II. 139–42, 166–7), que leva àquele no *Esboço da Mitologia* (IV. 40) e no Q (IV. 152–3); ver também o AB 1 e o AB 2 (IV. 358, V. 168). Não é necessário dizer qualquer coisa acerca desses outros textos aqui, uma vez que em nenhum deles há qualquer indicação de que Húrin retornou para Hithlum (ou que foi a Brethil) antes de chegar a Nargothrond.

Descrevi (p. 123) como o manuscrito dos *Anais Cinzentos* (AC) termina de forma estranhamente abrupta ao pé de uma página e disse que "sempre me pareceu estranho que meu pai tivesse abandonado os *Anais Cinzentos* onde abandonou, sem ao menos escrever a inscrição que foi gravada na pedra". Algum tempo depois (*ibid.*) ele inseriu de forma descuidada no manuscrito a inscrição na pedra e as palavras que encerram o conto, derivadas da última parte do *Narn* (FN).

A explicação para isso tornou-se simples quando descobri, fora de lugar entre papéis variados, páginas manuscritas que eram obviamente a continuação dos *Anais Cinzentos* (a primeira dessas páginas de fato está numerada de forma contínua com a última página do manuscrito principal); está claro que essa continuação já estava perdida enquanto meu pai estava vivo. A conclusão original, na realidade, era exatamente como no adendo feito aos AC quando ele supôs que o final original estava perdido, exceto pelo fato de que o título da obra era então *Glaer nia Chîn Húrin*, como no FN (p. 198, §349). Subsequentemente, meu pai adicionara as palavras "e foi composta por Homens", como na conclusão acrescentada aos AC (p. 123), e mais tarde ele alterou o título mais uma vez para *Narn i Chîn Húrin*, como também o fez no FN.

O texto "perdido" terminava aqui, com a letra variando pouco em relação ao manuscrito principal, mas foi então continuado na mesma página com uma tinta e letra diferentes, com a data 500 escrita duas vezes junto a essa a seção adicional e riscada nos dois casos.

Diz-se entre alguns que Morwen, certa feita, chegou em suas andanças desnorteadas àquela pedra e a leu, e depois morreu, embora felizmente não tenha compreendido a história contada nela, e nisso foi menos atormentada do que Húrin. Pois tudo o que Morgoth sabia sobre as operações de sua maldição, Húrin também sabia; mas mentiras e malícia eram mescladas à verdade, e aquele que vê pelos olhos de Morgoth, de livre vontade ou não, a todas as coisas vê distorcidas. [*Escrito na margem posteriormente:* Algum destino para Morwen precisa ser elaborado. Morwen e Húrin tornaram a se encontrar?][1]

Nesse ponto, a tinta e, em menor grau, o estilo da escrita mudam novamente. A narrativa a seguir é o primeiro relato da libertação de Húrin desde o *Quenta* de 1930.

**500**

Morgoth particularmente buscava lançar uma luz maligna sobre tudo o que Thingol e Melian tinham feito (pois os odiava e temia mais que todos); e quando enfim julgou a hora propícia, no ano após a morte de seus filhos, libertou Húrin de seu cativeiro e o deixou ir aonde desejasse. Fingiu que nisso agia por generosidade a um inimigo derrotado, mas, em verdade, seu propósito era que Húrin propagasse a sua malícia. E por pouco que Húrin confiasse em qualquer coisa dita ou feita por Morgoth, ele partiu cheio de tristeza, amargurado pelas mentiras do Senhor Sombrio.

Por vinte e oito anos Húrin estivera cativo em Angband, e ao ser libertado estava em seu sexagésimo ano,[2] mas ainda havia grande força nele, apesar do peso de sua tristeza, pois servia ao propósito de Morgoth que assim fosse. Ele foi enviado sob guarda até as marcas orientais de Hithlum, e lá deixaram que seguisse livre.

Ninguém que o tivesse conhecido [na] juventude poderia confundi-lo com outro, embora tivesse se tornado terrível de se contemplar: seu cabelo e barba eram brancos e compridos, mas havia uma luz fera em seus olhos. Caminhava sem se curvar e, ainda assim, trazia um grande cajado negro; mas estava cingido com sua espada. Grande assombro e pavor caíram sobre a terra quando se propalou em Hithlum que o Senhor Húrin havia retornado. Os Lestenses ficaram abalados, temendo que seu Mestre se mostrasse desleal mais uma vez e devolvesse a terra aos Oestenses, e que acabariam escravizados. Pois vigias haviam relatado que Húrin saíra de Angband.

"Houve uma grande cavalgada", disseram, "da soldadesca negra das Thangorodrim sobre a Anfauglith, e com ela vinha esse homem, como alguém que recebe altas honras."

Portanto, os chefes dos Lestenses não ousaram deitar mãos em Húrin, e o deixaram caminhar à vontade. No que foram astutos, pois os remanescentes de seu próprio povo o evitaram por causa de sua vinda de Angband, como alguém em liga com Morgoth e honrado por ele; e, de fato, todos os cativos que escapavam eram vistos com suspeita como espiões e traiçoeiros naqueles dias, como se contou. Assim, a liberdade apenas aumentou a amargura do coração de Húrin; pois, mesmo se assim desejasse, ele não teria conseguido incitar qualquer rebelião contra os novos senhores da terra. Tudo o que conseguiu reunir para segui-lo era uma pequena companhia dos desabrigados e proscritos que espreitavam nos montes; mas eles não haviam realizado nenhum grande feito contra os Forasteiros desde que Túrin passara por ali, cerca de cinco anos antes.

Dos feitos de Túrin no salão de Brodda Húrin então tomou conhecimento pelos proscritos da verdadeira história; e olhou para Asgon[3] e os homens dele, e disse: "Os homens estão mudados aqui. Na servidão, encontraram corações servis. Não desejo mais qualquer senhorio entre eles, nem em qualquer outro lugar da Terra-média. Partirei desta terra e vagarei sozinho, a não ser que qualquer um de vós venha comigo, para encontrarmos o que pudermos. Pois agora não possuo propósito, a não ser que encontre uma oportunidade de vingar as injustiças de meu filho."

Asgorn[4] e seis outros homens desesperados estavam dispostos a ir com ele; e Húrin os conduziu aos salões de Lorgan, que ainda chamava a si próprio de Senhor de Hithlum. Lorgan ficou sabendo da vinda deles e teve medo, e reuniu outros chefes e os homens destes em sua casa para se defenderem. Mas Húrin, ao chegar aos portões, olhou para os Lestistas[5] com desprezo.

"Não temais!", disse ele. "Eu não teria necessidade de companheiros se tivesse vindo lutar com vós. Vim apenas para me despedir do senhor da terra. Ela não mais me apraz, visto que vós a conspurcastes. Mantende-a enquanto puderdes, até que vosso Mestre vos chame de volta às tarefas de escravos que vos são mais próprias."

Então Lorgan não ficou desagradado ao pensar que se veria logo e facilmente livre do medo de Húrin, sem se opor à vontade de Angband; e ele se adiantou.

"Como queiras, amigo", disse ele. "Não te fiz mal algum, e deixei-te em paz, e sobre isso espero que contes uma história verídica, caso vás de novo até o Mestre."

Húrin o olhou irado. "Não me venhas com amizade, servo e labrego!", exclamou ele. "E não acredites nas mentiras que ouvi: de que alguma vez me coloquei ao serviço do Inimigo. Dos Edain eu sou e assim permaneço, e não há de haver amizade entre os meus e os teus para todo o sempre."

Então, ouvindo que Húrin afinal não tinha o favor de Morgoth, ou que o renegara, muitos dos homens de Lorgan sacaram suas espadas para dar cabo dele. Mas Lorgan os conteve; pois ele era cauteloso, e mais astuto e perverso do que os outros e, portanto, adivinhava com mais rapidez os propósitos do Mestre.

"Vai então, barba-cinzenta, à má fortuna", disse ele. "Pois essa é a tua sina. Tolice e violência e flagelo próprio são todos os feitos da tua família. "Passa mal!"

"*Tôl acharn!*", disse Húrin. "Chega a vingança. Não sou o último dos Edain, quer eu passe mal, quer bem." E, dito isso, ele partiu, e deixou a terra de Hithlum.

**501**

Das andanças de Húrin não se contam histórias, até o momento em que chegou por fim, no final deste ano, a Nargothrond. Diz-se que ele então havia reunido à sua volta outros fugitivos e homens sem mestre nos ermos, e foi para o sul com um séquito de cem ou mais. Mas não se sabe ao certo por que ele foi a Nargothrond, exceto que para lá a sua sina e o destino das Joias o conduziram. Alguns dizem que

Nesse ponto a "continuação perdida" dos *Anais Cinzentos* para, ao pé de uma página; mas há uma outra página, escrita em uma letra completamente diferente (um itálico rápido que meu pai usou com bastante frequência no período após a publicação de *O Senhor dos Anéis*), que claramente se liga à frase abandonada "Alguns dizem que". Junto com a primeira extensão dos Anais, aquela que diz respeito a Morwen (pp. 307-8), e a narrativa que reconta o retorno de Húrin a Hithlum, essa página é um elo adicional e final na série de acréscimos que foram feitos de tempos em tempos cuja extensão não pode ser determinada.

[Alguns dizem que] talvez ele não soubesse que Glaurung estava morto, e esperava em seu coração assoberbado vingar-se desse ser maligno — pois Morgoth desejava ocultar a morte de Glaurung, se pudesse, tanto porque a perda lhe era um pesar e uma ferida em seu orgulho como porque ele desejava ocultar (especialmente de Húrin) tudo o que havia de mais valoroso ou bem-sucedido nos feitos de Túrin. Contudo, dificilmente seria assm,[6] visto que a morte de Glaurung estava tão relacionada com a morte de seus filhos e a revelação de seu caso maligno; ao mesmo tempo que os rumores do ataque de Glaurung a Brethil se espalharam por toda parte. Certamente Morgoth fechou homens em Hithlum, porquanto era capaz, e poucas notícias chegaram até eles dos eventos em outas terras; mas, tão logo Húrin rumasse para o sul ou encontrasse algum errante nos ermos, ele ouviria novas da batalha na ravina do Taiglin.

O mais provável é que tenha sido atraído para lá a fim de ter notícias de Túrin; a Brethil ele não iria ainda, nem a Doriath.

Ele foi primeiro em busca de um caminho para Gondolin e a amizade de Turgon (que de fato teria sido grande); mas não o encontrou. Sua sina não o permitiu (pois a maldição de Morgoth ainda pairava sempre sobre ele); e, ademais, desde as Nírnaeth Turgon fizera uso de todas as artes para ocultar o seu reino. Foi então que Húrin, ao encontrar

Aqui o texto para abruptamente; mas, na mesma página e claramente na mesma época, meu pai escreveu o seguinte:

Húrin vai em busca de Gondolin. Fracassa. Passa ao longo de Brethil, e sua angústia aumenta. Não o admitem — dizendo que os Halethrim não desejam mais se enredar na sombra da família dele. Mas ^ [?novo] Senhor[7] entrega o elmo-de-dragão a Húrin.

Seu coração arde contra Thingol. Passa ao longo dela [Doriath] e segue para Nargothrond. Por quê? Para buscar notícias, saque, — ele havia sido um admirador de Felagund.

Notícias da queda de Nargothrond chegam aos filhos de Fëanor e abalam Maeðros, mas não desagradam de todo Celeg[orn] e Curufin. Mas, quando as novas da queda do dragão foram ouvidas, então muitos se perguntaram acerca do tesouro da criatura e sobre quem era o mestre. Algum senhor-órquico, pensaram os homens. Mas os Anãos de [*sic*]    Como Mîm o encontrou? Ele deve vir de uma raça diferente.[8]

Esses dois trechos, especialmente o segundo, são nitidamente um registro de ideias emergentes. No primeiro há o que provavelmente é a referência mais antiga à história de que Húrin procurou, mas não conseguiu encontrar, a entrada para Gondolin. No segundo aparece uma nova articulação na história não escrita do Elmo-de-dragão, junto com outros novos detalhes (a admiração de Húrin por Felagund e o efeito da notícia da queda de Nargothrond nos filhos de Fëanor); e ali se vê o primeiro delineamento de uma história das aventuras de Húrin em Brethil antes de ele ir até Nargothrond.

Resta mais um texto a ser considerado antes de se chegar à história completamente elaborada de Húrin em Brethil. Quando meu pai estava ocupado com seu trabalho tardio no *Narn i Chîn Húrin*, ele escreveu várias sinopses de enredo organizadas em forma de anais. Boa parte desse material não é relevante aqui, uma vez que trata primariamente da história em evolução de Túrin; mas um deles, que começa com o nascimento de Túrin, continua para além de sua morte e fornece algum relato, embora muito breve, de Húrin após ser libertado por Morgoth.

Apresento aqui a conclusão desse texto (certamente um tanto mais tardio do que qualquer um dos escritos apresentados até agora na Parte Três), começando um pouco antes da morte de Túrin, visto que há muitos detalhes interessantes nos anais 490–9 relevantes aos relatos fornecidos no FN e nos AC. O texto foi escrito de forma legível, mas muito rapidamente.

**490–5**

Túrin torna-se um grande capitão em Nargothrond com o nome de *Iarwaeth* e é chamado de *Mormegil* "Espada Negra".

[*Alterado posteriormente para:* Túrin torna-se um grande capitão em Nargothrond. Ele diz apenas que era senhor de Cúarthol e anuncia seu nome como *Thuringud*, o Inimigo Oculto; mas é chamado de *Mormegil* "Espada Negra".

Gwindor revela seu verdadeiro nome a Finduilas e Túrin fica irritado.[9]

**494**

Morgoth incita os Lestistas a um ódio maior por Elfos e Edain, e envia Orques para auxiliá-los e impeli-los. Lorgan, ao ouvir sobre a beleza de Niënor, fica ávido para tomá-la à força. Morwen e Niënor fogem da terra e chegam a Doriath. Elas buscam notícias de Túrin.[10]

**495**

Tuor escapa de Hithlum pela Cirith Ninniach e chega a Nivrost. Encontra Gelmir e Arminas. Ulmo o visita na costa próximo ao Monte Taras, e envia Voronwë até ele. Tuor e Voronwë partem em busca de Gondolin, aonde chegam no inverno. O inverno de 495–6 é o Fero Inverno, com gelo e neve de novembro a março (5 meses).

Gelmir e Arminas chegam a Nargothrond e trazem avisos de forças reunindo-se na Terra Estreita e sob as Eryd-wethian [*sic*]. São rejeitados por Túrin.

Handir de Brethil é morto em batalha com os Orques nas Travessias do Taeglin [*sic*]. Seu filho Brandir, o coxo, é escolhido Chefe, embora muitos tivessem preferido seus primos Hunthor ou Hardang.

Túrin e Orodreth são derrotados na Batalha de Tum-halad pelo terror de Glaurung. Gwindor também é morto. Glaurung assola Nargothrond e engana Túrin.

Túrin quebra sua promessa a Gwindor de tentar salvar Finduilas, que é levada. Sob o feitiço de Glaurung, ele vai até Dorlómin em busca de Morwen e Niënor.

Finduilas é morta pelos Orques próximo às Travessias do Taeglin e é enterrada por Homens de Brethil em Haudh-en-Elleth.

Tuor avista Túrin próximo ao local devastado de Eithil Ivrin, mas não sabe quem ele é.

Glaurung toma posse de Nargothrond.[11]

**496**

No início do ano, Túrin chega a Dorlómin. Mata Brodda em seu salão. Morte de Sador. Túrin foge com Asgon e outros Edain proscritos para as Montanhas, e então parte sozinho de Dorlómin. Chega, por fim, a Brethil e toma conhecimento do destino de Finduilas.

Morwen e Niënor chegam a Nargothrond, mas sua escolta (liderada por Mablung) se dispersa, e Mablung perde-se no ermo, mas Niënor é enfeitiçada por Glaurung e perde a memória, e corre para o ermo.

Niënor chega a Brethil e é chamada de *Níniel*.[12]

**496–**

Com o nome de *Turambar*, Túrin torna-se o principal guerreiro de Brethil, e os homens não dão ouvidos a Brandir. Brandir apaixona-se por Níniel, mas ela ama Turambar.

**497**

Dior Meio-Elfo casa-se com Lindis de Ossiriand.[13]

**498**

Túrin casa-se com Níniel (outono).[14]

**499**

Glaurung investe contra Brethil. Túrin parte para enfrentá-lo com Hunthor e Dorlas. O coração de Dorlas fraqueja e ele os abandona. Hunthor é morto por uma pedra que despenca. Túrin mata Glaurung. Glaurung antes de morrer revela a Túrin e Niënor quem eles são. Túrin mata Brandir. Niënor lança-se no Taeglin. [*As frases seguintes são acréscimos separados ao texto:*] Túrin mata Brandir e tira a própria vida. / Os Homens de Brethil erguem a *Talbor*, ou Pedra A[lta], em memória deles. / Mîm chega a Nargothrond e se apossa do tesouro.[15]

**500**

Nascem Elrún e Eldún, filhos gêmeos de Dior.

Morgoth liberta Húrin. Húrin vai a Hithlum.[16]

**501**

Húrin parte de Hithlum e, com Asgon e seis homens, desce até a Terra Estreita.

Húrin deixa os seus companheiros e busca em vão a entrada de Gondolin, mas os espiões de Morgoth descobrem assim em que região ela se encontra.

Húrin chega à Pedra e lá encontra Morwen, que morre. Húrin é colocado na prisão por Hardang, Chefe de Brethil, mas é ajudado por Manthor, seu parente (primo de Hardang). Num levante, Hardang e Manthor são mortos e Obel Halad é incendiado. Húrin encontra Asgon novamente e reúne outros homens e vai em direção a Nargothrond.[17]

**502**

Tuor casa-se com Idril, filha de Turgon.

Húrin chega a Nargothrond e mata Mîm, o anão-miúdo. Ele e seus homens carregam o tesouro de Glaurung e o levam a Doriath. Húrin é admitido por piedade.[18]

Aqui essa sinopse de enredo termina, ao pé de uma página manuscrita. Chego agora ao complexo substancial de escritos que leva a um texto final que meu pai acabou por intitular *As Andanças de Húrin* (anteriormente *Do Destino de Húrin e Morwen*). O título final parece não ser de todo apropriado ao conteúdo da obra, que diz respeito inteiramente à história de Húrin em Brethil; a intenção pode ter sido de que tivesse um escopo maior, para incluir o resto da história de Húrin contado na mesma escala, que jamais foi escrita (ver p. 373, nota 57, e também o outro título apresentado abaixo).

Em primeiro lugar, há um rascunho manuscrito e materiais associados escritos de forma descuidada (frequentemente de uma brusquidão extrema). Muitas páginas do material rascunhado são os versos de documentos universitários datados de 1954, outras são documentos de 1957. Em segundo lugar, há um texto datilografado por meu pai em sua máquina de escrever mais recente (ver X. 363), muito emendado à mão e com algumas passagens substanciais rejeitadas e substituídas por novos materiais datilografados; e, por fim, uma cópia datilografada por outra pessoa, de valor independente praticamente nulo. A obra pode ser datada com considerável certeza de perto do final dos anos 1950.

O texto de meu pai, enquanto ele o datilografava, não possuía título, mas ele escreveu à tinta no original:

*Do Destino de Húrin e Morwen*
*Elo para* O Colar dos Anãos, *"Sigil Elu-naeth"*
*Colar da Angústia de Thingol*

O texto começa assim:

Assim terminou o conto de Túrin, o infeliz; e para sempre foi considerado como um dos piores feitos de Morgoth entre os Homens no mundo antigo. Diz-se entre alguns que, certa feita, Morwen chegou em suas andanças desnorteadas à pedra entalhada e, sabendo que seus filhos estavam mortos, embora não compreendesse de que maneira a história deles terminara, sentou-se ao lado da pedra à espera da morte; e ali Húrin a encontrou por fim, como se conta depois.

Menos feliz que a dela era a sorte de Húrin.

Essa passagem deriva, na sua primeira frase, do Q (IV. 151), e, depois, da primeira continuação dos *Anais Cinzentos* (pp. 307-8), com o acréscimo de que Húrin encontrou Morwen ao lado da pedra (cf. p. 315, anal 501). A passagem foi riscada do texto datilografado e substituída pela seguinte, escrita em um documento datado de 1957:

Assim terminou o conto de Túrin, o Infeliz, a pior das obras de Morgoth entre os Homens no mundo antigo. Mas Morgoth não dormia nem repousava de sua maldade, e esse não foi o fim de suas lides com a Casa de Hador, contra a qual sua malícia era insaciável, embora Húrin estivesse sob o seu Olhar e Morwen vagasse descorçoada pelo ermo.

Infeliz era a sorte de Húrin.

No alto desse documento meu pai subsequentemente escreveu *As Andanças de Húrin*, e a cópia datilografada final também recebeu esse título (ver p. 316). O texto datilografado continua, a partir de "Menos feliz que a dela era a sorte de Húrin":

Pois tudo o que Morgoth sabia sobre as operações de sua malícia Húrin também sabia; mas mentiras eram mescladas à verdade, e qualquer coisa que fosse boa era escondida ou distorcida. Aquele que vê pelos olhos de Morgoth, de livre vontade ou não, a todas as coisas vê distorcidas.

Morgoth buscava em particular lançar uma luz maligna sobre tudo o que Thingol e Melian tinham feito, pois os temia e odiava mais que todos; e, portanto, quando enfim julgou a hora propícia, no ano após a morte de Túrin, libertou Húrin de seu cativeiro, mandando-o ir aonde desejasse.

Fingiu que nisso agira por piedade a um inimigo completamente derrotado, admirado por sua resistência. "Tamanha firmeza", disse ele, "deveria ter sido mostrada em uma causa melhor, e assim teria sido recompensada. Mas não tenho mais qualquer uso para ti, Húrin, no definhar de tua diminuta vida." E ele mentiu, pois seu propósito era que Húrin propagasse ainda mais sua malícia contra Elfos e Homens antes que morresse.

Então, por pouco que Húrin confiasse em qualquer coisa dita ou feita por Morgoth, sabendo que ele era desprovido de piedade, ele aceitou sua liberdade e partiu cheio de tristeza, amargurado pelos engodos do Senhor Sombrio. Por vinte e oito anos Húrin estivera cativo em Angband ...

Nessa passagem meu pai estava seguindo, com certa expansão, a continuação dos *Anais Cinzentos* (p. 308); a partir desse ponto ele a seguiu quase sem alteração, até "E, dito isso, ele partiu, e deixou a terra de Hithlum" (p. 310).[19] Assim, existem dois textos muito similares e, na maior parte de sua extensão, praticamente idênticos, dessa narrativa curta, que pode ser chamada de "Húrin em Hithlum"; mas o primeiro deles é uma continuação dos *Anais*, e o segundo é o início de uma história completamente nova de Húrin em Brethil — que causa um adiamento da história de "Húrin em Nargothrond", que acabou jamais sendo retomada. Levando então em conta que o segundo texto de "Húrin em Hithlum" possui uma função inteiramente distinta, claramente não há dúvida quanto a considerar a história de Húrin em Brethil uma extensão adicional dos *Anais*. Como se verá, de maneira muito evidente meu pai não estava mais escrevendo anais de Beleriand: aquela obra agora havia sido abandonada — ou, possivelmente, era sua intenção deixá-la em suspenso até que a nova história fosse terminada na escala que ele julgava apropriada.

Apresento agora o texto adicional de *As Andanças de Húrin* (continuando a partir das palavras "E, dito isso, ele partiu, e deixou a terra de Hithlum"). A obra é de uma complexidade peculiar devido ao fato de que, quando meu pai estava bem avançado na história, teve uma compreensão mais clara (como ele poderia ter dito) da situação em Brethil na época da chegada de Húrin; e essas novas concepções se inseriam na história antes que fosse terminada em uma forma inicial. Em outras palavras, a história cresceu e mudou conforme meu pai a escrevia, mas, nesse caso, ele não a abandonou e começou de novo desde o início: ele voltou a partes anteriores da história e as reconstruiu. O texto tal como datilografado podia ser essencialmente mantido, mas necessitava de emendas contínuas em relação a nomes e outros detalhes. Não é fácil encontrar um modo perfeitamente satisfatório e prontamente compreensível de apresentar isso, mas, após muita experimentação, concluí que o melhor método é fornecer o texto na forma final consolidada no datiloscrito, mas interrompê-lo (pp. 323 ss.) no ponto em que as novas concepções aparecem pela primeira vez e fazer um relato do desenvolvimento. Isso diz respeito a duas passagens: a forma revisada da primeira está marcada por asteriscos simples nas pp. 321 e a segunda por asteriscos duplos nas pp. 322-3.

Diz-se que os caçadores de Lorgan seguiram os seus passos e não abandonaram o seu rastro até que ele e seus companheiros subissem as montanhas. Quando Húrin encontrou-se de novo nos lugares elevados, descortinou ao longe, em meio às nuvens, os picos das Crisaegrim, e se lembrou de Turgon; e seu coração desejou ir de novo ao Reino Oculto, se pudesse, pois lá ao menos ele seria lembrado com honra. Ele nada ouvira das coisas que haviam ocorrido em Gondolin, e não sabia que Turgon agora endurecera seu coração contra a sabedoria e a piedade, e não permitia que ninguém entrasse ou saísse por qualquer causa que fosse.[20] Portanto, sem saber que todos os caminhos estavam fechados além da esperança, ele decidiu voltar seus passos na direção das Crisaegrim; mas nada disse acerca de seu propósito aos companheiros, pois ainda estava preso ao seu juramento de não revelar a ninguém que ele sabia em que região Turgon habitava.

Todavia, ele tinha necessidade de auxílio; pois jamais vivera no ermo, enquanto os proscritos há muito estavam acostumados à árdua vida de caçadores e coletores, e trouxeram consigo toda comida que puderam, embora o Fero Inverno em muito diminuíra suas provisões. Portanto, Húrin lhes disse: "Precisamos partir desta terra agora; pois Lorgan não mais me deixará em paz. Desçamos aos vales do Sirion, aonde a Primavera enfim chegou!"

Então Asgon[21] os guiou até um dos antigos passos que levavam para leste e para fora de Mithrim, e desceram das nascentes do Lithir até chegarem às quedas para onde ele corria para se juntar ao Sirion, na extremidade meridional da Terra Estreita.[22] Ora, eles seguiam em grande cansaço; pois Húrin pouco confiava na "liberdade" que Morgoth lhe concedera. E com razão: pois Morgoth tinha notícias de todos os seus movimentos, e embora durante algum tempo estivesse escondido nas montanhas, sua descida logo foi avistada. Depois disso ele foi seguido e vigiado, porém com tamanha astúcia que raras vezes tomou conhecimento do fato. Todas as criaturas de Morgoth evitavam serem vistas por ele, e Húrin em nenhum momento foi emboscado ou incomodado.[23]

Eles viajaram rumo ao sul na margem oeste do Sirion, e Húrin se questionava como se separar de seus companheiros, pelo menos por tempo suficiente para que pudesse procurar por uma entrada para Gondolin sem quebrar a sua promessa. Enfim chegaram ao Brithiach; e lá Asgon disse a Húrin: "Para onde havemos de ir agora, senhor? Além deste vau os caminhos a leste são por demais perigosos para homens mortais, caso as histórias sejam verdadeiras."

"Então sigamos para Brethil, que se encontra próxima", disse Húrin. "Tenho uma missão lá. Naquela terra meu filho morreu."

De modo que naquela noite eles se abrigaram num bosque, o primeiro indício da Floresta de Brethil em sua fronteira norte, somente um pouco ao sul do Brithiach. Húrin deitou-se um pouco afastado dos outros; e no dia seguinte, antes que estivesse claro, ele se levantou enquanto os outros dormiam e os deixou, e atravessou o vau e entrou em Dimbar.

Quando os homens despertaram, ele já estava longe, e havia uma espessa névoa matutina ao redor do rio. À medida que o tempo passava e ele não retornava, nem respondia a qualquer chamado, os homens começaram a temer que Húrin havia sido pego por alguma fera ou inimigo à espreita. "Nós nos tornamos displicentes nos últimos tempos", disse Asgon. "A terra está silenciosa, silenciosa demais, mas há olhos sob folhas e ouvidos atrás de pedras."

Seguiram o rastro dele quando a névoa se dissipou; mas conduzia ao vau e lá desaparecia, e não sabiam o que fazer. "Se ele nos deixou, voltemos para a nossa própria terra", disse Ragnir.[24] Ele era o mais jovem da companhia e lembrava-se pouco dos dias antes das Nirnaeth. "O velho está desvairado. Fala com vozes estranhas a sombras em seu sono."

"Não seria de espantar se assim o fosse", disse Asgon. "Mas quem mais poderia se empertigar como ele depois de tamanho sofrimento? Não, ele é nosso senhor de direito, faça o que fizer, e jurei segui-lo."

"Mesmo a leste por sobre o vau?", perguntaram os outros.

"Não, há pouca esperança naquela direção", disse Asgon, "e não creio que Húrin irá longe nela. Todos nós sabemos que seu propósito era ir logo a Brethil, e que ele tinha uma missão lá. Estamos na própria fronteira. Busquemo-lo lá."

"Com licença de quem?", perguntou Ragnir. "Os homens lá não amam forasteiros."

"Homens bons habitam lá", disse Asgon, "e o [Mestre >] Senhor de Brethil é parente de nossos antigos senhores."[25] Ainda assim, os outros tiveram dúvidas, pois nenhuma notícia viera de Brethil por alguns anos. "A floresta talvez seja governada por Orques pelo que sabemos", disseram eles.

"Logo haveremos de descobrir o andar das coisas", disse Asgon. "Orques são pouco piores que Lestistas, imagino. Se devemos continuar proscritos, eu preferiria espreitar nas belas matas e não nos frios montes."

Portanto, Asgon virou-se e voltou em direção a Brethil; e os outros o seguiram, pois ele tinha um coração valoroso e os homens diziam que ele nascera com boa sorte. Antes do fim do dia eles haviam adentrado fundo a floresta, e sua vinda foi notada; pois os Haladin estavam mais cautelosos do que nunca e mantinham uma vigia constante em suas marcas. No [meio da noite >] cinza da manhã, quando todos os forasteiros estavam adormecidos, com exceção de um, seu acampamento foi cercado e a sentinela foi contida e amordaçada assim que gritou.

Então Asgon levantou-se de um salto e clamou a seus homens para que não sacassem as armas. "Vede agora, viemos em paz!", gritou ele. Edain somos, saídos de [Mithrim > Hithlum >] Dorlómin."

*"Pode ser", disseram os guardas-das-marcas. "Mas a manhã está escura. O nosso capitão vos julgará melhor quando houver mais luz."

Então, estando em menor número por uma grande margem, Asgon e seus homens foram feitos prisioneiros, e suas armas foram tomadas e suas mãos, atadas. Assim foram levados a Ebor, o capitão; e ele perguntou os seus nomes e de onde tinham vindo.

"Então sois Edain do Norte", disse ele. "Vossa fala vos corrobora, e vossos petrechos. Procurais amizade, quiçá. Mas, infelizmente, fomos acometidos por coisas ruins aqui, e vivemos com medo. Manthor, meu senhor, Mestre da Marca-norte, não está aqui e, portanto, devo obedecer às ordens do Halad, o Chefe de Brethil. A ele deveis ser enviados de pronto, sem mais perguntas. Que ali tenhais êxito!"

Assim Ebor falou com cortesia, mas não tinha esperança desmedida. Pois o novo Chefe agora era Hardang, filho de Hundad. Com a morte de Brandir, que não tivera filhos, ele fora feito Halad, sendo dos Haladin, a gente de Haleth, dentre os quais todos os Chefes eram escolhidos. Não amara Túrin, e não tinha amor algum agora pela Casa de Hador, em cujo sangue ele não tinha parte. Tampouco tinha ele muita amizade com Manthor, que também era dos Haladin.

Até Hardang Asgon e seus homens foram levados por caminhos tortuosos, e foram vendados. Assim, por fim, chegaram ao salão dos Chefes em Obel Halad;[26] e seus olhos foram descobertos, e os guardas os conduziram para dentro. Hardang estava sentado em seu grande assento, e não os olhou com gentileza.

"De Dorlómin vindes, segundo me disseram", disse ele. "Mas por que vindes eu não sei.* Pouco de bom veio a Brethil daquela terra; e agora não procuro por nenhum: é um feudo de Angband. Uma fria recepção encontrareis aqui, esgueirando-vos dessa maneira para espionar nossos modos!"

Asgon conteve sua raiva, mas respondeu com firmeza: "Não viemos sorrateiros, senhor. Temos tanta habilidade nas matas quanto a vossa gente, e não teríamos sido capturados tão facilmente se soubéssemos de alguma causa para temermos. Somos Edain e não servimos Angband, mantendo-nos fiéis à Casa de Hador. Críamos que os Homens de Brethil eram similares e amigáveis a todos os homens fiéis."

"Àqueles de comprovada fé", disse Hardang. "Apenas ser Edain não basta. E quanto à Casa de Hador, ela é tida em pouco amor aqui. Por que a gente daquela Casa haveria de vir aqui agora?"

A isso Asgon não respondeu; pois, devido à hostilidade do [Mestre >] Chefe, ele achou melhor não falar ainda de Húrin.

"Vejo que vós não falareis acerca de tudo o que sabeis", disse Hardang. "Assim seja. Devo julgar como compreendo; mas serei justo. Este é o meu julgamento. Aqui Túrin, filho de Húrin, habitou por um tempo, e ele livrou a terra da Serpente de Angband. Por isso vos dou vossas vidas. ** Mas ele desprezou Brandir, Chefe de direito de Brethil, e o matou sem justiça ou piedade. Portanto, não vos abrigarei aqui. Haveis de ser postos para fora por onde entraram. Parti agora, e se retornardes, será para a morte!"

"Então não haveremos de receber de volta nossas armas?", perguntou Asgon. "Haveis de nos lançar de volta ao ermo sem arco ou aço, para perecer entre as feras?"

"Nenhum homem de Hithlum há de alguma vez portar armas de novo em Brethil", disse Hardang. "Não com minha licença. Levai-os daqui."

Mas, ao serem arrastados do salão, Asgon gritou: "Essa é a justiça dos Lestistas, não dos Edain! Não estivemos aqui com Túrin, nos atos bons ou nos maus. A Húrin servimos. Ele ainda vive. Espreitando em vossa mata não lembrais das Nirnaeth? Haveis então de desonrá-lo também por vosso rancor, caso ele venha?"

"Caso Húrin venha, dizes?", disse Hardang. "Quando Morgoth adormecer, talvez!"

"Não", disse Asgon. "Ele retornou. Com ele viemos a vossas marcas. Ele disse que tem uma missão aqui. Ele virá!"

"Então haverei de estar aqui para encontrá-lo", disse Hardang. "Mas vós não. Agora, ide!" Ele falou como que com desprezo, mas seu rosto empalideceu num medo súbito de que alguma coisa estranha acontecera, pressagiando algo ainda pior por vir. Então um grande pavor da sombra da Casa de Hador caiu sobre ele, de maneira que seu coração ficou sombrio. Pois ele não era um homem de grande espírito, como o eram Hunthor e Manthor, descendentes de Hiril.

Asgon e sua companhia foram vendados de novo, para que não pudessem divisar os caminhos de Brethil, e foram levados de volta à Marca-norte. Ebor ficou desagradado quando ouviu o que ocorrera em Obel Halad, e falou com eles de modo mais cortês.

"Ai!", disse ele, "vós precisais seguir adiante mais uma vez. Mas vede! Devolvo vossos petrechos e armas. Pois pelo menos assim meu senhor Manthor o faria. Gostaria que ele estivesse aqui! Mas ele agora é o homem mais valoroso entre nós; e, por ordem de Hardang, é Capitão dos guardas nas Travessias do Taiglin. É lá que mais tememos sermos atacados, e onde há mais combate. Bem, isso farei no lugar dele; mas vos imploro, não entreis novamente em Brethil, pois, se o fizerdes, talvez nos sintamos obrigados a obedecer a ordem de Hardang que agora foi enviada a todas as marcas: matar-vos assim que fordes avistados."

Então Asgon lhe agradeceu, e Ebor os conduziu até as fímbrias de Brethil, e lá lhes desejou boa sorte.

"Bem, tua sorte teve efeito", disse Ragnir, "pois pelo menos não fomos mortos, embora tenhamos chegado perto disso. Agora o que havemos de fazer?"

"Ainda desejo encontrar meu senhor Húrin", disse Asgon, "e meu coração me diz que ele ainda virá a Brethil."

"Para onde não podemos retornar", disse Ragnir, "a não ser que busquemos uma morte mais rápida do que a fome."

"Se ele vier, creio que virá pela marca-norte, entre o Sirion e o [Taiglin >] Taeglin", disse Asgon. "Desçamos na direção das Travessias do [Taiglin >] Taeglin. Lá é mais provável que possamos ouvir notícias."

"Ou cordas de arcos", disse Ragnir. Ainda assim, seguiram o conselho de Asgon e partiram rumo a oeste, vigiando como podiam de longe as fímbrias escuras de Brethil.

Mas Ebor ficou preocupado e enviou depressa uma mensagem a Manthor relatando a chegada de Asgon e suas estranhas palavras acerca de Húrin. Mas, a respeito dessa questão, os rumores agora percorriam toda Brethil. E Hardang ficou sentado em Obel Halad tomado pela dúvida, e aconselhou-se com seus amigos. **

No texto acima, duas passagens são substitutas no texto datilografado de passagens mais curtas que foram rejeitadas. A primeira dessas, marcada por asteriscos no início e no fim, vai de "'Pode ser', disseram os guardas-das-marcas" na p. 321 até "'Mas por quê vindes eu não sei'" na p. 321. A passagem rejeitada diz o seguinte:

> "Talvez", respondeu o capitão dos guardas; "mas a manhã está escura. Outros hão de vos julgar em uma luz melhor."
>
> Então, estando em menor número por uma grande margem, Asgorn e seus homens foram feitos prisioneiros, e suas armas foram tomadas e suas mãos, atadas; e dessa maneira foram levados por fim para diante do novo Mestre dos Haladin.
>
> Ele era Harathor, irmão daquele Hunthor que perecera na ravina do Taeglin. Com a morte de Brandir, que não tivera filhos, ele herdara o senhorio que descendia de Haldad. Não tinha amor pela casa de Hador, e nem parte no sangue deles; e disse a Asgorn, quando os cativos se postaram diante dele: "De [Hithlum >] Dorlómin vindes, segundo me disseram, e vossa fala vos corrobora. Mas por que vindes eu não sei.

Como referência nas páginas seguintes, chamarei essa passagem de A 1 e a sua substituta de A 2.

A segunda passagem substituta, marcada por dois asteriscos no início e no fim, vai de "Mas ele desprezou Brandir" na p. 322 até "E Hardang ficou sentado em Obel Halad tomado pela dúvida, e aconselhou-se com seus amigos" na p. 323. Aqui passagem rejeitada diz o seguinte:

> "... Mas ele desprezou Brandir, Mestre de direito de Brethil, e o matou sem justiça ou piedade. Por isso tomarei vossa liberdade. Haveis de ser mantidos em grilhões; e não hei de me apiedar até que uma boa razão me seja mostrada."
>
> Então ele ordenou que fossem levados e confinados em uma caverna e que lá fossem guardados dia e noite. Mas, enquanto eram levados dali, Asgorn gritou: "Essa é a justiça dos Lestistas, não dos Edain! Não estivemos aqui com Túrin, nos atos bons ou nos maus. A Húrin servimos, que ainda vive. Talvez espreitando em vossa pequena mata não vos lembrais das Nirnaeth ou de seus grandes feitos. Matá-lo-eis para aliviar vossos pesares, se ele vier?"
>
> "Caso Húrin venha, dizes?", disse Harathor. "Quando Morgoth adormecer, talvez."
>
> "Não", disse Asgorn. "Ele retornou, e viemos com ele a vossas marcas. Ele disse que tem uma missão aqui. Ele virá!"

"Então esperaremos por ele. E vós também", disse Harathor, sorrindo de forma sombria. Porém, mais tarde, seu coração lhe deu aviso, temendo que Asgorn falava a verdade e que alguma coisa estranha acontecera, pressagiando algo pior por vir. Pois tinha pavor da sombra da Casa de Hador, receando que ela sobrepujasse sua gente menor, e ele não era um homem de grande coração como Hunthor, seu irmão [*posteriormente* > como os descendentes de Haldir e Hiril, sua irmã].

O texto rejeitado então seguiu de imediato para "Ora, Húrin, entrando em Dimbar" na p. 331. Chamarei a passagem recém-apresentada de B 1 e sua substituta de B 2.

Entre os papéis do rascunho manuscrito encontra-se o seguinte texto, que chamarei de "C": nele, meu pai refletiu a respeito do desenvolvimento da história. Escrito muito rapidamente e de forma descuidada, com muitas abreviações que expandi, ele *precedeu* as duas passagens substitutas A 2 e B 2 e foi a base para elas.

As Andanças de Húrin
? Onde deve ser inserida a revelação de que Asgorn e companhia estão presos. Eles parecem não se encaixar, mas sua chegada a Brethil é necessária para "lançar a sombra" ao causar medo e ódio no coração de Harathor.

Sugiro que os dois aprisionamentos [isto é, o de Asgorn e seus homens e o de Húrin, contado posteriormente] são repetitivos demais; e também que Harathor é feroz demais de imediato. Sua sentença é de que, por causa da morte de Glaurung, suas vidas são poupadas; mas, por causa do assassinato de Brandir, são *mandados embora*: ele não admitirá ninguém da Casa de Hador.

Asgorn diz que esse é um tratamento cruel. Ele exige a devolução de suas armas, "ou como irão viver no ermo?". Mas Harathor diz que homem algum de Dorlómin portará armas em Brethil. Asgorn, ao serem conduzidos para fora, pergunta se ele tratará Húrin da mesma maneira órquica. "Veremos", disse Harathor.

[*Este parágrafo foi riscado assim que foi escrito:* [Manthor, capitão >] O capitão / da Guarda-do-Taiglin devolve suas armas e se despede deles de modo bastante cortês; mas os avisa que um "estado de guerra" foi declarado (que dá ao Mestre / Guardião o direito de expedir ordens a todos em serviço) e que se entrarem de novo em Brethil, ele, ou qualquer outro capitão ou vigia, vai atirar neles. Eles partem, mas espreitam vigiando as travessias, mas se desencontram de Húrin, que entrou vindo de Dimbar. Húrin *não* deve entrar pela travessia do Taiglin, *nem* ser encontrado junto a Hauð-en-Elleth. (Não é significativo no caso dele, e torna excessivo o uso do Hauð.)]

Asgorn e companhia são vendados ao serem levados a Obel Halad e são mandados embora *pelo mesmo caminho* pelo qual entraram (para não tomarem mais conhecimento dos caminhos de Brethil). Portanto, ficam à espreita próximo às fímbrias naquela região e, assim, desencontram-se de Húrin, que atravessou o Brithiach e foi às Travessias do Taiglin.

A região próxima ao Brithiach e ao longo do Sirion por certa extensão era a terra de Manthor (irmão de Hunthor, que caiu na ravina). Mas Manthor, um dos principais guerreiros e da gente dos Haladin, estava no comando das principais forças mantidas perto das Travessias do Taiglin. (Harathor não gostava de Manthor, pois muitos haviam desejado elegê-lo Guardião — sendo ... a lei fazê-lo. E talvez Manthor também desejasse a Guardiania.) O capitão dos guardas perto do Brithiach era Enthor [> era, portanto, um pajem-chefe, chamado Ebor, de Manthor (nomeado por ele)], irmão mais novo de Hunthor e Manthor. Assim, Manthor logo ouviu o que acontecera: pois toda essa família havia sido apoiadora e admiradora de Túrin, e tinha orgulho de seu *parentesco* com a Casa de Hador. Então Enthor [> Ebor] enviou mensageiros a Manthor para lhe dizer que Húrin poderia chegar, escapando de Angband.

Na última parte do *Narn* (FN), o surgimento de Hunthor (< Torbarth) pode ser seguido desde sua origem em Albarth, a princípio simplesmente um daqueles que se ofereceu para acompanhar Túrin no ataque a Glaurung e nomeado somente porque caiu e afogou-se em Cabed-en-Aras. Na primeira dessas passagens rejeitadas (A 1, p. 324), o novo senhor de Brethil após a morte de Brandir é Harathor, "irmão daquele Hunthor que perecera na ravina do Taeglin"; e é expressamente dito acerca dele que "não tinha amor pela casa de Hador, *e nem parte no sangue deles*". Essas palavras, repetidas na revisão A 2 (p. 321), são de grande importância na história.

Um elemento essencial da história mais antiga do Povo de Haleth era o entremesclar da linhagem dos seus senhores com a da Casa de Hador, que ocorreu através do "casamento duplo" de Galion, filho de Hador, com a filha (não nomeada) de Haleth, o Caçador, e de sua filha Glorwendil com Hundor, filho de Haleth (AC §171 e comentário). Esse casamento duplo foi preservado na história transformada tardia dos Edain, quando o lugar genealógico de Haleth, o Caçador, foi ocupado por Halmir (p. 406); os parentescos resultantes podem ser desdobrados assim:

```
                 Hador                          Halmir
           ┌───────┴───────┐              ┌───────┴───────┐
Hareth = Galdor        Glóreðel = Haldir             Hareth = Galdor
       |                          |                            |
     Húrin                      Handir                       Húrin
       |                          |                            |
     Túrin                      Brandir                      Túrin
```

Mas a complexidade aumentou ainda mais pela introdução de outra conexão com a Casa de Bëor no casamento de Beldis com Handir de Brethil (ver as tabelas nas pp. 283, 290):

```
                          Bregor
          ┌─────────────────┴─────────────────┐
        Bregil                             Bregolas
          |                                   |
   Handir = Beldis                        Baragund
      |                                       |
   Brandir                              Morwen = Húrin
                                                  |
                                                Túrin
```

Assim, Túrin era primo de terceiro grau de Brandir pelo lado "hadoriano", e também era seu primo de terceiro grau pelo lado haladin; enquanto que, na linhagem "bëoriana", ele era primo de quarto grau de Brandir — uma situação genealógica que deleitaria o coração de Hamfast Gamgi. Mencionando esses parentescos em uma nota isolada dessa época, meu pai comentou que "Túrin seria aceito mais prontamente pelos Haladin quando o seu verdadeiro nome e linhagem fossem conhecidos ou adivinhados", uma vez que ele era aparentado dos senhores deles desses modos. Harathor, por outro lado, "não tinha amor pela casa de Hador, e nem parte no sangue deles" (embora ele também fosse primo de terceiro grau de Túrin, visto que sua tia-avó Hareth era avó de Túrin).

A tabela genealógica dos Haladin (p. 290) pertence a esse estágio: Harathor é mostrado como sétimo senhor dos Haladin, sucedendo a Brandir, e como irmão de Hunthor: eles são os filhos de Hundad, filho de Hundar, que morreu nas Nírnaeth.

A hostilidade do novo senhor para com a Casa de Hador era uma ideia essencial na história de Húrin em Brethil desde o princípio; mas, no último parágrafo da discussão C (p. 326), vemos o surgimento de uma família dentro do clã maior que, pelo contrário, tinha orgulho de seu parentesco com a Casa de Hador e, assim, estava apartada em espírito do novo senhor.

Em C, a importância de Hunthor avança mais um estágio: ele se torna o irmão morto de Manthor (e, portanto, como se verá num momento, não pode mais ser o irmão de Harathor). Manthor de fato já havia entrado na história no rascunho original de AH, mas ele não apareceu até a descoberta de Húrin junto ao Hauð-en-Elleth (p. 335 na versão final), como capitão da guarda naquelas partes; agora, em C, ele se torna um parente de Húrin e mantenedor dos valores e das virtudes dos Edain. Vê-se como o seu parentesco com a Casa de Hador foi introduzido pela correção feita no final da passagem rejeitada B 1 (p. 324-5) "[Harathor] não era um homem de grande coração como Hunthor, seu imão" > "... como os descendentes de Haldir e Hiril, sua irmã".* *Hiril* entra aqui na linhagem do Povo de Haleth, e a árvore genealógica é ampliada com um quarto filho de Halmir: Haldir, Hundar, Hareth e Hiril. Na passagem substituta B 2 (p. 322), a frase se torna "ele não era um homem de grande espírito, como o eram Hunthor e Manthor, descendentes de Hiril". (É afirmado posteriormente no texto de AH, p. 350, que a mãe de Manthor era a filha de Hiril.)

Em C, Harathor ainda tinha esse nome, mas ele já devia estar a ponto de receber um novo nome, e já devia ter recebido uma nova linhagem, separando-o daqueles com simpatias "hadorianas", Hunthor e Manthor. O novo nome, *Hardang*, aparece no texto

*Antes de Hiril ser introduzida como uma segunda filha de Halmir, sua filha Hareth foi primeiramente chamada Hiriel (p. 288, nota de rodapé).

substituto A 2 (p. 321) — e a ocorrência desse nome no esquema de enredo dos papéis do *Narn* demonstra de forma incidental que aquele texto já estava escrito quando o trabalho de meu pai em *As Andanças de Húrin* encontrava-se bastante avançado, se é que já não estivesse terminado. É dito lá (p. 313) que, quando Brandir, o Coxo, foi escolhido para ser Chefe de Brethil, "muitos [teriam] preferido seus primos Hunthor ou Hardang", e (p. 315) que Manthor era parente de Húrin e primo de Hardang.

Essa nova "família dentro de um clã maior" foi inserida em alterações feitas de maneira descuidada na tabela dos Haladin (p. 290), das quais apresento o essencial em forma comprimida:

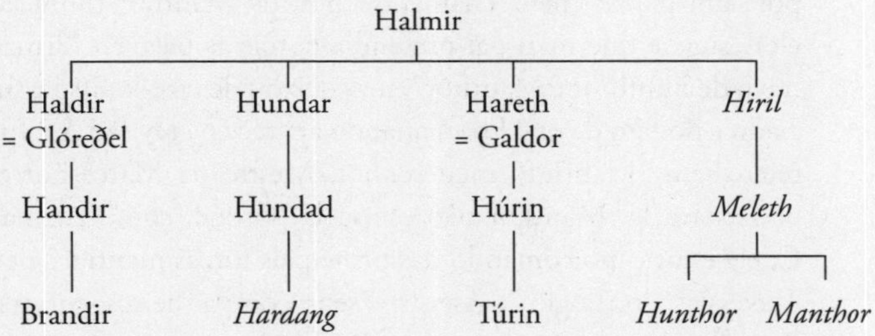


A data de nascimento de Hardang é dada como 470, a de Hunthor como 467 e a de Manthor como 469.

A julgar por C (p. 326), também parece que uma nova concepção da organização social dos Homens de Brethil havia sido inserida e, com ela, um novo significado para o nome *Haladin*: é dito que Manthor é "um dos principais guerreiros e da gente dos Haladin", e que "muitos haviam desejado elegê-lo Guardião". Em relação a isso, uma nota isolada (escrita no verso daquela acerca dos parentescos de Túrin mencionada na p. 327) diz o seguinte:

> O título dos chefes de Brethil não deve ser *senhor*, nem *Mestre*. Eles eram eleitos dentre a família de Haldad — chamada de *Haladin*, isto é, "guardiões". Pois *hal(a)* = "vigiar, guardar" na antiga língua da casa de Bëor e de Haldad. *Halad* era um guardião. (*Haldad* = defensor.)

Essas novas concepções aparecem na revisão A 2 (p. 321), onde se diz que Hardang fora feito *Halad*, "sendo dos Haladin, a gente de Haleth, dentre os quais todos os Chefes eram escolhidos". Também é dito, seguindo a discussão em C, que Hardang não era amigo de Manthor, "que também era dos Haladin". Por outro lado, na primeira forma da passagem (p. 324), Harathor é chamado de "novo Mestre dos Haladin", onde *Haladin* claramente ainda significa o povo inteiro.

No último parágrafo de C (p. 326), aparece um irmão mais novo de Hunthor e Manthor, Enthor, "capitão dos guardas perto do Brithiach" (nos acréscimos feitos à tabela genealógica dos Haladin, esse nome *Enthor* foi dado ao esposo de Hiril, que não foi nomeado de outra forma; e o esposo de Meleth aparentemente se chama *Agathor*). A remoção do nome Enthor nessa frase e a substituição por "um pajem-chefe, chamado Ebor, de Manthor (nomeado por ele)" sugere que meu pai pretendia cortar as palavras "irmão mais novo de Hunthor e Manthor", mas deixou de fazê-lo; isso é substanciado pelo fato de que Ebor, quando aparece na revisão A 2 (p. 321), refere-se a "Manthor, meu senhor, Mestre da Marca-norte", que não estava lá. Manthor não estava lá porque, como afirmado em C, ele estava "no comando das principais forças mantidas perto das Travessias do Taiglin"; Asgon e seus companheiros entraram em Brethil pelo norte, próximo do Brithiach, e partiram pelo mesmo caminho, encontrando Ebor de novo e recuperando suas armas.

O único ponto obscuro diz respeito ao fato de o grupo de Asgon não encontrar Húrin quando este retornou. Meu pai estava dividido sobre essa questão. O quarto parágrafo rejeitado em C (p. 326) o mostra (após decidir que Asgorn e seus homens não foram aprisionados) assumindo a opinião de que eles foram expulsos de Brethil próximo às Travessias: é "o capitão da Guarda-do-Taiglin" que devolve suas armas; e eles permanecem espreitando aqueles arredores. Assim, desencontram-se de Húrin, "que entrou vindo de Dimbar" (isto é, entrou em Brethil pelo norte depois de atravessar o Brithiach, como Asgorn fizera). Húrin, ele escreveu, *não* deve entrar em Brethil pelas Travessias e ser encontrado deitado junto a Hauð-en-Elleth (como já era a história no rascunho manuscrito).

Mas ele de imediato, e compreensivelmente, pensou melhor a respeito e (no quinto parágrafo) manteve a história existente de que Húrin foi encontrado pelos guardas próximo das Travessias; ele disse agora que Asgorn e seus homens foram mandados embora de Brethil na mesma região em que entraram, e que ficaram à espreita "próximo às fímbrias naquela região" — daí terem se desencontrado de Húrin. Mas, na passagem substituta B 2 (p. 323-4), ele fez com que decidissem não permanecer próximo às fímbrias do norte da floresta, e descem em direção às Travessias.

Retorno agora ao texto que havia deixado ao final da segunda passagem reescrita (B 2) na p.323. É preciso ter em mente que o texto datilografado a partir desse ponto pertence ao estágio *anterior* às alterações importantes na narrativa serem inseridas nas duas passagens substitutas discutidas acima. Assim, durante boa parte do texto "o Mestre de Brethil" permanece sendo Harathor; o termo *Halad* ainda não havia sido elaborado, e sua morada ainda não se chamava *Obel Halad.* Em vez de reescrever o texto existente após o surgimento das novas concepções, meu pai achou suficiente corrigi-lo. Essas correções são muito numerosas, mas em sua maior parte repetitivas e sistemáticas (como "Mestre" para "Halad" ou "Chefe"), e registrar cada caso no texto o tornaria ilegível. Portanto, ignorei os nomes e títulos rejeitados (isso se aplica também à curta passagem nas pp. 321-2 entre as duas seções reescritas: aqui, *Hardang* na verdade é uma correção de *Harathor* feita no texto datilografado).

Ora, Húrin, entrando em Dimbar, reuniu suas forças e prosseguiu sozinho na direção dos pés escuros das Echoriad.[27] Toda a terra estava fria e desolada; e quando por fim assomaram íngremes diante dele e não mais conseguia enxergar adiante, ele parou e olhou à sua volta com pouca esperança. Ele se encontrava agora postado aos pés de um grande desmoronamento de pedras sob uma muralha de rocha íngreme, e não soube que isso era tudo o que restava de visível da antiga Via de Escape: o Rio Seco estava bloqueado, e o portão com arcos, enterrado.[28]

Então Húrin olhou para o céu cinzento, pensando que, por sorte, poderia mais uma vez descortinar as Águias, como o fizera muito tempo antes, em sua juventude.[29] Mas via apenas as sombras sopradas do Leste e as nuvens que giravam à volta dos picos inacessíveis; e o vento sibilava por sobre as pedras. Mas a guarda das Grandes Águias agora estava redobrada, e repararam bem em Húrin, lá embaixo, abandonado na luz que se esvaía. E, de imediato, o próprio Sorontar, já que as notícias pareciam grandes, foi ter com Turgon.

Mas Turgon disse: "Não! Não se pode crer em tal coisa! A não ser que Morgoth durma. Estás enganado."

"Não, não estou", respondeu Sorontar. "Se as Águias de Manwë fossem dadas a errar assim, Senhor, então vosso refúgio teria sido em vão."

"Então tuas palavras são mau presságio," disse Turgon, "pois podem somente significar que até Húrin Thalion se rendeu à vontade de Morgoth. Meu coração está fechado." Mas, depois de ter dispensado Sorontar, Turgon se sentou longamente em pensamento e ficou perturbado, recordando as façanhas de Húrin. E abriu seu coração, e mandou dizer às Águias que procurassem Húrin, e que o trouxessem, se pudessem, a Gondolin. Mas era tarde demais, e elas nunca mais o viram à luz ou à sombra.

Pois Húrin se postou enfim em desespero diante do silêncio inflexível das Echoriad, e o sol poente, trespassando as nuvens, manchou seus cabelos brancos de vermelho. Então ele gritou com força naquele deserto, sem cuidar de ser ouvido, e amaldiçoou a terra impiedosa: "endurecida como os corações de Elfos e Homens". E subiu por fim uma grande pedra e, abrindo os braços, olhando na direção de Gondolin, chamou com grande voz: "Turgon, Turgon! Lembra-te do Pântano de Serech!" E mais uma vez: "Turgon! Húrin te chama! Ó Turgon, será que não me ouves em teus salões ocultos?"

Mas não houve resposta, e tudo o que ele ouviu foi o vento na relva seca. "Assim foi que elas sibilaram em Serech ao pôr do sol", disse ele. E, enquanto falava, o sol desceu atrás das Montanhas de Sombra, e uma escuridão caiu à sua volta, e o vento cessou, e houve silêncio no ermo.

Contudo, houve ouvidos que ouviram as palavras que Húrin disse, e olhos que bem perceberam seus gestos; e relatos de tudo isso chegaram logo ao Trono Sombrio no Norte. Então Morgoth sorriu e soube agora claramente em qual região Turgon habitava, embora, por causa das Águias, nenhum espião dos seus ainda viesse à vista da terra detrás das montanhas circundantes. Esse foi o primeiro mal que a liberdade de Húrin causou.[30]

Quando a escuridão caiu, Húrin desceu tropeçando da pedra, e caiu, como alguém desfalecido, em um profundo sono de tristeza. Mas, em seu sono, ouvia a voz de Morwen em lamento, e amiúde ela dizia seu nome; e parecia-lhe que a voz vinha de Brethil. Portanto, quando acordou com a chegada do dia, levantou-se e retornou; e voltou ao vau e, como que conduzido por uma mão invisível [passou ao longo do rio Taeglin até que, antes do anoitecer do terceiro dia, ele chegou ao local >], seguiu ao longo das fímbrias de Brethil, até chegar, numa jornada de quatro dias, ao Taeglin; e toda sua comida, que era pouca, havia então acabado, e ele estava faminto. Mas ele seguiu em frente como a sombra de um homem impelido por um vento sombrio, e chegou às Travessias à noite, e lá as atravessou e entrou em Brethil.

As sentinelas noturnas o viram, mas ficaram cheias de terror, de modo que não ousaram se mover ou gritar; pois pensavam ter visto um fantasma saído de algum antigo teso-de-batalha, que caminhava com a escuridão à sua volta. E por muitas noites depois disso os homens temeram se aproximar das Travessias à noite, exceto em grande companhia e com tochas acesas.

Mas Húrin seguiu adiante e, ao anoitecer do sexto dia, chegou por fim ao lugar / em que Glaurung fora queimado, e viu a pedra alta que ficava perto da beira do Cabed Naeramarth.

Mas Húrin não olhou para a pedra, pois sabia o que estava escrito nela, e seus olhos tinham visto que não estava sozinho. Sentada à sombra da pedra estava uma figura, curvada sobre seus joelhos. Algum errante desabrigado, enfraquecido pela idade, ao que parecia, cansado demais para tomar conhecimento de sua chegada; mas seus farrapos eram os restos da veste de uma mulher. Por fim, quando Húrin ficou de pé em silêncio, ela jogou para trás seu capuz em frangalhos e ergueu o rosto lentamente, fatigada e faminta como uma loba caçada por muito tempo. Grisalha era, de nariz afilado com dentes quebrados, e com uma mão magra agarrada ao manto sobre o seu peito. Mas, de repente, os olhos dela fitaram os dele, e então Húrin a reconheceu; pois, embora estivessem selvagens agora e cheios de medo, ainda brilhava neles uma luz difícil de suportar: a luz-élfica que, havia muito, tinha dado a ela o seu nome, Eðelwen, mais soberba das mulheres mortais nos dias de outrora.

"Eðelwen! Eðelwen!", gritou Húrin; ela se levantou e cambaleou para frente, e ele a apanhou nos braços.

"Vieste afinal", disse ela. "Esperei tempo demais."

"Era uma estrada escura. Vim como pude", explicou ele.

"Mas chegas tarde demais", disse ela, "tarde demais. Eles se perderam."

"Eu sei", disse ele. "Mas não tu."

"Quase", disse ela. "Estou completamente esgotada. Hei de partir com o sol. Eles se perderam." Ela agarrou o manto dele. "Agora pouco tempo resta", disse ela. "Se sabes, diz-me! Como ela o achou?"

Mas Húrin não respondeu, e ele se sentou ao lado da pedra com Morwen em seus braços; e não falaram mais. O sol se pôs, e Morwen suspirou, e apertou a mão dele, e ficou parada; e Húrin soube que ela tinha morrido.

Assim partiu Morwen, a soberba e bela; e Húrin olhou para ela no crepúsculo e pareceu-lhe que as rugas de tristeza e privação cruel tinham sido suavizadas. Frio e pálido e severo era o rosto dela. "Ela não foi derrotada", disse; e fechou os olhos dela, e se sentou imóvel ao seu lado enquanto a noite seguia. As águas do Cabed Naeramarth continuavam a rugir, mas ele não ouvia som nenhum, nem via nada, nem sentia nada, pois seu coração era pedra dentro dele, e pensou que ficaria ali sentado até que também morresse.

Então veio um vento gelado e lançou chuva forte contra o seu rosto; e, de repente, ele despertou, e de um recesso negro a raiva subiu dentro dele feito uma fumaça, dominando a razão, de modo que todo o seu desejo era buscar vingança pelas injustiças que tinham sofrido, ele e sua gente, acusando em sua angústia todos aqueles que alguma vez tinham tratado com eles.

Ele se levantou e ergueu Morwen; e soube de repente que estava além de suas forças carregá-la. Estava faminto e velho, e cansado como o inverno. Lentamente ele a deixou de novo ao lado da pedra alta. "Jaz aí mais um pouco, Eðelwen", disse ele, "até eu retornar. Nem mesmo um lobo lhe causaria mais mal. Mas a gente dessa terra endurecida há de lamentar o dia em que tu morreste aqui!"

Então Húrin cambaleou dali, e voltou na direção do vau do Taeglin; e lá tombou ao lado do Hauð-en-Elleth, e uma escuridão o dominou, e ele jazeu como alguém engolfado pelo sono. Pela manhã, antes que a luz o tivesse despertado por completo, ele foi encontrado pelos guardas que Hardang ordenara que vigiassem com atenção aquele lugar.

Foi um homem chamado Sagroth que o avistou primeiro, e olhou para ele espantado e teve medo, pois pensou saber quem era aquele velho. "Vinde!", gritou ele a outros que o seguiram. "Vede aqui! Deve ser Húrin. Os forasteiros falaram a verdade. Ele veio!"

"Típico de ti encontrar problemas, como sempre, Sagroth!", disse Forhend. "O Halad não ficará satisfeito com tais descobertas. O que há de ser feito? Talvez Hardang ficasse mais satisfeito ao ouvir que detivemos o problema em suas marcas e o mandamos embora."

"Mandar embora?", disse Avranc. Ele era filho de Dorlas,[31] um jovem baixo e moreno, mas forte, benquisto por Hardang, como seu pai o fora. "Mandar embora? Que bem isso faria? Ele retornaria! Pode andar — desde lá de Angband, se é o que tu supões. Vê! Ele parece sombrio e tem uma espada, mas dorme profundamente. Precisa despertar para mais sofrimento? [*Acrescentado:*] Se quiseres agradar o Chefe, Forhend, ele deveria encontrar seu fim aqui."

Tal era a sombra que a agora caía sobre os corações dos homens, à medida que o poder de Morgoth se espalhava, e o medo andava por toda a parte; mas ainda nem todos os corações estavam escurecidos. "Deveríeis vos envergonhar!", gritou Manthor, o capitão, que vindo por trás ouvira o que tinham dito. "Tu mais que todos, Avranc, por mais jovem que sejas! Ao menos tu ouviste falar dos feitos de Húrin de Hithlum, ou os tinhas apenas como fábulas ao pé do fogo? O que há de ser feito, de fato! Então, matá-lo enquanto dorme é teu conselho. Do inferno vem esse pensamento!"

"Assim como ele", respondeu Avranc. "Se de fato for Húrin. Quem há de saber?"

"Logo poderemos saber", disse Manthor; e, aproximando-se de Húrin, que ainda se encontrava deitado, ajoelhou-se, ergueu a mão dele e a beijou. "Desperta!", gritou. "A ajuda está próxima. E se fores Húrin, creio que ajuda alguma seria suficiente."

"E nenhuma ajuda que ele não vá pagar com o mal", disse Avranc. "Digo que ele vem de Angband."

"Não sabemos o que ele pode vir a fazer", disse Manthor. "O que fez sabemos, e nossa dívida não está paga." Então ele chamou de novo em voz alta: "Salve, Húrin Thalion! Salve, Capitão de Homens!"

Depois disso, Húrin abriu os olhos, lembrando-se de palavras malignas que ouvira na sonolência antes do despertar, e viu à sua volta homens de armas em punho. Levantou-se com rigidez, tateando em busca da espada; e lançou-lhes um olhar de raiva e desprezo. "Cães!", gritou ele. "Mataríeis um velho adormecido? Pareceis Homens, mas imagino que sejais Orques debaixo da pele. Vinde, então! Matai-me desperto, se ousardes. Mas creio que isso não será do agrado de vosso Mestre sombrio. Sou Húrin, filho de Galdor, um nome do qual Orques ao menos se lembrarão."

"Não, não", disse Manthor. "Não sonhes. Somos Homens. Mas esses são dias malignos de dúvida, e estamos assoberbados. É perigoso aqui. Não virias conosco? Pelo menos podemos encontrar comida e descanso para ti."

"Descanso?", disse Húrin. "Não podeis encontrar isso para mim. Mas comida aceitarei na minha necessidade."

Então Manthor lhe deu um pouco de pão e carne e água; mas pareceram fazê-lo engasgar-se, e ele os cuspiu no chão. "Quão distante é a casa de vosso senhor?", perguntou ele. "Até que eu o veja, a comida que negastes à minha amada não me descerá pela garganta."

"Ele delira e zomba de nós", murmurou Avranc. "O que eu disse?" Mas Manthor o olhou com pena, embora não compreendesse suas palavras. "É uma longa estrada para os exaustos, senhor", disse ele; "e a casa de Hardang Halad está oculta de forasteiros."

"Então levai-me para lá!", disse Húrin. "Irei como puder. Tenho uma missão naquela casa."

Logo fizeram-se a caminho. De sua forte companhia, Manthor deixou a maioria aos seus serviços; mas ele próprio foi com Húrin, e consigo levou Forhend. Húrin andava como podia, mas, depois de um tempo, começou a tropeçar e cair; e, ainda assim, ele sempre se levantava e seguia com dificuldade, e não permitia que o amparassem. Dessa forma por fim, com muitas paradas, chegaram ao salão de Hardang em Obel Halad no fundo da floresta; e ele estava ciente da vinda dele, pois Avranc, sem que lhe fosse ordenado, correra adiante e trouxera as notícias antes deles; e ele não deixou de relatar as palavras enfurecidas de Húrin ao despertar e o fato de que cuspira a comida oferecida.

De modo que encontraram o salão bem guarnecido, com muitos homens no [pátio cercado >] pátio externo, e homens nas portas. No portão do [átrio >] pátio, o capitão dos guardas os deteve. "Entrega-me teu prisioneiro!", disse ele.

"Prisioneiro!", disse Manthor. "Não tenho prisioneiro, apenas um homem que deveis honrar."

"Palavras do Halad, não minhas", disse o capitão. "Mas podes vir também. Ele também tem o que te dizer."

Então levaram Húrin diante do Chefe; e Hardang não o cumprimentou, mas permaneceu sentado em sua grande cadeira e olhou Húrin de cima a baixo. Mas Húrin retornou o olhar e manteve-se o mais rígido que pôde, embora se apoiasse em seu cajado. Assim ele permaneceu por um tempo em silêncio, até que, por fim, baixou para o chão. "Vede!", disse ele. "Vejo que há tão poucas cadeiras em Brethil que um convidado precisa sentar-se no chão."

"Convidado?", disse Hardang. "Não por mim. Mas trazei para o velho um tamborete. Se não desdenhar dele, embora cuspa em nossa comida."

Manthor afligiu-se diante da descortesia; e, ao ouvir alguém rir na sombra atrás da grande cadeira, olhou e viu que era Avranc, e seu rosto ficou carregado de ira.

"Perdão, senhor", disse a Húrin. "Há um engano aqui." Então, virando-se para Hardang, empertigou-se. "Minha companhia tem um novo capitão então, meu Halad?", perguntou ele. "Pois, do contrário, não compreendo como alguém que abandonou seu serviço e desobedeceu a minha ordem deva permanecer aqui sem reprimenda. Vejo que ele trouxe notícias antes de mim; mas parece que se esqueceu do nome do convidado, ou Húrin Thalion não teria sido deixado de pé."

"O nome me foi contado", respondeu Hardang, "e suas feras palavras também, que o corrobora. Tal é a Casa de Hador. Mas é papel de um forasteiro apresentar-se primeiro em minha casa, e esperei para ouvi-lo. Também para ouvir sobre sua missão aqui — visto que ele diz ter uma. Mas quanto ao teu serviço, tais questões não são tratadas na frente de estranhos."

Então ele se virou para Húrin, que enquanto isso se sentara no baixo tamborete; seus olhos estavam fechados, e parecia não prestar atenção ao que era dito. "Bem, Húrin de Hithlum", disse Hardang, "e quanto à tua missão? É uma questão de pressa? Ou quiçá queiras refletir a respeito e descansar e falar sobre ela depois, mais à vontade? Entrementes, podemos encontrar para ti uma comida menos desagradável." O tom de Hardang agora estava mais gentil, e ele se levantou enquanto falava; pois era um homem cauteloso, e [*riscado:* em seu coração não confiava em demasia no seu lugar na cadeira do Mestre; e] percebera o desagrado nos rostos de outros além de Manthor.

Então, de repente, Húrin pôs-se de pé. "Bem, Mestre Junco do Brejo", disse ele. "Então te curvas a cada sopro, não? Atenta para que o meu não te derrube. Vai refletir a fim de endurecer-te, antes de eu voltar a te chamar! Escarnecedor de cabelos grisalhos, mesquinho com a comida, esfomeador de errantes. Este tamborete é mais apropriado para ti." Dito isso, arremessou o tamborete contra Hardang, de modo que o atingiu na testa; e então deu meia-volta e pôs-se a andar para sair do salão.

Alguns dos homens abriram caminho, quer por pena, quer por medo de sua ira; mas Avranc correu diante dele. "Não tão depressa, servo Húrin!", gritou ele. "Pelo menos eu não duvido mais de teu nome. Trazes os modos de Angband. Mas não temos amor por feitos-órquicos no salão. Atacaste o Chefe em sua cadeira, e um prisioneiro agora hás de ser, qualquer que seja o teu nome."

"Agradeço-te, Capitão Avranc", disse Hardang, sentado imóvel na cadeira, enquanto alguns estancavam o sangue que lhe escorria da fronte. "Agora, que o velho louco seja posto em grilhões e mantido por perto. Julgá-lo-ei mais tarde."

Então colocaram correias em volta dos braços de Húrin, e um cabresto ao redor do pescoço, e o levaram embora; e ele não mais resistiu, pois a ira lhe deixara, e ele andava como que num sonho, de olhos fechados. Mas Manthor, apesar de Avranc lhe franzir o cenho, passou o braço em volta dos ombros do velho e o conduziu para que não tropeçasse.

Porém, quando Húrin foi preso em uma caverna [*riscado:* próximo daquela em que Asgorn e seus homens ainda estavam aprisionados] e Manthor nada mais podia fazer para ajudá-lo, ele retornou ao salão. Lá encontrou Avranc em colóquio com Hardang, e, embora tenham se calado com a sua chegada, ouviu as últimas palavras que Avranc falou, e lhe pareceu que Avranc insistia para que Húrin fosse morto imediatamente.

"Então, Capitão Avranc, as coisas vão bem para ti hoje!", disse ele. "Vi-te em jogos semelhantes antes: açulando um velho texugo e fazendo com que seja morto quando morde. Não tão rápido, Capitão Avranc! Nem tu, Hardang Halad. Essa não é uma questão para ser tratada de maneira imperiosa de pronto. A vinda de Húrin, e sua recepção aqui, diz respeito a toda a gente, e eles hão de ouvir tudo o que é dito, antes que qualquer julgamento seja feito."

"Tens licença para ir", disse Hardang. "Retorna ao teu serviço nas marcas, até que o Capitão Avranc vá assumir o comando."

"Não, senhor, não tenho serviço", disse Manthor. "A partir de hoje não te sirvo mais. Deixei Sagroth[32] no comando, um homem-da-floresta um tanto mais velho e mais sábio do que aquele que nomeias. No devido tempo retornarei às minhas próprias marcas.*[33] Mas agora convocarei a gente."

Ao se dirigir para a porta, Avranc pegou seu arco para atirar em Manthor, mas Hardang o conteve. "Ainda não", disse ele. Mas Manthor não tomou ciência disso (embora alguns presentes no salão tivessem notado o ato) e saiu, e enviou todos os que pôde encontrar que estavam dispostos a ir como mensageiros para reunirem todos os mestres de moradas e quaisquer outros que pudessem ser dispensados. [*Riscado:* Era o costume dos Haladin[34] que, em todas as questões que não a guerra, as esposas também eram convocadas para o conselho e tinham voz igual à dos esposos.]

Ora, os rumores se espalharam depressa pelas matas, e as histórias aumentavam à medida que eram contadas; e alguns diziam uma coisa, e outros, outra, e a maioria elogiava o Halad e retratava Húrin como se fosse um chefe-órquico cruel; pois Avranc também se ocupara com mensageiros. Logo houve uma grande congregação de pessoas, e a pequena vila[35] ao redor do Salão dos Chefes ficou repleta de tendas e barracas.[36] Mas todos os homens estavam armados, por medo caso algum alarme repentino viesse das marcas.

Depois de enviar seus mensageiros, Manthor foi até a prisão de Húrin, e os guardas não queriam deixá-lo entrar. "Vamos!", disse Manthor. "Bem sabeis que é nosso bom costume que qualquer prisioneiro deva ter um amigo que possa vir ver como ele está e aconselhá-lo."

"O amigo é escolhido pelo prisioneiro", responderam os guardas; "mas esse homem selvagem não tem amigos."

*Pois Manthor era um descendente de Haldad, e possuía um pequeno pedaço de terra na marca leste de Brethil às margens do Sirion, onde ele corre por Dimbar. Mas toda a gente de Brethil era composta por homens livres, que possuíam suas moradas e mais ou menos terras em torno delas conforme lhes era de direito. Seu Mestre era escolhido dentre os descendentes de Haldad, por reverência aos feitos de Haleth e Haldar; e embora a governança até então tivesse sido dada, como se fosse um senhorio ou um reino, ao mais velho da linha mais antiga, a gente tinha o direito de afastar qualquer um ou de removê-lo, por causa grave. E alguns bem sabiam que Harathor tentara fazer com que Brandir, o Coxo, fosse ignorado em seu próprio favor.

"Ele tem um", disse Manthor, "e peço licença para me oferecer à escolha dele."

"O Halad nos proibiu de admitir qualquer um, com exceção dos guardas", disseram. Mas Manthor, que era sábio nas leis e costumes de seu povo, respondeu: "Sem dúvida. Mas nisso ele não tem direito. Por que o forasteiro está amarrado? Não amarramos velhos e errantes porque dizem palavras más quando assoberbados. Este foi aprisionado por ter atacado Hardang, e Hardang não pode julgar em causa própria, mas deve levar sua queixa ao julgamento da Gente [*riscado:* e outro deve se sentar na cadeira na audiência]. Entrementes, ele não pode negar ao prisioneiro todo conselho e auxílio. Se fosse sábio, ele veria que desse modo não ajuda a sua própria causa. Mas talvez outra boca tenha falado por ele?"

"É verdade", disseram eles. "Avranc trouxe a ordem."

"Então esquecei-a", disse Manthor. "Pois Avranc estava sob outras ordens, de permanecer em seu serviço nas marcas. Escolhei, pois, entre um jovem desertor e as leis da Gente."

Então os guardas o deixaram entrar na caverna; pois Manthor era bem estimado em Brethil, e os homens não gostavam de [mestres >] chefes que tentavam passar por cima da gente. Manthor encontrou Húrin sentado em um banco. Havia grilhões em seus tornozelos, mas tinha as mãos livres; e havia um pouco de comida diante dele, que não fora tocada. Ele não ergueu os olhos.

"Salve, senhor!", disse Manthor. "As coisas não se deram como deveriam, nem como eu as teria ordenado. Mas agora tens necessidade de um amigo."

"Não tenho amigos, e não desejo nenhum nesta terra", disse Húrin.

"Um se encontra diante de ti", respondeu Manthor. "Não me desprezes. Pois agora, infelizmente, a questão entre ti e Hardang Halad deve ser levada ao julgamento da Gente, e seria bom, como nossa lei permite, teres um amigo para aconselhar-te e advogar teu caso."

"Não advogarei e não preciso de conselho", disse Húrin.

"Precisas pelo menos deste conselho", disse Manthor. "Domina tua ira por ora, e come algo, para que possas ter forças diante de teus inimigos. Não sei qual é a tua missão aqui, mas ela correrá melhor se não estiveres faminto. Não te mates enquanto houver esperança!"

"Matar-me?", exclamou Húrin, e levantou-se cambaleante e encostou-se na parede, e seus olhos estavam vermelhos. "Hei de ser arrastado diante de uma turba de homens-da-floresta agrilhoado para ouvir que morte me concederão? Matar-me-ei primeiro, se minhas mãos estiverem livres." Então, de repente, rápido como um velho animal acuado, ele saltou para frente e, antes que Manthor pudesse evitá-lo, apanhou uma faca de seu cinto. Então deixou-se cair no banco.

"Poderias ter recebido a faca como um presente", disse Manthor, "embora não consideremos a morte infligida sobre si próprio um feito nobre naqueles que não perderam a razão. Esconde a faca e guarda-a para algum uso melhor! Mas tem cuidado, pois é uma lâmina cruel, de uma forja dos Anãos. Agora, senhor, não me tomarás como amigo? Não diz palavra; mas se agora comeres comigo, considerarei isso como um sim."

Então Húrin olhou para ele e a ira deixou os seus olhos; e juntos beberam e comeram em silêncio. E, quando tudo estava terminado, Húrin disse: "Pela tua voz me sobrepujaste. Nunca, desde o Dia do Terror, ouvi mais bonita voz de qualquer homem. Ai! ai! me faz lembrar das vozes na casa de meu pai, há muito tempo, quando a sombra parecia distante."

"Pode bem ser", disse Manthor. "Hiril, minha avó, era irmã de tua mãe, Hareth."

"Então és tanto parente como amigo", disse Húrin.

"Mas não apenas eu", disse Manthor. "Somos poucos e temos poucas riquezas, mas também somos Edain, e ligados por muitos elos com o teu povo. Teu nome há muito é estimado com honra aqui; mas nenhuma notícia de teus feitos nos teria chegado se Haldir e Hundar não tivessem marchado para as Nirnaeth. Lá tombaram, mas [sete >] três da companhia deles retornaram, pois foram socorridos por Mablung de Doriath e curados de seus ferimentos.[37] Os dias ficaram sombrios desde então, e muitos corações estão toldados, mas não todos."

"No entanto, a voz do teu Chefe vem das sombras", disse Húrin, "e tua Gente o obedece, mesmo em feitos de desonra e crueldade."

"Ouso dizer que o pesar turva-te os olhos, senhor. Mas antes que isso se torne verdade, aconselhemo-nos. Pois vejo perigo de um mal adiante, tanto para ti como para minha gente, embora a sabedoria talvez o previna. De uma coisa devo avisar-te, ainda que possa não te agradar. Hardang é um homem menor que os seus pais, mas não vi mal nele até que ouviu sobre tua chegada. Trazes uma sombra contigo, Húrin Thalion, na qual sombras menores ficam mais escuras."

"Palavras sombrias vindas de um amigo!", disse Húrin. "Por muito tempo vivi na Sombra, mas suportei-a e não cedi. Se há alguma escuridão sobre mim, é apenas que o pesar além do pesar privou-me da luz. Mas na Sombra não tenho parte."

"Ainda assim, digo-te que ela vem atrás de ti", disse Manthor. "Não sei como obtiveste a liberdade; mas o pensamento de Morgoth não te esqueceu. Cuidado."

"Não caduques, velho caduco, é o que dirias", respondeu Húrin. "Aceitarei tuas palavras, por tua bela voz e nosso parentesco, mas não mais que isso! Falemos de outras coisas, ou nos calemos."

Então Manthor foi paciente, e permaneceu com Húrin por um longo tempo, até que o anoitecer trouxe a escuridão para dentro da caverna; e comeram mais uma vez juntos. Então Manthor ordenou que uma luz fosse trazida para Húrin; e despediu-se até a manhã, e foi para a sua barraca com um peso no coração.

No dia seguinte, foi proclamado que a Assembleia-da-gente para Julgamento seria reunida na manhã seguinte, pois já quinhentos dos chefes haviam chegado, e esse por costume era considerado o número mínimo a ser contado como um encontro pleno da Gente. Manthor foi cedo encontrar-se com Húrin; mas os guardas haviam sido trocados. Três homens da casa do próprio Hardang encontravam-se agora na porta, e não eram amigáveis.

"O prisioneiro está adormecido", disse o líder deles. "E isso é bom; pode lhe acalmar a razão."

"Mas sou seu amigo designado, como foi declarado ontem", disse Manthor.

"Um amigo o deixaria em paz, enquanto ele pode tê-la. Que bem farias ao acordá-lo?"

"Por que minha chegada haveria de acordá-lo mais facilmente do que os pés de um carcereiro?", perguntou Manthor. "Desejo ver como ele está dormindo."

"Crês que todos os homens mentem, exceto tu?"

"Não, não; mas acho que alguns de bom grado se esquecem de nossas leis quando elas não servem aos seus propósitos", respondeu Manthor. Entretanto, pareceu-lhe que pouco bem ele faria ao caso de Húrin se continuasse a discutir, e foi embora. Assim foi que muitas coisas permaneceram sem serem ditas entre eles até que fosse tarde demais. Pois quando ele retornou, o dia estava minguando. Dessa vez nenhum impedimento foi feito à sua entrada, e ele encontrou Húrin deitado num catre; [*acrescentado:*] e notou com raiva que ele agora tinha também grilhões nos pulsos, com uma corrente curta entre eles.

"Um amigo atrasado é esperança negada", disse Húrin. "Esperei muito tempo por ti, mas agora estou com muito sono e meus olhos estão turvos."

"Vim no meio da manhã", disse Manthor, "mas disseram que estavas dormindo."

"Dormitando, dormitando em vã esperança", disse Húrin; "mas tua voz me trouxe de volta. Estive assim desde que fiz o desjejum. Pelo menos esse conselho teu aceitei, meu amigo; mas a comida antes me faz mal do que bem. Agora preciso dormir. Mas vem pela manhã!"

Manthor ponderou sombrio sobre isso. Não conseguia ver o rosto de Húrin, pois restava pouca luz, mas, curvando-se, escutou-lhe a respiração. Então, com o rosto carregado, levantou-se e colocou debaixo do manto o que restava de comida, e saiu.

"Bem, como encontraste o tresloucado?", perguntou o guarda principal.

"Tomado pelo sono", respondeu Manthor. "Ele precisa estar desperto amanhã. Despertai-o cedo. Trazei comida para dois, pois virei e farei o desjejum com ele."[38]

No dia seguinte, muito antes da hora determinada ao meio-dia, a Assembleia começou a se reunir. Quase mil agora haviam chegado, em sua maioria os homens [*riscado:* e mulheres] mais velhos,[39] visto que a guarda nas marcas ainda devia ser mantida. Em pouco tempo, o círculo da Assembleia foi ocupado. Tinha a forma de um grande crescente, com sete fileiras de bancos de turfa que se erguiam de um piso liso escavado na encosta. Uma cerca alta foi erguida em volta dele, e a única entrada era através de um portão pesado na paliçada que fechava a extremidade aberta do crescente. No centro da fileira mais baixa de assentos foi colocada [*acrescentado:* a Angbor, ou Rocha-da-sina, / uma grande pedra achatada sobre a qual o Halad[40] se sentaria. Aqueles que eram levados a julgamento ficavam de pé diante da pedra e encaravam a Assembleia.

Havia uma grande babel de vozes; mas, ao toque de uma trompa, fez-se silêncio, e o Halad entrou, e tinha consigo muitos homens de sua casa. O portão foi fechado atrás dele, que andou lentamente até a Pedra. Então ele se postou voltado para as pessoas reunidas e consagrou a Assembleia de acordo com o costume. Primeiro nomeou Manwë e Mandos, segundo a maneira que os Edain haviam aprendido com os Eldar, e então, falando a antiga língua da Gente, que então não estava em uso diário, declarou que a Assembleia estava propriamente estabelecida, sendo a tricentésima primeira Assembleia de Brethil, convocada para julgar uma questão grave.

Quando, como costume, toda a assembleia exclamou na mesma língua "Estamos prontos", ele se sentou em no seu lugar na [pedra >] Angbor, e disse na fala de Beleriand[41] para homens que se encontravam de pé ali perto: "Soai a trompa! Que o prisioneiro seja trazido diante de nós!"[42]

A trompa soou duas vezes, mas durante algum tempo ninguém entrou, e o som de vozes raivosas podia ser ouvido do lado de fora da cerca. Por fim, o portão foi aberto e seis homens entraram carregando Húrin entre eles.

"Sou trazido por violência e abuso!", gritou ele. "Não andarei agrilhoado feito escravo a qualquer Assembleia sobre a terra, nem que reis-élficos lá se sentassem. E, enquanto estiver preso dessa forma, nego toda a autoridade e justiça de vossas sentenças." Mas os homens o colocaram no chão diante da Pedra e o seguraram ali à força.

Ora, era o costume da Assembleia que, quando algum homem era trazido para diante dela, o Halad devia ser o acusador, e devia primeiro recitar brevemente o delito com o qual ele era acusado. Depois disso era o seu direito, por si próprio ou pela boca de seu amigo, negar a acusação, ou oferecer uma defesa para o que tivesse feito. E quando essas coisas estivessem ditas, caso algum ponto fosse duvidoso ou negado por qualquer um dos lados, então testemunhas eram convocadas.

Hardang,[43] portanto, levantou-se então e, virando-se para a assembleia, começou a recitar a acusação. "Este prisioneiro", disse ele, "a quem vedes diante de vós, chama a si mesmo de Húrin, filho de Galdor, outrora de Dorlómin, mas há muito em Angband, de onde veio para cá. Seja como for."[44]

Mas, em seguida, Manthor levantou-se e apresentou-se diante da Pedra. "Com vossa licença, meu senhor Halad e Gente!", exclamou ele. "Como amigo do prisioneiro, reivindico o direito de perguntar: a acusação contra ele é alguma questão que diz respeito ao Halad em pessoa? Ou tem o Halad alguma queixa contra ele?"

"Queixa?", gritou Hardang, e a raiva turvou sua razão, de modo que não percebeu a intenção de Manthor. "Queixa, de fato! Isto não é um novo estilo de acessório de cabeça para a Assembleia. Venho aqui com ferimentos sobre os quais curativos acabaram de ser colocados."

"Ai!", disse Manthor. "Mas se for assim, afirmo que a questão não pode ser tratada dessa forma. Em nossa lei, homem algum pode recitar uma ofensa contra si mesmo; tampouco pode ele sentar-se no assento de julgamento enquanto essa acusação é ouvida. Essa não é a lei?"

"É a lei", respondeu a assembleia.

"Então", disse Manthor, "antes que essa acusação seja ouvida, alguma outra pessoa que não Hardang, filho de Hundad, deve ser designada à Pedra."

Com isso, muitos nomes foram gritados, mas a maioria das vozes e as mais altas chamavam Manthor. "Não, estou comprometido com uma parte e não posso julgar", disse ele. "Além disso, é direito do Halad em tal caso nomear aquele que deve assumir o seu lugar, como sem dúvida ele bem sabe."

"Agradeço-te", disse Hardang, "embora eu não precise de nenhum pretenso legislador para me ensinar". Então olhou ao redor, como que ponderando a quem deveria nomear. Mas ele estava tomado de uma raiva sombria e lhe falhou toda a sabedoria. Se tivesse nomeado algum dos chefes ali presentes, as coisas poderiam ter se dado de outra forma. Mas num momento maligno ele fez a escolha e, para espanto de todos os homens, gritou: "Avranc, filho de Dorlas! Parece que o Halad também precisa de um amigo hoje, quando legisladores estão tão atrevidos. Convoco-te à Pedra."

Fez-se silêncio. Mas, quando Hardang desceu e Avranc foi até a Pedra, houve um murmúrio alto como o rumor de uma tempestade que se avizinhava. Avranc era um homem jovem, casado há não muito tempo, e sua juventude não foi vista com bons olhos por todos os chefes mais velhos que lá se sentavam. [Pois ele não era amado por si mesmo. >] E ele não era amado por si mesmo;

pois embora fosse ousado, era desdenhoso, como o fora Dorlas, seu pai, antes dele. / E histórias sombrias eram [*riscado:* ainda] sussurradas acerca de Dorlas [*riscado:* seu pai, que fora amigo íntimo de Hardang];[45] pois apesar de nada ser sabido por certo, ele foi encontrado morto longe da batalha com Glaurung, e a espada avermelhada que jazia ao seu lado havia sido a espada de Brandir.[46]

Mas Avranc não prestou atenção aos murmúrios, e portou-se com leviandade, como se aquela fosse uma questão simples que logo seria resolvida.

"Bem, se isso estiver resolvido, não percamos mais tempo!", disse ele. "A questão é clara o suficiente." Então, levantando-se, continuou a exposição. "Este prisioneiro, este homem tresloucado", disse ele, "vem de Angband, como ouvistes. Foi encontrado dentro de nossas fronteiras. Não por acaso, pois, como ele mesmo declarou, tem uma missão aqui. O que pode ser ele não revelou, mas não é possível que seja uma de boa vontade. Ele odeia esta gente. Tão logo nos viu, insultou-nos. Nós lhe demos comida e ele cuspiu nela. Vi Orques fazerem isso, quando alguém era tolo o bastante para ser misericordioso para com eles. De Angband ele vem, está claro, qualquer que seja o seu nome. Mas o pior veio depois. A seu próprio pedido, foi trazido diante do Halad de Brethil — por este homem que agora se diz seu amigo; mas, quando entrou no salão, não quis dizer o seu nome. E quando o Halad lhe perguntou qual era a sua missão e lhe pediu que descansasse primeiro e falasse dela depois, caso lhe agradasse, ele começou a tresvariar, insultando o Halad, e, de repente, jogou um tamborete no rosto dele e causou-lhe um grande ferimento. Foi bom ele não ter nada mais mortal à mão, ou o Halad teria sido morto. Como era evidentemente a intenção do prisioneiro, e muito pouco diminui sua culpa o pior não ter acontecido, para o qual a pena é a morte. Mas, mesmo assim, o Halad estava sentado na grande cadeira em seu salão: insultá-lo ali foi um ato maligno, e atacá-lo, um ultraje.

"Esta, então, é a acusação contra o prisioneiro: que ele veio aqui com intenção maligna para conosco, e para com o Halad de Brethil em particular (a mando de Angband, pode-se supor); que, estando na presença do Halad, ele o insultou, e então tentou matá-lo em sua cadeira. A pena está sob a sentença da Assembleia, mas merecidamente poderia ser a morte."

Então pareceu a alguns que Avranc falava com justiça e, a todos, que falara com engenho. Durante algum tempo, ninguém ergueu a voz de nenhum dos lados. Então Avranc, sem esconder o sorriso, levantou-se de novo e disse: "O prisioneiro pode agora responder à acusação se quiser, mas que seja breve e não tresvarie!"

Mas Húrin não falou, embora tentasse se desvencilhar daqueles que o seguravam. "Prisioneiro, não falarás?", perguntou Avranc, e ainda assim Húrin não respondeu. "Que assim seja", disse Avranc. "Se ele não quer falar, nem mesmo para negar a acusação, então não há mais nada a se fazer. A acusação é válida, e aquele que é designado à Pedra deve propor à Assembleia uma pena que pareça justa."

Mas então Manthor levantou-se e disse: "Primeiro ao menos devemos perguntar a ele por que não fala. E a essa pergunta uma resposta pode ser dada por seu amigo."

"A pergunta foi feita", disse Avranc, encolhendo os ombros. "Se sabes a resposta, dá-a."

"Porque ele está agrilhoado [*acrescentado:* de mãos e pés]",[47] disse Manthor. "Nunca antes arrastamos à Assembleia a ferros um homem que ainda não tenha sido condenado. Menos ainda um dos Edain cujo nome merece ser honrado, o que quer que tenha acontecido desde então. Sim, digo 'não condenado'; pois o acusador deixou muito por dizer que esta Assembleia deve ouvir antes que um julgamento seja feito."

"Mas isso é tolice", disse Avranc. "Adan ou não, e qualquer que seja o seu nome, o prisioneiro é incontrolável e malicioso. Os grilhões são uma precaução necessária. Aqueles que chegarem perto dele precisam ser protegidos de sua violência."

"Se quiserdes gerar violência", respondeu Manthor, "que modo mais garantido do que desonrar abertamente um homem altivo, idoso em anos de grande pesar? E eis aqui um agora enfraquecido pela fome e por longa viagem, desarmado em meio a uma multidão. Gostaria de perguntar à gente aqui reunida: julgais tal cautela digna dos homens livres de Brethil, ou preferíeis antes que usássemos a cortesia de outrora?"

"Os grilhões foram postos no prisioneiro por ordem do Halad", disse Avranc. "Nisso ele fez uso de seu direito para controlar a violência em seu salão. Portanto, essa ordem não pode ser contradita, salvo pela assembleia inteira."

Então se ouviu um grande grito de "Soltai-o, soltai-o! Húrin Thalion! Soltai Húrin Thalion!" Nem todos se juntaram a esse grito, mas não se ouviram vozes do outro lado.

"Não, não!", disse Avranc. "Gritar não adiantará. Em tal caso, deve haver uma votação na devida forma."

Ora, por costume, em questões graves ou duvidosas a Assembleia votava com seixos, e todos que entravam carregavam consigo dois seixos cada, um preto e um branco para *não* e para *sim*. Mas a coleta e contagem seriam por demais demoradas e, entrementes, Manthor viu que, com o passar do tempo, a disposição de Húrin piorava.

"Há outra maneira mais simples", disse ele. "Não há perigo aqui para justificar os grilhões, e assim pensam todos que fizeram uso de suas vozes. O Halad está no círculo da Assembleia, e pode revogar a própria ordem, se quiser."

"Ele revogará", disse Hardang, pois lhe pareceu que o ânimo da assembleia era impaciente, e esperava com essa manobra recuperar as boas graças dela. "Que o prisioneiro seja libertado e fique de pé diante de vós!"

Então os grilhões foram removidos das mãos e pés de Húrin. De pronto ele se levantou e, dando as costas a Avranc, voltou-se para a assembleia. "Estou aqui", disse ele. "Direi o meu nome. Sou Húrin Thalion, filho de Galdor Orchal,[48] Senhor de Dorlómin e outrora um alto-capitão na hoste de Fingon, Rei do Reino-do--Norte. Que nenhum homem ouse negar! Isso deve ser o bastante. Não apelarei diante de vós. Fazei como quiserdes! Tampouco trocarei palavras com o oportunista que vós permitis sentar-se no alto assento. Que ele minta como quiser! [*Riscado:* Mas se meu amigo desejar falar e apresentar a verdade do que ocorreu, que ele o faça. Escuta quem quiser!]

"Em nome dos Senhores do Oeste, que espécie de gente sois vós, ou o que vos tornastes? Enquanto a ruína da Escuridão está em toda a vossa volta, vós vos sentais aqui com paciência e escutais esse guarda desertor pedir uma sentença de morte para mim — porque quebrei a cabeça de um jovem insolente, quer numa cadeira ou fora dela? Certamente ele deveria ter aprendido como tratar os mais velhos antes que o tornásseis vosso Chefe.

"Morte? Com Manwë por testemunha, se eu não tivesse suportado o tormento por vinte anos e oito, se eu fosse como nas Nirnaeth, não ousaríeis vos sentar aqui para me encarar. Mas ouvi que não sou mais perigoso. Então sois corajosos. Posso ficar de pé desatado e ser provocado. Fui arruinado na guerra e amansado.

Amansado! Não tenhais tanta certeza!" Ele ergueu os braços e cerrou os punhos.

Mas aqui Manthor colocou uma mão em seu ombro para contê-lo, e lhe falou com seriedade ao ouvido. "Meu senhor, tu os compreendes mal. A maioria é tua amiga, ou seria. Mas também há homens orgulhosos aqui. Deixa-me agora falar a eles!"

Hardang e Avranc nada disseram, mas sorriram um para o outro, pois a fala de Húrin, pensavam, não ajudava o seu caso. Mas Manthor gritou: "Que seja dado ao Senhor Húrin um assento enquanto falo. Sua ira vós compreendereis melhor, e talvez perdoareis, quando tiverdes me ouvido.

"Ouvi agora, Gente de Brethil! Meu amigo não nega a acusação principal, mas afirma que foi maltratado e provocado além do que se poderia suportar. Meus mestres [*riscado:* e boas esposas],[49] eu era o capitão dos guardas-das-marcas que encontraram este homem adormecido ao lado do Hauð-en-Elleth. Ou adormecido ele parecia, mas estava antes deitado pela exaustão prestes a despertar, e deitado ele ouviu, como receio, palavras que foram ditas.

"Lembro-me que havia um homem chamado Avranc, filho de Dorlas, como membro da minha companhia, e ele deveria estar lá ainda, pois essas foram as minhas ordens. Ao me aproximar por trás, ouvi esse Avranc aconselhar o homem que primeiro encontrara Húrin e adivinhara o seu nome. Gente de Brethil, eu o ouvi falar assim. 'Seria melhor matar o velho enquanto adormecido e evitar mais problemas. E, assim, o Halad ficaria satisfeito', disse ele.

"Agora talvez vós vos admireis menos ao saber que, quando eu o despertei por completo e ele viu homens com armas à sua volta, disse-nos palavras amargas. Pelo menos um de nós as merecia. Contudo, quanto a desprezar nossa comida: ele a tomou de nossas mãos e não cuspiu nela. Ele a cuspiu fora, pois o engasgava. Meus mestres, nunca vistes um homem meio-faminto que não conseguia engolir comida depressa, embora necessitasse dela? E esse homem também estava tomado de grande pesar e cheio de ira.

"Não, ele não desdenhou de nossa comida. Embora bem pudesse, se tivesse sabido dos artifícios aos quais alguns que habitam aqui se rebaixaram! Ouvi-me agora e crede em mim, se puderdes, pois é possível trazer uma testemunha. Em sua prisão, o Senhor Húrin comeu comigo, pois o tratei com cortesia. Isso foi há dois dias. Mas, ontem, ele estava sonolento e não conseguia falar com clareza, nem se aconselhar comigo para o julgamento hoje."

"Pouco é de espantar!", gritou Hardang.

Manthor fez uma pausa e olhou para Hardang. "Pouco é de espantar, de fato, meu senhor Halad", disse ele; "pois sua comida havia sido adulterada."

Então Hardang gritou irado: "Os sonhos modorrentos desse velho caduco precisam ser recitados para nos exaurir?"

"Não falo de sonho", respondeu Manthor. "A testemunha apresentar-se-á. Mas já que contra o costume fazem objeção enquanto falo, responderei agora. Levei da prisão a comida da qual Húrin comera um pouco. Diante de testemunhas, dei-a a um cão, e ele continua adormecido, como que morto. Talvez o Halad de Brethil não tenha engendrado isso pessoalmente, mas alguém ávido por agradá-lo. Mas com qual propósito lícito? Para impedi-lo de causar violência, quando já se encontrava a ferros e na prisão? Há malícia entre nós, Gente de Brethil, e confio na Assembleia para corrigi-la!"

Com isso, houve grande agitação e murmúrios no círculo da Assembleia; e quando Avranc levantou-se pedindo silêncio, o clamor aumentou. Por fim, quando a assembleia havia silenciado um pouco, Manthor disse: "Posso agora continuar, pois há mais a ser dito?"

"Prossegue!", disse Avranc. "Mas que teu fôlego seja encurtado. E devo alertar-vos todos, meus mestres, a ouvir este homem com cautela. Não é possível confiar em sua boa-fé. O prisioneiro e ele são parentes próximos."

Essas palavras foram irrefletidas, pois Manthor respondeu de pronto: "Assim o é, de fato. A mãe de Húrin era Hareth, filha de Halmir, outrora Halad de Brethil, e Hiril, sua irmã, era a mãe de minha mãe. Mas essa linhagem não prova que sou mentiroso. Além do mais, se Húrin de Dorlómin é meu parente, ele é parente de toda a Casa de Haleth. Sim, e de toda esta Gente. No entanto, ele é tratado como um proscrito, um ladrão, um desvairado sem honra!

"Prossigamos, então, à principal acusação, que o acusador disse poder levar à pena de morte. Vedes diante de vós a cabeça quebrada, embora ela pareça manter-se firme sobre os ombros e possa usar a língua. Ela foi ferida pelo arremesso de um pequeno tamborete de madeira. Um ato perverso, direis. E muito pior quando cometido contra o Halad de Brethil em sua grande cadeira.

"Mas, meus mestres, atos impróprios podem ser provocados. Que cada um de vós, em pensamento, ponha-se no lugar de Hardang, filho de Hundad. Bem, aqui vem Húrin, Senhor de

Dorlómin, teu parente, diante de ti: chefe de uma grande Casa, um homem cujos feitos são cantados por Elfos e Homens. Mas ele agora está envelhecido, espoliado, tomado de pesar, esgotado pelas viagens. Ele pede para te ver. Lá te sentas à vontade em tua cadeira. Tu não te levantas. Tu não falas com ele. Mas o olhas de cima a baixo enquanto ele permanece de pé, até que cai no chão. Então, em tua piedade e cortesia, tu gritas: 'Trazei para o velho um tamborete!'

"Que vergonha e espanto! Ele o atira contra a tua cabeça. Que vergonha e espanto, digo antes, que tu desonras de tal modo a tua cadeira, que desonras de tal modo o teu salão, que desonras de tal modo a Gente de Brethil!

"Meus mestres, admito de bom grado que teria sido melhor se o Senhor Húrin tivesse mostrado paciência, maravilhosa paciência. Por que ele não esperou para ver que outros atos de desprezo deveria suportar? Contudo, enquanto eu me encontrava no salão e via tudo isso, eu me perguntava, e ainda pergunto, e peço que vós me respondais: o que pensais de tais modos neste homem que fizemos Halad de Brethil?"

Fez-se uma grande gritaria quando essa pergunta foi ouvida, até que Manthor ergueu a mão e, de repente, o silêncio voltou a reinar. Porém, sob a proteção do barulho, Hardang aproximara-se de Avranc para falar com ele e, surpreendido pelo silêncio, falaram alto demais, de maneira que Manthor e outros também ouviram Hardang dizer: "Queria não ter impedido o teu disparo!"[50] E Avranc respondeu: "Ainda buscarei um momento."

Mas Manthor prosseguiu. "Tive minha resposta. Vejo que tais modos não vos agradam. Então o que gostaríeis que fosse feito com o arremessador do tamborete? Que fosse amarrado, colocado um cabresto em seu pescoço, fechado em uma caverna, botado a ferros, adulterada a sua comida e, por fim, que fosse arrastado para cá e recebesse um clamor pela sua morte? Ou o libertaríeis? Ou, quem sabe, pediríeis perdão, ou ordenaríeis este Halad a assim fazê-lo?"

Com isso, houve um alvoroço ainda maior, e homens ficaram de pé nos bancos de turfa, batendo suas armas e gritando: "Libertai! Libertai! Libertai-o!" E muitas vozes também foram ouvidas gritando: "Fora com esse Halad! Colocai-o nas cavernas!"

Muitos dos homens mais velhos que se sentavam na fileira mais baixa correram adiante e se ajoelharam diante de Húrin para lhe pedir perdão; e um lhe ofereceu um cajado, e outro lhe deu um belo manto e um grande cinto de prata. E quando Húrin se encontrava assim trajado, e tinha um cajado na mão, ele foi à Pedra [*acrescentado:* Angbor] e ficou de pé sobre ela, de modo algum como um suplicante, mas à maneira de um rei; e, voltado para a assembleia, gritou numa grande voz: "Agradeço-vos, Mestres de Brethil aqui presentes, que me libertastes da desonra. Então ainda há justiça em vossa terra, embora tenha estado adormecida e demora a despertar. Mas agora tenho uma acusação a fazer por minha vez.

"Qual é a minha missão aqui, pergunta-se? O que pensais? Túrin, meu filho, e Niënor, minha filha, não morreram nesta terra? Ai! de longe soube muito das desgraças que aqui se deram. É então de espantar que um pai buscasse os túmulos de seus filhos? Espanto maior, parece-me, é que ninguém aqui até agora falou os nomes deles para mim.

"Estais envergonhados por terdes deixado Túrin, meu filho, morrer por vós? Que apenas dois ousaram ir com ele para enfrentar o terror da Serpe? Que ninguém ousou ir socorrê-lo quando a batalha estava acabada, apesar de que os piores males poderiam assim ter sido evitados?

"Envergonhados podeis estar. Mas essa não é a minha acusação. Não peço que ninguém nesta terra deva se igualar ao filho de Húrin em valor. Mas, caso eu perdoe essas desgraças, hei de perdoar isto? Ouvi-me, Homens de Brethil! Lá jaz, ao lado da Pedra Alta que erguestes, uma velha pedinte. Por muito tempo ela ficou sentada em vossa terra, sem fogo, sem comida, sem piedade. Agora está morta. Morta. Ela era Morwen, minha esposa. Morwen Eðelwen, a senhora de beleza-élfica que deu à luz Túrin, o matador de Glaurung. Ela está morta.

"Se vós, que tendes alguma compaixão, gritais a mim que sois inocentes, então pergunto: quem tem a culpa? Por ordem de quem ela foi mandada embora para morrer de fome em vossas portas como uma cachorra proscrita?

"Vosso Chefe engendrou isso? Assim creio. Pois não teria ele lidado comigo de maneira similar, se pudesse? Tais são suas dádivas: desonra, fome, veneno. Não tendes parte nisso? Não haveis de botar em prática toda a vontade dele? Então por quanto tempo, Mestres de Brethil, haveis de suportá-lo? Por quanto tempo permitireis que esse homem chamado Hardang se sente em vossa cadeira?"

Ora, Hardang estava horrorizado com essa reviravolta, e seu rosto ficou branco de medo e espanto. Mas, antes que pudesse falar, Húrin apontou uma longa mão em sua direção. "Vede!", gritou ele. "Ali se encontra ele, com um sorriso de escárnio na boca! Ele se julga a salvo? Pois estou privado de minha espada; e estou velho e cansado, pensa ele. Não, vezes demais ele me chamou de homem selvagem. Ele há de ver um! Apenas mãos, mãos, são necessárias para torcer sua goela cheia de mentiras."

Com isso, Húrin desceu da Pedra e avançou a passos largos na direção de Hardang; mas este cedeu diante dele, chamando os homens de sua casa à sua volta e eles recuaram na direção do portão. Assim, pareceu a muitos que Hardang admitira sua culpa, e sacaram suas armas, e desceram dos bancos, gritando sobre ele.[51]

Ora, havia perigo de batalha dentro do Círculo consagrado. Pois outros se juntaram a Hardang, alguns sem amor por ele ou por seus atos, que, ainda assim, mantinham-se leais e pelo menos o defenderiam de violências, até que ele pudesse responder diante da Assembleia.

Manthor postou-se entre os dois grupos e gritou-lhes para conterem suas mãos e não derramarem sangue no círculo da Assembleia; mas a centelha que ele mesmo acendera agora explodira em chamas além de sua capacidade de apagá-las, e uma aglomeração de homens o empurrou de lado. "Fora com esse Halad!", gritavam. "Fora com Hardang, levai-o às cavernas! Abaixo Hardang! Viva Manthor! Ficaremos com Manthor!" E caíram sobre os homens que bloqueavam o caminho para o portão, de modo que Hardang pudesse ter tempo para escapar.

Mas Manthor voltou para Húrin, que agora se encontrava sozinho ao lado da Pedra. "Ai, senhor", disse ele, "eu temia que este dia tivesse grande perigo em reserva para todos nós. Há pouco que posso fazer, mas ainda preciso tentar evitar o pior dos males. Eles logo escaparão, e preciso segui-los. Virás comigo?"

Muitos tombaram no portão de ambos os lados antes que ele fosse tomado. Ali Avranc lutou bravamente, e foi o último a recuar. Então, ao se virar para fugir, de repente ele puxou o arco e disparou contra Manthor, que estava ao lado da Pedra. Mas a flecha errou o alvo em sua pressa e atingiu a Pedra, lançando fagulhas junto a Manthor ao se partir. "Da próxima vez, mais perto!", gritou Avranc ao fugir atrás de Hardang.

Então os rebeldes irromperam do Círculo e seguiram de perto os homens de Hardang até o Obel Halad, a cerca de meia milha de distância. Mas, antes que pudessem chegar lá, Hardang entrara no salão e o fechara contra eles; e lá ele então ficou sitiado. O Salão dos Chefes ficava em um gramado com uma muralha de terra ao redor que se erguia de um dique seco exterior. Na muralha havia apenas um portão, de onde um caminho de pedra levava às grandes portas. Os atacantes atravessaram o portão e rapidamente cercaram o salão; e o silêncio foi total por um tempo.

Mas Manthor e Húrin chegaram ao portão; e Manthor queria uma parlamentação, mas os homens disseram: "De que adiantam palavras? Ratos não saem enquanto cães estão à solta." E alguns gritaram: "Nossa gente foi morta, e a vingaremos!"

"Bem, então ao menos permiti que eu faça o que puder!", disse Manthor.

"Faz!", disseram eles. "Mas não chegues muito perto, ou podes receber uma resposta afiada."

Portanto, Manthor se postou junto ao portão e ergueu sua grande voz, gritando para ambos os lados que deveriam cessar com aquele fratricídio. E àqueles do lado de dentro ele prometeu que permaneceriam livres todos os que saíssem sem armas, mesmo Hardang, caso ele desse a sua palavra de apresentar-se diante da Assembleia no dia seguinte. "E homem algum há de levar qualquer arma para lá", disse ele.

Mas, enquanto falava, um disparo foi feito de uma janela, e uma flecha passou ao lado da orelha de Manthor e entrou fundo no poste do portão. Então se ouviu a voz de Avranc, gritando: "A terceira vez há de ser mais certeira!"

Ora, a fúria daqueles do lado de fora irrompeu mais uma vez, e muitos correram às grandes portas e tentaram arrombá-las; mas houve uma surtida, e muitos foram mortos ou feridos, e outros que também estavam no gramado foram feridos por disparos das janelas. De modo que os atacantes, estando agora numa ira enlouquecida, trouxeram gravetos e uma grande quantidade de lenha e os depositaram junto ao portão; e gritaram para os que estavam lá dentro: "Vede! O sol está se pondo. Dar-vos-emos até o anoitecer. Se não sairdes até então, botaremos fogo no salão e em vós aí dentro!" Então eles todos se afastaram do gramado para além do alcance das flechas, mas formaram um círculo de homens em toda a volta do dique.

O sol se pôs, e ninguém saiu do salão. E, quando escureceu, os atacantes voltaram ao gramado carregando a lenha, e a empilharam contra as paredes do salão. Então alguns, portando tochas acesas, atravessaram correndo o gramado para botar fogo nos feixes. Um foi morto por uma flecha, mas outros chegaram às pilhas e logo elas começaram a arder.

Manthor olhou horrorizado para a ruína do salão e o ato vil da queima de homens. "Dos dias sombrios de nosso passado ela chega", disse ele, "antes de voltarmos nossos rostos para oeste. Uma sombra está sobre nós." E ele sentiu alguém colocar uma mão em seu ombro, e virou-se e viu Húrin às suas costas, com um rosto sombrio observando os fogos serem acesos; e Húrin riu.

"Uma gente estranha sois vós", disse ele. "Ora fria, ora quente. Primeiro ira, depois compaixão. Sob os pés de vosso chefe ou na garganta dele. Abaixo Hardang! Viva Manthor! Assumirás a posição?"

"A Gente deve escolher", disse Manthor. "E Hardang ainda vive."

"Não por muito tempo, espero", disse Húrin.

Ora, os fogos inflamaram-se e logo o Salão dos Haladin estava em chamas em diversos pontos. Os homens de dentro jogaram sobre os feixes a terra e a água que possuíam, e uma grande fumaça subiu. Então alguns tentaram escapar protegidos por ela, mas poucos atravessaram o círculo de homens; a maioria foi capturada, ou morta, caso lutassem.

Havia uma pequena porta nos fundos do salão com um pórtico que se projetava e chegava mais perto da muralha do que as grandes portas da frente; e a muralha na parte de trás era mais baixa, pois o salão havia sido construído na encosta de um morro. Por fim, quando as vigas pegaram fogo, Hardang e Avranc esgueiraram-se para fora pela porta dos fundos e chegaram ao topo da muralha e desceram despercebidos até o dique, e não foram notados até tentarem sair de dentro dele. Mas então, aos gritos, homens correram até eles, embora não soubessem quem eram. Avranc lançou-se aos pés de um que tentava agarrá-lo, de maneira que foi derrubado no chão, e Avranc levantou-se de um salto e foi para longe, e escapou na escuridão. Mas outro homem arremessou sua lança contra as costas de Hardang quando este correu, e ele tombou com um grande ferimento.

Quando se viu quem era, homens o ergueram e o depositaram diante de Manthor. "Não o depositeis diante de mim, mas diante daquele que ele maltratou", disse Manthor. "Não lhe guardo nenhum rancor."

"Não?", perguntou Hardang. "Então deves ter certeza de minha morte. Creio que tu sempre te ressentiste pela Gente me ter escolhido para a cadeira no teu lugar."

"Crê no que quiseres!", disse Manthor, e deu-lhe as costas. Então Hardang notou Húrin, que estava atrás. E Húrin estava olhando para Hardang, uma forma sombria na escuridão, mas a luz do fogo estava em seu rosto, e ali Hardang não viu qualquer piedade.

"És mais poderoso que eu, Húrin de Hithlum", disse ele. "Tive tanto medo de tua sombra que toda a sabedoria e generosidade me abandonaram. Mas agora não creio que qualquer sabedoria ou misericórdia teria me salvado de ti, pois não tens nenhuma. Vieste para me destruir, e tu ao menos não o negaste. Mas a tua última mentira contra mim lanço de volta sobre ti antes de eu morrer. Jamais" — mas, ao dizer isso, sangue brotou de sua boca e ele caiu para trás, e nada mais disse.

Então Manthor disse: "Ai! Ele não devia ter morrido assim. O mal que causou não era digno desse fim."

"Por que não?", perguntou Húrin. "Ódio ele falou por uma boca sórdida até o fim. Que mentira falei contra ele?"

Manthor suspirou. "Talvez nenhuma mentira proposital", disse ele. "Mas acredito que a última acusação que fizeste era falsa; e ele não teve oportunidade de negá-la. Gostaria que tu tivesses falado sobre isso comigo antes da Assembleia!"

Húrin cerrou os punhos. "Não é falsa!", gritou ele. "Ela jaz onde eu disse. Morwen! Ela está morta!"

"Ai! senhor, não duvido do lugar onde ela morreu. Mas julgo que Hardang sabia disso tanto quanto eu até falares. Diz-me, senhor: ela alguma vez adentrou mais esta terra?"

"Não sei. Encontrei-a como eu disse. Ela está morta."

"Mas, senhor, se ela não foi além, mas, ao encontrar a Pedra, lá se sentou em pesar e desespero junto ao túmulo do filho, como posso crer, então…"

"Então o quê?", disse Húrin.

"Então, Húrin Hadorion, da escuridão de tua aflição, sabe disto! Meu senhor, é tão grande sobre nós o pesar e tão grande o horror das coisas que lá se sucederam que nenhum homem e nenhuma mulher desde que a Pedra foi erguida alguma vez tornou a se aproximar daquele lugar. Não! O próprio Senhor Oromë poderia sentar-se ao lado daquela pedra com toda a sua caçada ao redor, e não saberíamos. Não, a não ser que ele soprasse a sua grande trompa, e mesmo essa convocação recusaríamos!"

"Mas se Mandos, o Justo, falasse, não o ouviríeis?", perguntou Húrin. "Agora alguns hão de ir até lá, se tiverdes alguma compaixão! Ou a deixaríeis jazer lá até que seus ossos fiquem brancos? Isso há de limpar a vossa terra?"

"Não, não!", disse Manthor. "Encontrarei alguns homens de grande coração e algumas mulheres de misericórdia, e tu nos conduzirás até lá, e faremos como pedes. Mas é uma longa estrada para trilhar, e este dia já se encontra avançado no mal. É necessário um novo dia."

No dia seguinte, quando a notícia de que Hardang estava morto se espalhou, uma grande multidão procurou Manthor, gritando que ele devia ser Chefe. Mas ele disse: "Não, isso deve ser apresentado diante de toda a Assembleia. Ainda não é possível fazer isso; pois o Círculo foi profanado, e há outras coisas mais urgentes a se fazer. Tenho primeiro uma missão. Devo ir ao Campo da Serpe e à Pedra dos Desafortunados, onde Morwen, mãe deles, jaz abandonada. Alguém há de vir comigo?"

Então a compaixão atingiu o coração daqueles que o ouviram; e apesar de muitos recuarem com medo, muitos estavam dispostos a ir, mas entre esses havia mais mulheres do que homens.

Portanto, enfim partiram em silêncio no caminho que descia ao longo da torrente do Celebros. Quase oito léguas tinha aquela estrada, e a escuridão caiu antes de chegarem a Nen Girith,[52] e lá passaram a noite como puderam. E, na manhã seguinte, prosseguiram pelo caminho íngreme ao Campo do Incêndio, e encontraram o corpo de Morwen ao pé da Pedra Alta. Então eles a olharam com pena e espanto; pois lhes parecia que contemplavam uma grande rainha cuja dignidade nem a idade, nem a mendicidade, nem toda a tristeza do mundo, haviam tirado dela.

Então desejaram honrá-la na morte; e alguns disseram: "Este é um lugar sombrio. Vamos erguê-la e levar a Senhora Morwen até o Jardim dos Túmulos e sepultá-la entre a Casa de Haleth, com a qual tinha parentesco."

Mas Húrin disse: "Não, Niënor não está aqui, mas é mais apropriado que ela repouse aqui próximo ao filho do que com quaisquer estranhos. Assim ela teria escolhido." Portanto, eles fizeram um túmulo para Morwen acima do Cabed Naeramarth, do lado oeste da Pedra; e, quando a terra havia sido colocada sobre ela, gravaram na Pedra: *Aqui jaz também Morwen Eðelwen*, enquanto alguns cantaram na língua antiga os lamentos que há muito tempo haviam sido feitos para aqueles de seu povo que haviam tombado na Marcha muito além das Montanhas.

E, enquanto cantavam, veio uma chuva cinzenta e todo aquele lugar desolado ficou carregado de pesar, e o rugido do rio era como o pranto de muitas vozes. E, quando tudo terminou, eles se viraram para ir embora, e Húrin partiu curvado em seu cajado. Mas diz-se que, depois daquele dia, o medo deixou aquele lugar, embora a tristeza permanecesse, e para sempre ficou desfolhado e vazio. Porém, até o fim de Beleriand mulheres de Brethil iam com flores na primavera e bagas no outono e cantavam lá durante algum tempo sobre a Dama Cinzenta que buscara em vão pelo filho. E um vidente e harpista de Brethil, Glirhuin, fez uma canção, dizendo que a Pedra dos Desafortunados não seria profanada por Morgoth nem jamais derrubada, nem que o Mar afogasse toda a terra. Como depois de fato aconteceu, e, ainda assim, Tol Morwen está sozinha na água, além das novas costas que foram feitas nos dias da ira dos Valar. Mas Húrin não jaz ali, pois seu destino o empurrava, e a Sombra ainda o seguia.

Ora, quando a companhia havia retornado a Nen Girith, eles se detiveram; e Húrin olhou para trás, do outro lado do Taeglin, na direção do sol poente que surgia por entre as nuvens; e lhe desagrava retornar à Floresta. Mas Manthor olhou para o leste e ficou perturbado, pois também havia um brilho vermelho no céu lá.[53]

"Senhor", disse ele, "demora-te aqui se quiseres, e todos os que estiverem cansados. Mas sou o último dos Haladin, e receio que o fogo que acendemos ainda não foi apagado. Preciso voltar depressa, antes que a loucura dos homens leve toda Brethil à ruína."

Mas, assim que disse isso, uma flecha veio das árvores, e ele cambaleou e caiu no chão. Então homens correram para procurar o arqueiro; e viram um homem correndo como um cervo, subindo o caminho até o Obel, e não puderam alcançá-lo; mas viram que era Avranc.

Ora, Manthor sentou-se ofegando, encostado em uma árvore. "Medíocre é o arqueiro que erra o alvo pela terceira vez", disse ele.

Húrin apoiou-se no cajado e olhou para Manthor. "Mas tu erraste o teu alvo, parente", disse ele. "Tens sido um amigo valente e, ainda assim, penso que foste tão ávido na causa também por ti mesmo. Manthor teria se sentado com mais dignidade na cadeira dos Chefes."

"Tens um olho rígido, Húrin, para atravessar todos os corações, menos o teu próprio", disse Manthor. "Sim, tua escuridão também me tocou. Agora, ai! os Haladin acabaram; pois esta ferida é de morte. Não era essa a tua verdadeira missão, Homem do Norte: trazer ruína sobre nós, para compará-la à tua própria? A Casa de Hador nos conquistou, e quatro agora tombaram sob a sombra dela: Brandir, e Hunthor, e Hardang, e Manthor. Não é o bastante? Não irás e deixarás esta terra antes que ela morra?"

"Irei", disse Húrin. "Mas se o poço de minhas lágrimas não estivesse completamente seco, eu choraria por ti, Manthor; pois me salvaste da desonra, e tiveste amor por meu filho."

"Então, senhor, usa em paz o pouco mais de vida que conquistei para ti", disse Manthor. "Não leves sua sombra a outros!"

"Ora, não devo ainda andar pelo mundo?", disse Húrin. "Seguirei em frente até a sombra me alcançar. Adeus!"

Assim Húrin despediu-se de Manthor. Quando os homens vieram para cuidar de sua ferida, viram que era grave, pois a flecha entrada fundo em seu flanco; e queriam levar Manthor de volta o mais rápido possível até o Obel para que recebesse o cuidado de curadores habilidosos. "Tarde demais", disse Manthor, e arrancou a flecha, e deu um grande grito, e ficou imóvel. Assim terminou a Casa de Haleth, e homens menores governaram em Brethil no tempo que restava.

Mas Húrin ficou em silêncio e, quando a companhia partiu, levando o corpo de Manthor, ele não se virou. Ficou olhando para o oeste até o sol entrar numa nuvem escura e a luz desaparecer; e então desceu sozinho na direção do Hauð-en-Elleth.

Tanto o texto datilografado elaborado por meu pai como a cópia datilografada por outra pessoa terminam aqui, e essa é claramente a conclusão pretendida de "Húrin em Brethil"; mas no material do rascunho manuscrito há algumas indicações (muito sutis) do curso da narrativa imediatamente além desse ponto.[54] Há também alguns outros escritos e notas breves interessantes.[55]

Meu pai jamais retornou para continuar as outras andanças de Húrin.[56] Chegamos aqui ao ponto mais distante na narrativa dos Dias Antigos que ele alcançou em seu trabalho em *O Silmarillion* (no sentido mais amplo) após a Segunda Guerra e o término de *O Senhor dos Anéis*. Há algumas informações acerca das partes seguintes — não muitas —, mas nenhuma outra narrativa nova ou revisada; e a promessa contida em suas palavras (p. 315-6) "Elo para O Colar dos Anãos, *Sigil Elu-naeth*, Colar da Angústia de Thingol", jamais foi cumprida. É como se chegássemos à beira de um grande penhasco e baixássemos a vista, de um planalto erguido em alguma era posterior, para uma antiga planície muito mais abaixo. Para a história do Nauglamîr e da destruição de Doriath, da queda de Gondolin, do ataque aos Portos, precisamos recuar mais de um quarto de século até o *Quenta Noldorinwa* (Q) ou mais além. A imensa brusquidão da divisão é enfatizada ainda mais pela natureza dessa última história dos Dias Antigos, a Sombra que caiu sobre Brethil.[57] Ela se destaca em seu retrato da vida de Brethil, aonde Húrin chegou para sua ruína, das complexidades da lei e das linhagens, da história de ambição e dos sentimentos conflitantes dentro do clã governante. Excluí essa história do *Silmarillion* publicado, com exceção da vã tentativa de Húrin de chegar a Gondolin e de seu encontro com Morwen à beira da morte junto à Pedra Alta. O túmulo de Morwen é feito apenas por Húrin; e, depois de fazê-lo, "seguiu para o sul pela antiga estrada que levava a Nargothrond".

Incluí-la teria exigido, como me pareceu, uma imensa redução — de fato, uma nova contação por inteiro de um tipo que eu não desejava realizar; e, visto que a história é intrincada, eu temia que isso produzisse um denso emaranhado de afirmações narrativas privado de toda a sutileza e, acima de tudo, que diminuísse a figura temível do velho, o grande herói, Thalion, o Resoluto, ainda propagando os propósitos de Morgoth, como ele estava fadado a fazer. Mas agora, muitos anos depois, parece-me ter sido uma adulteração excessiva das ideias e intenções de meu pai, levantando assim a questão de se a tentativa de criar um *Silmarillion* "unificado" deveria ter sido feita.

## NOTAS

1 Compare o início dessa passagem com o Q (IV. 151): "Alguns dizem que Morwen, saindo a vagar pesarosa dos salões de Thingol, quando não encontrou

Niënor lá ao retornar, chegou certa feita àquela pedra e a leu, e ali morreu". — Para a ideia abandonada de que foi Túrin que encontrou Morwen enquanto ela vagava, ver pp. 198-9.

2 Húrin nasceu em 441 (AC §141). — Nesse ponto, o primeiro lado do "manuscrito perdido" termina. O texto no verso foi riscado e substituído por um novo texto em uma nova folha, praticamente idêntico no conteúdo, mas escrito com cuidado — um indicativo da confiança nessa extensão adicional dos *Anais Cinzentos.*

3 Asgon reaparece aqui, sem introdução, do FN (*Contos Inacabados*, p. 155), um dos homens que fugiu com Túrin do salão de Brodda; no relato condensado nos AC (§297) ele não é nomeado.

4 As grafias *Asgorn* aqui, mas *Asgon* no parágrafo anterior (ver nota 3), são claras. Ver nota 21.

5 O termo *Lestista* não havia sido usado antes.

6 "Contudo, dificilmente seria assim": isto é, ignorância acerca da morte de Glaurung dificilmente pode ser a razão para a ida de Húrin a Nargothrond.

7 O espaço marcado por um sinal de interpolação evidentemente aguardava o nome do novo Senhor de Brethil.

8 "Ele deve vir de uma raça diferente": seria essa a primeira referência aos Anãos-Miúdos?

9 *(Anal 490–5)* O nome *Iarwaeth* apareceu em AC §268 (ver também p. 172, comentário a §277, no fim), mas *Thuringud*, "o Inimigo Oculto", não se encontra em nenhum outro lugar: cf. o nome de Finduilas para Túrin, *Thurin*, "o Secreto", *Contos Inacabados*, pp. 218, 221).

10 *(Anal 494)* As afirmações de que Morgoth incitou os Lestistas (ver nota 5) a um ódio maior por Elfos e Edain, e de que Lorgan tentou tomar Niënor à força, são inteiramente novas. Nos AC (§274) fica claro que Morwen e Niënor partiram de Dor-lómin porque as terras haviam se tornado mais seguras.

11 *(Anal 495) Cirith Ninniach*, o nome final da Fenda do Arco-íris, encontra-se no *Conto de Tuor* tardio (*Contos Inacabados*, p. 43), onde também o encontro de Tuor com Gelmir e Arminas é relatado (pp. 55-7); o nome foi acrescentado ao mapa (p. 225, quadrado C4). Quanto à história da chegada deles a Nargothrond e sua relação com os *Anais Cinzentos*, ver pp. 172-3, comentário a §277. Pode-se mencionar aqui que, em outra "sinopse de enredo" acerca de Túrin, meu pai se referiu aos dois Elfos pelos nomes Faramir e Arminas, acrescentando em uma nota: "Faramir e Arminas foram mais tarde companheiros de Eärendil na viagem".

A "Terra Estreita" é o Passo do Sirion. A foma *Eryd-wethian* ocorre na versão datilografada do texto "Gelmir e Arminas" (p. 173).

"Brandir, o coxo, [filho de Handir,] é escolhido Chefe, embora muitos tivessem preferido seus primos Hunthor ou Hardang": não houve indicações prévias de uma divergência de opinião acerca da sucessão de Brandir; a julgar pela franqueza do povo de Brethil como registrada no FN, eles certamente teriam usado isso contra Brandir se tivessem conhecimento do fato. — O nome *Hunthor* substituiu *Torbarth* como o do "parente de Brandir", que morreu em Cabed-en-Aras, no FN (essa alteração não foi feita nos AC: ver p. 192-3). Ele aparece na tabela genealógica dos Haladin (p. 290), mas sua ascendência a essa altura havia sido alterada: quanto a isso, e quanto a Hardang, outro primo, ver pp. 327-9.

A derrota de Tum-halad anteriormente não havia sido atribuída ao "terror de Glaurung", nem fora dito que Túrin deu sua espada a Gwindor para que ele tentasse salvar Finduilas.

Quanto à forma *Haudh-en-Elleth*, ver p. 181-2, §301.

A história de que Tuor e Voronwë avistaram Túrin rumando para o norte em Eithil Ivrin apareceu em um registro inserido nos AC (§299), mas lá foi dito apenas que "viram Túrin passar, mas não falaram com ele". Para o relato mais completo, ver o *Conto de Tuor* tardio, *Contos Inacabados*, p. 62.

12 *(Anal 496)* A morte de Sador na luta no salão de Brodda é contada no FN (*Contos Inacabados*, p. 154), onde também Asgon de Dor-lómin aparece pela primeira vez (p. 155).

13 *(Anal 497)* Lindis de Ossiriand: nenhuma menção foi feita anteriormente à esposa de Dior, herdeiro de Thingol. Ver *O Conto dos Anos*, pp. 361-3.

14 *(Anal 498)* Nos AC (§319), Túrin e Níniel se casaram "no meio do verão" de 498, e ela concebeu na primavera de 499.

15 *(Anal 499)* É claro que Glaurung não revelou a Túrin "quem ele era": não precisava fazê-lo. Mas isso não tem importância: era um tipo de expressão abreviada que usava ao escrever muito rápido (no mesmo trecho, meu pai escreveu "Nargothrond" no lugar de "Brethil" e "Tuor" no lugar de "Túrin"), e significa que foi por meio das palavras de Glaurung que Túrin e Niënor ficaram sabendo que eram irmão e irmã.

O nome *Talbor* para a pedra comemorativa erguida em Cabed-en-Aras não havia aparecido antes.

Para menções prévias a Mîm e ao tesouro de Nargothrond, e à sua morte pela mão de Húrin, ver o *Conto de Turambar*, II. 140; o *Esboço da Mitologia*, IV. 40; os *Anais de Beleriand* (AB1 e AB 2), IV. 359 e V. 169; e o Q, IV. 152 e comentário, IV. 215–16.

16 *(Anal 500)* Os nomes *Elrún* e *Eldún* para os filhos de Dior aparecem em emendas feitas ao Q (IV. 156) e ao AB 2 (V. 170 e nota 42), em substituição a *Elboron* e *Elbereth*. Não havia sido dito que eram irmãos gêmeos (nas *Genealogias* associadas com o AB 1, das quais alguns excertos foram apresentados em V. 491, suas datas de nascimento tinham três anos de diferença, 192 e 195 — posteriormente 492, 495: estas encontram-se na tabela genealógica da Casa de Bëor, p. 283).

No AB 2 (que segue o AB 1), Húrin foi libertado por Morgoth no ano 499 (IV. 358, V. 168), e "partiu e saiu em busca de Morwen"; na continuação dos AC (p. 308), o ano era 500, como aqui.

17 *(Anal 501)* No AB 2 (que segue o AB 1), Húrin e seus companheiros (descritos simplesmente como "homens"; no Q, IV. 152, como "alguns proscritos das matas") chegaram a Nargothrond em 500 (ver nota 16), enquanto neste texto, após sua visita a Brethil, ele parte para Nargothrond em 501 e chega lá em 502. As fontes mais antigas não dizem que ele encontrou Morwen (cf. a nota escrita junto à primeira continuação dos AC, p. 308: "Algum destino para Morwen precisa ser elaborado. Morwen e Húrin tornaram a se encontrar?"), nem mencionam sua tentativa de retornar a Gondolin (ver o final da continuação dos AC, pp. 310-2, onde pela primeira vez há referência a isso, embora sem menção à descoberta da região onde ficava Gondolin por espiões de Morgoth).

A história de Húrin em Brethil agora existia e provavelmente em sua forma final (ver p. 328). — A primeira menção de Obel Halad, em substituição a Ephel Brandir, encontra-se em uma nota a lápis no texto datilografado do FN (p. 182, §302).

18 *(Anal 502)* No AB 2, Tuor casou-se com Idril em 499 (V. 168); a data em *O Conto dos Anos* é (com alguma hesitação) 502 (pp. 419 ss.). Quanto ao tesouro ter sido levado de Nargothrond a Doriath, ver IV. 216.

19 Apenas os seguintes pontos na versão AH precisam ser mencionados. Após as palavras (p. 308) "servia ao propósito de Morgoth que assim fosse", meu pai acrescentou ao texto datilografado posteriormente: "e as necessidades de seu corpo bem serviram a esse fim"; e "a não ser que encontre uma oportunidade de vingar as injustiças de meus filhos" (onde o AC diz "as injustiças de meu filho", p. 309) foi alterado para "a não ser que encontre uma oportunidade de ouvir mais notícias sobre minha família, ou de vingar as injustiças deles, se eu puder". Onde a continuação dos AC possui *Asgon* e depois *Asgorn* (nota 4), AH possui *Asgorn*, corrigido para *Asgon*, e mais adiante na narrativa *Asgon* conforme datilografado (ver nota 21). *Lestistas* dos AC é aqui *Lestenses*. Na cópia datilografada, as palavras de Húrin, *Tôl acharn*, foram corrigidas para *Tûl acharn*.

20 A passagem que reconta o desconhecimento de Húrin acerca do que acontecera em Gondolin até sua travessia do Brithiach e entrada em Dimbar foi bastante alterada na época em que o texto foi datilografado, embora na maior parte tenha sido uma questão de reorganização. Aqui o texto conforme datilografado inicialmente dizia o seguinte:

> Ele não sabia das coisas que haviam ocorrido lá, desde que Tuor levara à cidade a mensagem de Ulmo, como ainda há de ser contado; e agora Turgon, recusando o conselho do Senhor das Águas, não permitia que ninguém entrasse ou saísse por qualquer causa que fosse, endurecendo seu coração contra a piedade e a sabedoria.

Tuor chegara a Gondolin em 495 (AC §299).

21 *Asgon* foi uma emenda do nome como datilografado, *Asgorn*. Essa foi uma alteração regular, até que a forma *Asgon* aparecer no texto datilografado já de

início: uso *Asgon* do início ao fim, exceto em passagens que foram rejeitadas antes de o nome ser alterado.

22 Aqui o texto como datilografado inicialmente dizia o seguinte:

> Húrin desceu das nascentes do Lithir, que caíam no Sirion e eram consideradas os limites meridionais da Terra Estreita. Lá o Sirion já era largo e profundo demais para ser atravessado, e perigoso demais para qualquer um nadar nele, exceto os jovens e mais resistentes; de maneira que Húrin e seus homens seguiram viagem, buscando os vaus do Brithiach.

O nome *Lithir* foi escrito junto a um rio já mostrado na forma original do segundo mapa: p. 225, quadrados C6 a D7.

23 Nesse ponto, seguiu-se no rascunho manuscrito e no texto como datilografado inicialmente: "e embora isso lhe parecesse pressagiar algum mal em vez de bem, passado algum tempo ele se tornou menos cauteloso".

24 O nome *Ragnir* é encontrado também como o nome de um serviçal cego de Morwen em Dor-lómin (*Contos Inacabados*, p. 105). Em uma frase rejeitada no rascunho manuscrito, esse companheiro de Asgon é chamado "Ragnir, o rastreador".

25 Asgon supunha que o Senhor de Brethil ainda era Brandir, o Coxo. Cf. o que é dito acerca de Hardang, sucessor de Brandir, um pouco mais adiante: "não tinha amor algum agora pela Casa de Hador, em cujo sangue ele não tinha parte".

26 Quanto a *Obel Halad*, ver nota 17.

27 *Echoriad*: as Montanhas Circundantes ao redor de Gondolin. A forma *Echoriath* no *Silmarillion* publicado deriva do *Conto de Tuor* tardio; mas *Echoriad* aqui é muito posterior.

28 A antiga história no conto *A Queda de Gondolin* (II. 229) de que aqueles dentre os fugitivos do saque de Gondolin que fugiram para a Via de Escape foram destruídos por um dragão que jazia à espera na saída mais distante do trajeto, uma história que foi preservada no Q (IV. 165), havia sido abandonada, e foi excluída de *O Silmarillion* com base na presente passagem: ver II. 257, nota de rodapé, e IV. 224.

29 Cf. AC §161 (p. 74), para a fuga de Húrin e Huor para Dimbar quarenta e três anos antes dessa época: eles "vagaram nos montes sob as muralhas íngremes das Crisaegrim. Lá Thorondor os observou e enviou duas Águias que os tomaram consigo e levaram-nos ..."

30 Nesse ponto do rascunho manuscrito, meu pai escreveu:

> Mais tarde, quando Maeglin, capturado, quis comprar sua libertação com traição, Morgoth deve responder rindo e dizendo: "Notícias velhas não compram nada. Já sei disso, não me cegam facilmente!".

> Então Maeglin foi obrigado a oferecer mais — a solapar a resistência de Gondolin.

Quase que exatamente a mesma nota encontra-se no pedaço de papel que dá informações acerca do novo significado do nome *Haladin* (p. 329); mas aqui, após as palavras "solapar a resistência de Gondolin", meu pai continuou: "e para causar a morte de Tuor e Eärendel, se pudesse. Caso conseguisse, ser-lhe-ia permitido ficar com Idril (disse Morgoth)".

Assim, a história no Q foi alterada (IV. 164):

> [Meglin] comprou sua vida e liberdade revelando a Morgoth o local de Gondolin e as vias pelas quais poderia ser achada e atacada. Grande, de fato, foi o regozijo de Morgoth ...

Tanto a presente passagem no AH (que diz que Morgoth soube pelas andanças de Húrin "em qual região Turgon habitava") como aquela do Q foram usadas no *Silmarillion* publicado (pp. 306–7, 323), sendo "o lugar *exato* de Gondolin" em vez de "o local de Gondolin" um acréscimo editorial.

31 Houve uma série de alterações nos nomes dos homens da companhia de Manthor próximo às Travessias do Taeglin (e algumas falas foram redistribuídas entre os falantes). No rascunho manuscrito os nomes eram *Sagroth*; *Forhend*, filho de Dorlas; e seu amigo *Farang*. No texto como datilografado, eles eram *Sagroth*; *Forhend*; e seu amigo *Farang*, filho de Dorlas. O filho de Dorlas é quem desempenha um papel importante na história. Por uma emenda ao texto datilografado, a afirmação de que Farang era amigo de Forhend foi removida, e — mais adiante na narrativa — o nome *Farang* tornou-se *Faranc*; então, próximo ao final do AH, tornou-se *Avranc*, e esse nome foi inserido em substituição em todo o texto a partir de sua primeira aparição. Utilizo do início ao fim apenas a formulação final.

32 *Sagroth* aqui foi emendado para *Galhir*, mas posteriormente *Sagroth* foi restabelecido. Talvez fosse a intenção Galhir ser outro membro da companhia de Manthor em vez de uma substituição para o nome *Sagroth*.

33 A nota de rodapé nesse ponto foi datilografada na mesma época que o texto. A afirmação acerca da propriedade de Manthor no leste de Brethil precedeu aquela no texto C (p. 326): "A região próxima ao Brithiach e ao longo do Sirion por certa extensão era a terra de Manthor". Haldar era o filho de Haldad, fundador da linhagem e irmão gêmeo da Senhora Haleth (p. 272, §25). Compare a última frase com a sinopse de enredo, p. 313: "Seu filho Brandir, o coxo, é escolhido Chefe, embora muitos tivessem preferido seus primos Hunthor ou Hardang". A nota de rodapé foi inteiramente riscada (antes da emenda de *Harathor* para *Hardang*).

34 O termo *Haladin* é usado aqui, em uma frase que foi rejeitada em vez de corrigida, no sentido original do "Povo de Haleth" como um todo.

[35] Quanto ao uso da palavra *vila*, cf. p. 182, §302.

[36] A palavra *barraca* [*booth* no original] é usada no antigo sentido de "uma habitação temporária coberta por galhos de árvores ou outros materiais leves" (O.E.D.). É bem possível que meu pai tivesse em mente a palavra nórdica *búð*, usada nas Sagas especialmente para as habitações temporárias no parlamento islandês, e vertida regularmente como "booth" em traduções.

[37] Também é dito na sinopse de enredo do *Narn*, da qual parte é apresentada nas pp. 313-5, mas em um ponto anterior (o ano 472), que Haldir e Hundar foram mortos na Nírnaeth e que "apenas três de seus homens sobreviveram, mas Mablung de Doriath curou suas feridas e os trouxe de volta". Ver pp. 289-90.

[38] O rascunho manuscrito diz neste ponto:

> "Ele precisa estar desperto amanhã. Talvez seja necessário um alimento melhor. Atentai, ou talvez os guardas também terão de se apresentar diante da Gente."
>
> "Que queres dizer com isso?", perguntou o líder.
>
> "Desvendai como quiserdes", respondeu Manthor.

[39] "e mulheres" deriva do rascunho manuscrito. Cf. a passagem riscada na p. 339, acerca da convocação de esposas para o conselho de acordo com os costumes de Brethil.

[40] Aqui, e com frequência subsequentemente, *Halad* é uma emenda de *Guardião*; ver a afirmação citada na p. 329, onde *Halad*, plural *Haladin*, é traduzido "guardião(ões)". Uso *Halad* em todos os casos e não registro as alterações.

[41] Parece não ter havido nenhuma referência específica anteriormente ao fato de a antiga língua do Povo de Haleth cair em desuso (onde o rascunho manuscrito diz "a antiga língua dos Haladin", e também "Assembleia dos Haladin") e de sua substituição pela "fala de Beleriand".

[42] O rascunho manuscrito possui aqui uma passagem que depende da história, ainda existente, do cativeiro de Asgorn (Asgon) e seus homens (cf. a frase rejeitada no texto datilografado, p. 338: Húrin foi preso em uma caverna "próximo daquela em que Asgorn e seus homens ainda estavam aprisionados"):

> "Que os primeiros prisioneiros sejam trazidos diante de nós!" Então Asgorn e seus companheiros foram trazidos, com as mãos atadas às costas.
>
> Diante daquilo, houve muitos murmúrios; e [um velho >] Manthor levantou-se. "Com vossa licença, Mestre e Gente", disse ele. "Eu gostaria de perguntar: por que esses homens estão a ferros?"

Há então uma nota: "Harathor deve ocultar o fato de que Asgorn e cia. ainda estão encarcerados, e Manthor deve revelar o porquê". Aqui o texto para e começa em uma nova página com um rascunho para a história alterada como encontrada no texto datilografado.

43 Nesse ponto o nome *Hardang*, no lugar de *Harathor*, aparece no texto como datilografado.

44 O rascunho manuscrito diz "Seja como for —", isto é, a frase de Hardang foi interrompida por Manthor.

45 Um acréscimo ao rascunho manuscrito diz o seguinte: "Ele [Dorlas] também havia sido amigo de Harathor, e escarnecedor de Brandir enquanto Harathor desejava suplantá-lo". Foi mencionado anteriormente que Dorlas havia sido amigo de Hardang (Harathor), na primeira aparição do filho de Dorlas, Avranc (p. 335): "benquisto por Hardang, como seu pai o fora".

46 Na história da morte de Dorlas na última parte do *Narn* (FN) conforme contada no manuscrito, Brandir ficou com sua espada. É dito subsequentemente no texto que "Brandir, ao ver sua morte no rosto de Túrin, sacou sua pequena espada e ficou na defensiva"; e Túrin "ergueu Gurthang e golpeou a espada de Brandir, derrubando-a, e desferiu-lhe um golpe de morte". Por meio de mudanças feitas na cópia datilografada muito posterior do FN, a história foi alterada para aquela apresentada em *Contos Inacabados*: Brandir lançou a espada ao chão após matar Dorlas (p. 195), ao enfrentar Túrin "ficou imóvel e não cedeu, apesar de não dispor de nenhuma arma senão a muleta", e as palavras "golpeou a espada de Brandir, derrubando-a" foram removidas (p. 199). Parece-me improvável que meu pai teria feito essas alterações — pelas quais o assassinato de Brandir por Túrin torna-se ainda pior — a fim de fazer com que a reputação de Dorlas parecesse mais nebulosa nos rumores que corriam em Brethil: creio que ele as fez precisamente porque queria representar assim Túrin em seu encontro com Brandir — nesse caso, é claro, as alterações no texto datilografado do FN já haviam sido feitas quando a presente passagem foi escrita. Subsequentemente a passagem foi colocada entre colchetes, a partir de "E histórias sombrias eram sussurradas acerca de Dorlas", presumivelmente significando dúvida acerca de sua inclusão; e a questão não é mencionada de novo.

47 "de mãos e pés": um acréscimo havia sido feito anteriormente (p. 343) acerca dos grilhões adicionais nos pulsos de Húrin.

48 *Galdor Orchal*: "Galdor, o Alto". O "título" não havia aparecido anteriormente em forma élfica.

49 Com as palavras rejeitadas "e boas esposas", cf. nota 39.

50 "Queria não ter impedido o teu disparo": ver p. 351.

51 A história dos eventos no círculo da Assembleia foi contada no rascunho manuscrito (escrito à tinta sobre um texto a lápis) bastante de acordo com a forma final até o ponto em que Húrin grita a Harathor (como ainda é o nome): "Apenas mãos, mãos, são necessárias para torcer tal goela cheia de mentiras." Depois, temos:

Dito isso, enfurecido, Húrin saltou da Pedra e foi na direção de Harathor. Mas Harathor fugiu diante dele, clamando aos homens de sua casa que se reunissem à sua volta; e, ao chegar ao portão, ele se virou, gritando: "É uma mentira que ele diz, Homens de Brethil. Ele delira como sempre. Eu nada sabia sobre isso até agora!" Nisso ele falou a verdade; mas tarde demais. Em sua ira, poucos da assembleia acreditaram nele.

(No texto original escrito a lápis, Harathor disse mais em sua defesa, usando o argumento dado na forma final a Manthor (pp. 356-7): "Ninguém da Gente vai até aquela pedra, pois o local é amaldiçoado. Só agora eu ou algum homem ou alguma mulher da Gente ouvimos a história da vinda dela até a pedra".) Nesse ponto no texto sobreposto à tinta meu pai parou, e escreveu: "Não permitir que Harathor se defenda. Ele foge amedrontado — e, assim, para a maioria da Gente parece reconhecer sua culpa".

Desse ponto em diante o rascunho manuscrito torna-se caótico. O texto a lápis, em parte ilegível, continua, entremeado num ponto ou outro por passagens tardias escritas à tinta, até o final da história, mas as "camadas" são tão confusas que um desenvolvimento coerente mal pode ser deduzido. Contudo, parece que nesse estágio a história do cerco e incêndio do Salão dos Chefes não havia sido introduzida. O desbaratamento de Harathor e seus apoiadores do círculo da Assembleia parece ter sido seguido de imediato pelas reprimendas de Manthor a Húrin — uma defesa da conduta dos Homens de Brethil para com Túrin, e uma negação de que Harathor poderia ter qualquer conhecimento da chegada de Morwen, o que, por sua vez, leva de imediato à expedição ao Cabed Naeramarth e ao enterro de Morwen. Em suas palavras a Húrin, Manthor declara-se agora "o último dos Haladin", mas parece não haver indícios do destino de Harathor. Ver nota 53.

Um novo texto rascunhado, escrito de maneira muito descuidada, mas coerente, começa do início da fala de Húrin na assembleia (p. 351): esse foi o texto do qual a forma final derivou, seguindo-o de perto.

52 No FN (*Contos Inacabados*, p. 190), eram "pelo menos cinco léguas" de Ephel Brandir até Nen Girith; em um rascunho preliminar daquela passagem, eram sete léguas (comentário a AC §§329–32, p. 195).

53 O final do rascunho manuscrito original (ver nota 51) é parcialmente ilegível, mas, após o enterro de Morwen, "eles retornam e veem um fogo vermelho. O Obel está queimando enquanto os rebeldes atacam o … Mas, ao seguirem, uma flecha vem da mata e Manthor tomba". Isso sugere que o incêndio do Salão dos Chefes originalmente vinha após o enterro de Morwen e que, quando esse incêndio tornou-se um evento central na história, o brilho vermelho no céu visto de Nen Girith foi mantido como o sinal de um outro rompante de revolta no dia seguinte. O fato é substanciado pela conclusão

do segundo rascunho manuscrito, apresentado na nota 54 (no final); mas a questão é bastante incerta.

54 O final do rascunho manuscrito original (ver notas 51, 53) após a morte de Manthor, passado por cima a lápis por meu pai para torná-lo mais claro, mas com uma lacuna onde há uma palavra, ou palavras, que ele não conseguiu interpretar, diz o seguinte:

> Alguns homens, temendo o fim de Brethil e desejando fugir para mais longe de Morgoth — não possuindo lares ou terras próprios —, estão dispostos a ir com Húrin. Eles partem — mas tombam em [*sic*] Mas então Húrin parece recuperar as forças e a juventude — a vingança parece que o encorajou, e ele [      ] e caminha agora com mais vigor. Adentram as matas e reúnem os últimos fugitivos dos homens-da-floresta (os parentes da gente de Brethil).
>
> Asgorn eles escolhem como capitão, mas ele trata Húrin como senhor, e faz como ele ordena. Para onde havemos de ir? Eles devem [?conhecer] um local de refúgio. Seguem na direção de Nargothrond.

Uma outra página isolada fornece esta versão do fim:

> Durante algum tempo ele permaneceu ali, de semblante carregado e calado. Mas Manthor olhou para trás e viu uma luz vermelha ao longe. "Preciso retornar", disse ele. O grupo começa a voltar, exausto, na direção de Obel Halad.
>
> Uma flecha mata Manthor. — A voz de Faranc [*ver nota 31*] grita: "A terceira vez é certeira. Pelo menos tu não hás de sentar-te na Cadeira que cobiçavas." Eles o perseguem, mas ele escapa na escuridão.
>
> O Círculo da Assembleia foi "profanado". A confederação se desfaz. Os homens partem para as suas próprias moradas. Húrin precisa partir. Ele reúne alguns homens que agora não têm esperanças de defender Brethil do poderio crescente de Morgoth [e] desejam fugir para o sul. Na travessia do Taiglin eles se juntam a Asgon, que ouvira rumores dos feitos violentos em Brethil e da chegada de Húrin, e que então estava se arriscando a adentrar de novo a terra para procurá-lo. Asgon o cumprimenta — e fica feliz por Harathor ter sido punido. Enraivecido por ninguém ter contado a Húrin da vinda deles.
>
> Seguem em frente e reúnem "homens-da-floresta" fugitivos. Escolhem Asgon como capitão, mas ele sempre defere a Húrin. Para onde ir? Húrin escolhe ir para Nargothrond. Por quê?

As referências a "homens-da-floresta" ("parentes da gente de Brethil") nessas passagens sem dúvida são aos homens que habitam na mata ao sul do Taeglin, descritos no *Narn* (*Contos Inacabados*, p. 123, e dali em diante chamados de "os Homens-da-floresta"):

> Antes das Nirnaeth, muitos homens haviam habitado ali em fazendas dispersas; pertenciam na maior parte à gente de Haleth, mas não reconheciam nenhum senhor e viviam tanto da caça como da criação, criando porcos nas terras das castanhas e cultivando clareiras que mantinham separadas por cercas do restante da floresta. Porém àquela época haviam sido quase todos destruídos ou tinham fugido para Brethil, e toda a região sofria com o temor dos Orques e dos proscritos.

Esses rascunhos apressados das movimentações imediatas de Húrin após partir de Brethil estão de acordo com o que é dito na sinopse de enredo (p. 315): "Húrin encontra Asgon novamente e reúne outros homens e vai em direção a Nargothrond". A pergunta "Por quê?" sobre a sua decisão de ir para lá reaparece do acréscimo ao fim dos *Anais Cinzentos* (p. 312), que provavelmente não precedeu em muito a composição de *As Andanças de Húrin*.

O segundo rascunho manuscrito (ver nota 51, no final) continua a partir do ponto em que o texto datilografado termina, embora com uma linha traçada de um lado a outro da página abaixo das palavras "desceu sozinho na direção do Hauð-en-Elleth". Apresento essa conclusão parcialmente ilegível a partir da morte de Manthor.

> ... e arrancou a flecha, e deu um grande grito, e jazeu imóvel.
>
> Então eles choraram, e o ergueram, e se prepararam para carregá-lo de volta, e não mais prestaram atenção a Húrin. Mas ele permaneceu em silêncio, e logo lhes deu as costas; o sol descera para dentro de uma nuvem escura e a luz desapareceu, e desceu sozinho na direção do Hauð-en-Elleth.
>
> [Assim se deu a ruína de Brethil. Pois >] Ora, diz-se que / aqueles que ... com Hardang não foram todos capturados, e outros chegaram ao ouvirem as notícias, e houve luta no Obel, e um grande incêndio, até praticamente tudo ser destruído [*ver nota 53*]. Mas quando a loucura [*escrito acima:* ira] dos homens havia arrefecido, eles se reconciliaram, e alguns disseram: "O que nos enfeitiçou? Por certo Húrin causou todo esse mal, e Hardang e Avranc foram mais sábios. Eles o teriam mantido fora se pudessem." Assim, escolheram Avranc para ser seu chefe, visto que não restava ninguém da Casa de Haleth, mas [?? ele não exercia] a mesma autoridade e reverência dos Chefes anteriores, e a Gente de Brethil voltou a ser mais como seus parentes nas matas [?abertas] — cada um cuidando de suas próprias terras e pouco ... e seu ... foi aliviado.

Mas alguns não estavam de acordo com isso e não serviriam Avranc e se prepararam para partir, e juntaram-se a Húrin.

55 O breve texto a seguir acerca de Manthor é outra "discussão" como o texto "C" (pp. 324-5) e sem dúvida pertence basicamente à mesma época. Aqui, como lá, o nome é *Harathor*, mas sugeri (p. 328) que ele devia estar prestes a receber um novo nome, e na mesma página da presente passagem aparecem as elaborações que levaram ao nome *Hardang*.

A página começa com um rascunho das últimas palavras de Húrin e Manthor em Nen Girith, bastante similar ao final tanto no segundo rascunho manuscrito (sobre o qual ver nota 51, no fim) como no texto datilografado final (pp. 358-9). Acredito que a presente forma foi a primeira e que meu pai a escreveu de maneira experimental, por assim dizer, e então se pôs a explicar e justificá-la, do seguinte modo (as muitas contrações de palavras e nomes foram expandidas):

> Acho que seria bom tornar Manthor um personagem menos meramente "bom". Pois assim a sua adesão extremamente ardorosa e astuta da causa de Húrin seria mais bem explicada. Certamente ele possui uma grande preocupação natural com a "cortesia" — isto é, comportamento civilizado *e* misericórdia, e ele teria ficado enraivecido com o tratamento de Húrin, quem quer que fosse. Mas (a) ele tinha *orgulho* de seu parentesco com a Casa de Hador; (b) ele desejara a Guardiania — e muitos quiseram elegê-lo. Ele era da linhagem mais velha, mas por uma filha (Hiril). Mas embora até então a descendência tivesse sido através do filho mais velho, havia sido estabelecido por Haleth (e Haldar, seu irmão) que filhas e seus descendentes seriam elegíveis. Os descendentes de Hundar: Hundad, Harathor não haviam sido homens de preeminência ou galantaria.
>
> De modo que claramente Manthor também estava usando a chegada de Húrin para promover sua ambição — ou, antes, a sombra de Húrin caiu sobre ele e despertou a ambição (dormente). Nota: Manthor nunca levanta a questão da *missão* de Húrin, ou (como é bastante evidente) que Húrin chegou com má intenção, especialmente para com os governantes de Brethil e o grupo "anti-Túrin".
>
> Deve ser feita menção no conto de Túrin (vida em Brethil e morte) — concernente a Hunthor? — a Manthor e à amizade de seu ramo com Túrin e reverência pela Casa de Hador.
>
> Havia alguns ressentimentos entre os ramos: de um lado, aparentados com a Casa de Hador (via Glóreðel e via Hareth e Hiril) e [do outro,] a linhagem de Hundar.

Isso amplia e define algumas das coisas ditas no último parágrafo da discussão no texto "C" (p. 326), onde a amizade de Túrin entre os descendentes de Hiril, e o orgulho de seu parentesco com a Casa de Hador, foram mencionados, e a ideia de que Manthor "desejava a Guardiania" mencionada como uma possibilidade.

Um pedaço de papel isolado, intitulado *Nomes*, possui as seguintes notas:

Os *Haladin* nome de pessoas que descendiam diretamente de Haldar, irmão de Haleth (pela linhagem masculina ou feminina), uma família ou "*nothlir*" da qual os Chefes ou *Halbars* de Brethil eram escolhidos pela Gente.
Pois *halad* sing. "chefe" ..... *halbar*.
O Chefe depois de Brandir foi *Hardang*.
Seu amigo e conselheiro maligno chamado *Daruin*.
*Dorlas* > *Darlas*
*Dar* = domínio, senhorio
*bor* = pedra. A Pedra no Círculo era a *halabor*. A Pedra Alta era a *Talbor*.

A palavra *halbar* "chefe", a ser substituída por *halad*, aparece em uma nota a lápis na tabela genealógica dos Haladin, onde também o nome *Haldar* aparentemente foi alterado para *Halbar*: ver p. 291. O nome *Talbor* para a Pedra Alta aparece também em um acréscimo à sinopse de enredo do *Narn* (p. 314), mas a pedra no círculo da Assembleia é chamada *Angbor* "Rocha-da-sina" em acréscimos ao texto datilografado do AH (ver p. 344). Esses novos nomes, e *Darlas* no lugar de *Dorlas*, *Daruin* no lugar de *Avranc*, devem representar um outro grupo de substituições subsequentes para o texto final do AH, embora seja estranho nesse caso que *Hardang* devesse ser incluído.

Após essas notas, no mesmo pedaço de papel há notas acerca do nome *Taeglin*; elas foram riscadas, mas praticamente as mesmas notas numa forma mais acabada encontram-se em outro pedaço de papel:

*Taeglin(d)* melhor *Taeglind*
**taika* (√*taya* marca, linha, limite > *tayak*) *mœre*, divisa, limite, linha divisória.
*linde* "cantor / canto", nome (ou elemento em nomes) de muitos rios de correnteza rápida que fazem um som de ondejar.

*Mœre* é uma palavra em inglês antigo de mesmo significado. — Parece que a forma escolhida para o *Silmarillion* publicado deveria ter sido *Taeglin* em vez de *Teiglin* (ver p. 279, §28).

[56] Algumas observações interessantes de meu pai a respeito de *As Andanças de Húrin* encontram-se no verso de um dos pedaços de papel no qual o Professor Clyde Kilby escreveu comentários e críticas sobre a obra:

> As críticas me parecem equivocadas em sua maioria — sem dúvida porque esse é um fragmento de uma grande saga, por ex., Thingol e Melian são mencionados como alvos da malícia de Morgoth, pois o feito seguinte de Húrin trará ruína a Doriath. Os proscritos não são um "artifício", mas já haviam sido levados em consideração — e desempenham um papel na história de Túrin quando ele chega a Dor Lómin. Húrin os encontra de novo e eles são o núcleo da força com a qual ele vai a Nargothrond e mata Mîm e toma o ouro do dragão.
>
> Quanto a "ação de menos", "falas demais", reli o texto de maneira bastante impessoal depois de muitos anos quando eu tinha praticamente me esquecido dele — as falas são amarguradas e pungentes e por si só emocionantes. Achei todo o assunto desde a entrada de Húrin não apenas comovente, mas bastante empolgante.

A referência a Thingol e Melian surgiu da crítica do Professor Kilby ao fato de que eles só são mencionados em um lugar (p. 316). A resposta que seus comentários (escritos, creio, em 1966) suscitou é particularmente interessante por mostrar que a história da tomada do tesouro de Nargothrond por Húrin ainda existia por completo, embora meu pai jamais tenha voltado a ela. Bastante notável é a sua frase "o feito seguinte de Húrin trará ruína a Doriath".

[57] Na cópia datilografada, meu pai escreveu a lápis, abaixo de *As Andanças de Húrin*: "I *A Sombra Cai sobre Brethil*". No início de sua discussão da história no texto C (p. 325), ele disse acerca de Asgorn e seus homens que "sua chegada a Brethil é necessária para 'lançar a sombra' ao causar medo e ódio no coração de Harathor". Portanto, é possível que, na intenção, o subtítulo *A Sombra Cai sobre Brethil* se referisse somente à primeira parte da história de Húrin em Brethil. Por outro lado, ele não introduziu nenhum outro subtítulo no corpo do texto, e parece igualmente possível que ele pretendesse que esse fosse o título da história como um todo, e "II" seria o próximo estágio das andanças de Húrin, *Húrin em Nargothrond*.

# II

# Ælfwine e Dírhaval

Em *Contos Inacabados* (p. 203), mencionei a existência de uma "nota introdutória" ao *Narn i Chîn Húrin*, encontrada em diferentes formas, e apresentei um relato bastante condensado e seletivo do conteúdo. As duas versões, na verdade, são mais distintas do que isso sugere, e as apresento aqui na íntegra. Uma delas é um manuscrito claro, escrito quase que sem hesitações ou alterações (seja na própria época ou posteriormente): esse, que chamarei de "A", claramente precedeu o outro, e o forneço primeiro. As notas numeradas encontram-se na p. 378.

### *Túrin Turumarth*[1]

Aqui começa aquela história que Ælfwine compôs a partir da *Húrinien*: que é a mais longa de todas as baladas de Beleriand agora guardadas na memória em Eressëa. Mas é dito lá que, embora composta na fala élfica e faça uso de muito saber élfico (especialmente de Doriath), essa balada foi obra de um poeta dos Homens, Dírhavel, que vivia nos Portos nos dias de Eärendel e lá reuniu todas as novas e saberes que pôde da Casa de Hador, quer entre Homens, quer entre Elfos, remanescentes e fugitivos de Dorlómin, de Nargothrond ou de Doriath. De Mablung ele aprendeu muito; e, por sorte, também encontrou um homem chamado Andvír, e ele era muito velho, mas era o filho daquele Andróg que esteve no bando de proscritos de Túrin e foi o único a sobreviver à batalha no topo de Amon Rûdh.[2] Doutro modo, todo aquele período entre a fuga de Túrin de Doriath e sua chegada a Nargothrond, e os feitos de Túrin naqueles dias, teriam permanecido ocultos, salvo o pouco que era lembrado entre o povo de Nargothrond acerca de questões que Gwindor ou Túrin alguma vez revelaram. Nessa forma também a questão de Mîm e seus tratos posteriores com Húrin foram tornados claros. Essa balada foi tudo o que Dírhavel jamais compôs, mas era apreciada pelos Elfos e lembrada por eles. Dírhavel, dizem eles, pereceu no último ataque dos filhos de Fëanor aos Portos. Sua balada foi composta naquele modo de versos que era chamado *Minlamad thent / estent*.[3] Embora essa poesia não seja de todo diversa da poesia conhecida por Ælfwine, ele traduziu a balada em prosa (incluindo nela, ou acrescentando nas margens conforme lhe parecia apropriado, materiais dos comentários élficos que ouvira ou vira); pois ele próprio não era habilidoso na criação de versos, e a transferência dessa longa história do élfico para o inglês era difícil o suficiente. De fato, mesmo enquanto era composta, com o auxílio dos Elfos, como se pode depreender a partir de suas notas e acréscimos, em determinados pontos seu relato é obscuro.

Esta versão em inglês "moderno", isto é, formas de inglês inteligíveis aos usuários vivos da língua inglesa (que possuem certo conhecimento de letras e não estão limitados à língua do uso diário de boca a boca), não tenta imitar o estilo de Ælfwine, nem aquele do élfico que amiúde transparece, especialmente no diálogo. Mas, visto que mesmo para os Elfos é agora "uma história de outrora", e retrata pessoas elevadas e antigas e sua fala (como Thingol e Melian), há na versão de Ælfwine, e claramente havia na época de Dírhavel, muita linguagem arcaica, de palavras e uso, e os Elfos mais velhos e mais nobres não falam no mesmo estilo dos Homens, ou precisamente na mesma língua que aquela da narrativa principal; portanto, há aqui elementos similares preservados. É por essa razão que, por exemplo, a fala de Thingol não é aquela de nossos dias atuais: pois, de fato, a fala de Doriath, quer a do rei, quer de outros, mesmo nos dias de Túrin era mais arcaica do que a usada em outras partes. Algo (como Mîm observou) de que Túrin nunca se livrou, apesar de sua mágoa para com Doriath, foi a fala que adquirira durante sua criação. Apesar de ser um Homem, ele falava como um Elfo do Reino Oculto,[4] que é como agora se pareceria um Homem cuja fala e educação até a idade adulta tivesse sido a de alguma região isolada onde o inglês tivesse permanecido mais próximo daquele da corte de Elizabeth I do que de Elizabeth II.

O segundo texto ("B") é muito mais breve, e foi composto na máquina de escrever que meu pai usou para vários dos textos do

*Narn* e outros escritos, como o capítulo *Da Vinda dos Homens para o Oeste*.

Muitas canções ainda são entoadas e muitas histórias ainda são contadas pelos Elfos na Ilha Solitária sobre as Nirnaeth Arnoediad, a Batalha das Lágrimas Inumeráveis, na qual tombou Fingon e feneceu a flor dos Eldar. Mas aqui contarei como puder uma História de Homens que Dírhaval[5] dos Portos compôs nos dias de Eärendel muito tempo atrás. *Narn i Chîn Húrin* ele a chamou, o Conto* dos Filhos de Húrin, que é a mais longa de todas as baladas que agora são lembradas em Eressëa, embora tenha sido composta por um homem.

Pois tal era Dírhaval. Ele vinha da Casa de Hador, diz-se, e a glória e o pesar daquela Casa eram-lhe os mais caros a seu coração. Por habitar nos Portos do Sirion, ele reuniu lá todas as novas e saberes que pôde; pois nos últimos dias de Beleriand lá chegaram remanescentes de todas as regiões, tanto Homens como Elfos; de Hithlum e Dor-lómin, de Nargothrond e Doriath, de Gondolin e dos reinos dos Filhos de Fëanor no leste.

Essa balada foi tudo o que Dírhaval jamais compôs, mas era apreciada pelos Eldar, pois Dírhaval usou a língua élfico-cinzenta, na qual tinha grande habilidade. Ele usou aquele modo de verso élfico que é chamado [*longo espaço deixado no texto datilografado*] que outrora fora próprio do *narn*; mas, embora esse modo de verso não seja distinto do verso dos ingleses, verti-o em prosa, por julgar minha habilidade pequena demais para ser ao mesmo tempo *scop* e *walhstod*.[6] Ainda assim, minha tarefa foi árdua o bastante, e sem o auxílio dos Elfos não poderia ter sido concluída. Não fiz acréscimos à história de Dírhaval, nem omiti dela nada que ele tenha contado; tampouco alterei a ordem de sua narrativa. Mas, em questões que pareceram de interesse, ou que se tornaram obscuras com o passar dos anos, empreguei notas, dentro da história ou em suas margens, de acordo com o saber que encontrei em Eressëa.

Vê-se que A precedeu B, qualquer que tenha sido o intervalo (mas não creio que tenha sido longo), entre outras considerações, pelo

*[*nota de rodapé ao texto*] *narn* entre os Elfos significa uma história que é contada em verso para ser falada e não cantada.

uso do antigo nome "a *Húrinien*" na frase inicial de A (enquanto em B ele é chamado *Narn i Chîn Húrin*). Esse nome havia aparecido anos antes no Capítulo 17 do QS, *De Túrin Turamarth, ou Túrin, o Infeliz*: "[aquela] balada que leva o nome de *iChúrinien*, os Filhos de Húrin, e é a maior de todas as baladas que falam daqueles dias" (V. 380). (Para *Húrinien* além de *iChúrinien*, e minha razão para substituir *Chîn* por *Hîn* em *Contos Inacabados*, ver V. 386).

É possível afirmar com certeza em que período esses textos foram escritos. Eu disse em *Contos Inacabados* (p. 208): "A partir do ponto da história em que Túrin e seus homens se estabeleceram na antiga moradia dos Anãos-Miúdos em Amon Rûdh, não há narrativa completa com o mesmo plano detalhado [como nas partes precedentes], até que o *Narn* retome com a viagem de Túrin para o norte após a queda de Nargothrond": a partir dos materiais existentes, formei uma breve narrativa em *O Silmarillion*, Capítulo 21, e forneci algumas outras citações dos textos em *Contos Inacabados*, pp. 208–14. Ora, a história de Túrin e Beleg na morada oculta de Mîm em Amon Rûdh e da efêmera "Terra do Arco e do Elmo", Dor-Cúarthol, pertence (como todo o resto da imensa extensão dessa parte da "Saga de Túrin") ao período após a publicação de *O Senhor dos Anéis*; e a menção, no texto A, ao homem Andvír, "o filho daquele Andróg que esteve no bando de proscritos de Túrin e foi o único a sobreviver à batalha no topo de Amon Rûdh" (ver nota 2) mostra que essa história existia por completo (até o ponto mais distante já alcançado) quando A foi escrito — de fato, parece bastante provável que A pertença ao período em que meu pai estava trabalhando nele.

Portanto, é muito notável que, nessa data relativamente tardia, ele estivesse propondo tal ideia da "transmissão" do *Narn i Chîn Húrin* (em contraste com a afirmação citada em X. 450, de que "Os três Grandes Contos devem ser númenóreanos e derivados de materiais preservados em Gondor": sendo o *Narn i Chîn Húrin* o segundo dos "Grandes Contos"). Também é notável a informação (em ambos os textos) de que a forma poética da balada de Dírhaval possuía alguma semelhança com a poesia conhecida por Ælfwine (o que, é claro, quer dizer o verso aliterante anglo-saxão), mas que por Ælfwine não ser um *scop* (ver nota 6) ele a traduziu em prosa (anglo-saxã). Não tenho conhecimento de qualquer outra afirmação relacionada a isso. É tentador suspeitar de alguma espécie de referência oblíqua aqui à *Balada dos Filhos de Húrin* aliterante abandonada de meu pai dos anos 1920, mas ela pode ser delusória.

A segunda versão, B, na qual a nota introdutória se torna um prefácio do próprio Ælfwine, em vez de um texto "editorial" recontando o que Ælfwine fez, foi presa a um texto datilografado de doze páginas (ao qual claramente pertence) composto *ab initio* por meu pai e que leva o título "Aqui começa o conto dos Filhos de Húrin, *Narn i Chîn Húrin*, que Dírhaval compôs". Esse texto fornece o início do *Narn* em *Contos Inacabados* (pp. 87–8), e continua na história de Húrin e Huor em Gondolin (omitida em *Contos Inacabados*) que foi baseada realmente muito de perto na versão nos *Anais Cinzentos* e é descrita nas pp. 209-10 (segue-se então a história de Lalaeth, irmã de Túrin, e da amizade dele com Sador Labadal, terminando com a partida de Húrin para a Batalha das Lágrimas Inumeráveis, que foi apresentada em *Contos Inacabados*, pp. 88–98). É muito difícil interpretar, na história da visita a Gondolin, a similaridade estreita ou (frequentemente) a verdadeira igualdade entre o fraseado da balada de Dírhaval e o da versão nos *Anais Cinzentos*. Apesar da diferença central da narrativa, a mesma questão surge no caso da versão da Batalha das Lágrimas Inumeráveis do *Narn* e a versão dos *Anais* (ver pp. 204 ss.). O texto do *Narn* não está ligado, como o está a história de Gondolin, ao nome de Dírhaval; mas é um fato curioso ele começar (p. 204) com "Muitas canções ainda são entoadas e muitas histórias ainda são contadas pelos Elfos sobre as Nirnaeth Arnoediad, a Batalha das Lágrimas Inumeráveis, na qual tombou Fingon e feneceu a flor dos Eldar" — pois isso é idêntico ao início do prefácio de Ælfwine (texto B, p. 375), exceto que este diz "ainda são contadas pelos Elfos *na Ilha Solitária*".

## NOTAS

1 No antigo *Conto de Turambar*, a forma gnômica de *Turambar* era *Turumart* e, no Q (IV. 147), *Turumarth*, onde, no entanto, foi alterado para *Turamarth*, como também o foi no QS (V. 386). *Turumarth* aqui deve representar uma reversão à forma original.

2 Andvír, filho de Andróg, não aparece em nenhum outro lugar. É afirmado expressamente em um resumo de enredo dessa parte do *Narn* que Andróg morreu na batalha no topo de Amon Rûdh (ver *Contos Inacabados*, pp. 213–14). O fraseado aqui é claro, e dificilmente pode-se depreender disso que foi apenas Andvír (também membro do bando de proscritos) que sobreviveu.

[3] O nome do verso é claramente *Minlamad thent / estent*: *Minlamed* em *Contos Inacabados*, p. 203 é errôneo.

[4] Cf. o "excurso linguístico" nos *Anais Cinzentos*, p. 41, onde há uma referência à fala dos Elfos-cinzentos tornar-se a língua comum de Beleriand e ser afetada por palavras e padrões tirados do noldorin — "exceto em Doriath, onde o idioma permaneceu mais puro e menos alterado pelo tempo".

[5] Está perfeitamente claro que o nome é *Dírhavel* em A, mas foi datilografado *Dírhaval* em B, que, por ser posterior, deveria ter sido adotado em *Contos Inacabados*.

[6] Ao lado de *scop* meu pai anotou: "ing. antigo = poeta", e ao lado de *walhstod* "ing. antigo = intérprete" (na cópia em papel carbono "intérprete / tradutor").

# III

# Maeglin

O conto de Isfin e Eöl e seu filho Meglin (na forma mais antiga do nome) possuía longas raízes, e apresentei sua história mais antiga de forma concisa nas pp. 147-8, §§117–20. Tal como o texto dos *Anais Cinzentos* foi escrito, a forma da história no AB 2 foi repetida: Isfin partiu de Gondolin no ano anterior à Batalha das Lágrimas Inumeráveis e, vinte e um anos depois, Meglin foi enviado sozinho a Gondolin (anais originais 471 e 492 dos AC, pp. 63, 103). Foi naquele estágio que uma história completa de Meglin e de como ele chegou a Gondolin foi escrita pela primeira vez.

Esse era um manuscrito claro de 12 páginas, bastante emendado tanto na época da composição como posteriormente; é muito evidentemente que possui estreita relação com os *Anais de Aman,* os *Anais Cinzentos*, o *Conto de Tuor* tardio e o texto que chamei de *Final do Narn* ("FN", ver p. 177), e pode ser datado com segurança da mesma época (1951). Foi com base nessa obra que os anais revisados que dizem respeito à história foram introduzidos nos AC (anos 316, 320 e 400, pp. 63-4), como mencionado anteriormente (p. 149); esses foram escritos em uma página de agenda de novembro de 1951 (p. 63).

Uma cópia datilografada, com outra em papel carbono, foi feita muitos anos depois, como parece pelo fato de que foi datilografada na última máquina de escrever de meu pai. Esse texto datilografado incorpora quase todas as emendas feitas no manuscrito. Para o presente objetivo, chamarei o manuscrito de 1951 de "A" e o texto datilografado posterior de "B", distinguindo onde necessário o texto datilografado original como "B(i)" e a cópia em carbono como "B(ii)".

O texto B foi corrigido e anotado com uma caneta esferográfica, assim como a cópia em carbono — mas não do mesmo modo; o manuscrito original A também recebeu algumas emendas tardias, que não aparecem em B como datilografado. Além disso, uma grande quantidade de escritos tardios manuscritos da mesma época foi inserida em B(i), com outros materiais semelhantes, que se sobrepõem em conteúdo, encontrados em outros lugares; para isso meu pai usou papéis de rascunho fornecidos pela Allen & Unwin, e duas dessas folhas são notas de publicação emitidas em 19 de janeiro de 1970 — assim, esse material de fato é muito tardio, e é de excepcional dificuldade.

Embora o texto datilografado B também fosse muito tardio, como evidenciado pela máquina de escrever usada, detalhes de nomes demonstram que o manuscrito A na verdade havia atingido muitos anos antes a forma a partir da qual ele foi datilografado; parece muito provável que meu pai o datilografou para providenciar uma cópia na qual alterações e anotações adicionais e substanciais pudessem ser feitas por volta de 1970. Somente aquelas poucas alterações em A feitas com caneta esferográfica e não inseridas em B pertencem ao período final de trabalho na história.

Apresentar em detalhes a evolução de todo esse material ocuparia um espaço considerável, e na maior parte de sua extensão envolve a simples repetição do Capítulo 16, *De Maeglin*, no *Silmarillion* publicado. Portanto, nesse caso usarei aquele capítulo como o texto de referência, e me concentrarei principalmente na obra mais tardia, que possui muitas características notáveis que, por sua natureza, não podiam ter lugar no livro publicado. Neste relato, farei referência aos parágrafos em *O Silmarillion*, numerando-os pela conveniência da referência interna, e fornecendo as palavras iniciais de cada um para facilitar a identificação. É preciso mencionar aqui que o texto do *Silmarillion* emprega emendas tanto do texto datilografado original (B(i)) como da cópia em carbono (B(ii)), e que, em determinados casos (que são numerosos), onde eles diferem na reescrita de passagens originais, o texto publicado é com frequência um amálgama de ambos.

### *O Título*

O manuscrito A como escrito não possuía título; posteriormente, meu pai escreveu *De Meglin* a lápis, alterando isso para *De Isfin e Glindûr*. O texto datilografado B possui o título (como datilografado) *De Maeglin*, com o subtítulo *Filho-da-irmã de Turgon, Rei de Gondolin*. No alto da primeira página de B(i), meu pai escreveu que o texto é "Uma versão ampliada da chegada de Maeglin a Gondolin, a ser inserido em QdG no seu lugar", e anotou também que "QdG = Queda de Gondolin". Isso só pode ser uma referência ao *Conto de Tuor* abandonado (intitulado *De Tuor e da Queda de Gondolin*, mas reintitulado *De Tuor e sua Chegada a Gondolin* para inclusão em *Contos Inacabados*), que pertence ao mesmo período que o manuscrito A. Assim, nessa data muito tardia, meu pai ainda tinha esperança em uma história completamente reescrita da Queda de Gondolin, da qual tão pouco de fato tinha sido realizado (e essas partes haviam sido compostas cerca de vinte anos antes). A única evidência de que ele em algum momento considerou a história de Maeglin como um possível componente no *Quenta Silmarillion* é a palavra *Silmarillion* com um ponto de interrogação escrito a lápis ao lado dos parágrafos iniciais do manuscrito; e isso foi riscado.

§1 *Aredhel Ar-Feiniel, a Dama Branca dos Noldor…*

Aqui, e no decorrer de B(i), Isfin foi alterado para *Areðel*; e na margem da primeira ocorrência meu pai escreveu:

> Esse nome deriva da mais antiga versão (1916) de QdG. Agora é deveras inaceitável em forma, inadequado para a posição e caráter da irmã de Turgon e também não tem significado.

Presumivelmente ele queria dizer que, uma vez que nenhuma etimologia de *Isfin* era factível, por esse motivo ele era inadequado para ser o nome da irmã de Turgon (cf. II. 413, onde a explicação original do nome como "cachos-de-neve" ou "deveras-habilidoso" é dada, e é feita referência à presente nota). Na margem também está escrito "? *Rodwen* = Altiva Virgem Nobre" e "*Rodwen Los* em golodh.." (as últimas letras não são legíveis; a palavra "Virgem" também não está perfeitamente clara).

No alto da primeira página da cópia em carbono B(ii), as notas sobre os nomes são diferentes. Aqui meu pai escreveu: "Nome *Isfin* deve ser mudado em todo o texto para *Feiniel* (= Dama Branca)". Ao lado disso ele escreveu um X e "Alterar *Isfin* para *Aredhel* (Elfa-nobre)". Enquanto em B(i), como mencionei, *Isfin* foi alterado para *Areðel* em todo o texto, em B(ii) *Isfin* foi apenas circulado, exceto em dois casos onde foi substituído por *Feiniel*, e em um caso onde foi substituído por *Ar-Feiniel*. Meu pai estava corrigindo o texto datilografado original e a cópia em carbono de modo independente, mas (mais ou menos) na mesma época, muito provavelmente porque ele tinha um em um lugar e o outro, em outro. No *Silmarillion* publicado, combinei-os como *Aredhel Ar-Feiniel*, embora não haja justificativa para isso; eles eram evidentemente nomes concorrentes, e as notas no alto da cópia em carbono citadas acima sugerem que *Areðel* (*Aredhel*) foi sua escolha final.

O nome *Nivrost* foi alterado em ambas as versões de B para *Nevrost* (e não *Nevrast*, a forma tardia usual).

No manuscrito A, foi dito que Isfin ansiava por "caçar" nas florestas, emendado para "caminhar" e aparecendo assim em B. Compare com isso o adendo inserido na passagem no QS a respeito dos príncipes dos Noldor, onde é contado que, em Valinor, Isfin "loved much to ride on horse and to hunt in the forests, and there was often in the company of her kinsmen, the sons of Fëanor". Subsequentemente, *Isfin* nessa passagem foi alterado para *Írith* (ver X. 220, 225); esse nome encontra-se em *Quendi e Eldar* (ver p. 490 e nota 34).

O texto publicado usa o pronome "you" [você] e formas relacionadas em toda sua extensão. Em A, "thou" [tu] e suas formas relacionadas foram usadas em todo o texto, mas na passagem (§5) em que os guardas-das-marcas de Doriath dirigem-se a Isfin, as formas de "thou" foram alteradas para o plural "cortês". *Noldor* foi alterado para Ñoldor em todo B(i).

Em A, o texto começa com a data 316.

§4 *E Turgon designou três senhores de sua casa...*

Com referência a essas palavras iniciais, meu pai escreveu a lápis, apenas em B(i), os nomes *Glorfindel*, *Egalmoth* e *Ecthelion*, e também "Quanto às etimologias de *Egalmoth* e *Ecthelion*, ver nota". Essa nota está escrita na mesma página do texto datilografado e em seu verso, mas é muito difícil de ler:

> Esses nomes também são derivados da QdG primitiva, mas soam bem e apareceram em forma impressa. Eles são formas populares tardias dos arcaicos *Ægamloth* e *Ægthelion*. Notar que é dito (onde?) que *amloth* provavelmente não é sind[arin]. Quen. **ambalotse* "flor-ascendente" — referência à flor ou padrão floreado usado como uma cimeira fixada na ponta de um ... elmo alto. Nome, portanto = cimeira-de-elmo pontiaguda.

> *Ecthelion*, de modo similar, deve vir de *Aegthelion*. O segundo elemento é um derivado de √*stel* "permanecer firme". A forma com prefixo "*sundóma*", *estel*, era usado em quen. e sind. para "esperança" — isto é, uma disposição de mente, constante, fixa em propósito e difícil de dissuadir e improvável de se desesperar ou abandonar seu propósito. O *stel-* sem prefixo originou [? verbo sind.] *thel* "pretender, tencionar, propor-se, resolver-se, querer". Assim, quen. ? *þelma* "uma ideia fixa, ..., vontade".

A palavra ilegível em "um ... elmo alto" talvez seja "arcaico". A palavra *sundóma* é um termo importante na análise da estrutura fonológica quendiana. Muito resumidamente, a "base" consonantal quendiana, ou *sundo*, era caracterizada por uma "vogal determinante" ou *sundóma*: assim, a *sundo* KAT possui uma *sundóma* medial "A", e a *sundóma* de TALAT é repetida. Em formas derivadas, a *sundóma* podia situar-se antes da primeira consoante, por exemplo, ATALAT; daí *estel* ser comparada a *stel* nessa nota.

Quanto às palavras "Esses nomes ... apareceram em forma impressa" (com referência aos Regentes Governantes de Gondor chamados Egalmoth e Ecthelion), ver II. 254–5 e segunda nota de rodapé, onde é feita referência à presente nota; para a minha afirmação lá de que meu pai "subsequentemente decidiu não dar nome para a escolta de Aredhel", ver p. 397.

§5 *Mas, quando ela chegou ao Vau de Brithiach...*

"sua parentela da casa de Finarfin": B ainda possui *Finrod* aqui, e a alteração para *Finarfin* foi feita apenas em B(ii).

Em A e B, os guardas das marcas disseram a Isfin: "O caminho mais rápido é pela Estrada Leste desde o Brithiach através de Brethil oriental e, assim, ao longo da marca norte deste Reino, até que passeis o Esgalduin e o Aros e chegueis às matas que estão detrás do Monte de Himring". A expressão "o Esgalduin e o Aros" foi alterada para "a Ponte do Esgalduin e o Vau do Aros" apenas em B(ii).

No texto publicado, "as terras que estão detrás do Monte de Himring" parece ser um simples erro para "as matas ..." que não foi observado.

§6 *Então Aredhel deu a volta...*

A e B dizem "das Eryd Gorgoroth", mas em B(ii), e também em A na mesma época, isso foi alterado para "os vales assombrados das Gorgorath"; de modo similar, A e B "Dungorthin" > "Nan Dungortheb" em A e B(ii).

A forma original desse parágrafo não foi alterada em B(i) mas foi reescrita em B(ii). Essa reescrita não alterou o sentido de forma significativa, mas acrescentou que os companheiros de "Feiniel" (ver §1 acima) "não tiveram escolha a não ser segui-la, pois não lhes era permitido contê-la à força", e que, quando retornaram a Gondolin, "Turgon disse a eles: 'Ao menos eu deveria ficar feliz por três em quem confio e a quem amo não serem conduzidos à morte pela obstinação de uma'." Esses acréscimos não foram incluídos no texto publicado.

§7 *Mas Aredhel, tendo procurado em vão seus companheiros...*

Onde o texto publicado diz "se manteve no caminho", o texto original, preservado em B(i), possui "se manteve na Estrada Leste"; em B(ii) isso foi emendado para "Por fim, tornou a encontrar a Estrada Leste". Em B(ii) o nome *Celon* em ambas as ocorrências estava no parágrafo circulado para correção, e, na segunda, o nome *Limhir* foi escrito acima (ver p. 408).

Sobre a chegada de Isfin à terra de Himlad (um nome que ocorre pela primeira vez nesta história), o texto original de A e B diz o seguinte:

> ... naquele tempo, estavam [Celegorm e Curufin] longe de casa, cavalgando com Cranthir, no leste em Thargelion. Mas a gente de Celegorm a recebeu e fazia tudo o que ela pedia; e por algum tempo ela teve grande regozijo na liberdade das matas. E sempre se punha a cavalgar cada vez mais longe, amiúde sozinha, exceto pelos mastins que conduzia, buscando novas sendas ...

Isso foi reescrito em B(i) para a forma presente no texto publicado. Em um primeiro estágio da reescrita, a frase "exceto pelos mastins que conduzia" foi colocada entre colchetes com a nota: "Omitir, a não ser que a presença dos cães posteriormente seja importante"; no segundo estágio, ela foi omitida. Ao lado de *Thargelion*, meu pai escreveu *a* (isto é, *Thargelian*), com um ponto de interrogação. Em B(ii), a reescrita foi diferente, mantendo mais do texto original, inclusive a referência aos mastins; *Thargelion* também foi alterado aqui para *Thargelian*, sem um ponto de interrogação (quanto à segunda forma, ver pp.407-8).

§8 *Naquela mata, em eras passadas...*

Em B(i), meu pai escreveu a seguinte nota na margem do texto datilografado ao lado da primeira ocorrência na história do nome Eöl, que ele colocou entre parênteses:

> Outro nome da prim[itiva] QdG — não tinha significado antes, nem agora. Mas a intenção não era que possuísse qualquer significado em quen[ya] ou sind[arin]. Pois dizia-se que Eöl era um "Elfo Escuro", um termo que era então aplicado a qualquer Elfo que não estivesse disposto a partir da Terra-média — e imaginava-se então (antes que a história e a geografia tivessem sido organizadas) que ficassem a vagar, e que com frequência eram desamigáveis para com os "Elfos-da-luz". Mas o termo também era por vezes aplicado a Elfos capturados por Morgoth e escravizados e depois libertados para causar dano aos Elfos. Creio que essa segunda ideia deva ser retomada. Explicaria muito acerca de Eöl e de sua arte de ferreiro. (Creio que o nome deva permanecer. Não é realmente uma necessidade absoluta que os nomes devam ser significantes.)

No antigo conto *A Queda de Gondolin*, Eöl na verdade não foi chamado de "o Elfo Escuro", embora na *Balada da Queda de Gondolin* abandonada de início (III. 177) ele seja chamado "escuro Eöl", e é dito lá que "é um dos Elfos Sombrios que vivem em lugar duro". No *Esboço da Mitologia* (IV. 42) ele foi chamado de "Eöl, o Elfo Escuro", e assim também no *Quenta* (IV. 156); no AB 1 (IV. 353) ele é "Eöl, um Elfo-escuro", e no AB 2 (V. 163) "Eöl, o Elfo-escuro" — e assim também em todos os registros nos AC. Não creio que "Elfos-escuros" alguma vez tivesse sido usado no sentido mencionado nessa nota, o de "Elfos escurecidos", Elfos capturados e corrompidos por Morgoth. As palavras "Creio que essa segunda ideia deva ser retomada. Explicaria muito acerca de Eöl e de sua arte de ferreiro" foram a base para um esboço abandonado da história de Eöl apresentada abaixo.

O texto original dizia "Era, desde outrora, do clã de Thingol, mas não o amava, e, quando o Cinturão de Melian foi posto à volta da Floresta de Region fugiu de lá para Nan Elmoth". Em uma passagem da "Saga de Túrin" que foi excluída de *Contos Inacabados* (p. 138 e nota 13) porque havia sido usada em *O Silmarillion* (pp. 272–3), é contado que Eöl deu a espada Anglachel que ele havia feito "a Thingol como tributo e, de mau grado, para ter licença de habitar em Nan Elmoth".

Junto das palavras "mas não o amava", meu pai escreveu na margem da cópia em carbono, B(ii): "Porque Thingol havia sido amigável com os Noldor antes de partirem da Terra-média" (cf. X. 214). Em B(i) ele emendou as palavras "não o amava" para "se tornou enfadado em Doriath", e em uma página inserida ele esboçou uma nova história acerca de Eöl. Ela existe em duas versões, que, no entanto, são em grande parte idênticas. A primeira diz o seguinte:

> mas se tornou inquieto e enfadado em Doriath e, quando o Cinturão de Melian foi posto à volta da Floresta de Region, onde habitava, ele partiu. Pensa-se (embora não se conhecesse nenhuma história clara) que ele foi capturado por orques e levado às Thangorodrim, e lá foi escravizado; mas devido às suas habilidades (que naquele lugar foram voltadas para a forja e o trabalho em metal) ele recebeu algum favor, e era mais livre do que a maioria dos escravos para se mover pelo lugar e, assim, acabou por escapar e buscou esconderijo em Nan Elmoth (talvez não sem conhecimento de Morgoth, que usava tais escravos "fugidos" para causar dano aos Elfos).

A segunda versão começa desta forma:

> e quando ouviu que Melian colocaria um Cinturão à volta de Doriath para que ninguém pudesse passar ..... sem a permissão do rei ou da própria Melian, ele partiu da Floresta de Region, onde vivera, e procurou um lugar no qual habitar. Mas, visto que não amava os Noldor, achou difícil encontrar um lugar onde não seria perturbado. Acreditou-se mais tarde (embora não se conhecesse uma história certa) que nessas andanças ele foi capturado [*etc. como na primeira versão*]

Isso possivelmente é compatível com a história de que Eöl deu Anglachel a Thingol como tributo para habitar em Nan Elmoth.

Seria interessante saber por que meu pai queria mudar a história de Eöl — ou, antes, por que ele queria atribuir a habilidade de Eöl com metais a um período de escravidão em Angband; mas, seja como for, ele pensou melhor sobre isso, pois em uma nota rabiscada ao lado das duas versões da história ele disse que essa ideia não serviria, por repetir demais a história posterior de Maeglin, e que a habilidade de Eöl vinha dos Anãos.

*§9 Ora, o comércio dos Anãos…*

O início desse parágrafo em A diz o seguinte:

> Ora, o comércio dos Anãos seguia duas estradas, e a do norte, indo na direção de Himring, passava perto de Nan Elmoth, e ali Eöl encontrava os Enfeng e mantinha colóquio com eles. E, conforme essa amizade crescia, ele, por vezes, ficava como um hóspede nas fundas mansões de Belegost.

A única emenda em A foi a substituição do antigo termo *Enfeng* (Barbas-longas, os Anãos de Belegost, ver pp. 130, 256-7) por *Anfangrim*, que aparece aqui pela primeira vez. Em B(ii), "nas fundas mansões de Belegost" foi alterado para "… de Nogrod ou Belegost"; ao adotar esse trecho no texto publicado, alterei consequentemente *Anfangrim* "Barbas-longas" para o termo geral *Naugrim*.

Na passagem seguinte, o texto A originalmente possuía:

> Lá aprendeu muito sobre o trabalho em metais e adquiriu grande engenho nele; e inventou um metal duro e fino, e ainda assim maleável, e era negro e lustroso como azeviche. *Rodeöl*, o metal de Eöl, ele o chamou, e trajava-se dele, e dessa maneira escapava de muitos ferimentos.

O nome do metal foi alterado muitas vezes: Primeiro, *Rodeöl* foi alterado para *Glindûr*, depois para *Targlîn* e *Morlîn*; então (aparentemente) de novo para *Glindûr* e, por fim, para *Maeglin*, a forma em B.

A ideia de que o nome do filho de Eöl derivava do nome do metal encontra-se no anal revisado de 320 nos AC (p. 64): "Ëol o chamou de Glindûr, pois esse era o nome do metal de Ëol";

subsequentemente, *Glindûr* foi alterado para *Maeglin* como o nome do metal e o nome do filho (como também em A: ver §10 abaixo).

A passagem foi deixada dessa forma em B(i), mas no alto da primeira página de B(ii) meu pai escreveu: "O metal *não* deve ter o mesmo nome que Maeglin"; e ele emendou o texto para a forma que possui no *Silmarillion* publicado, com o nome do metal sendo *galvorn*. (Após "toda vez que viajava", as palavras "e dessa maneira escapava de muitos ferimentos" foram omitidas em *O Silmarillion*, aparentemente por descuido.)

À passagem "Mas Eöl ... não era nenhum Anão, mas um Elfo de grande estatura de um alto clã dos Teleri", meu pai escreveu no manuscrito A (apenas) uma nota que começa com as palavras "Não na revisão" — que provavelmente significa que aquilo que vem a seguir não se encontra nas correções feitas nas cópias do texto datilografado ("a revisão"). Nessa nota, meu pai estava copiando uma forma quase apagada e ilegível dela na mesma página, e tentando interpretar a sua própria escrita; apresento-a exatamente como se encontra:

> Eöl não deve ser membro da gente de Thingol, mas um dos Teleri que se recusaram a atravessar as Hithaeglir. Mas [posteriormente] ele e alguns outros de ânimo semelhante, avessos à aglomeração de pessoas, ... [haviam] atravessado as [Mts] há muito tempo e chegado a Beleriand.

Ao lado dessa nota ele escreveu "mas a relação com Thingol teria significância", e a data 1971.

*Aredhel Ar-Feiniel*: B(ii) possui aqui *Ar-Feiniel* (emendado de *Isfin*); ver p. 383.

§10 *Não se diz que Aredhel estivesse de todo indesejosa...*

Na margem do manuscrito, na menção ao nascimento do filho de Eöl, meu pai escreveu posteriormente a data 320 (cf. p. 64, §119). A frase em A conforme escrita originalmente dizia o seguinte:

> Depois de alguns anos, Isfin deu a Eöl um filho nas sombras de Nan Elmoth, ele foi chamado Meglin por seu pai, pois era escuro e flexível, como o metal de Eöl.

O fato de que o metal foi originalmente chamado *Rodeöl* em A (ver §9 acima), mas o filho *Meglin* (o nome original) parece sugerir que a ideia de que o filho recebeu o nome do metal só surgiu depois da composição inicial do manuscrito, apesar das palavras "pois ele era escuro e flexível, como o metal de Eöl". As formas cambiantes do nome do filho em A foram *Meglin* > *Targlîn* > *Morlîn* > *Glindûr* e, por fim, *Maeglin*.

A frase nessa forma (com o nome *Maeglin* como também o do metal) foi preservada em B(i); mas em B(ii), o texto no qual meu pai declarou que o mesmo nome não devia ser usado para o filho de Eöl e o metal de Eöl e alterou este para *galvorn*, ele o alterou para forma no texto publicado, no qual Aredhel secretamente deu ao filho o nome noldorin *Lómion*, "Filho do Crepúsculo", e Eöl o chamou de *Maeglin* (interpretado como "Olhar Aguçado", ver p. 409) quando ele fez doze anos.

§12 *Todavia, diz-se que Maeglin amava mais à sua mãe…*

"Turgon … não tinha herdeiro; pois Elenwë, sua esposa, perecera ao cruzar o Helcaraxë": aqui, A diz "Turgon … não tinha herdeiro: pois sua esposa, Alairë, era dos Vanyar e não quis deixar Valinor". Na página de anotações que conclui o *Conto de Tuor* tardio abandonado (ver *Contos Inacabados*, p. 85), uma nota que não incluí diz que "Alairë permaneceu em Aman". O fato de isso ter acontecido porque ela era uma Vanya é reminiscente da história de Amárië, amada de Felagund, que era uma Vanya "e não teve permissão de seguir com ele para o exílio" (p. 60, §109). O texto B como datilografado possui *Alairë*, mas tanto em A como em B(ii), mas não em B(i), meu pai corrigiu (presumivelmente em 1970) o nome para *Anairë*. A substituição por *Elenwë* em *O Silmarillion* foi baseada nas genealogias élficas de 1959 (ver pp. 281, 425), onde *Anairë* (definida como uma Vanya "que permaneceu em Túna") foi posteriormente corrigido para "*Elenwë*, que pereceu no Gelo"; na mesma tabela na mesma época, *Anairë* foi inserida como a esposa de Fingolfin, com a nota de que ela "permaneceu em Aman".

Em uma nota acrescentada ao texto datilografado dos *Anais de Aman* (X. 162, §163), meu pai disse que, na travessia do Helkaraxë, "Turgon's wife was lost and he had then only one daughter and no other heir. Turgon was nearly lost himself in attempts to rescue his wife — and he had less love for the Sons of Fëanor than any other"; mas a esposa de Turgon não é nomeada.

§13 *Contar essas histórias...*

*Golodhrim*: A possuía *Noldor*, alterado imediatamente para *Goloðrim* (*Golodhrim* em B).

Nesse parágrafo, e em §14, o nome do filho de Eöl (ver §§9, 10 acima) passou por estas formas em A: *Morleg* (que não ocorrera antes) > *Morlîn* > *Glindûr* > *Maeglin*.

§§14 ss. *eio a se passar que, no meio do verão...*

Ao lado da frase inicial em A, meu pai posteriormente escreveu a data 400 (cf. p. 64, §120). O texto original, preservado inalterado em ambas as cópias de B, diz o seguinte aqui:

> E veio a se passar que os Anãos convidaram Eöl a uma festa em Nogrod, e ele partiu. Então Maeglin foi até a mãe e disse: "Senhora, partamos enquanto há tempo! Que esperança há na mata para ti ou para mim? Aqui estamos presos em servidão, e mais nenhum proveito hei de achar neste lugar. Pois aprendi tudo o que meu pai ou os [Nornwaith >] Naugrim têm a ensinar ou querem me revelar; e não quero habitar para sempre nas matas escuras com poucos serviçais, e aqueles hábeis apenas nas artes de ferreiro. Não havemos de ir a Gondolin? Sê minha guia, e eu serei teu guardião."
>
> Então Isfin se alegrou, e contemplou com orgulho seu filho. "Isso deveras farei, e depressa", disse ela; "e medo algum hei de ter na estrada com um guardião tão valente."
>
> Portanto, levantaram-se e partiram apressados, tão em segredo quanto podiam. Mas Eöl retornou, antes de sua hora, e descobriu que haviam partido; e tão grande foi sua ira que os seguiu, até mesmo à luz do dia.

(Para *Nornwaith*, substituído por *Naugrim*, ver p. 258.) Nesse ponto há duas versões mais antigas do texto em A, ambas riscadas. A primeira diz o seguinte:

> Mas Morleg também desconfiava de seu pai, e lhe ocorreu agir com astúcia e, assim, não foi de imediato pela Estrada Leste, mas cavalgou primeiro até Celegorm, e o encontrou nas colinas ao sul de Himring. E de Celegorm obteve cavalos de suprema rapidez, e a promessa de outros auxílios. Então Morleg e Isfin

> passaram por sobre o Aros e o Esgalduin longe ao norte, onde vertiam dos planaltos de Dorthonion, e viraram então para o sul, e chegaram à Estrada Leste muito mais a oeste. Mas Celegorm e Curufin se puseram à espreita na Estrada Leste e em seu vau sobre o Aros, e a negaram a Eöl e, apesar de escapar deles na escuridão, ele foi atrasado por muito tempo.

Na versão seguinte:

> Pois seus serviçais lhe informaram que eles haviam fugido para os vaus da Estrada Leste sobre o Aros e o Esgalduin. Mas eles se encontravam dois dias na frente, e haviam tomado os mais velozes de seus cavalos, e, por mais que os perseguisse com afinco, nunca chegou a avistá-los até que passaram por sobre o Brithiach e abandonaram os cavalos. Mas lá, por má sina, ele os viu quando tomaram o caminho secreto, que ficava no leito do Rio Seco; e ele os seguiu com grande furtividade, passo a passo, e topou com eles mesmo na escuridão da grande passagem, onde os Guardas do Caminho mantinham sua vigia incessante. Assim ele foi pego, ao mesmo tempo que eles, pelos Guardas

É interessante ver a intervenção de Celegorm e Curufin na história aqui, removida de imediato, mas reaparecendo muitos anos depois.

Na página que leva essas passagens rejeitadas, seguem-se anotações feitas rapidamente a lápis delineando o desenrolar da história:

> Depois que entraram, ele entrou. Pego pelos guardas. Afirma ser esposo de Isfin. Palavras a Turgon. Isfin admite. Turgon trata Eöl com honra. Eöl saca um arco e dispara contra Morleg no salão do Rei, dizendo que seu próprio filho não há de lhe ser furtado. Mas Isfin se interpõe no caminho e é ferida. Enquanto Eöl está na prisão, Isfin morre pelo veneno. Eöl condenado à morte. Levado ao precipício de Caragdar. Morleg fica friamente ao lado. Eles o lançam do precipício e todos aprovam, exceto Idril.

Após a rejeição das passagens apresentadas acima, meu pai escreveu uma versão final, começando de novo em "até mesmo à luz do dia" na p. 391:

até mesmo à luz do dia; pois seus serviçais lhe informaram que eles haviam cavalgado para a Estrada Leste e o vau sobre o Aros. Mas eles se encontravam dois dias na frente e, por mais que os perseguisse com afinco, e ele tinha a montaria mais veloz, nunca chegou a avistá-los até que [ficaram sob as sombras das Crisaegrim e procuraram o caminho secreto >] alcançaram o Brithiach e abandonaram os cavalos.

O texto então continua como em *O Silmarillion*, §23 (o parágrafo que começa com *Então Eöl saiu a cavalgar apressado*...).

O texto final de A foi preservado no texto datilografado B, e meu pai não o alterou nem na cópia datilografada original, nem na cópia em carbono (exceto por "uma festa" > "uma festa no meio do verão" na segunda). Na verdade, desse ponto em diante não foram feitas mais emendas ou anotações na cópia em carbono B(ii), e esse texto não mais nos diz respeito. Mas em B(i) meu pai inseriu na versão datilografada um longo texto em páginas separadas; e essa parece ser a última composição de *narrativa* substancial que ele escreveu acerca da Matéria dos Dias Antigos — ela não pode ser anterior a 1970 (ver p. 380). Ela começa nas palavras "Veio a se passar que, no meio do verão", e continua pela fuga de Maeglin e Aredhel, a perseguição de Eöl e a intervenção de Curufin: *O Silmarillion*, pp. 190–92, §§14–23, onde se une ao texto A original em "até que alcançaram o Brithiach e abandonaram seus cavalos".

Como se viu (p. 381), essa história de Maeglin não foi escrita como sendo um elemento no *Quenta Silmarillion*; e os detalhes da narrativa nessa interpolação bastante tardia foram um tanto reduzidos no texto publicado, principalmente pela remoção de toda a contagem e enumeração precisa de dias e por um retorno ao estilo da narrativa original mais simples e mais remota. As principais omissões e alterações resultantes são as seguintes.

§14 *e ele partiu.* Texto original: "e ele partiu, embora tenha achado provável que, em sua ausência, Maeglin pudesse tentar visitar os filhos de Fëanor apesar de seus conselhos, e ordenou em segredo aos seus serviçais que vigiassem de perto sua esposa e o filho".

*Portanto, disse ele a Aredhel*: "Portanto, depois de alguns dias desde que Eöl partira, Maeglin foi até a mãe e disse:"

§§15–16 *e, dizendo aos serviçais de Eöl que iam à procura dos filhos de Fëanor...*: "Portanto, naquela noite, tão em segredo quanto podiam, fizeram preparativos para uma viagem e partiram a cavalo ao raiar do dia para as fímbrias setentrionais de Nan Elmoth. Lá, ao atravessarem a corrente esguia do Celon, avistaram um vigia, e Maeglin lhe gritou: 'Diz ao teu mestre que vamos visitar nossos parentes no Aglon.' Então continuaram a cavalgar por sobre a Himlad até os Vaus do Aros e, depois, na direção oeste, ao longo das Cercas de Doriath. Mas haviam se demorado demais. Pois na primeira noite da festa de três dias, enquanto dormia, uma sombra escura de mau agouro visitou Eöl, e pela manhã partiu de Nogrod sem cerimônia e cavalgou para casa a toda velocidade. Assim, ele retornou alguns dias antes do que Maeglin esperara, chegando a Nan Elmoth ao anoitecer do dia seguinte à fuga deles. Lá tomou conhecimento por seu vigia que eles haviam cavalgado para o norte há menos de dois dias e haviam entrado na Himlad, a caminho do Aglon.

"Então tão grande foi a fúria de Eöl que ele resolveu segui-los de imediato; assim, parando apenas para tomar um cavalo descansado, o mais veloz que possuía, ele partiu naquela noite. Mas, ao entrar na Himlad, ele dominou sua ira..."

Ao lado de *Celon* está escrito *? Limhir* (ver §7 acima).

§16 *Curufin, ademais, era de ânimo perigoso; mas os batedores do Aglon tinham observado a cavalgada de Maeglin e Aredhel...*: "Curufin era um homem de ânimo perigoso. Até então eles o [Eöl] haviam deixado livre para ir aonde quisesse, mas podiam, caso desejassem, confiná-lo dentro dos limites de Nan Elmoth e separá-lo de sua amizade com os Anãos, da qual Curufin tinha inveja. As coisas se mostraram pouco melhores do que ele temia; mas os batedores do Aglon..."

*E, antes que Eöl tivesse cavalgado muito longe...*: "Assim, antes que Eöl tivesse cavalgado metade do caminho pela Himlad, ele foi parado por cavaleiros bem-armados, que o forçaram a ir com eles até seu senhor Curufin. Chegaram ao acampamento dele por volta do meio-dia; e ele saudou Eöl com pouca cortesia."

§19 *Não faz dois dias desde que passaram pelo Arossiach...*: "Há quase dois dias eles foram vistos passando os Vaus do Aros e cavalgando depressa para o oeste." Para o nome *Arossiach*, introduzido no texto publicado, ver p. 409, nota 2.

§22 *achar um parente assim gentil na hora da necessidade*: "achar um sobrinho tão gentil na hora da necessidade." Quanto a essa alteração, ver §23 abaixo.

*Pelas leis dos Eldar, não posso matar-te neste momento*: aqui há uma nota de rodapé no original: "Porque os Eldar (que incluíam os Sindar) eram proibidos de se matarem em vingança por qualquer ofensa, por maior que fosse. Além disso, nessa ocasião Eöl cavalgara em direção ao Aglon sem más intenções, e não era injusto que buscasse notícias de Areðel e Maeglin".

§23 *pois percebia agora que Maeglin e Aredhel estavam fugindo para Gondolin*: "Pois percebeu agora que havia sido enganado, e que sua esposa e seu filho estavam fugindo para Gondolin, e ele fora atrasado, de modo que agora fazia mais de dois dias desde que haviam atravessado os Vaus."

Essa narrativa é seguida por várias notas. Uma delas é uma tabela genealógica:

Míriel = Finwë = Indis<br>
| |<br>
Fëanor Turgon, Aredel = Eöl<br>
| |<br>
Curufin Maeglin

A isso foi acrescentado: "Assim, Curufin era meio-sobrinho de Turgon e Areðel. Eöl era tio de Curufin por casamento, mas isso era negado como um 'casamento forçado'". Essa genealogia é a base para as palavras de Eöl citadas em §22 acima, "achar um sobrinho tão gentil na hora da necessidade"; mas, naturalmente, está inteiramente errada. A genealogia correta é:

Míriel = Finwë = Indis<br>
| |<br>
Fëanor Fingolfin<br>
| |<br>
Curufin Turgon, Aredel = Eöl

Curufin não era sobrinho de Eöl (através de Areðel), mas seu primo (por casamento). É um erro estranho, seria possível dizer sem precedentes, visto que não é um mero deslize casual.

Em outra página encontra-se a seguinte discussão longa, escrita rapidamente e notavelmente elaborada, dos motivos de Celegorm e Curufin.

O encontro entre Eöl e Curufin (caso não seja uma interrupção longa demais) é bom, uma vez que mostra (como é desejável) Curufin, frequentemente o vilão (especialmente no Conto de Tinúviel), de um modo melhor e mais honroso — embora ainda alguém de ânimo perigoso e fala desdenhosa. Curufin, é claro, conhecia bem o ódio de Eöl pelos Noldor, e especialmente por Fëanor e seus filhos, como "usurpadores" (embora nesse caso injusto, uma vez que as terras ocupadas pelos 5 filhos não haviam sido povoadas antes pelos Sindar). Ele também sabia da amizade de Eöl com os Anãos de Nogrod (de fato, Eöl não poderia ter viajado sozinho através de Beleriand L. até Nogrod a não ser que tivesse permissão dos 5 filhos), entre os quais ele tentara com algum sucesso instigar inimizade para com os Noldor. O que era um descontentamento para os 5 filhos que, antes da chegada de Eöl a Nan Elmoth, haviam lucrado muito com o auxílio dos Anãos. Curufin também sabia que a esposa de Eöl era dos Noldor, de fato soubera por muito tempo quem ela era, e agora adivinhara astutamente que ela finalmente estava [?tentando] escapar do esposo. Curufin poderia ter matado Eöl (como ele muito queria!) e ninguém, além de alguns poucos homens que estavam com ele em seu acampamento (que jamais o teriam traído), jamais teria tomado conhecimento disso — ou lamentado muito. Em Elmoth simplesmente se ficaria sabendo que Eöl cavalgara em perseguição de Areðel e jamais retornara, e havia perigos suficientes na estrada para justificar isso. Mas isso, na lei e no sentimento eldarin, teria sido *assassinato*; Eöl chegara sozinho, em nenhuma missão mal-intencionada naquela ocasião, mas em uma situação difícil. Além disso, [ele] respondera ao desprezo e insultos de Curufin com juízo ou mesmo com cortesia (fosse irônica ou não). Ademais, e de forma mais irrefutável, ele era um dos Eldar, e até então, até onde se sabia, não estava sob qualquer sombra de Morgoth — a não ser aquela vaga que afligia muitos outros dos Sindar (? devido a sussurros inspirados por Morgoth): inveja dos Noldor. O que era perigoso (quaisquer que fossem os erros da rebelião deles), visto que, se Morgoth não tivesse sido seguido pelos Exilados, parece claro que todos os Sindar logo teriam sido destruídos ou escravizados.

Um ponto importante que não foi esclarecido é a ação anterior de Curufin e Celegorm na questão de Areðel. Ela na verdade havia ficado com eles, e não escondeu quem era — de fato, eles a conheciam bem de outrora. Por que eles não enviaram mensagens a Gondolin? A escolta dela, embora composta de chefes valentes, parece ter ficado tão desconcertada e intimidada pelos horrores dos vales a oeste do Esgalduin que jamais alcançou a Ponte do Esgalduin ou se aproximou de Aglond. Creio que isso torna necessário *não* nomear os chefes mais eminentes e corajosos (Glorfindel, Egalmoth e Ecthelion) como a sua escolta. A resposta, então, à pergunta acima é esta: os perigos de Dungorthin etc. eram universalmente temidos pelos Eldar, e não menos pelos filhos de Fëanor, a quem o refúgio rumo ao sul na direção de Doriath estava barrado por completo. Naturalmente, havia sido expressamente proibido por Turgon que Areðel fosse por aquele caminho. Apenas a obstinação dela ocasionara isso. Sua escolta claramente suportara até o limite de suas forças os perigos em sua busca, e assim, sem dúvida, auxiliaram na fuga dela, ao atraírem para si mesmos a atenção principal das criaturas malignas. Ora, uma vez que Gondolin estava "fechada", não havia qualquer comunicação entre os filhos de Fëanor e Turgon. Era sabido, é claro, que qualquer um desses filhos (ou quaisquer mensageiros plenamente reconhecidos) que trouxesse notícias de Areðel teria sido admitido de imediato. Mas Areðel evidentemente havia contado a Curufin (e posteriormente a Celegorm, por quem tinha mais apreço) o suficiente sobre si mesma para compreender que ela havia escapado de Gondolin por sua própria vontade e estava contente em habitar [com] eles e ser livre. Ora, eles só podiam enviar mensagens a Gondolin enfrentando perigos malignos, que apenas o resgate dela de algum sofrimento teria lhes parecido razão suficiente. Além disso, enquanto ela estava feliz e à vontade, eles postergavam — crendo que, mesmo que Turgon fosse informado, ele apenas teria exigido o retorno dela (visto que a permissão que dera para a partida da irmã fora anulada após a desobediência dela). Mas, antes que tivessem se decidido, ela se perdeu novamente, e passou-se um longo tempo até que soubessem ou mesmo adivinhassem o que havia se dado com ela. Isso finalmente fizeram quando Areðel voltou a visitar as fronteiras de Nan Elmoth, ou passar para além delas. Pois eles mantinham uma vigia constante sobre Nan Elmoth, desconfiando dos feitos

> e partidas de Eöl, e seus batedores por vezes a avistavam cavalgando à luz do sol nas fímbrias da mata. Mas agora parecia tarde demais [para] eles; e todos eles [? *leia-se* eles pensavam que tudo] o que eles conseguiriam por qualquer perigo seria a repreensão ou a ira de Turgon. E isso de modo algum desejavam receber. Pois agora se encontravam sob uma sombra de medo, e começavam a se preparar de novo para a guerra antes que o poderio de Thangorodrim se tornasse insuperável.

Há dificuldades consideráveis nesse texto, e também alguns pontos menores a se mencionar. (1) É dito que Curufin "sabia da amizade de Eöl com os Anãos de Nogrod": na narrativa, as visitas de Eöl eram a Belegost, alterado em B(ii) para "Nogrod ou Belegost" (ver §9 acima), mas, já em A, a festa à qual ele tinha ido na época da fuga de sua esposa e de seu filho foi realizada em Nogrod (§14). Em outra parte, entre esses escritos tardios de "Maeglin", é dito acerca de Eöl: "Nos últimos tempos, ele visitara Nogrod com frequência; tornara-se muito amigável com os Anãos de Nogrod, visto que aqueles de Belegost ao norte haviam se tornado amigos de Caranthir, filho de Fëanor". (2) O passo aqui se chama *Aglond*, embora na narrativa interpolada em si seja chamado *Aglon*; ver p. 409, nota 3. (3) Sobre a nomeação da escolta de Aredhel, aqui rejeitada, ver §4 acima. (4) A referência a *Dungorthin* em vez de *Dungortheb* é uma reversão casual ao antigo nome que durou por muito tempo.

(5) Os *cinco* filhos de Fëanor são mencionados três vezes, mas não sei como explicar isso. Não parece crível que os Sete Filhos de Fëanor, enraizados tão profundamente e recorrendo com tamanha constância na tradição, fossem se tornar cinco por um simples deslize de esquecimento, como na omissão de Fingolfin da genealogia (p. 395). Nessa época, já havia surgido a história de que um dos gêmeos Damrod e Díriel — posteriormente Amrod e Amras, os mais novos dos filhos de Fëanor — morrera no incêndio dos navios dos Teleri em Losgar, porque ele "had returned to sleep in his ship": isso foi afirmado em uma nota a lápis no texto datilografado dos *Anais de Aman* (X. 162, §162), embora nenhuma alteração consequente a qualquer texto jamais tenha sido feita. Possivelmente meu pai passara a acreditar que tanto Amrod como Amras haviam morrido no navio incendiado.

(6) Por fim, a frase final da discussão, a respeito dos preparativos para a guerra por Celegorm e Curufin, é surpreendente. O Cerco de Angband terminou de maneira muito repentina no meio do inverno do ano 455. Entre a derrota de Glaurung em 260 e a Batalha da Chama Repentina houve (nas palavras dos *Anais Cinzentos*, p. 62) "a longa paz de quase duzentos anos. Em todo aquele tempo, houve não mais que escaramuças nas fronteiras do norte...". É verdade que em 402 (p. 65) houve "confrontos nas fronteiras do norte, mais implacáveis do que tinha havido desde a derrota de Glaurung; pois os Orques tentaram atravessar o passo do Aglon"; enquanto em 422 (p. 66) Fingolfin "começou a ponderar um ataque a Angband", que não resultou em nada, porque "a maioria dos Eldar estava contente com as coisas como estavam, e tardava a começar um ataque no qual muitos certamente pereceriam". Mas Maeglin e Aredhel fugiram para Gondolin de Nan Elmoth em 400. Em lugar algum houve qualquer indício de que os filhos de Fëanor estavam começando a se preparar para a guerra 55 anos antes da Dagor Bragollach, com a qual o Cerco de Angband terminou.

Para o restante da narrativa há pouquíssimas alterações na cópia B(i) do texto datilografado, e ressalto apenas o seguinte:

§35 *Decidiu-se que Eöl seria trazido...*: no final do parágrafo, meu pai acrescentou:

> Pois os Eldar jamais usavam qualquer veneno, nem mesmo contra seus mais cruéis inimigos, fera, orque ou homem; e estavam tomados de vergonha e horror por Eöl ter cogitado esse ato maligno.

A partir desse ponto também o texto publicado segue o original de muito perto, e a pequena quantidade de alterações editoriais de modo algum afeta a narrativa.

Mencionei (p. 380) que, além das emendas e anotações muito tardias, registradas acima, feitas ao texto de *Maeglin*, há também muitos outros materiais da mesma época. Esses escritos dizem respeito primariamente à geografia, tempos e distâncias das viagens a cavalo, mas são complicados e confusos, com frequência se repetindo com pequenas diferenças de cálculo, e em parte praticamente ilegíveis. Contudo, eles contêm muitos detalhes curiosos sobre a geografia e os caminhos tomados por viajantes naquelas regiões.

Não é possível apresentar esse material de forma ordenada, tratando-o página e página e tentando traçar o desenvolvimento em sequência, e, se fosse possível, seria desnecessário. Meu próprio pai comentou: "Esses cálculos de tempos nas viagens de Eöl, apesar de interessantes (e suficientes para se estabelecer a sua possibilidade), não são realmente necessários na narrativa — que parece crível da maneira que se encontra, mesmo quando confrontada com um mapa". O texto que se segue é uma discussão com algumas citações do que se pode saber (e, mais ainda, do que não se pode saber) acerca das estradas em Beleriand Leste. As notas numeradas encontram-se nas pp. 409-10.

Associadas a esse material há fotocópias bastante esmaecidas das seções nordeste e sudeste do mapa. Essas fotocópias foram feitas quando o mapa havia recebido quase todas as alterações que foram feitas nele;[1] e meu pai usou as cópias, não o original, para indicar aspectos que surgiram de sua reconsideração e desenvolvimento da história de Maeglin por volta de 1970. Visto que as trilhas são mais facilmente compreendidas de modo visual do que através de descrições, a versão redesenhada da seção nordeste (p. 226) encontra-se reproduzida de novo na p. 401 com as alterações mostradas; as marcações na seção sudeste são poucas e facilmente compreendidas a partir de uma descrição, e, para essas, as referências feitas são à versão redesenhada na p. 228.

Meu pai havia afirmado em uma nota no verso do "segundo mapa" original (ver V. 324) que a escala é de 50 milhas para 3,2 cm, que é o comprimento dos lados dos quadrados. Contudo, no verso de uma dessas fotocópias, ele escreveu: "A estimativa em centímetros no mapa original é desnecessária, canhestra e imprecisa. Na verdade, 2 quadrados de 1,25 [polegadas] cada = 100 milhas. ... Portanto, a escala é de 40 milhas para uma polegada. 50 milhas para 1,25 polegadas = um quadrado". Embora ele não tenha dito precisamente aqui, parece-me que ele fez a grade original com base em polegadas, mas subsequentemente a interpretou como se estivesse em centímetros.

## Seção Nordeste com acréscimo

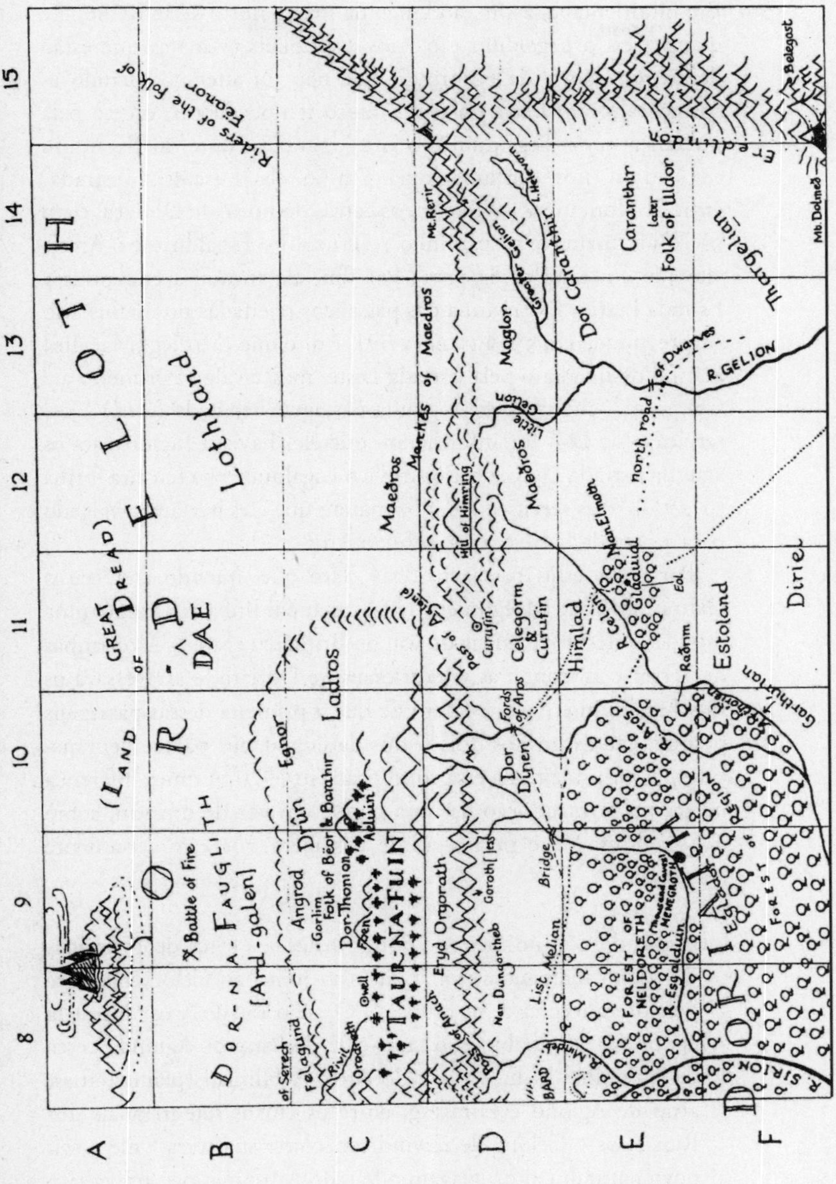

*A Estrada Leste.* No texto original de *Maeglin* (p. 384, §5), os guardas das marcas de Doriath disseram a Isfin que "o caminho mais rápido é pela Estrada Leste desde o Brithiach através de Brethil oriental e, assim, ao longo da marca norte deste Reino, até que passeis o Esgalduin e o Aros e chegueis às matas que estão detrás do Monte de Himring", que não foi alterado quando as correções foram feitas no texto muito tempo depois, exceto pela mudança de "o Esgalduin e o Aros" para "a Ponte do Esgalduin e o Vau do Aros" em uma cópia. Em §6, ela "buscou" a "estrada" entre as Montanhas de Terror e as cercas do norte de Doriath, e em §7 "ela se manteve no caminho e, [cruzou] o Esgalduin e o Aros", alterado em uma cópia para "Por fim, ela tornou a encontrar a Estrada Leste…". Em uma das passagens rejeitadas no manuscrito A apresentado em §§14 ss. na p. 391, é dito que "Morleg [Maeglin] não foi de imediato pela Estrada Leste, mas cavalgou primeiro até Celegorm", enquanto na segunda passagem rejeitada (*ibid.*) "[os] serviçais [de Eöl] lhe informaram que eles haviam fugido para os vaus da Estrada Leste sobre o Aros e o Esgalduin": na terceira forma (p. 393), "seus serviçais lhe informaram que eles haviam cavalgado para a Estrada Leste e o vau sobre o Aros".

Por todas essas passagens, está claro que, quando escreveu o texto original de Maeglin em 1951, meu pai tinha em mente uma estrada Leste-Oeste que ia do vau do Brithiach entre as Montanhas de Terror e as fronteiras setentrionais de Doriath, e atravessava os rios Esgalduin e Aros; e o fato de que a primeira dessas passagens permaneceu assim nos dois textos datilografados parece demonstrar que ele ainda tinha essa concepção em 1970. A única diferença parece ser a introdução de uma ponte, em vez de um vau, sobre o Esgalduin. Vê-se pela seguinte passagem que esse certamente era o caso:

> A casa de Eöl (no meio de Elmoth) ficava a cerca de 15 milhas do ponto mais setentrional da mata junto ao Celon. Daquele ponto, eram cerca de 65 milhas N.O. até o Vau do Aros.[2] Naquela época, Curufin habitava o canto S.E. do Passo do Aglond,[3] cerca de 45 milhas N.E. do Vau do Aros. A Himlad (planície-fria), atrás de Aglond e Himring, entre os cursos setentrionais dos Rios Aros e Celon, ele reivindicou como sua terra.[4] Ele e seu povo naturalmente vigiavam o Vau do Aros; mas não impediam

os poucos viajantes audaciosos (Elfos ou Anãos) que usavam a estrada Oeste-Leste além das cercas do norte de Doriath. (Para além do Vau havia uma região inteiramente desabitada entre as montanhas norte [*? leia-se* no norte,] o Esgalduin, o Aros e Doriath: nem mesmo os pássaros iam lá. Assim, era chamada *Dor Dhínen*, a "Terra Silenciosa".)[5]

Para além do Aros (cerca de 25 milhas) ficava o formidável obstáculo do Esgalduin, no qual não havia nenhum ponto vadeável. Nos "dias pacíficos", antes do retorno de Morgoth e Ungoliant, quando as fronteiras setentrionais de Doriath eram as montanhas de Fuin (que ainda não eram malignas), a estrada Oeste-Leste passava por sobre o Esgalduin por uma ponte do lado externo da cerca posterior de Melian. Essa ponte de pedra, a *Esgaliant*, ou *Iant Iaur* (ponte antiga), ainda existia e era vigiada pelos guardas de Doriath, mas o seu uso pelos Eldar não era impedido. Portanto, era necessário a fugitivos que cruzassem o Aros que se virassem para S.O. até a ponte. De lá, podiam se manter o mais próximo possível das Cercas de Doriath (caso Thingol e Melian não lhes fossem hostis). Na época dessa história, embora muitos males espreitassem nas Montanhas, o principal perigo estava em passar Nan Dungortheb, de onde nuvens e escuridão desciam esgueirando-se quase até as Cercas.

Voltando para a fotocópia do mapa, a casa de Eöl estava marcada em Nan Elmoth como mostrada em minha versão redesenhada (p. 401). Uma linha traçada com uma caneta esferográfica verde liga essa casa a um ponto na fronteira norte da mata junto ao rio; e daqui um linha pontilhada verde (representada como uma linha de traços na versão redesenhada) atravessa a Himlad até os "Vaus do Aros", marcados com caneta esferográfica vermelha.[6] Os pontos verdes seguem então rumo S.O. até a ponte sobre o Esgalduin, rotulada simplesmente como "Ponte" (*Esgaliant* ou *Iant Iaur* no texto recém-citado).[7] Para além da Iant Iaur, os pontos verdes continuam a S.O. por um curto espaço e então param: não são mostrados em relação ao *List Melian* (o Cinturão de Melian).

É afirmado em uma nota no mapa fotocopiado que essa linha verde demarca o "rastro de Maeglin e sua mãe, fugindo para Gondolin". À luz do texto recém-citado, também é a linha da estrada Leste-Oeste do Vau do Aros até a Iant Iaur; mas, fora isso, o trajeto da estrada não está representado. A linha pontilhada ao longo da borda de Neldoreth é chamada no mapa *List Melian*, e não demarca uma estrada. Para o oeste essa linha de fato se estendia para além do Mindeb até o Brithiach, mas esses pontos foram riscados (p. 231, §38); para o leste ela foi estendida entre o Esgalduin e o Aros, e então entre o Aros e o Celon, e isso parece representar a continuação do *List Melian*.

Tendo em vista essas obscuridades, excluí do texto do capítulo *De Maeglin* em *O Silmarillion* as referências à "Estrada Leste" e reformulei as passagens; mas marquei o curso dela no mapa que acompanha o livro. Isso agora parece ter sido a coisa errada a se fazer em ambos os casos: pois certamente havia uma Estrada Leste, mas o seu curso não é claro e seu destino, desconhecido. Para além do Aros, rumo ao leste, não há indicação de onde ela ia — é dito na passagem citada acima que ela e a ponte por onde passava por sobre o Esgalduin eram obras antigas originárias dos "dias pacíficos" antes do retorno de Morgoth: não era uma estrada feita pelos Noldor para comunicação entre os reinos ocidentais e os Fëanorianos. Também não há justificativa para marcá-la virando-se no rumo S.E. depois dos Vaus do Aros. Para além do Esgalduin, rumo ao oeste, é dito nessa passagem que viajantes "podiam se manter o mais próximo possível das Cercas de Doriath", que não soa como se seguissem por uma estrada muito trilhada.

*As Estradas-anânicas.* Igualmente obscura é a questão das estradas-anânicas em Beleriand Leste. Na primeira versão dos *Anais de Beleriand* (AB 1, IV. 389), foi dito que "os Anãos tinham outrora uma estrada para o Oeste que subia ao longo das Eredlindon a Leste e seguia a oeste nos passos ao sul do Monte Dolm e pelo curso abaixo do Rio Ascar e por sobre o Gelion no vau Sarn Athrad e de lá até o Aros". Isso está exatamente de acordo com o curso (revisado) da estrada na "Expansão a Leste" do primeiro mapa do *Silmarillion* (ver IV. 275, 394). Vê-se pela parte central (original) do primeiro mapa que ela atravessava o Celon e o Aros a oeste de Nan Elmoth (que, é claro, ainda não existia naquela época) e, assim, seguia em uma direção O.S.O. até as Mil Cavernas (entre as pp. 260 e 261 no Vol. IV). Mas o curso da antiga rota dos Anãos após a passagem de Sarn Athrad jamais foi marcada no segundo mapa — a não ser que a vaga linha descrita nas notas ao mapa, p.

235, §68, seja corretamente interpretada como a Estrada-anânica. Se for assim, então o curso havia sido alterado para atravessar o Aros muito mais ao sul, e então para seguir rumo ao norte através da Floresta de Region até Menegroth. Mas uma evidência melhor é fornecida no capítulo tardio *Da Vinda dos Homens para o Oeste* do *Quenta Silmarillion*, pp. 269, onde é dito que "Marach ... seguiu pela estrada dos Anãos e fixou seu povo no país ao sul e a leste das habitações de Baran, filho de Bëor": essa era Estolad, "o nome desde então da terra a leste do Celon e ao sul de Nan Elmoth". Quanto ao desuso da(s) antiga(s) Estrada(s)-anânica(s) que seguiam para Beleriand após a chegada dos Noldor, ver p. 146, comentário a AC §114.

Já foi dito no texto original de *Maeglin* (p. 388, §9) que "o comércio dos Anãos seguia duas estradas, e a do norte, indo na direção de Himring, passava perto de Nan Elmoth". Isso não foi alterado no trabalho posterior em *Maeglin*; e no mapa primário (já presente quando a fotocópia foi feita) uma linha de pontos a lápis quase apagados marcada "estrada norte dos Anãos" (ver p. 232, §50) segue no rumo E.S.E. desde próximo a Nan Elmoth, cruza o Gelion a certa distância ao sul da confluência de seus braços e então se volta para o sul, seguindo mais ou menos paralela ao rio. Não há traço de seu curso a oeste ou norte de Nan Elmoth, e é impossível ter certeza se alguma outra continuação ao sul ou a leste está marcada além do ponto onde termina na minha versão redesenhada (p. 226).

Os papéis de *Maeglin* não determinam o curso dessa "estrada norte dos Anãos", porque (embora todos obviamente pertençam à mesma época) eles evidentemente representam concepções diferentes.

(i) Ao escrever sobre a viagem de Eöl a Nogrod, meu pai disse:

> De Elmoth ao Gelion, a terra, ao norte de Andram, e das Quedas abaixo do último Vau sobre o Gelion[8] (logo acima da confluência do Rio Ascar vindo das Montanhas), era na maior parte planícies ondulantes, com extensas regiões de árvores grandes sem touceiras. Havia várias trilhas muito usadas feitas originalmente pelos Anãos de Belegost e Nogrod, e a melhor (mais usada e mais larga) ia do Pequeno Vau e passava ao norte de Elmoth até o Vau do Aros, onde cruzava a Ponte do Esgalduin, mas não seguia adiante, pois, se os Anãos desejassem visitar Menegroth

Esse texto, então, torna-se completamente ilegível. Na menção ao "último Vau sobre o Gelion", ele acrescentou uma nota de que o nome *Sarn Athrad* desse vau precisava ser alterado para *Harathrad* "Vau do Sul", "em contraste com o muito usado vau setentrional onde o rio ainda não era muito veloz ou fundo, quase que diretamente a leste da casa de Eöl (distante 72 milhas [115,8 km])"; e ao lado de *Harathrad* aqui ele escreveu *Athrad Daer* ("o Grande Vau").[9]

A implicação parece ser de que Eöl atravessou o Gelion no vau setentrional, mas isso não é afirmado de fato. Há duas alterações nas fotocópias do mapa que se relacionam ao que é dito aqui. Uma é a marca de uma travessia sobre o Gelion no quadrado E13 (p. 401), logo acima do ponto onde a linha pontilhada "estrada norte dos Anãos" cruza o rio no mapa primário, mas sem qualquer rastro que leve a essa travessia. A outra é no vau de Sarn Athrad na seção sudeste (p. 228), onde na fotocópia meu pai escreveu de novo o nome sobre o nome existente, circulou-o e escreveu *Harathrad* ao lado dele.

Mais do que isso nada por ser dito acerca da estrada norte dos Anãos, e não há nenhuma indicação em mapa ou texto de onde ou, de fato, se ela se unia à "estrada sul". É de fato muito intrigante que essa estrada setentrional — que no texto de Maeglin diz-se ter ido "na direção de Himring" (como é de se esperar: levando a territórios dos Filhos de Fëanor) —, na citação (i) recém-apresentada, seja mencionada passando o Vau do Aros e a Ponte do Esgalduin: pois essas travessias ficavam na Estrada Leste para o Brithiach (pp. 402-3). E, fora isso, por que essa estrada deveria se voltar para o oeste, e por que não iria além da Ponte do Esgalduin?

(ii) Em outra página, meu pai disse que a viagem desde a casa de Eöl até Nan Elmoth na direção de Nogrod se dava

> através de ermos (mas geralmente não em terreno difícil para cavalos) sem quaisquer estradas feitas, mas ao longo de uma trilha muito usada feita por mercadores anânicos que iam até o Sarn Athrad (o último ponto onde o Rio Gelion podia ser atravessado) que se encontra com a Estrada-anânica até e através do passo alto nas montanhas que levam a Nogrod.

Aqui não há menção ao vau setentrional, ou mesmo à estrada setentrional; e parece estar implícito que Eöl necessariamente atravessaria em Sarn Athrad (ainda chamado assim, e não Harathrad); além disso, é dito que Eöl, cavalgando de Nan Elmoth a Nogrod, tomou "uma trilha muito usada feita por mercadores anânicos" para Sarn Athrad que se *encontrava* com a Estrada-anânica até o passo alto.

Além da linha pontilhada verde inserida na fotocópia do mapa e sobre a qual se diz ser o rastro de Maeglin e Aredhel fugindo de Nan Elmoth (p. 403), linhas de pontos vermelhos (representadas na minha versão redesenhada como linhas de pontos com pouco espaço entre si) vão de Nan Elmoth até o Vau do Aros, e também para sudeste a partir de Nan Elmoth (p. 401). Na seção sudeste na fotocópia (ver a versão resenhada do mapa primário na p. 228) essa linha pontilhada vermelha continua diretamente através do quadrado G13 até Sarn Athrad, e então coincide com a Estrada-anânica subindo as montanhas, já presente no mapa primário. Não há nota na fotocópia para explicar o que essas linhas representam, mas não há dúvidas de que marcam as viagens de Eöl (embora os pontos continuem até o Vau do Aros, ao passo que ele foi detido em sua perseguição de Maeglin e Aredhel pelos cavaleiros de Curufin "antes que tivesse cavalgado metade do caminho pela Himlad", p. 394, §16). Assim, a linha que vai de Nan Elmoth a Sarn Athrad claramente corresponde ao que é dito na citação (ii).

A ausência de qualquer afirmação realmente clara e integral — de fato, a indicação de que as ideias de meu pai acerca do assunto não haviam atingido qualquer estabilidade e a extrema incerteza sobre algumas das marcações no mapa, levaram-me a omitir as estradas-anânicas do mapa publicado.

Fora a questão das estradas, há algumas notas acerca de nomes nesses papéis que mostram a insatisfação de meu pai com nomes antigos já vistos nos casos de *Isfin* e *Eöl* (pp. 382, 386): aqui os nomes em questão são *Gelion* e *Celon* (cf. a sua nota no mapa primário, p. 236, onde ele disse que "esses nomes de rio precisam ser revisados para palavras etimologizáveis").[10] Em notas em diferentes lugares, ele propôs (em sequência) *Gelduin*, *Gevilon*, *Gevelon*, e também *Duin Daer* (cf. *Duin Dhaer* na nota no mapa primário recém-mencionada); *Gevelon* é derivado do anânico *Gabilān* "grande rio". No verso de uma das fotocópias do mapa, ele escreveu:

> A terra a leste dele [do rio] é Thorewil*a*n [o *a* está sublinhado]. O nome anânico também era frequentemente traduzido como *Duin*

*Daer*. O nome *Gabilān* foi dado pelos Anãos apenas ao Rio ao sul das Quedas onde (após a junção do Rio com o Asgar que vinha das Montanhas) se tornava ligeiro e tinha o seu volume aumentado de forma constante pela confluência de cinco outros tributários.

O nome *Thargelion* no mapa primário foi alterado para *Thargelian* (com o *a* sublinhado: p. 401): essa forma apareceu em emendas aos textos datilografados de *Maeglin* (p. 386). A forma *Asgar* apareceu nos anos 1930 (além de *Ascar*), ver IV. 242; cf. as *Etimologias* (V. 469, radical SKAR: "nold. *asgar*, *ascar* violento, precipitado, impetuoso".

A substituição do nome *Celon* por *Limhir* apareceu como uma proposta em um dos textos datilografados de *Maeglin* (p. 386), e entre os papéis "geográficos" na seguinte nota:

> Celon um nome de rio muito banal. *Limhîr* (o rio claro / cintilante) — repetido no SdA, assim como outros nomes de Beleriand, o que não seria incomum — é mais adequado para o rio, um afluente do Aros e um rio claro e *esguio* que descia do Monte de Himring.

O nome *Limhîr* não aparece em *O Senhor dos Anéis*, a não ser que meu pai estivesse se referindo ao Limlight [Limclaro], acerca do qual ele disse no *Guide to the Names in The Lord of the Rings* [Guia aos Nomes em O Senhor dos Anéis] (*A Tolkien Compass*, ed. Lobdell, p. 188): "A grafia *-light* indica que esse é um nome na fala comum; mas deixar o elemento obscuro *lim-* inalterado e traduzir *-light*: o adjetivo *light* aqui significa 'brilhante, claro'".

Por fim, resta mencionar a etimologia de *Maeglin* encontrada entre esses papéis.

> *mik* penetrar, trespassar: **mikrā* de ponta aguçada/afiada (quen. *miχa*, sind. **megr*): "adjetivo forte" *maikā* aguçado, penetrante, aprofundador — com frequência em sentido transferido (como o quen. *hendumaika* olho aguçado, sind. *maegheneb* > *maecheneb*).
>
> *glim* lampejo, centelha (geralmente para feixes de luz finos e esguios, mas brilhantes). Aplicado particularmente à luz dos olhos; não se encontra em quen. Sind. *glintha-* olhar de relance (para), *glînn*.

Desses dois elementos deriva-se o nome *Maeglin*, visto que Maeglin possuía, ainda mais que seu pai, olhos muito brilhantes, e era tanto fisicamente de olhar muito aguçado como mentalmente muito perspicaz, e interpretava com rapidez os olhares e gestos das pessoas, e compreendia seus pensamentos e propósitos. O nome só lhe foi dado na infância, quando essas características foram reconhecidas. Seu pai até então se contentara em chamá-lo de *Iôn*, filho. (Sua mãe lhe deu em segredo um nome em quenya nold., *Lómion*, "filho do crepúsculo"; e ensinou a Maeglin a língua quenya, embora Eöl a tivesse proibido.)

O desenvolvimento da história de Maeglin desde a forma na qual ele a havia escrito vinte anos antes parece ter sido o último trabalho concentrado de meu pai nas narrativas propriamente ditas dos Dias Antigos. Não sei por que ele se voltou para essa lenda em particular; mas é possível ver, em suas considerações minuciosas das possibilidades da história, desde os motivos dos personagens aos detalhes de terreno, de estradas, da velocidade e resistência de cavaleiros, como o foco da sua visão dos antigos contos havia mudado.

## NOTAS

1 As palavras "leia-se (71) *Dor-na-Daerachas*" foram acrescentadas ao mapa primário posteriormente: ver p. 230, §30, e nota 6 abaixo.

2 Em outra passagem entre esses papéis, o(s) Vau(s) do Aros chama(m)-se *Arossiach*; esse nome foi adotado no mapa que acompanha *O Silmarillion* e introduzido no texto.

3 O texto diz "no canto S.O.", mas esse foi um deslize da caneta. É afirmado em outra parte nesses papéis que a morada de Curufin e Celegorm ficava em um monte baixo no canto S.E. do Passo do Aglond, e na fotocópia do mapa *Curufin* está marcado com um círculo na mais ocidental das elevações mais baixas ao redor do Monte de Himring (p. 401, quadrado D11). — A forma *Aglond* ocorre na discussão dos motivos de Celegorm e Curufin (p. 395), ao lado de *Aglon* na narrativa interpolada do encontro de Eöl com Curufin. No mapa, o nome está escrito *Aglon(d*, que mantive na minha versão redesenhada (V. 499) do mapa conforme traçado e rotulado pela primeira vez, na crença de que a variante *lond* era um elemento original. Embora pareça ser o caso, é possível que o *(d* tenha sido acrescentado muito mais tarde.

4 Meu pai comentou aqui: "Apesar do que Eöl disse, ela na verdade não havia sido habitada por Sindar antes da chegada dos Noldor"; e também que o nome "planície-fria" devia-se ao fato de que "era mais elevada no centro e recebia com

frequência os gelados ares setentrionais através de Aglon. Não havia árvores, a não ser em sua parte meridional, próximo aos rios". Em outro lugar é dito que "Himlad se erguia até um planalto elevado no centro (cerca de 300 pés [*c.* 91,4 m] em seu topo plano)".

5 Para a primeira menção de Dor Dínen (assim grafada, como também o é no mapa, e não Dor Dhínen), ver p. 239.

6 O mapa primário não possuía uma travessia marcada no Aros quando a fotocópia foi feita. A palavra *Ford* [Vau] foi colocada depois, ou na mesma época, que *Fords of Aros* [Vaus do Aros] foi inserido na fotocópia.

7 O nome *Iant Iaur* foi adotado desse texto em *O Silmarillion*, tanto no mapa como em uma menção à "ponte de pedra de Iant Iaur" no Capítulo 14, *De Beleriand e seus Reinos*, p. 173 (para a passagem original, ver p. 239).

8 As quedas no Gelion abaixo de Sarn Athrad não haviam sido mencionadas antes e, de fato, no Capítulo 9 do QS, *De Beleriand e seus Reinos* (V. 312, §113; *O Silmarillion*, p. 175), sua existência é negada: "o Gelion não tinha nem quedas d'água e nem corredeiras através de seu curso".

9 Em outra página, os seguintes nomes são propostos como substituições para *Sarn Athrad*: "*Athrad i-Nogoth* [> *Negyth*] ou *Athrad Dhaer*, 'Vau dos Anãos' ou 'Grande Vau'".

10 O fato de a nota no mapa primário (p. 235), que diz que os nomes *Celon* e *Gelion* precisam ser alterados, ter (como o acréscimo de *Dor-na-Daerachas*, p. 230, §30) o número "71", que claramente significa o ano 1971, sugere que todo o trabalho tardio em *Maeglin* pertence àquele ano. Meu pai morreu dois anos depois.

## IV

# Dos Ents e das Águias

Este texto curto pertence ao período tardio (ou último) da obra de meu pai, e deve ser datado no mínimo de 1958–9, mas é bem possível que seja posterior a essa data. O rascunho original foi preservado, um manuscrito nos dois lados de uma única folha, escrito a grande velocidade com pouquíssimas correções em uma letra minimamente legível. Ele é intitulado *Anaxartamel*.

Este foi seguido por um texto composto na máquina de escrever posterior de meu pai (ver X. 363) que expandia o primeiro rascunho, mas do qual foi excluída praticamente qualquer coisa de alguma significância naquele primeiro rascunho. Ele não possui título. No *Silmarillion* publicado, ele foi usado para formar a segunda parte do Capítulo 2, *De Aulë e Yavanna*, pp. 75–6, começando com as palavras "Ora, quando Aulë labutava na criação dos Anãos ...". Isso, é claro, foi uma combinação puramente editorial.

O texto publicado seguiu o texto datilografado com pouquíssimas divergências, exceto na questão das formas "thou" [tu] e "you" [você], sobre as quais meu pai inicialmente estava incerto, como também estava no texto a respeito de Aulë e os Anãos que forma a primeira parte do capítulo no *Silmarillion* publicado (ver p. 210). No rascunho manuscrito, ele usou "you" do início ao fim; no texto datilografado, usou tanto "you" como "thy, hast" [tua, tens] nos parágrafos iniciais, mas depois exclusivamente "you, your" [você, seu(s)/sua(s)], subsequentemente corrigindo as inconsistências. Como na primeira parte do capítulo, as formas "thou, thee, thy" [tu, te/ti, teu/tua] foram adotadas na obra publicada.

Há duas cópias datilografadas, independentes uma da outra, preparadas a partir do texto datilografado após todas as correções terem sido feitas. Elas não possuem valor textual, exceto que em uma delas meu pai escreveu a lápis o título *Dos Ents e das Águias* e, na outra, o título *Anaxartaron Onyalië*.

# NOTAS

Nessas notas, que se restringem em grande parte às diferenças entre variantes textuais, o rascunho original é chamado de A, o texto datilografado, B, e o texto publicado, S.

Quando Yavanna apresentou-se a Manwë (p. 76), "ela não traiu o sigilo de Aulë": o significado disso é que Yavanna não revelou nada a Manwë sobre a feitura dos Anãos; na primeira parte do capítulo (p. 73), "temendo que os outros Valar o censurassem por sua obra, ele trabalhou em segredo", e a intervenção de Ilúvatar (que "sabia o que tinha sido feito") foi diretamente a Aulë. A palavra *betray* [trair] em S é uma alteração editorial de *bewray* em A e B.

"Mas os *kelvar* podem fugir ou se defender, enquanto os *olvar* que crescem não podem" (p. 76): em B há uma nota marginal ao lado de *kelvar*, "animais, todos os seres vivos que se movem", que foi omitida em S. Em A, essas palavras não foram usadas, mas um espaço em branco foi deixado onde se encontra *kelvar* em B. Imediatamente depois disso, A diz: "Demoradas a crescer, célere na sua derrubada e, a menos que paguem tributo com frutos nos galhos, pouco há de ser pranteado no fim, como mesmo entre os Valar testemunhei"; em B, a última frase se tornou "como testemunhei mesmo entre os Maiar na Terra-média", mas isso foi rejeitado de imediato. O texto final da passagem é como em S.

Nas palavras seguintes de Yavanna, que começam por "eu ergui os galhos de grandes árvores ...", B diz "e algumas delas cantavam a Eru em meio ao vento e à chuva e ao brilho do Sol"; as últimas palavras foram omitidas em S devido a implicação de que o Sol existia desde o início de Arda.

Na passagem que descreve a experiência de Manwë da renovação da Visão dos Ainur (pp. 76–7; inteiramente ausente em A), o texto de B como datilografado diz o seguinte: "mas não era agora algo remoto, pois ele próprio estava no meio dela e, entretanto, via que tudo estava sustentado pela mão de Eru, e essa mão também estava dentro dela", subsequentemente alterado para a variante de S (no qual *Eru* > *Ilúvatar*).

Nas palavras de Eru recontadas por Manwë a Yavanna sobre Ezellohar, a frase "Por um tempo: enquanto os Primogênitos estiverem no poder e enquanto os Segundos Filhos forem jovens" foi colocada entre colchetes para ser excluída em B, mas foi mantida em S.

Na última fala de Manwë, "Nas montanhas as Águias hão de fazer sua morada e ouvir as vozes daqueles que chamam por nós" foi primeiramente escrita em B: "… e ouvir as vozes daqueles que chamam por mim, e daqueles que me contradizem".

No final do rascunho de uma carta datada de setembro de 1963, da qual uma passagem é citada na p. 428, meu pai acrescentou em uma nota escrita de forma bastante descuidada (publicada em *Cartas*, p. 480):

> Ninguém sabia de onde eles (Ents) vieram ou apareceram pela primeira vez. Os Altos Elfos diziam que os Valar não os mencionaram na "Música". Mas alguns (Galadriel) eram [da] opinião de que, quando Yavanna descobriu a misericórdia de Eru para com Aulë na questão dos Anãos, ela suplicou a Eru (através de Manwë), pedindo que desse vida a seres feitos de coisas vivas, não da pedra, e que os Ents ou eram almas enviadas para habitarem árvores, ou então que lentamente assumiram a semelhança de árvores devido ao seu amor inato pelas árvores.

Compare as palavras "os Ents ou eram almas enviadas para habitarem árvores" com as palavras de Eru no texto (p. 77): "Quando os Filhos despertarem, então o pensamento de Yavanna despertará também e convocará espíritos de longe, e eles irão até os *kelvar* e os *olvar*, e alguns habitarão ali …". Parece bastante provável que a nota na carta rascunhada e a composição de *Anaxartaron Onyalië* pertençam basicamente à mesma época.

# V

# O Conto dos Anos

*O Conto dos Anos* era uma obra em evolução que acompanhou estágios sucessivos do desenvolvimento dos *Anais*. Até agora eu não lhe havia dedicado um espaço na *História da Terra-média* (mas ver X. 69) porque o seu valor para a narrativa dos Dias Antigos é muito pequeno até por volta do final da versão tardia (pós-*Senhor dos Anéis*), quando se torna um documento de importância; mas é preciso fazer aqui um relato muito breve a seu respeito.

A forma mais antiga é um manuscrito com esse título que estabelece de forma muito concisa os principais eventos dos Dias Antigos. As datas no decorrer do texto estão quase perfeitamente de acordo com aquelas fornecidas nos textos pré-*Senhor dos Anéis*, "Os Anais Tardios de Valinor" e "Os Anais Tardios de Beleriand" (AV 2 e AB 2). Uma vez que esse *Conto dos Anos* foi obviamente escrito como um acompanhamento — e na mesma época — àquelas versões dos *Anais*, sem nada acrescentar a eles, não o incluí no Volume V.

Muito mais tarde, uma nova versão de *O Conto dos Anos* foi feita, e apenas essa nos diz respeito aqui. Ela muito claramente tem seu lugar com o trabalho principal nos *Anais* realizado em 1951(–2), resultando nas últimas versões, os *Anais de Aman* e os *Anais Cinzentos*. Meu pai subsequentemente elaborou uma versão datilografada desse texto, mas ele obviamente pertence ao mesmo período.

O manuscrito dessa versão como originalmente escrito era um texto inteligível muito bom, mas foi bastante corrigido, interpolado e reescrito em muitos estágios; e visto que era a cronologia em uso de meu pai durante aquele período, as datas, mais especificamente na primeira parte (ou valinóreana), foram alteradas com tamanha frequência, com vaivéns desconcertantes, que tornam a evolução da cronologia extremamente difícil de ser compreendida. O ponto importante, no que diz respeito à parte valinóreana, é que as datas no manuscrito de *O Conto dos Anos* como originalmente escrito eram essencialmente as mesmas que aquelas nos *Anais de Aman* como originalmente escritos, enquanto modificações àquela cronologia foram feitas passo a passo nos dois textos ao mesmo tempo. No caso dos AAm, comentei (X. 67-8) que, com tantas alterações nas datas, era impraticável fazer algo além de apresentar a cronologia final e, no caso de *O Conto dos Anos*, a evolução é ainda mais complexa. Como resultado, esta obra possui muito pouco valor independente nessa parte; no entanto, há uma pequena quantidade de questões que devem ser registradas.

No manuscrito como foi originalmente escrito, os Dias Antigos começaram com o Despertar dos Elfos: "Aqui começam os Dias Antigos, ou a Primeira Era dos Filhos de Ilúvatar"; mas "os Dias Antigos" foram riscadas e não aparecem no texto datilografado. Mais adiante em *O Conto dos Anos*, está registrada uma diferença na aplicação do termo "Dias Antigos" com respeito ao seu final (até onde sei, uma diferença que não se encontra em nenhum outro lugar): após o registro do A.V. 1500, "Fingolfin e Inglor cruzam os Estreitos de Gelo" (sendo essa a data nos *Anais Cinzentos*, p. 44), é dito no manuscrito:

> Aqui terminam os Dias Antigos com o novo registro do tempo, de acordo com alguns. Mas a maioria dos mestres-do-saber também dão esse nome aos anos da guerra com Morgoth até a sua derrota e banimento.
>
> Até aqui Quennar Onótimo compilou essa contagem e computou os anos.
>
> Aqui se segue a continuação que Pengoloð fez em Eressëa.

No texto datilografado, isso foi mantido, mas com esta diferença: "Aqui terminam os Dias Antigos, com o novo registro do Tempo, de acordo com os Mestres-do-saber de Valinor. Mas os Mestres-do-saber dos Noldor também dão esse nome aos anos da guerra com Morgoth ...".

Quennar Onótimo aparece nos *Anais de Aman* (ver X. 69), onde ele é citado como a fonte para a passagem acerca do registro do tempo. Essa passagem foi marcada para ser transferida para *O Conto dos Anos*, e aparece em páginas manuscritas de um novo início da obra escrita em formas tão esplêndidas que não é de surpreender que não tenha ido muito longe.

A autoria dos *Anais* passou por muitas mudanças. Na primeira versão dos *Anais de Valinor* (AV 1, IV. 310) Pengolod é mencionado como o autor, e também dos *Anais de Beleriand* (AB 1), mas logo foi inserida a concepção de que Rúmil era o autor da primeira parte dos AV e de que a obra foi apenas completada por Pengolod: no AV 2, a parte de Rúmil termina com o retorno a Valinor daqueles Noldor, liderados por Finrod (Finarfin), que não continuaram na viagem para o norte após a Sentença de Mandos (ver V. 141, 149). Na primeira forma do início dos *Anais de Aman* (X. 68), é dito que eles "were written by Quennar i Onótimo, who learned much, and borrowed much also, from Rúmil; but they were enlarged by Pengoloð". Contudo, na segunda versão do início, apenas Rúmil é nomeado: "Here begin the Annals of Aman, which Rúmil made". Nas belas páginas manuscritas do início de *O Conto dos Anos* mencionadas acima não há atribuição de autoria (fora a menção de Quennar Onótimo como o autor da passagem sobre o registro do tempo).

Resta mencionar alguns pontos singulares. No anal 1125 (cf. X. 110), o manuscrito diz o seguinte: "Os Eldar da vanguarda chegam a Beleriand. São tomados por um grande medo do Mar e por muito tempo recusam-se a seguir adiante. Oromë parte para Valinor a fim de buscar conselho". Isso não foi emendado, mas no texto datilografado aparece o seguinte trecho em seu lugar: "Os Eldar da vanguarda chegam às regiões costeiras da Terra-média e àquela região que mais tarde foi chamada de Eglador. Dela Beleriand era a maior parte". Isso aparentemente está relacionado a um dos verbetes *Eglador* acrescentados ao mapa: ver p. 229, §14; mas a frase final é misteriosa.

Em relação a isso, o anal 1150 diz o seguinte no manuscrito: "Os Teleri da hoste de Olwë por fim também partem por sobre o Mar. Os amigos de Elwë ficam para trás: esses são os Eglath, os Esquecidos, ou os Sindar (os Elfos-cinzentos)". A forma *Eglath* encontra-se no texto desse ano nos AAm (X. 113); mas, no manuscrito de *O Conto dos Anos*, ele foi emendado subsequentemente para *Eglim*, enquanto no texto datilografado a forma é *Eglir*: parece que nenhuma dessas formas ocorre em nenhum outro lugar (ver pp. 442, 457-8).

Por fim, o anal 1497 começa com as palavras "Morgoth, de uma nova praça-forte em Angband, ataca os Elfos-cinzentos de Beleriand". Nesse estágio, a história ainda era a de que Angband fora construída sobre as ruínas de Utumno (ver AC §35 e comentário, pp. 28, 133). Meu pai escreveu a lápis no manuscrito (referindo-se ao intervalo desde o retorno de Morgoth de Valinor em 1495): "Período curto demais para Morgoth construir Angband", e também "Muito pouco tempo, deveriam ser 10 pelo menos, ou 20 Anos Valianos". Isso teria exigido modificações substanciais da cronologia; e parece concebível que essa consideração tenha sido um fator no surgimento da história tardia de que Utumno e Angband eram fortalezas distintas em regiões diferentes, ambas construídas por Morgoth em dias antigos (X. 195, §12).

Há pouco a se dizer a respeito da parte posterior (ou beleriândica) de *O Conto dos Anos* antes de se chegar aos últimos anais. A cronologia está estritamente de acordo com aquela dos *Anais Cinzentos*, incluindo as histórias revisadas das origens de Gondolin e de Eöl, e os breves anais (que estão de acordo com os AC em nomes como *Galion* no lugar de *Galdor* e *Glindûr* no lugar de *Maeglin*) nada acrescentam ao texto principal. De fato, há apenas um ponto que precisa ser mencionado: no anal 495, meu pai acrescentou ao manuscrito "Tuor parte de Dorlómin, habita um ano em Falasquil". As últimas cinco palavras foram subsequentemente riscadas. *Falasquil* era o nome da cava na costa onde Tuor habitou durante algum tempo no conto *A Queda de Gondolin* (II. 186); e ele também foi escrito no mapa (ver p. 224, §5). Parece bastante provável que esses dois acréscimos foram feitos na época em que meu pai estava escrevendo o *Conto de Tuor* tardio, e havia relido o antigo conto (como claramente o fez, II. 244); mas *Falasquil* não aparece no *Tuor* tardio.

Emendas subsequentes muito apressadas ao texto datilografado inseriram a lenda radicalmente alterada da Vinda dos Edain, revisões de nomes para formas posteriores e acréscimos à história de Túrin.

Mas, a partir do ponto em que os *Anais Cinzentos* foram abandonados, *O Conto dos Anos* se torna uma fonte importante para o fim dos Dias Antigos e, de fato, em quase todos os aspectos a única fonte que tem origem na época que se seguiu ao término de *O*

*Senhor dos Anéis*, por mais infortunadamente inadequada que seja. Da forma como o manuscrito foi originalmente composto (em cuja condição o distinguirei como "A"), os anais de 500 até o fim, muito breves, seguiram de perto a primeira versão (pré-*Senhor dos Anéis*) de *O Conto dos Anos* (ver p. 414): meu pai claramente o tinha à sua frente e não fez mais do que uma cópia passada limpo com registros mais completos, praticamente sem introduzir novos conteúdos ou datas que não se encontravam no AB 2 (V. 169–73). Entretanto, será mais esclarecedor fornecer o texto dos anais daqueles anos como foram primeiramente escritos.

500 Nascimento de Ëarendil em Gondolin.

501 Feitura do Naugla-mír. Thingol entra em disputa com os Anãos.

502 Os Anãos invadem Doriath. Thingol é morto e seu reino chega ao fim. Melian retorna a Valinor. Beren destrói a hoste-anânica em Rath-lóriel.

506 O Segundo Fratricídio.

507 A Queda de Gondolin. Morte do Rei Turgon.

508 Tem início a congregação dos remanescentes dos Elfos nas Fozes do Sirion.

524 Tuor e Idril partem por sobre o Mar.

525 As viagens de Ëarendil têm início.

529 O Terceiro e Último Fratricídio.

533 Ëarendil chega a Valinor.

540 Os últimos Elfos livres e remanescente dos Pais de Homens são varridos de Beleriand e refugiam-se na Ilha de Balar.

547 A hoste dos Valar chega, vinda do Oeste. Fionwë, filho de Manwë, desembarca em Beleriand com grande poderio.

550–597 Tem início a última guerra, e a Grande Batalha, dos Dias Antigos. Nessa guerra Beleriand é partida e destruída. Morgoth por fim é sobrepujado por completo, e Angband é destelhada e desfeita. Morgoth é atado e as duas últimas Silmarils são recuperadas.

597 Maidros e Maglor, os últimos filhos sobreviventes de Fëanor, tomam as Silmarils. Maidros perece. As Silmarils são perdidas no fogo e no mar.

600 Os Elfos e os Pais de Homens partem da Terra-média e passam por sobre o Mar.

Aqui termina a Primeira Era dos Filhos de Ilúvatar.

Os únicos pontos de alguma significância nos quais isso difere do que foi dito no AB 2 ou na versão original de *O Conto dos Anos* que o acompanhou são os acréscimos no anal 540 da afirmação de que, quando "os últimos Elfos livros" refugiaram-se na Ilha de Balar, eles estavam acompanhados pelos "remanescentes dos Pais de Homens", e no anal 600 de que os Pais de Homens partiram da Terra-média com os Elfos e passaram por sobre o Mar.

No estágio seguinte, que chamarei de "B", muitas correções, interpolações e alterações de datas foram feitas em A; forneço aqui o texto nessa forma, até onde é necessário.

501 Retorno de Húrin.

502 Após sete anos de serviço, Tuor casa-se com Idril de Gondolin. Feitura do Naugla-mír. Thingol entra em disputa com os Anãos.

503 Nascimento de Ëarendil em Gondolin.
Os Anãos invadem Doriath. Thingol é morto e seu reino chega ao fim. Melian leva o Nauglamír a Beren e Lúthien e então retorna a Valinor. Celegorm e Curufin destroem a hoste-anânica em Sarn-athrad em Rath-lóriel; e ficam irados por não encontrar lá a Silmaril. Dior vai a Doriath.

505 (Primavera) Segunda morte de Beren, e Lúthien também morre. Dior, herdeiro de Thingol, usa a Silmaril [*riscado:* e retorna a Doriath].

509 (Primavera) Segundo Fratricídio. Último aviso de Ulmo a Gondolin.

510 A queda de Gondolin no Meio-do-verão. Morte do Rei Turgon.

511 Tem início a congregação dos remanescentes dos Elfos nas Fozes do Sirion.

Nos registros remanescentes, algumas das datas foram alteradas, mas pouquíssimas mudanças foram feitas no conteúdo; portanto, não é necessário repetir o texto de A.

533 A data da chegada de Ëarendil a Valinor foi alterada diversas vezes, aparentemente > 536 > 540 > 542.

547 A chegada da hoste dos Valar foi deslocada para 545.

550–597 As datas da "última guerra dos Dias Antigos" foram alteradas para 545–587 e, após as últimas palavras no anal original, foi acrescentado o seguinte: "Ancalagon é derrubado por Ëarendil e todos os Dragões são destruídos, com exceção de dois".

597 Esse ano foi alterado para 587.

600 Esse último ano foi alterado para 590 e o seguinte texto foi acrescentado a ele: "Morgoth é lançado de Arda para a Escuridão de Fora".

"Aqui termina a Primeira Era dos Filhos de Ilúvatar" foi alterada para: "Aqui terminam os Dias Antigos com a passagem de Melkor, de acordo com o registro da maioria dos mestres-do-saber; aqui termina também a Primeira Era ...".

As alterações e acréscimos feitos às pressas ao ano 503 (502 em A) introduziram novas direções na história como havia sido contada em todas as versões: o conto do *Nauglafring* (II. 286–7), o *Esboço da Mitologia* (IV. 41), o *Quenta* (IV. 154–5) e o AB 2 (V. 169). Ali, havia sido Beren, após retornar dos mortos, que, com sua hoste de Elfos, emboscara os Anãos em Sarn-athrad e tomara deles o Nauglamír, no qual estava engastada a Silmaril; agora são Celegorm e Curufin que travam a batalha em Sarn-athrad — mas a Silmaril não estava lá, pois Melian a havia levado de Menegroth a Beren e Lúthien em Ossiriand. No antigo conto, Gwendelin (Melian), chegando à Terra dos Mortos que Vivem após a batalha, ficou irada ao ver Lúthien usando o Colar dos Anãos, uma vez que era feito de ouro amaldiçoado, e a própria Silmaril estava profanada por ter estado na coroa de Morgoth; enquanto no *Esboço* (provavelmente) e no *Quenta* (explicitamente), foi Melian quem contou a Beren sobre a aproximação dos Anãos vindos de Doriath e permitiu que a emboscada fosse preparada (seu aviso vem depois, quando o Colar dos Anãos havia sido recuperado, desaconselhando que a Silmaril fosse mantida).

A entrada de Celegorm e Curufin na história parece ter surgido no ato da emenda do texto; pois meu pai primeiro acrescentou ao anal original ("Beren destrói a hoste-anânica em Rath-lóriel") as palavras "e é ferido na batalha", referindo-se a Beren (cf. o *Conto*, II. 285: "Beren recebeu ali muitos ferimentos"). Ele então alterou de imediato "Beren destrói" para "Celegorm e Curufin destroem" e "é ferido na batalha" para "ficam irados por não encontrar lá a Silmaril".

No texto original em A, "*at* [em] Rath-lóriel" foi apenas um deslize para "*in* [em]"; mas a substituição "em Sarn-athrad em

Rath-lóriel" é estranha, pois Sarn-athrad não era um vau sobre aquele rio (Ascar), mas sobre o Gelion, e assim permaneceu no escrito mais tardio, embora o nome tenha sido alterado (ver p. 406).

Em 505, o retorno de Dior a Doriath ser riscado precedeu sua inclusão em 503. Nunca houve qualquer menção a um outro aviso de Ulmo (509) desde a chegada de Tuor a Gondolin. Quanto ao acréscimo em 545–587 acerca de Ancalagon, ver V. 395, §18; e com referência ao fim dos Dias Antigos "de acordo com o registro da maioria dos mestres-do-saber", cf. p. 416.

No terceiro estágio, todo o manuscrito foi riscado do ano 400 quase até o fim e substituído por uma nova versão ("C"), que apresento aqui para o mesmo período, a partir do retorno de Húrin de Angband: esse é um texto claro com algumas alterações posteriores nas datas (alterações que em grande parte retornam as datas àquelas em B).

501 Retorno de Húrin do cativeiro. Ele vai até Nargothrond e toma o tesouro de Glaurung.

502 Feitura do Nauglamír. Thingol entra em disputa com os Anãos.

503 Os Anãos de Belegost e Nogrod invadem Doriath. Thingol é morto, e seu reino chega ao fim. Os Anãos levam o ouro do Dragão, mas Melian escapou e levou o Nauglamír e a Silmaril, e os trouxe a Beren e Lúthien. Então ela retornou a Valinor; mas Lúthien usou a Silmaril. Ora, Curufin e Celegorm, ao ouvirem sobre o saque de Menegroth, emboscaram os Anãos nos vaus do Ascar e os derrotaram; mas os Anãos lançaram o ouro no rio, que depois foi chamado Rathlóriel. Grande foi o desapontamento dos Filhos de Fëanor ao descobrir que a Silmaril não estava com os Anãos; mas não ousavam atacar Lúthien.

Dior vai a Doriath e empenha-se em restabelecer o reino.

504 [> 502] Tuor desposou Idril Celebrindal, filha de Turgon, de Gondolin.

505 [> 503] Nascimento de Earendil Meio-Elfo em Gondolin (primavera). Aqui um mensageiro trouxe a Silmaril certa noite a Dior em Doriath, e ele a usou; e, pelo poder da joia, Doriath reviveu durante algum tempo. Mas acredita-se que, nesse ano, Lúthien e Beren faleceram, pois jamais se ouviu falar

deles novamente sobre a terra: quiçá a Silmaril tenha apressado seu fim; pois a chama da beleza de Lúthien enquanto a usava era forte demais para as terras mortais.

511 [> 509] O Segundo Fratricídio. Os Filhos de Fëanor ataca[ram] Dior, e ele foi morto; mortos também foram Celegorm e Curufin e Cranthir. Eldún e Elrún, filhos de Dior, foram deixados nas matas para morrerem de fome. Elwing escapou e chegou com a Silmaril às Fozes do Sirion. Ulmo envia um último aviso a Gondolin, que agora é a única que resta; mas Turgon não se aliará a ninguém após o fratricídio de Doriath. Maeglin, filho de Eöl, filho da irmã de Turgon, foi capturado nas colinas e traiu Gondolin a Morgoth.

512 [> 510] A Queda de Gondolin. Morte do Rei Turgon.

513 [> 511] Tuor e Idril levam Earendil e o remanescente de Gondolin às Fozes do Sirion.

527 [> 530] Earendil casa-se com Elwing. A inquietação de Ulmo se abate sobre Tuor. Tuor e Idril partem por sobre o Mar, e deles nada mais se ouviu sobre a terra.

528 [> 530 > 534] Têm início as viagens de Earendil.

[*Anal acrescentado:*] 528 [> 532] Nascem Elros e Elrond, filhos gêmeos de Earendil.

532 [> 534 > 538] O Terceiro e Último Fratricídio. Os Portos do Sirion são destruídos e Elros e Elrond, filhos de Earendel, são capturados, mas são criados com cuidado por Maidros. Elwing leva embora a Silmaril e vai até Earendel [> Earendil] na forma de uma ave.

536 [> 540 > 542] Earendil chega a Valinor.

Aqui o texto substituto C chega ao fim. Nos anais 400–499 em C (não fornecidos aqui), esse texto é tão próximo em cada data e detalhes de narrativa aos *Anais Cinzentos* a ponto de mal ser um documento independente; e *O Conto dos Anos* estava começando a colapsar, por assim dizer, e a se tornar "Anais" mais uma vez. Nos anais apresentados acima, onde chegamos à narrativa não abordada nos AC e onde o AB 2 acaba por ser a fonte mais tardia, é muito lamentável que meu pai não tenha dado a essa tendência um escopo ainda maior e não a tenha estendido a uma narrativa mais substancial de Celegorm e Curufin em Sarn Athrad, do restabelecimento de Doriath e do Segundo Fratricídio.

Acrescento algumas notas sobre pontos específicos.

503 O vau onde os Anãos foram emboscados, agora não nomeado, ainda se situa sobre o Ascar, não sobre o Gelion (ver p. 421). A afirmação de que os Anãos "lançaram o ouro no rio" está em desacordo com a história contada no *Esboço* e no *Quenta* (onde isso foi feito por Beren e os Elfos-verdes), e talvez tenha sido um retorno consciente ao conto do *Nauglafring* (II. 284–5), no qual o ouro caiu no rio com os corpos dos Anãos que o carregavam, ou então lançado na água pelos Anãos que tentavam alcançar as margens.

505 Com a datação alterada desse anal, toda a narrativa da invasão de Doriath, da batalha no vau, da chegada de Dior a Doriath, das mortes de Beren e Lúthien e da entrega da Silmaril à Dior fica contida em um único ano, 503. — O breve restabelecimento de Doriath sob a liderança de Dior não havia sido associado antes com a Silmaril; cf. o que é dito da sua presença nos Portos do Sirion (pp. 425-6, 429). Quanto à provável associação da Silmaril com as mortes de Beren e Lúthien (embora de uma natureza inteiramente diferente daquela sugerida aqui), ver IV. 77, 218–9.

511 Quanto ao destino dos filhos de Dior, cf. o AB 2 (V. 170), onde é contado que eles "foram capturados pelos homens malignos do séquito de Maidros, e foram deixados para morrer de fome nas matas; mas Maidros lamentou o ato cruel, e os procurou em vão". — Parece possível que a intenção com "Turgon não se aliará a ninguém" fosse "não se aliará a nenhum filho de Fëanor"; cf. o *Quenta* (IV. 161): "Notícias Turgon ouviu de Thorndor acerca da morte de Dior, herdeiro de Thingol, e dali em diante cerrou seus ouvidos a palavras sobre as dores fora de Gondolin; e jurou não marchar nunca ao lado de qualquer filho de Fëanor".

528 (anal acrescentado) Quanto à afirmação de que Elros e Elrond eram gêmeos, ver V. 182. É afirmado em *A Linhagem de Elros* (*Contos Inacabados*, p. 297) que Elros nasceu 58 anos antes de a Segunda Era começar: isso está de acordo com a data alterada aqui (532) e com o final da Primeira Era em 590 (p. 419-20).

Por fim, chegamos ao estágio "D", o texto datilografado de *O Conto dos Anos*; mas, antes de nos voltarmos para os anais que começam com o retorno de Húrin, há dois anais escritos a lápis no texto datilografado em um ponto um pouco anterior que precisam ser mencionados:

497 Dior casa-se com dos Elfos-verdes > Dior casa-se com Nimloth.
500 Nascimento dos filhos gêmeos de Dior, Elrún e Eldún.

Existe uma nota isolada em relação com o primeiro desses anais (ela na verdade foi escrita no verso da única página acerca do Elmo-de-dragão de Dorlómin mencionada nas pp. 171, 175):

> Nasce Dior (em Tol Galen?) c. 470. Ele aparece em Doriath após a ruína do reino e é recebido por Melian com sua esposa Elulin de Ossiriand.

Quanto a essa nota, ver p. 428, ano 504. A quarta letra de *Elulin* não é perfeitamente certa. — Além disso, o nome da esposa de Dior também é dado como *Lindis*: ver pp. 425, 428.

O nome *Nimloth* foi adotado no *Silmarillion* publicado (ver p. 314, onde é dito que ela era "parenta de Celeborn") devido ao seu aparecimento na série de genealogias élficas que podem ser datadas de dezembro de 1959 (p. 281). Essa tabela apresenta os descendentes de Elwë (Thingol) e de seu irmão mais novo, Elmo, sobre o qual afirma-se que era "amado por Elwë, com quem permaneceu". Em um lado da tabela (descendentes de Elwë), a esposa de Dior Eluchil (herdeiro de Thingol) é Nimloth, "irmã de Celeborn". De modo similar, no outro lado, o filho de Elmo é Galaðon, e Galaðon tem dois filhos, Galathil e Celeborn, "príncipe de Doriath", e uma filha Nimloth, esposa de Dior Eluchil. Mas, na mesma tabela, Nimloth, esposa de Dior, também aparece como a filha de Galathil (assim, no primeiro caso ela era prima de terceiro grau de Dior e, no segundo, prima em quarto grau de Elwing). Está claro por escritos descuidados a lápis nessa página que meu pai estava incerto quanto a essa questão, e parece que Nimloth como sobrinha de Celeborn foi a sua segunda ideia. Mencionei essa genealogia em *Contos Inacabados*, p. 316, mas não mencionei a posição alternativa de Nimloth como irmã de Celeborn.

Quanto ao segundo desses acréscimos tardios ao texto datilografado, o nascimento de Eldún e Elrún no ano 500, ver pp. 314 e 362, nota 16.

Apresento agora o texto da versão datilografada de *O Conto dos Anos* em seus últimos anais. O texto datilografado no final torna-se manuscrito, e é conveniente distinguir as duas partes como "D 1" e "D 2".

501 Húrin é libertado do cativeiro. Ele vai até Nargothrond e toma o tesouro de Glaurung. Ele leva o tesouro a Menegroth e o lança aos pés de Thingol.

502 O Nauglamír é feito do tesouro de Glaurung, e a Silmaril pende dele. Thingol entra em disputa com os Anãos que fizeram para ele o Colar.

503 Os Anãos de Belegost e Nogrod invadem Doriath. O Rei Elu Thingol é morto e seu reino chega ao fim. Melian escapa e leva o Nauglamír e a Silmaril, e os traz a Beren e Lúthien. Ela então partiu da Terra-média e retornou a Valinor.

Curufin e Celegorm, ao ouvirem sobre o saque de Menegroth, emboscaram os Anãos nos Vaus do Ascar enquanto estes tentavam levar o ouro do Dragão para as montanhas. Os Anãos foram derrotados com grandes perdas, mas lançaram o ouro no rio que, portanto, foi depois chamado de Rathlóriel. Grande foi a fúria dos filhos de Fëanor ao descobrir que a Silmaril não estava com os Anãos; mas não ousavam atacar Lúthien. Dior vai a Doriath e empenha-se em recuperar o reino de Thingol.

Nesse ano, ou, de acordo com outros, no ano anterior, Tuor desposou Idril Celebrindal, filha de Turgon de Gondolin; e na primavera do ano seguinte Eärendil Meio-Elfo nasceu em Gondolin. [*Esse parágrafo foi riscado posteriormente com as palavras* Deve ser colocado em 502.]

No outono desse ano um mensageiro, certa noite, levou a Silmaril a Dior em Doriath.

Aqui o texto datilografado D 1 termina de forma abrupta perto do alto de uma página, mas continua numa letra muito descuidada por certa extensão (D 2), embora não chegue tão longe quanto o final da versão C (a qual, por si só, de modo algum ia tão longe quanto B).

503 Nasce Elwing, a Branca, filha de Dior, em Ossiriand.

504 Dior retorna a Doriath e com o poder da Silmaril a restaura; mas Melian partira para Valinor. Dior então envergou publicamente o Nauglamír e a Joia.

505 Os filhos de Fëanor, ao terem notícias da Silmaril que está em Doriath, fazem um conselho. Maidros contém seus irmãos, mas uma mensagem é enviada a Dior exigindo a Joia. Dior não responde.

506 Celegorn inflama os irmãos e eles preparam um ataque a Doriath. Eles chegam sem aviso no inverno.

506–507 No Iule, Dior enfrentou os filhos de Fëanor nas marcas orientais de Doriath, e foi morto. Lá tombaram também Celegorn (pela mão de Dior) e Curufin e Cranthir. Os cruéis serviçais de Celegorn capturam os filhos de Dior (Elrún e Eldún) e os deixam para morrer de fome na floresta. (Nada certo é sabido acerca do destino deles, mas alguns dizem que as aves os socorreram e os levaram a Ossir.) [*Na margem:* Maidros, arrependido, procura em vão pelos filhos de Dior.] A Senhora Lindis escapou com Elwing e chegou com dificuldade a Ossir, com o Colar e a Joia. De lá, ao ouvir os rumores, ela fugiu para os Portos de Sirion.

509 Maeglin capturado por espiões de Melkor (Sauron?).

510 Meio-do-verão. Ataque e saque de Gondolin, devido à traição de Maeglin, que revelou onde a cidade se situava.

511 Exilados de Gondolin, (Tuor, Idril e Eärendil etc.) chegam ao Sirion, que agora prospera com o poder da Silmaril.

512 Filhos de Fëanor tomam conhecimento do crescimento dos Novos Portos, e de que a Silmaril lá se encontra, mas Maidros abjura o seu juramento.

525 A Inquietação de Ulmo se abateu sobre Tuor e ele construiu um navio, *Ëarámë*, e partiu para o Oeste com Idril (e Voronwë?) e dele não se ouve em nenhuma história desde então. Eärendil desposou Elwing e tornou-se Senhor dos homens dos Portos.

527 Tormento abateu-se sobre Maidros e seus irmãos (Maglor, Damrod e Diriel) por causa do juramento não cumprido.

Aqui o texto termina, na metade da última página. Segue-se um comentário acerca dele.

501 Na história original da chegada de Húrin a Menegroth no *Conto de Turambar* (II. 140–1), ele, com seu "bando" ou "hoste" de "Elfos", levou o tesouro de Nargothrond em uma grade quantidade de sacas e caixas, e "deitaram aquele tesouro aos pés do rei".

E assim também, no *Esboço da Mitologia* (IV. 40), "Húrin joga o ouro aos pés de Thingol", sem qualquer indício de como o ouro foi levado a Doriath; mas no *Quenta* (IV. 152) "Húrin foi ter com Thingol e buscou seu auxílio, e a gente de Thingol levou o tesouro às Mil Cavernas" (quanto à natureza insatisfatória dessa versão, ver IV. 216). No AB 2 (V. 169), "Húrin levou o ouro a Thingol". Ver mais na p. 315.

503 Ao lado de "Os Anãos de Belegost e Nogrod invadem Doriath" meu pai colocou um X a lápis e as palavras "não podem": isto é, os Anãos *não podiam* passar o Cinturão de Melian. Nas fontes antigas, a magia protetora foi derrotada pelo artifício de um Elfo traidor (no *Conto*) ou mais de um (no *Esboço* e no *Quenta*); mas desde o *Quenta* a questão nunca mais veio à tona. Em relação a isso, há uma página de notas descuidadas — como as que meu pai fazia com frequência ao meditar sobre uma história como um todo — que dizem respeito à "Saga de Túrin" (como "Um relato de Beleg e seu arco deve ser inserido no ponto em que Túrin o encontra pela primeira vez" e "Túrin deve ser *desleal* com Gwindor — pois o seu caráter em toda a história é o de um homem de boa vontade, gentil e leal, que se deixa levar pelas emoções, especialmente a ira ..."); e entre essas notas, e escrito na mesma época, embora sem nenhuma relação, há o seguinte trecho:

> Um exército hostil não pode entrar em Doriath! Deve ser tramado de alguma forma para que Thingol seja atraído para fora ou induzido a ir à guerra além de suas fronteiras e lá ser morto pelos Anãos. Então Melian parte e, com a remoção do cinturão, Doriath é assolada pelos Anãos.

É bem possível que as palavras "não podem" tenham sido escritas junto ao anal 503 em *O Conto dos Anos* na mesma época que essa nota.

A história de que foram Celegorm e Curufin que emboscaram os Anãos nos "Vaus do Ascar" é repetida sem alterações da versão C anterior (p. 422). Há uma referência passageira a uma história similar (pois, neste caso, foi Caranthir, e não Celegorm e Curufin) no texto *Acerca de Galadriel e Celeborn* pós-*Senhor dos Anéis*. Ele foi publicado em *Contos Inacabados* em uma forma "recontada" um tanto seletiva para os propósitos daquela seção do livro; e na passagem (p. 384-5) que diz que Celeborn não tinha amor por nenhum

Anão e nunca lhes perdoou seu papel na destruição de Doriath ("ignorando o papel de Morgoth nisso (por enfurecer Húrin) e os próprios defeitos de Thingol"), meu pai propôs, em vez de afirmar, que somente os Anãos de Nogrod haviam tomado parte no ataque, e que foram "quase inteiramente destruídos por Caranthir".

No entanto, parece que essa não foi sua concepção final. Em uma carta de 1963 (*Cartas*, nº 247, p. 480), ele escreveu que podia "prever" um evento nos Dias Antigos no qual os Ents desempenharam um papel:

> Foi em Ossiriand ... que Beren e Lúthien residiram por um tempo após o retorno de Beren dos Mortos. Beren não apareceu novamente entre mortais, exceto uma vez. Ele interceptou um exército anânico que havia descido das montanhas, saqueado o reino de Doriath e assassinado o Rei Thingol, o pai de Lúthien, levando consigo um grande espólio, incluindo o colar de Thingol no qual encontrava-se a Silmaril. Houve uma batalha próximo a um vau que atravessava um dos Sete Rios de Ossir, e a Silmaril foi recuperada ... Parece claro que Beren, que não possuía um exército, recebeu o auxílio dos Ents — e isso não contribuiria para o amor entre Ents e Anãos.

Também é notável nisso que a antiga história de que os Anãos tomaram o Nauglamír de Menegroth reapareça (ver pp. 420-1).

Abaixo do *-lóriel* de *Rathlóriel* meu pai escreveu a lápis: *lórion* (*Rathlórion* era a forma original do nome desse rio), mas ele riscou isso e então escreveu *mallen*, isto é, *Rathmallen* (cf. *Rathmalad* (?) no mapa, p. 235, §69).

504 O retorno de Dior a Doriath já havia sido apresentado em 503 em D 1, a parte datilografada do texto. — Nas versões B e C (pp. 420-1), Melian levou a Silmaril a Beren e Lúthien em Ossiriand e depois partiu para Valinor, e isso também é dito em D 1 (p. 425). O presente texto em D 2, um ano depois, repete que Melian foi para Valinor, e a insinuação é de que ela estava em Doriath quando Dior chegou; cf. a nota citada na p. 424: "Dior ... aparece em Doriath após a ruína do reino e é recebido por Melian". Essa claramente parece ter sido a história no AB 1 (IV. 359) e no AB 2 (V. 169). Mas é impossível ter certeza de qualquer coisa com registros tão condensados.

506–507 *Ossir*: Ossiriand. — Quanto à busca em vão de Maidros por Elrún e Eldún, ver p. 423, ano 511.

*A Senhora Lindis*: Lindis aparece em outro lugar como o nome da esposa de Dior (ver p. 314). A frase "De lá, ao ouvir os rumores, ela fugiu para os Portos de Sirion" presumivelmente significa que Lindis ouviu os rumores de que os sobreviventes de Gondolin haviam chegado aos Portos (um evento registrado no texto no ano 511).

510 A história de que o local de Gondolin foi revelado a Morgoth por Maeglin foi alterada posteriormente: ver pp. 332-3 e nota 30.

511 Cf. o *Quenta* (IV. 174): "pois lhes parecia que naquela joia estava a dádiva de bem-aventurança e cura que sobreviera a suas casas e a seus navios"; também o AB 2 (V. 171).

512 Foi afirmado no AB 2 (V. 170) que Maidros "abjurou o seu juramento"; nesse e nos anais seguintes meu pai estava seguindo aquele texto muito de perto (de fato, o D 2 é inteiramente baseado nele).

525 É notável a insinuação de que Voronwë foi o companheiro de Tuor e Idril na viagem deles para o Oeste. Ele (Bronweg / Voronwë) era originalmente o marinheiro que acompanhara Eärendil (IV. 46, 171). Cf. as palavras de Tuor para ele no *Conto de Tuor* tardio (*Contos Inacabados*, p. 56): "tua longa estrada há de te conduzir para longe da Sombra, e tua esperança há de retornar ao Mar".

Seria interessante saber quando esse manuscrito final D 2 foi escrito. Aparentemente, tem seu lugar com as alterações e os acréscimos feitos ao texto datilografado em anais anteriores, particularmente aqueles que dizem respeito à história de Túrin, e nesses há indicações de que derivam do período do trabalho de meu pai no *Narn*. Mas isso é muito incerto; e, se assim for, é ainda mais notável ele ter baseado esses textos tão estritamente nos antigos anais pré-*Senhor dos Anéis*.

★

## *Uma nota acerca do Capítulo 22, Da Ruína de Doriath, no Silmarillion publicado*

Com exceção de algumas questões de detalhes em textos e notas que não foram publicados, tudo o que meu pai escreveu acerca do tema da ruína de Doriath já foi agora apresentado: desde a história original contada no *Conto de Turambar* (II. 139–42) e no *Conto do Nauglafring* (II. 267 ss.), passando pelo *Esboço da Mitologia* (IV. 40–1, com comentário 74–7) e pelo *Quenta* (IV. 152–55, com comentário 215–20), junto com o pouco que se pode depreender de *O Conto dos Anos* e de algumas pouquíssimas referências tardias (ver especialmente pp. 427-8). Se esses materiais forem comparados com a história contada em *O Silmarillion*, ver-se-á de imediato que este foi fundamentalmente alterado para uma forma que, em certas características essenciais, não tem qualquer respaldo de autoridade nos próprios escritos de meu pai.

Havia problemas muito evidentes com a história antiga. Se ele tivesse voltado a ela, meu pai sem dúvida teria encontrado alguma outra solução que não aquela no *Quenta* para a pergunta: "Como o tesouro de Nargothrond foi levado a Doriath?". Lá, a maldição que Mîm colocou sobre o ouro ao morrer "abateu-se sobre os possuidores desta maneira. Cada um dos membros da companhia de Húrin morreu ou foi morto em querelas na estrada; mas Húrin foi ter com Thingol e buscou seu auxílio, e a gente de Thingol levou o tesouro às Mil Cavernas". Como eu disse em IV. 216, "o gesto é arruinado se for preciso que Húrin consiga fazer com que o rei mande buscar o ouro com o qual ele *então* será humilhado". Parece-me muito improvável (mas isso é mera especulação) que meu pai teria reintroduzido os proscritos dos antigos *Contos* (II. 139–42, 268–9) como os carregadores do tesouro (embora não a batalha feroz entre eles e os Elfos das Mil Cavernas): nos escritos fragmentários no final de *As Andanças de Húrin*, Asgon e seus companheiros reaparecem após o desastre de Brethil e vão com Húrin para Nargothrond (pp. 369-70).

É impossível dizer como ele teria tratado o comportamento de Thingol para com os Anãos. Aquela história só foi contada na íntegra uma vez, no *Conto do Nauglafring*, no qual a conduta de Tinwelint (precursor de Thingol) estava inteiramente em desacordo com a concepção tardia do rei (ver II. 293–95). No *Esboço*, nada mais é dito sobre a questão além de que os Anãos foram "mandados embora sem paga", enquanto no *Quenta* "Thingol ... restringiu a recompensa prometida pelo trabalho; e ergueram-se entre eles palavras amargas e houve batalha nos salões de Thingol". Parece não haver nenhum indício ou sugestão em escritos tardios (em *O Conto dos Anos*, a mesma frase simples é usada em todas as versões: "Thingol entra em disputa com os Anãos"), a não ser que se possa ver um indicativo nas palavras citadas de *Acerca de Galadriel e Celeborn* na p. 428-9: Celeborn, em sua visão da destruição de Doriath, ignorava o papel de Morgoth nela "e os próprios defeitos de Thingol".

Em *O Conto dos Anos*, meu pai parece não ter levado em consideração o problema da entrada da hoste anânica em Doriath apesar do Cinturão de Melian, mas, ao escrever as palavras "não podem" junto à versão D (p. 426), ele demostrou que considerava impossível por essa razão a história que havia delineado. Em outro lugar, ele esboçou uma possível solução (*ibid.*): "Deve ser tramado de alguma forma para que Thingol seja atraído para fora ou induzido a ir à guerra além de suas fronteiras e lá ser morto pelos Anãos. Então Melian parte e, com a remoção do cinturão, Doriath é assolada pelos Anãos".

Na história que aparece em *O Silmarillion*, os proscritos que foram com Húrin a Nargothrond foram removidos, assim como a maldição de Mîm; e o único tesouro que Húrin levou de Nargothrond foi o Nauglamîr — que aqui teria sido feito pelos Anãos para Finrod Felagund e teria sido estimado por ele acima de todo o tesouro de Nargothrond. Húrin foi representado como ficando enfim livre das ilusões inspiradas por Morgoth em seu encontro com Melian em Menegroth. Os Anãos que engastaram a Silmaril no Nauglamîr já se encontravam em Menegroth ocupados com outros trabalhos, e foram eles que mataram Thingol; naquela época, o poder de Melian foi removido de Neldoreth e Region, e ela desapareceu da Terra-média, deixando Doriath desprotegida. A emboscada e destruição dos Anãos em Sarn Athrad foi mais uma vez delegada a Beren e aos Elfos Verdes (seguindo a carta de 1963 de meu pai, citada na p. 428, onde, no entanto, ele disse que "Beren não possuía um exército"), e da mesma fonte os Ents, "Pastores das Árvores", foram introduzidos.

Essa história não foi concebida de modo leviano ou com facilidade, sendo antes o resultado de uma longa experimentação entre concepções alternativas. Nesse trabalho Guy Kay desempenhou um papel importante, e o capítulo que acabei por escrever deve muito às minhas discussões com ele. É (e era) óbvio que estava sendo dado um passo de uma ordem diferente de qualquer outra "manipulação" dos próprios escritos de meu pai no decorrer do livro: mesmo no caso da história de A Queda de Gondolin, à qual meu pai jamais retornou, algo podia ser elaborado sem introduzir mudanças radicais na narrativa. Na época, parecia haver elementos inerentes à história da Ruína de Doriath tal como se encontrava que eram radicalmente incompatíveis com "O Silmarillion" conforme projetado, e também que havia aqui uma escolha inescapável: abandonar a concepção ou então alterar a história. Acredito agora que essa tenha sido uma percepção equivocada e que as dificuldades incontestáveis poderiam, e deveriam, ter sido superadas sem ultrapassar tanto os limites da função editorial.

# PARTE QUATRO

# Quendi e Eldar

Está claro que o título *Quendi e Eldar* pertence apropriadamente ao longo ensaio apresentado aqui, embora meu pai também o tenha usado para incluir duas outras obras mais curtas, obviamente escritas basicamente na mesma época; uma dessas obras, acerca da origem dos Orques, foi publicada em *O Anel de Morgoth* (ver X. 499, onde é fornecido um relato mais detalhado). *Quendi e Eldar* existe em um texto datilografado com uma cópia em papel carbono que podem ser datados com bastante segurança dos anos 1959–60 (*ibid.*); e ambas as cópias são precedidas por uma página manuscrita que, além do seguinte preâmbulo, fornece um título paralelo: *Essekenta Eldarinwa*.

> Investigação acerca das origens dos nomes élficos
> para Elfos e suas variedades, clãs e divisões: com
> Apêndices a respeito de seus nomes para os outros
> Encarnados: Homens, Anãos e Orques; e acerca
> da análise deles de seu próprio idioma, o quenya:
> com uma nota acerca do "Idioma dos Valar".

Meu pai corrigiu as duas cópias com cuidado e precisamente da mesma maneira (exceto por algumas alterações posteriores a lápis). O texto publicado aqui segue o original de muito perto, com exceção de algumas alterações muito insignificantes feitas por questões de consistência ou clareza, a omissão de uma passagem de fonologia extremamente complexa e uma reorganização do texto em relação às notas. Da mesma forma que o fez com frequência em seus escritos tardios, meu pai interrompeu o seu texto principal com notas, algumas delas longas; e essas numerei e reuni no final, distinguindo-as das minhas próprias notas numeradas ao me referir a elas no corpo do texto como *Nota 1*, *Nota 2* etc., com uma referência à página em que se encontram. Além disso, e de maneira mais drástica, omiti uma seção substancial do Apêndice D (ver p. 475-6). Isso foi feito primeiramente por razões de espaço, mas a passagem em questão é um relato um tanto abstrato das teorias fonológicas de antigos Mestres-do-saber linguísticos e das contribuições de Fëanor, que depende de forma bastante alusiva de dados fonológicos pressupostos: ele se destaca do conteúdo da obra como um todo (e inserido, desconfio, antes pela linha de raciocínio de meu pai do que como um elemento planejado no geral).

Ademais, por razões de espaço, meu comentário foi mantido a um mínimo absoluto. As abreviações usadas são: quend. prim. (quendiano primitivo), eld. com. (eldarin comum), tele. com. (telerin comum), quen. (quenya), tele. (telerin), ñold. (ñoldorin), sind. (sindarin) e val. (valarin).

# QUENDI E ELDAR

Origens e Significados das palavras élficas que se referem a *Elfos* e suas variedades. Com Apêndices acerca de seus nomes para outros Encarnados.

## A. Os principais elementos linguísticos em questão.

1. *KWENE
   *(a)* Quend. prim. **kwene* "pessoa" (m. ou f.). Eld. com. **kwēn* (-*kwen*), pl. **kwenī*, "pessoa" (m. ou f.), "alguém"; pl. "(algumas) pessoas".
   *(b)* Quend. prim. e eld. com. **kwende*, pl. **kwendī*. Essa forma foi criada a partir de **kwene* por um fortalecimento primitivo do *n* > *nd* mediano. Provavelmente foi usado a princípio apenas no plural, no sentido de "povo, as pessoas como um todo", isto é, abrangendo todos os três clãs originais.
   *(c)* **kwendjā* adj. "pertencente aos **kwendī*, ao povo como um todo".

2. *ELE De acordo com as lendas élficas, essa era uma exclamação primitiva, "eis!", "veja(m)!", feita pelos Elfos quando viram as estrelas pela primeira vez. Daí:
   *(a)* Eld. com. **el*, **ele*, **el-ā*; "eis!", "veja(m)!".

(*b*) Eld. com. **ēl*, pl. "*eli*, *ēli*, "estrela".

(*c*) Eld. com. **elen*, pl. **elenī*, "estrela", com "base estendida".

(*d*) Eld. com. **eldā*, uma formação adjetiva "relacionada ou que diz respeito às estrelas", usada como uma descrição dos **kwendī*. De acordo com as lendas, esse nome, e o seguinte, deviam-se ao Vala Oromë. Assim, eles provavelmente eram usados a princípio apenas no plural, com o significado de "gente-das-estrelas".

(*e*) Eld. com. **elenā*, uma forma adjetiva criada a partir do radical estendido **elen*, de mesmo significado e uso que **eldā*.

3. *DELE

(*a*) Uma base verbal **dele*, também com sufixo **del-ja*, "andar, ir, prosseguir, viajar".

(*b*) **edelō*, uma formação agentiva de padrão primitivo: "alguém que vai, viajante, migrante". Um nome criado na época da Separação para aqueles que decidiram seguir Oromë.

(*c*) **awa-delo*, **awā-delo*, ?**wā-delō*. Antigas palavras compostas com o elemento **awa* "distante, longe" (ver abaixo). Um nome criado em Beleriand para aqueles que por fim partiram da Terra-média.

4. *HEKE Provavelmente em origem não era uma base verbal, mas um elemento adverbial "à parte, separado".

(*a*) Quend. prim. **heke* "à parte, não incluindo".

(*b*) Derivado verbal quend. prim. e eld. com., transitivo: **hek-tā* "pôr de lado, expulsar, abandonar".

(*c*) Quend. prim. **hekla* "qualquer coisa (ou pessoa) deixada de lado, ou excluída, de sua companhia normal". Também em forma pessoal **heklō* "um errante ou pária"; formas adjetivas **heklā* e **hekelā*.

O elemento *AWA, que aparece em 3(c) acima, referia-se ao movimento de afastamento, do ponto de vista da coisa, pessoa ou lugar deixado. Como um prefixo, ele provavelmente já havia se desenvolvido no eld. com. na forma **au-*. A forma **awā* era originalmente uma forma adverbial independente, mas parece também ter sido usada como um prefixo (como uma forma intensiva de **awa-*, **au-*). É provável que a forma **wā-* tenha sido usada originalmente como um radical verbal, e possivelmente também em composição com radicais verbais.

Nos idiomas eldarin, esse radical fez contato em forma com outros elementos, distintos em origem e em sentido. *ABA "recusar", "dizer não (em recusa ou negação)": essa é a fonte do eld. com. **abar*, pl. **abarī* "um recusador", alguém que se recusou a seguir Oromë. *WO nas formas **wō* e **wo-* (a segunda apenas como prefixo): esse era um advérbio "junto", em referência à junção de duas coisas, ou grupos, em um par ou em um todo. O equivalente plural era **jō*, **jōm* e, como prefixo, **jo*, **jom*. *HO nas formas **hō* e **ho*: esse era um advérbio "desde, vindo de", sendo o ponto de vista exterior à coisa mencionada.

Os principais derivados em forma (seu uso é discutido abaixo) das palavras eld. com. apresentadas acima eram os seguintes:

*KWEN

QUENYA 1(a) *quēn*, pl. *queni*; átono, como pronome ou elemento final em uma palavra composta, *quen*.

1(b) *Quendi*. O sing. *quende* (não muito usado) foi feito em quenya a partir de *Quendi*, seguindo o modelo de outros substantivos em *-e*, cuja maioria formava seus plurais em *-i*. Havia também duas palavras compostas antigas: *Kalaquendi* "Elfos-da-luz" e *Moriquendi* "Elfos-escuros".

1(c) *Quendya*, que permaneceu no dialeto vanyarin, mas em ñoldorin tornou-se *quenya*. Essa palavra era usada apenas em referência ao idioma.

TELERIN 1(a) *pen* como pronome, e *-pen* em algumas palavras compostas antigas.

1(b) *Pendi*, apenas plural. Também nas palavras compostas *Calapendi* e *Moripendi*.

1(c) Não encontrada.

SINDARIN 1(a) *pen*, geralmente *ben* com mutação, como pronome. Também *-ben*, *-phen* em algumas palavras compostas antigas.

1(b) Não encontrada. As palavras compostas *Calben* (pl. *Celbin*) e *Morben* (pl. *Moerbin*, *Morbin*) certamente devem ter se originado da mesma fonte que as mencionadas acima, mas seu elemento final foi evidentemente alterado para ficar de acordo com as palavras compostas de **kwen*. Os derivados inalterados teriam sido **Calbend*, **Moerbend*; mas, embora o *-nd* final tenha por fim se tornado *-n* em sindarin, essa mudança não havia ocorrido nos registros antigos, e não se encontram casos de *-bend*. Além disso, a forma *Morben* (sem afeição[1] do *o*) mostra ou uma alteração para **mora-* no lugar de *mori-*, analogamente a **kala-*, ou, mais provavelmente, substituição do sind. *morn-* a partir de **mornā*, a forma adjetiva sind. usual.

1(c) Não encontrada.

### *EL

QUENYA 2(a) *ela!* exclamação imperativa, direcionando a vista para um objeto de fato visível.

2(b) *ēl*, pl. *ēli*, "estrela" (palavra poética).

2(c) *elen*, pl. *eleni* (ocasionalmente *eldi* em poesia), "estrela". A palavra normal para uma estrela do céu de fato. A forma pl. *eleni*, sem síncope, é reformada segundo o singular.

2(d) *Elda*, usado somente como substantivo, principalmente no pl. *Eldar*. Ver também (Quenya) 3(b) abaixo.

2(e) *Elda*, como acima. Como adjetivo com referência a estrelas, a forma usada era *elenya*.

TELERIN 2(a) *ela!* como em quenya.

2(b) *ēl*, pl. *ēli*. A palavra comum para "estrela".

2(c) *elen*, pl. *elni*. Uma variante arcaica ou poética da anterior.

2(d) *Ella*. Uma variante ocasional de *Ello*, que era a forma normal da palavra. Isso mostra o contato com os produtos de **edelō*: ver mais em (Telerin) 3.

2(e) Não encontrada. A forma teria sido **Elna*.

SINDARIN 2(a) *elo!* Uma exclamação de espanto, admiração, deleite.

2(b) Não encontrada.

2(c) êl, pl. *elin*, plural de classe *elenath*. Uma palavra arcaica para "estrela", pouco usada, exceto em poesia, fora a forma *elenath* "todas as inúmeras estrelas do céu".

2(d) *Ell-*, usada apenas nas formas m. e f. *Ellon*, *Elleth*, homem-elfo, mulher-elfo; o plural de classe *El(d)rim*; e o elemento final *-el*, pl. *-il*, em algumas palavras compostas antigas: ver (Sindarin) 3(b).

2(e) *Elen*, pl. *Elin*, com plural de classe *Eledhrim*, Elfo, Elfos. *dhr* é < *n-r* em contato secundário. Quanto ao uso, ver abaixo.

*DEL

QUENYA 3(a) *lelya-* "ir, prosseguir (em qualquer direção), viajar"; pretérito *lende*. Essa forma deve-se à mutação antiga no quen. de *d* > *l* inicial. A mutação era regular nos dialetos vanyarin e ñoldorin do quenya. Também ocorre ocasionalmente nos idiomas telerin, embora isso possa antes ser devido à variação *d*/*l* em quend. prim., para a qual há alguma evidência. Um exemplo notável é *de*/*le* como elementos pronominais na 2ª pessoa.

Em quen., **del-* parece ter se tornado **led*, por dissimilação. A forma de pretérito claramente mostra **led*, enquanto *lelya* também pode ser derivada de **ledja*, uma vez que *dj* tornou-se *ly* medialmente em quenya.

3(b) *Eldo*. Uma variante arcaica de *Elda*, com a qual coalesceu em forma e sentido. No entanto, *Eldo* não pode ter se originado diretamente de **edelō*. Sua forma deve-se provavelmente a uma mudança **edelō* > *eledo*, seguindo a mutação no verbo. A mutação de *d* > *l* inicial foi antiga e pode ter precedido a síncope, e a perda da percepção das ligações etimológicas da palavra, que resultaram por fim na mescla dos produtos de 2 e 3. **edelō* inalterada teria resultado, por síncope, em **eðlo* > **ello* (que não é encontrada). Entretanto, ver em Sindarin as razões para se supor que pode ter havido uma forma variante **edlō* (com perda de *sundóma*):[2] isso teria produzido uma forma **eldo* em quenya, visto que a transposição de *dl* em contato primário com a sequência favorecida *ld* ocorria não infrequentemente no período do quenya pré-registros.

3(c) *Aurel* < **aw(a)delo*. *Oärel* < **awādelo*. No dialeto vanyarin, *Auzel* e *Oäzel*. *Oärel* (*Oäzel*) eram as formas comumente usadas em quen. Os plurais assumiam as formas *-eldi*. Isso mostra que a desinência *-el* era associada com o substantivo *Elda*. Tal processo foi facilitado por um desenvolvimento normal na morfologia do quen.: uma palavra de forma independente tal como **eldā*, quando usada como o elemento final em uma palavra composta mais antiga, era encurtada para **elda*, pl. **eldī* > **eld*, **eldī* > quen. histórico *-el*, *-eldi*. Além disso, öar estava em uso em quen. como forma adverbial derivada de *AWA (ver abaixo): um fato que também explica a seleção de öarel, öazel.

TELERIN 3(a) *delia* "ir, prosseguir". Pretérito *delle*.

3(b) *Ello*. A forma usual, preferida no lugar de *Ella*, da qual, contudo, não diferia em sentido. Tanto **edelō* como **edlō* tornaram-se regularmente *ello* em telerin.

3(c) *Audel*, pl. *Audelli*. Essa palavra mostra a mesma associação com *-el*, a forma encurtada de *ella*, *ello*, como aquela vista em quen.

SINDARIN 3(a) Não encontrada.

3(b) *Edhel*, pl. *Edhil*. A palavra mais usual em sindarin; mas usada normalmente apenas nessas formas. Como mencionado acima em (Sindarin) 2(d), as formas m. e f. eram *Ellon*, *Elleth*; e também havia um plural de classe *Eldrim*, *Elrim* (*ll-r* em contato secundário > *ldr*, posteriormente simplificado mais uma vez). Como sugerido em (Quenya) 3(b), pode ter havido uma variante **edlō*, que resultaria regularmente em *ell-* em sindarin. Uma vez que o mais provável seria essa forma mais curta aparecer em palavras compostas e formas estendidas, isso explicaria a limitação do sindarin *ell-* a formas como *Ellon*, *Elleth*, *Eldrim*. Também explicaria a fusão dos produtos dos radicais 2 *El* e 3 *Del* em sindarin, assim como em quenya. A forma *-el*, pl. *-il* também ocorre em algumas palavras compostas antigas (especialmente nomes pessoais), onde também pode se dever à fusão de **elda* e **edlo*. Em palavras compostas tardias, *-edhel* é usada.

3(c) Ódhel, pl. Ódhil; junto às palavras tardias mais usuais *Gódhel*, *Gódhil*. Também um plural de classe Ódhellim, *Gódhellim*. Ódhel vem de **aw(a)delo*, e é o equivalente exato do quen. *Aurel* e do tele. *Audel*. *Gódhel* poderia ter se originado de **wādelo*: **wā* > *gwǭ* > *go* inicial sind. Mas, como aparece posteriormente a Ódhel, e depois de esse termo passar a ser aplicado especialmente aos Ñoldor Exilados, parece mais provável que tenha recebido o *g-* do antigo nome de clã *Golodh*, pl. *Goelydh*, o qual ele praticamente substituiu. *Golodh* era o equivalente sind. do quen. Ñoldo, ambos vindos do quend. prim. **ñgolodō*.

### *HEK

QUENYA 4(a) *heka!*, exclamação imperativa "suma! parta! saia (da frente)!". Normalmente direcionada apenas a pessoas. Aparece com frequência nas formas *hekat* sing. e *hekal* pl., com afixos pronominais reduzidos da 2ª pessoa. Também *hequa* (? de *hek-wā), advérbio e preposição "deixando de lado, sem contar, excluindo, exceto".

4(b) *hehta-*, pretérito *hehtane*, "pôr de lado, omitir, excluir, abandonar, deixar".

4(c) *hekil* e *hekilo* m., *hekile* f.: "alguém perdido ou abandonado por amigos, pária, proscrito". Também *Hekel*, pl. *Hekeldi*, reformada para se equiparar a *Oärel*, aplicada especialmente aos Eldar deixados em Beleriand. Daí *Hekelmar* e *Hekeldamar*, o nome no idioma dos mestres-do-saber de Aman para Beleriand. Pensava-se nela como uma longa terra costeira junto ao Mar (cf. *Eglamar* em Sindarin abaixo).

TELERIN 4(a) *heca!* Para o quen. *hequa*, a forma tele. é *heco* (? < **hek* + *au*).

4(b) *hecta-* "rejeitar, abandonar".

4(c) *hecul*, *heculo*. Também com referência especial àqueles deixados em Beleriand, *Hecello*; *Heculbar* ou *Hecellubar*, Beleriand.

SINDARIN O *h-* quend. prim. foi preservado somente nos dialetos de Aman. Ele desapareceu sem deixar traços em sindarin. Portanto, **hek* aparece como **ek*, idêntico em forma ao quend. prim. **eke* "ponta afiada".

4(a) *ego!* "vá!" Essa palavra vem de **hek(e) ā*: *ā*, a partícula imperativa, originalmente independente e variável pela posição, foi preservada em sind. como *ō* > *o*, embora tenha então sempre se seguido ao radical verbal e se tornado uma flexão.

4(b) *eitha-*. No geral, esse é um derivado do quend. prim. **ek-tā* e significa "espetar com uma ponta afiada", "apunhalar"; mas o sentido "tratar com desdém, insultar" (frequentemente com referência à rejeição ou recusa) pode mostrar o efeito da fusão com o quend. prim. **hek-ta*. Dizer *ego!* a alguém era de fato o mais grave *eithad*.

4(c) *Eglan*, usado principalmente no plural *Eglain*, *Egladhrim*. O nome que os Sindar deram a si mesmos ("Os Abandonados") como distintos dos Elfos que partiram da Terra-média. *Eglan* é < de uma forma adjetiva estendida **heklanā*. A forma mais curta mais antiga (**hekla* ou **heklā*) foi preservada em alguns topônimos, como *Eglamar* (cf. *Hekelmar* etc.), *Eglarest*. Vê-se que são antigos pela sua formação, com a precedência do elemento genitivo: **ekla-mbar*, **ekla-rista*.

*AWA

QUENYA _au-_ como um prefixo verbal: < _*au_ ou _*awa_; como em _au-kiri-_ "cortar (fora), separar". O ponto de vista originalmente era "longe do falante ou do lugar de seu pensamento", e essa distinção geralmente é preservada em quen. Assim, _aukiri_ significava "cortar, de modo que uma porção seja perdida ou não fique mais disponível", mas _hókiri_ (ver abaixo) significava "cortar uma porção necessária, de modo a tê-la ou usá-la".

öa, öar. Advérbios: < _*awā_; a forma öar mostra acréscimo da desinência _-d_ (pré-histórica _-da_), que indica movimento a ou na direção de um ponto. A forma _awā_ parece ter sido usada originalmente para parada ou movimento, e öa ainda pode ser usada assim em quen. Esse öa, öar adverbial era ocasionalmente usado como um prefixo em palavras compostas de formação tardia, apesar de, como foi mostrado, em _Oäreldi_, a palavra de uso mais comum, o _r_ na verdade ter origem diferente.

O verbo _auta-_ "ir embora, partir (do ponto do pensamento do falante)" possuía um pretérito "forte" _anwe_, encontrado somente em linguagem arcaica. As formas de pretérito e do perfeito usadas com mais frequência eram _vāne_ e _avānie_, criadas a partir do radical _*wā_, junto com uma forma de particípio passado _vanwa_. Essa última era uma formação antiga (que também é encontrada em sindarin), e era a parte do verbo usada com mais frequência. Ela desenvolveu os significados "ido, perdido, não mais possuído, desaparecido, partido, morto, passado e acabado". As formas _vāne_ e _avānie_ eram especialmente associadas a ela em uso e sentido. No sentido mais puramente físico de "foi embora (para outro lugar)", as formas regulares (para um verbo _-ta_ dessa classe), öante, öantie eram usadas. A forma de perfeito _avānie_ desenvolveu-se regularmente de _*a-wāniiē_, criada no período pré-histórico a partir da forma mais antiga de perfeito desse tipo, _*awāwiiē_, com a intrusão do _n_ do pretérito (as formas de pretérito e perfeito tornaram-se progressivamente mais associadas em quenya). A ênfase permaneceu no _wā_, visto que o aumento ou reduplicação em formas verbais nunca foi enfatizado mesmo no período de retração do quenya (donde nenhuma forma *öanie surgiu: contraste com öante < _*áwa-n--tē_). A forma _vānie_ que aparece em poesia não possui aumento: provavelmente um desenvolvimento fonético após uma vogal precedente; mas formas desse tipo não são incomuns em poesia.

SINDARIN O único derivado comum é a preposição *o*, a palavra usual para "de". Nenhuma das formas do elemento **awa* é encontrada como prefixo em sind., provavelmente porque se tornaram similares ou idênticas aos produtos de **wō*, **wo* (ver a seguir). A forma Ódhel é isolada (ver acima, Sindarin 3(c)). Como demonstram as mutações que se seguem à preposição *o*, pré-historicamente ela devia terminar em *-t* ou *-d*. Portanto, ela possivelmente vem de **aud*, tendo *d* a mesma origem vista no quen. öar (ver acima). Alguns são da opinião de que ela recebeu o acréscimo de *-t* (em um período em que **au* já havia se tornado *ǭ* > *o*) por associação com **et* "fora (de)". Esta mantém sua consoante na forma *ed* antes de vogais, mas a perde antes de consoantes, embora *es*, *ef* e *eth* sejam encontradas com frequência antes de *s*, *f* e *th*. No entanto, *o* normalmente é *o* em todas as posições, embora *od* apareça ocasionalmente antes de vogais, especialmente antes de *o-*. Portanto, a influência de **et* > *ed* provavelmente é apenas tardia e não explica as mutações.

TELERIN As formas telerin são bastante similares àquelas do quenya em forma e significado, embora o desenvolvimento *áua > öa não ocorra, e *v* permaneça *w* em som. Assim, temos o prefixo *au-*, advérbio *au* ou *avad*; verbo *auta-* com particípio passado *vanua*, e pretérito e perfeito associados *vāne* e *avānie*; e, em sentidos físicos, *vante* e *avantie*.

### *WO

QUENYA Esse elemento não permanece em quen. como uma palavra independente. No entanto, é um prefixo frequente na forma ó- (geralmente reduzido para *o-* quando átono), usado em palavras que descrevem o encontro, junção ou união de duas coisas ou pessoas, ou de dois grupos considerados com unidades. Assim: *o-mentie* (encontro ou junção das direções de duas pessoas) como na saudação familiar entre duas pessoas, ou duas companhias, cada uma seguindo por um caminho que cruza o da outra: *Elen síla lúmenna omentielvo!*[β] "Uma estrela brilha sobre a hora do encontro de nossos caminhos". *(Nota 1, p. 487)*

Esse prefixo normalmente era átono em verbos ou derivados de verbos; ou geralmente, quando a sílaba seguinte era longa. Quando enfatizado, possuía a forma ó-, como em ónoni "gêmeos", além do adj. *onóna* "gêmeo, duplo", também usado como um substantivo "um de um par de gêmeos".

TELERIN O uso não difere materialmente; mas, em forma, o *w-* (perdido em quenya antes de *ō*) é mantido: prefixo *vō*, *vo-*. *(Nota 1, p. 487)*

SINDARIN No prefixo *gwa-*, *go-* "junto, co-, com-". A limitação dual não era mais feita; e *go-* possuía os sentidos tanto de **wo* como de **jo*. **jo*, **jom-* desapareceu como prefixo produtivo. *gwa-* ocorria somente em algumas palavras dissílabas em sind., onde era enfatizada, ou em seus derivados reconhecíveis: por ex., *gwanūn* "um par de gêmeos", *gwanunig* um de tal par. Essas palavras eram principalmente de formação antiga e, assim, mantiveram seu significado dual. *gwa-* desenvolveu-se regularmente de **wo* > **wa* > *gwa*, quando enfatizado em sindarin pré-histórico. *go-* vem de **wo* > *gwo* > *go*, quando átono primitivamente; e também de *gwa-* > *go-*, quando, mais uma vez, tornou-se átono. Visto que o quend. prim. **wā* (uma das formas de *AWA) também teria produzido *gō-*, *go-* ou *gwa-* se encurtado primitivamente (por ex., antes de consoantes), enquanto **au* teria produzido *o-*, igual à forma de *go-* "junto" que sofria mutação em posição inicial com frequência, as formas prefixais de *AWA foram perdidas em sindarin.

### *HO

QUENYA Esse evidentemente era um elemento adverbial antigo, que ocorria principalmente como um proclítico ou enclítico: proclítico como prefixo de radicais verbais; e enclítico anexado a radicais nominais (o lugar usual para os elementos "preposicionais" mais simples em quend. prim.). Daí o quenya *hō-* (geralmente assim, mesmo quando se tornava átono), como prefixo verbal. Significava "de, desde, dentre", mas o ponto de vista era exterior à coisa, ou ao lugar, ou ao grupo em mente, enquanto nos derivados de *AWA o ponto em mente era o lugar ou coisa deixada. Assim, quen. *hókiri-* "cortar, de modo a ter ou usar uma porção necessária"; enquanto *aukiri-* significava "cortar e se livrar de ou perder uma porção". *hótuli-* "ir embora", de modo a deixar um lugar ou grupo e juntar-se a outro no pensamento ou local do falante"; ao passo que *au* não podia ser usado com o radical *tul-* "vir, chegar".

Como um substantivo, **-hō* enclítico tornou-se *-ō*, uma vez que *h* medial perdeu-se muito de início no eld. com., sem deixar vestígios. Essa era a fonte da flexão "genitiva" mais usada em quenya. Ela era, mais especificamente, usada partitivamente, ou para descrever a fonte ou origem, não como um "possessivo", ou adjetivalmente para descrever qualidades; mas, naturalmente, esse "genitivo derivado" (como o *of* inglês [e o *de* português]) podia ser usado em muitas circunstâncias que talvez tivessem implicações possessivas ou adjetivas, embora a "posse" fosse indicada pelo sufixo adjetivo *-va*, ou (especialmente em descrições gerais) por uma "palavra composta solta". Assim, "trompa de Orome" era *róma Oroméva* (caso permanecesse em sua posse); *Orome róma* significaria "uma trompa de Orome", isto é, uma das trompas de Orome (caso ele tivesse mais de uma); mas *róma Oromëo* significava "uma trompa provinda de Orome", por ex. como um presente, em circunstâncias nas quais o recipiente, exibindo o presente com orgulho, pudesse dizer "essa é a trompa de Orome". Se dissesse "essa *era* a trompa de Orome", ele diria *Oroméva*. De modo similar, *lambe Eldaron* não seria usado para "o idioma dos Eldar" (a não ser concebivelmente em um caso em que o idioma como um todo fosse adotado por outro povo), que é expresso por *Elda-lambe* ou *lambe Eldaiva*. *(Nota 2, p. 487)*

Naturalmente permaneciam muitos casos em que genitivos adjetivo-possessivos ou derivado-partitivos podiam ser usados, e a tendência a preferir os segundos, e usá-los no lugar dos primeiros, aumentou. Assim, *alkar Oromëo* ou *alkar Oroméva* podiam ser usados para "o esplendor de Oromë", embora a segunda fosse apropriada em uma descrição de Oromë como ele era permanentemente, e a primeira para o seu esplendor como visto no momento (vindo dele) ou em algum ponto em uma narrativa. "Os Reis dos Eldar" podia ser tanto *i arani Eldaron* como *i arani Eldaive*, embora a primeira significasse, se usada de maneira precisa, "aqueles dentre os Eldar que eram reis" e, a segunda, "aqueles (reis) em uma reunião específica que eram élficos". Em expressões como "Elwe, Rei dos Sindar (povo), ou de Doriath (país)", a forma derivada era usual: *Elwe, Aran Sindaron*, ou *Aran Lestanórëo*.

TELERIN O uso telerin do prefixo *ho-* se dava como em quenya. A flexão era *-o*, como em quenya, mas não recebia o acréscimo de *-n* no plural. Era usada de maneira mais disseminada do que em quenya puro, isto é, na maioria dos casos em que, no inglês [e em português] se empregaria *de*; apesar de que o possessivo, especialmente quando dizia respeito a uma única pessoa ou possuidor, era expresso sem flexão: seja com o possuidor colocado antes (o uso mais antigo), seja (possivelmente por influência das expressões genitivas ou adjetivas que eram colocadas em segundo lugar) seguindo-se à coisa possuída. No segundo caso, o sufixo possessivo apropriado ("seu(s), suas(s), dele(s), dela(s)") geralmente era anexado ao substantivo. Assim, *Olue cava*; ou *cava Olue*, geralmente *cavaria Olue* (isto é, "a casa dele, Olwe"); = "casa de Olwe". A última forma também era usada em quenya com nomes próprios, como *köarya Olwe*. Os dois idiomas também usavam os sufixos possessivos adjetivos de uma maneira curiosa, anexando-os a adjetivos atribuídos a nomes próprios (ou nomes de funções pessoais, como "rei"): como *Varda Aratarya*, "Varda, a Elevada, Varda em sua sublimidade". Isso era mais comum no vocativo: como em *Meletyalda*, ou, na forma completa, *Aran Meletyalda* (literalmente "vosso magno" ou "rei vosso magno"), mais ou menos equivalentes de "Vossa Majestade". Cf. A despedida de Aragorn: *Arwen vanimalda, namárie!* [4]

SINDARIN Uma vez que o *h-* inicial desapareceu em sindarin, **hō* teria se tornado *ū*, e assim, por entrar em conflito com o *ū* de negação, naturalmente não foi preservado. **ho* como proclítico poderia ter se tornado *o*; mas ele não ocorre como prefixo verbal, embora possivelmente tenha contribuído para a preposição sindarin *o* (ver **Awa*, Sindarin) que é usada em qualquer das "direções", de ou para o ponto de vista do falante. Visto que todas as vogais finais desapareceram em sindarin, não é possível determinar se esse idioma no período primitivo desenvolvera um *-ō* flexivo. Sua presença no telerin de Aman torna provável sua presença anterior em sindarin. A colocação do substantivo genitivo em segundo lugar em sindarin normal provavelmente também deriva de formas flexivas. Palavras compostas cujo primeiro elemento era "genitivo" evidentemente ainda eram normais no período mais antigo, como se vê em muitos topônimos e nomes pessoais (como *Egla-mar*), e ainda se encontravam em uso mais limitado em tempos posteriores, especialmente onde o primeiro elemento era um adjetivo de fato ou era considerado como tal (como *Mordor*, "Terra de Escuridão" ou "Terra Sombria"). Mas sequências genitivas com o possuidor ou qualificador em segundo lugar no período tardio também se tornaram palavras compostas fixas: como *Dóriath*, para *Dôr Iâth* "Terra da Cerca".

*ABA

Embora esse tenha se tornado um radical verbal, ele provavelmente deriva de um elemento (ou exclamação) de negação primitivo, como *BA "não!". Contudo, ele não negava fatos, mas sempre expressava preocupação ou vontade; isto é, expressava *recusa* de fazer o que outros pudessem desejar ou urgir, ou *proibição* de alguma ação por outros. Como um radical verbal, desenvolveu a forma **aba-* (com a vogal de ligação *a* no aoristo); como uma partícula ou prefixo, as formas **aba*, **bā* e **abā*.

QUENYA Em quenya, o verbo *ava-* era pouco usado em linguagem comum, e revelava que não era em origem um radical verbal "forte" ou básico por possuir a forma "fraca" de pretérito *avane*. Em uso comum, foi substituído pela palavra composta *vā-quet* (*váquetin*, *váquenten*) "dizer não", isto é, "dizer não hei de", ou "não fazer algo", "recusar" ou "proibir".

Como um prefixo, a forma usada era geralmente *ava-*, cuja força pode ser observada em *avaquétima* "para não ser dito, que não deve ser dito", *avanyárima* "que não deve ter contado ou relatado", em comparação com úquétima "indizível", isto é, "impossível de dizer, de colocar em palavras ou impronunciável", únyárima "impossível de recontar", isto é, porque não se tem conhecimento de todos os fatos, ou a história é longa demais. Compare-se também *Avamanyar* "aqueles que não foram para Aman, porque não quiseram" (um equivalente de *Avari*) com Úamanyar "aqueles que, na ocasião, não chegaram a Aman" (um equivalente de *Hekeldi*).

Como partícula (a forma desse radical mais usada em linguagem comum), a forma em quenya era geralmente *vá!* Essa era uma exclamação ou partícula que expressava a vontade ou o desejo do falante, significando, de acordo com o contexto, "Não hei de" ou "Não faça!". Note-se que não era usada, mesmo na primeira pessoa, em uma afirmação acerca da ação futura do falante, dependente de previsão, ou de julgamento da força das circunstâncias. Por vezes, como visto em *váquet-* (acima), podia ser usada como um prefixo verbal.

Uma forma mais longa áva ou *avá* (enfatizada na última sílaba), que mostra combinação com a partícula imperativa **ā*, era comumente usada como imperativo negativo "Não!", sozinho ou com um radical verbal não flexionado, como áva *kare!* "Não faça [isso]!". Tanto *vá* como áva por vezes recebiam afixos pronominais verbais da primeira pessoa do singular e da primeira do plural exclusivo: como ávan, *ván*, *ványe* "não irei [fazer determinada coisa]", *avamme*, *vamme* "não iremos [fazer determinada coisa].

Um antigo derivado de **aba-* como um radical quase-verbal era **abaro* > eld. com. **abar*. Essa era uma antiga formação agentiva, como vista também em *Teler*, pl. *Teleri*, criada com o sufixo *-rŏ* acrescentado à ómataina.[5] (Outras formas desse sufixo eram *-rō* acrescentado ao radical, com ou sem infixação de *n*; e *-rdŏ* > *rd*.) Assim, **abar* significava "recusador, alguém que se recusa a agir como aconselhado ou ordenado". Era aplicado especialmente à (ou primeiramente criado para descrever?) parcela dos Elfos que se recusaram a tomar parte na Marcha para o Oeste: quen. *Avar*, pl. *Avari*.

TELERIN O uso telerin era bastante similar ao do quenya. As formas eram as mesmas, exceto que o telerin preservou o *b* do eld. com. distinto de *v* ou *w*: donde o prefixo era *aba-* (*abapétima* "para não ser dito"); a partícula, *bá*; a exclamação, *abá*. Entretanto, a forma verbal estava em uso normal: *aban* "eu me recuso, não vou [fazer determinada coisa]". Em um comando negativo, apenas o *abá* não flexionado era usado: *abá care* "não faça [isso]!".

SINDARIN Em sindarin, as seguintes formas são encontradas. *baw!* negativo imperioso: "Não, não! Não [faça isso]!"; *avo* advérbio negativo com verbos, como *avo garo!* "não faça [isso]"; por vezes usado como um prefixo: *avgaro* (< **aba-kar ā*). Esse podia ser personalizado na forma *avon* "não vou [fazer isso]", *avam* "não vamos [fazer isso]": naturalmente, essas formas não eram de fato derivadas de *avo*, que continha o imperativo *-o* < **ā*, mas do radical verbal **aba*, com flexões assimiladas aos radicais de tempo em *-ā*; mas nenhuma outra parte do verbo sobreviveu em uso, exceto o substantivo *avad* "recusa, relutância". O verbo *boda-* "banir, proibir" > (**bā-ta*) derivava diretamente de *baw!* (**bā*).

(Compare os usos desse radical, de significado primário "recusar, não estar disposto a", para formar imperativos negativos com *nōlī*, *nōlīte* em latim.)

## B. Significados e usos dos vários termos aplicados aos Elfos e suas variedades em quenya, telerin e sindarin.

### *Quenya*

1. *quén*, pl. *queni*, pessoa, indivíduo, homem ou mulher. Usado principalmente na forma átona *quen*. Encontrado principalmente no singular: "algum, alguém"; no pl. "pessoas, eles". Também combinado com outros elementos, como em *aiquen* "caso alguém, quem quer que", *ilquen* "todos". Em diversas palavras compostas antigas, *-quen*, pl. *queni* era combinado com radicais nominais ou verbais para denotar ocupações ou funções habituais, ou para descrever aqueles que possuíam alguma qualidade notável (permanente): como *-man* em inglês (mas sem distinção de sexo) em *horseman* [cavaleiro], *seaman* [marinheiro], *workman* [trabalhador], *nobleman* [nobre], etc. Quen. *roquen* "cavaleiro"; *(Nota 3, p. 488)* *kiryaquen* "marujo, marinheiro"; *arquen* "um nobre". Essas palavras pertencem à fala diária e não possuem referência especial aos Elfos. Eram aplicadas livremente a outros Encarnados, como Homens ou Anãos, quando os Eldar travaram contato com eles.

2. *Quendi* Elfos, de qualquer tipo, incluindo os Avari. O sing. *Quende* era naturalmente usado com menos frequência. Como se viu, a palavra foi criada quando os Elfos ainda não tinham conhecimento de outros "povos" além deles próprios. O sentido "o povo élfico, como um todo", ou, no sing., "um Elfo e não alguma outra criatura similar", desenvolveu-se primeiro em Aman, onde os Elfos viviam entre os Valar e os Maiar ou em contato com eles. Durante o Exílio, quando os Ñoldor se reassociaram com seus parentes élficos, os Sindar, mas encontraram outros povos não élficos, como os Orques, Anãos e Homens, esse termo se tornou ainda mais útil. Mas, na verdade, em Aman deixara de ser uma palavra de uso diário, e desde então continuou a ser usada principalmente no idioma especial do "Saber": tratados históricos ou contos de dias antigos, ou escritos eruditos acerca de povos e línguas. Em linguagem comum, os Elfos de Aman chamavam a si mesmos de *Eldar* (ou *Elloi*, em telerin): ver baixo.

Existiam também duas palavras compostas antigas que continham **kwendī*: **kala-kwendī* e **mori-kwendī*, a Gente-da-luz e a Gente-do-escuro. Esses termos parecem remontar ao período anterior à Separação, ou, antes, à época do debate entre os Quendi a respeito do convite dos Valar. Eles evidentemente foram criados pelo grupo favorável a Oromë, e originalmente se referiam àqueles que desejavam a Luz de Valinor (onde os embaixadores dos Elfos relataram não haver escuridão) e àqueles que não desejavam um lugar onde não houvesse noite. Mas, mesmo antes da separação final, **mori-kwendī* pode ter se referido às escuridões e às nuvens que cobriam o sol e as estrelas durante a Guerra dos Valar com Melkor,[6] de maneira que o termo desde o início possuía um tom de desdém, dando a entender que tal gente não era avessa às sombras de Melkor sobre a Terra-média.

Os descendentes lineares desses termos foram preservados somente nos idiomas de Aman. As formas quenya eram *Kalaquendi* e *Moriquendi*. *Kalaquendi* em quenya aplicava-se somente aos Elfos que de fato viviam ou haviam vivido em Aman; e *Moriquendi* era aplicado a todos os outros, tivessem estado na Marcha ou não. Estes eram considerados como muito inferiores aos *Kalaquendi*, que haviam experimentado a Luz de Valinor, e também haviam adquirido conhecimento e poderes muito maiores por sua associação com os Valar e os Maiar.

No período do Exílio, os Ñoldor modificaram o seu uso desses termos, que eram ofensivos aos Sindar. *Kalaquendi* caiu em desuso, exceto no saber ñoldorin escrito. *Moriquendi* era agora aplicado a todos os outros Elfos, com exceção dos Ñoldor e dos Sindar, isto é, aos Avari ou a qualquer tipo de Elfos que, à época da chegada dos Ñoldor, não haviam habitado por muito tempo em Beleriand e não eram súditos de Elwë. Contudo, jamais foi aplicado a quaisquer outros povos que não os élficos. A antiga distinção, quando feita, era representada pelos novos termos *Amanyar* "aqueles de Aman", e Úamanyar ou Úmanyar "aqueles que não são de Aman", além das formas mais longas *Amaneldi* e Úmaneldi.

3. *Quendya*, no dialeto ñoldorin, *quenya*. Essa palavra permaneceu em uso comum, mas era usada somente como substantivo, "o idioma quendiano". *(Nota 4, p. 488)* Esse uso de *quendya* deve ter surgido em Aman, enquanto *Quendi* continuava em uso geral. Historicamente, e no uso mais preciso dos Mestres-do-saber linguístico, *quenya* incluía o dialeto dos Teleri que, apesar de divergente (em alguns pontos desde os dias anteriores ao seu estabelecimento em Aman, como **kw > p*), em geral permanecia inteligível aos Vanyar e aos Ñoldor. Mas, em uso comum, era aplicado somente

aos dialetos dos Vanyar e dos Ñoldor, cujas diferenças só apareceram posteriormente e permaneceram, até o período imediatamente anterior ao Exílio, de menor importância.

No uso dos Exilados, *quenya* naturalmente passou a significar o idioma dos Ñoldor, desenvolvido em Aman, como sendo distinto de outras línguas, élficas ou não. Mas os Ñoldor não se esqueceram da ligação dele com a antiga palavra *Quendi*, e ainda consideravam que o nome significava "élfico", isto é, a principal língua élfica, a mais nobre e a que preservava mais nitidamente o antigo caráter da fala élfica. Para uma nota acerca das palavras élficas para "idioma", especialmente entre os Mestres-do-saber ñoldorin, ver o Apêndice D (p. 470).

4. *Elda* e *Eldo*. A distinção original entre essas formas significando "alguém da Gente-das-estrelas, ou Elfos em geral" e um dos "Marchadores" obscureceu-se pela proximidade considerável das formas. A forma *Eldo* caiu em desuso, e *Elda* permaneceu a principal palavra para "Elfo" em quenya. Mas, no uso preciso, não se considerava que incluísse os Avari (quando eram lembrados ou considerados); isto é, assumiu o sentido de *Eldo*. Entretanto, é possível que isso tenha se dado em parte pelo seu sentido mais antigo, que em uso popular era a palavra comumente empregada para qualquer Elfo, isto é, como equivalente ao *Quende* dos Mestres-do-saber. Quando um dos Elfos de Aman falava dos *Eldalie*, "a Gente-élfica", ele queria dizer, vagamente, toda a raça dos Elfos, embora provavelmente não estivesse pensando nos Avari.

Pois, naturalmente, o parentesco especial dos *Amanyar* com aqueles deixados em Beleriand (ou *Hekeldamar*) era lembrado, especialmente pelos Teleri. Quando era necessário distinguir esses dois ramos dos *Eldar* (ou, mais apropriadamente, *Eldor*), aqueles que haviam ido para Aman eram chamados de *Oäzeldi*, ñold. *Oäreldi*, para o qual outra forma (menos usada) era *Auzeldi*, ñold. *Aureldi*; aqueles que haviam ficado para trás eram os *Hekeldi*. Esses termos naturalmente pertenciam antes à história do que à fala diária, e no período do Exílio caíram em desuso por não serem adequados à situação em Beleriand. Os Exilados ainda afirmavam ser *Amanyar*, mas, na prática, esse termo agora geralmente significava aqueles Elfos que permaneciam em Aman, enquanto os Exilados chamavam a si mesmos de *Etyañgoldi*, "Ñoldor Exilados", ou simplesmente (visto que a grande maioria do clã fora para o exílio)

Ñoldor. Todos os súditos de Elwë eles chamavam de *Sindar*, ou "Elfos-cinzentos".

## *Telerin*

1. Os derivados de *KWEN eram representados de modo mais escasso nos dialetos telerin, de Aman ou de Beleriand. Isso se devia em parte à mudança no telerin comum de *kw* > *p*, *(Nota 5, p. 488)* que fez com que **pen* < **kwen* entrasse em conflito com o radical quend. prim. *PEN "faltar, carecer de" e também com alguns dos derivados de *PED "encosta, inclinação" (por ex., **pendā* "inclinado"). Além disso, os Teleri se consideravam um povo separado, quando comparados com os Vanyar e os Ñoldor, os quais, quando combinados, eles superavam em número. Esse sentimento começou antes da Separação e foi reforçado na Marcha e em Beleriand. Consequentemente, eles não sentiram intensamente a necessidade de uma palavra geral que abrangesse todos os Elfos antes de entrarem em contato com outros Encarnados não élficos.

Como pronome enclítico (ex., em *aipen*, quen. *aiquen*; *ilpen*, quen. *ilquen*), **kwen* foi preservado em telerin; mas poucas das palavras compostas com *pen* "homem" permaneceram em uso comum, exceto *arpen* "(homem) nobre" e o adjetivo derivado *arpenia*.

*Pendi*, o equivalente dialetal do quen. *Quendi*, sobreviveu apena como uma palavra erudita dos historiadores, usada com referência aos dias antigos antes da Separação; o adjetivo **pendia* (o equivalente de *quendya*) havia caído em desuso. *(Nota 6, p. 488)* Os Teleri tinham pouco interesse em saber linguístico, que deixavam para os Ñoldor. Eles não consideravam o seu idioma como um "dialeto" do quenya, chamando-o de *lindārin* ou *lindalambe*. O quenya eles chamavam *goldōrin* ou *goldolambe*; pois tinham poucos contatos com os Vanyar.

As antigas palavras compostas nas formas telerin *Calapendi* e *Moripendi* foram preservadas em uso histórico; mas, uma vez que os Teleri em Aman permaneceram mais conscientes de seu parentesco com os Elfos deixados em Beleriand, enquanto *Calapendi* era usado, como *Kalaquendi* em quenya, para se referir somente aos Elfos de Aman, *Moripendi* não era aplicado aos Elfos de origem telerin que não haviam chegado a Aman.

2. *Ello* e *Ella*. A história dos significados dessas palavras era quase idêntica àquela das correspondentes *Elda* e *Eldo* em quenya.

Em telerin, a forma *-o* passou a ser preferida, de modo que geralmente a palavra tele. *Ello* era a equivalente do quen. *Elda*. Mas *Ella* permaneceu em uso em função semiadjetiva (por ex., como o primeiro elemento em palavras compostas soltas ou genitivas): assim, o equivalente do quen. *Eldalie* era *Ellālie* em tele.

Em contraste com os *Elloi* deixados em Beleriand, aqueles em Aman eram chamados de *Audel*, pl. *Audelli* nos tratados históricos. Aqueles em Beleriand eram os *Hecelloi* de *Heculbar* (ou *Hecellubar*).

## *Sindarin*

1. Derivados de *KWEN eram limitados ao sentido: pronominal "algum, alguém, qualquer um", e a algumas palavras compostas antigas que foram preservadas. O quend. prim. **kwende*, **kwendī* desapareceu completamente. As razões para isso foram em parte as mudanças linguísticas já citadas; e em parte as circunstâncias nas quais os Sindar viviam até o retorno dos Ñoldor e a vinda dos Homens. As mudanças linguísticas tornaram as palavras inadequadas para serem preservadas; as circunstâncias removeram todas as necessidades práticas para o termo. A antiga união dos Elfos havia sido rompida na Separação. Os Elfos de Beleriand eram isolados, sem contato com quaisquer outros povos, élficos ou de outros tipos; e eram todos de um único clã e idioma: telerin (ou lindarin). Seu próprio idioma era o único que já tinham ouvido; e não precisavam de uma palavra para distingui-lo, nem para distinguir a si mesmos.

Como pronome, geralmente enclítico, a forma *pen*, com mutação *ben*, foi preservada. Algumas palavras compostas foram preservadas, como *rochben* "cavaleiro" (m. ou f.), *orodben* "um montanhês" ou "alguém que vive nas montanhas", *arphen* "um nobre". Seus plurais eram formados por afeição de *i*, originalmente transmitida através da palavra: como *roechbin*, *oerydbin*, *erphin*, mas a forma normal do primeiro elemento era frequentemente restaurada quando a natureza da composição permanecia evidente: como *rochbin*, mas sempre *erphin*. Essas palavras não possuíam associações especiais com os Elfos.

As duas palavras antigas *Calben* (*Celbin*) e *Morben* (*Moerbin*) eram associadas a essas palavras compostas. Quanto à relação formal dessas palavras com *Kalaquendi* e *Moriquendi* em quenya, ver p. 439. Não faziam referência a Elfos, exceto por acidente de circunstâncias. *Celbin* manteve o que, como foi dito, provavelmente era o seu significado original: todos os Elfos que não os Avari; e incluía os Sindar. Na verdade, era o equivalente (quando havia necessidade) do quenya *Eldar*, telerin *Elloi*. Mas se referia aos Elfos apenas porque nenhum outro povo se qualificava para o título. *Moerbin*, de modo similar, era um equivalente para Avari; mas se vê por sua pronta utilização para outros Encarnados, quando posteriormente se tornaram conhecidos, que não significava apenas "Elfos-escuros". Para os Sindar, qualquer um que habitasse fora de Beleriand, ou entrasse em seu reino vindo de fora, era chamado de *Morben*. O primeiro povo desse tipo a ser encontrado foi os *Nandor*, que entraram em Beleriand Leste por sobre os passos das Montanhas antes do retorno de Morgoth; logo após o seu retorno ocorreram as primeiras invasões de seus Orques vindos do Norte.[7] Algum tempo depois, os Sindar tomaram conhecimento dos Avari, que haviam entrado aos poucos em Beleriand em grupos pequenos e secretos vindos do Sul. Posteriormente vieram os Homens das Três Casas, que eram amigáveis; e, ainda mais tarde, Homens de outros tipos. Todos esses ao primeiro encontro foram chamados de *Moerbin*. *(Nota 7, p. 488)* Mas quando os Nandor foram reconhecidos como parentes de origem e fala lindarin (como ainda era reconhecida), eles foram recebidos na classe de *Celbin*. Os Homens das Três Casas também logo foram removidos da classe de *Moerbin*. *(Nota 8, p. 489)* Eles receberam um nome próprio, *Edain*, e na verdade raramente eram chamados de *Celbin*, mas eram reconhecidos como pertencentes a essa classe, que se tornou praticamente equivalente a "povos aliados na Guerra contra Morgoth". Assim, os Avari permaneceram os principais exemplos de *Moerbin*. Qualquer Avar que se unisse ou fosse admitido entre os Sindar (algo que raramente acontecia) tornava-se um *Calben*; mas, em geral, os Avari permaneceram reservados, hostis aos Eldar e não confiáveis; e habitavam em locais ocultos nas matas mais profundas, ou em cavernas. *(Nota 9, p. 489)* *Moerbin*, da forma como era aplicado a eles, geralmente é traduzido como "Elfos-escuros", em parte porque *Moriquendi* no quenya dos Ñoldor Exilados geralmente se referia a eles. Mas se vê pelo fato de que *Moerbin* foi de imediato aplicado aos novos bandos de Homens (Lestenses) que apareceram antes da Batalha das Nírnaeth que não se pretendia nenhuma referência especial ao Elfos com a palavra sindarin. *(Nota 9, p. 489)* Caso a intenção em sindarin fosse mencionar um Avar como distinto de outros tipos de *Morben*, ele era chamado de *Mornedhel*.

2. *Edhel*, pl. *Edhil*. Apesar de sua derivação última (ver p. 436-7), essa era a palavra geral para "Elfo, Elfos". Nos primórdios, ela naturalmente se referia apenas aos Sindar eldarin, pois nenhum outro tipo havia sido visto até então; mas, posteriormente, foi empregada de modo livre a Elfos de qualquer tipo que entraram em Beleriand. No entanto, só era usada nessas duas formas.

As formas masculina e feminina eram *Ellon* m. e *Elleth* f., e o plural de classe era *Eldrim*, posteriormente *Elrim*, quando não era substituído por *Eledhrim*, usado mais comumente (ver abaixo). A forma sem os sufixos m. e f. não estava em uso e foi preservada somente em algumas palavras compostas antigas, especialmente nomes pessoais, na forma *el*, pl. *il*, como um elemento final.

A forma *Elen*, pl. *Elin* só era usada nos tratados históricos ou nas obras dos Mestres-do-saber para incluir todos os Elfos (Eldar e Avari). Mas o plural de classe *Eledhrim* era a palavra usual para "toda a raça élfica" sempre que tal expressão era necessária.

Todas essas palavras e formas, quaisquer que fossem suas etimologias (ver acima), eram aplicáveis a qualquer tipo de Elfo. De fato, *Edhel* era propriamente empregado somente para os Eldar; *Ell-* pode ter uma origem mista; e *Elen* era uma palavra geral antiga. *(Nota 10, p. 491)*

3. Os Sindar não possuíam um nome geral para si mesmos, distinto das outras variedades de Elfos, até que outros tipos entrassem em Beleriand. O descendente do antigo nome de clã **Lindāi* (quen. *Lindar*) havia saído do uso normal por não ser mais necessário em uma situação em que todos os *Edhil* eram do mesmo tipo, e as pessoas eram mais cientes das crescentes diferenças na fala e de outras questões entre aquelas parcelas dos Elfos que viviam em regiões muito separadas de uma terra grande e majoritariamente sem caminhos. Assim, na fala usual eles eram todos *Edhil*, mas alguns pertenciam a uma região e, outros, a outra: eram *Falathrim* do litoral de Beleriand Oeste, ou *Iathrim* de Doriath (a terra da Cerca, ou *iath*), ou *Mithrim* que haviam rumado para o norte desde Beleriand e habitavam as regiões em volta do grande lago que mais tarde levou seu nome. *(Nota 11, p. 491)*

O antigo nome de clã **Lindāi* foi preservado na palavra composta *Glinnel*, pl. *Glinnil*, uma palavra conhecida somente no saber histórico, e o equivalente do quenya *Teleri* ou *Lindar*, ver as Notas acerca dos Nomes de Clãs abaixo. Todos os súditos sindarin do Rei Elu-Thingol, distintos dos Ñoldor que chegaram, foram por vezes chamados posteriormente de *Eluwaith*. *Dúnedhil*, "Elfos-do-Oeste" (a referência sendo ao Oeste da Terra-média), era um termo criado para ficar de acordo com *Dúnedain*, "Homens-do-Oeste" (aplicado somente aos Homens das Três Casas). Mas com a crescente amalgamação, fora de Doriath, dos Ñoldor com os Sindar em um único povo que usava a língua sindarin como fala diária, esse termo logo passou a se aplicar tanto aos Ñoldor como aos Sindar.

Enquanto os Ñoldor ainda eram distintos, e sempre que se desejava recordar sua diferença de origem, eles geralmente eram chamados de Ódhil (sing. Ódhel). Esse, como se viu, era originalmente um nome para todos os Elfos que partiram de Beleriand rumo a Aman. Esses Elfos também eram chamados pelos Sindar de *Gwanwen*, pl. *Gwenwin* (ou *Gwanwel*, *Gwenwil*), "os que partiram": cf. quen. *vanwa*. Esse termo, que não podia ser adequadamente empregado àqueles que haviam retornado, permaneceu o nome sindarin usual para os Elfos que permaneceram em Aman. Assim, Ódhil tornou-se especificamente o nome dos Ñoldor Exilados.

Nesse sentido, a forma *Gódhel*, pl. *Gódhil* logo substituiu a forma mais antiga. Isso parece ter se dado pela influência do nome de clã *Golodh*, pl. *Goelydh*; ou, antes, por uma fusão deliberada das duas palavras. O antigo nome de clã não havia sido esquecido (pois os Ñoldor e os Sindar, devido à grande amizade de Finwe e Elwe, haviam tido estreita relação durante sua estada em Beleriand antes da Partida) e, consequentemente, possuía uma forma sindarin genuína (< eld. com. **ñgolodō*). Mas a forma *Golodh* parece ter sido foneticamente desagradável aos Ñoldor. Ademais, o nome era usado principalmente por aqueles que desejavam salientar a diferença entre os Ñoldor e os Sindar e ignorar o fato de os Ñoldor terem habitado em Aman, o que poderia fazer com que alegassem superioridade. Esse era o caso especialmente em Doriath, onde o Rei Thingol era hostil aos chefes ñoldorin, Fëanor e seus filhos, e Fingolfin, devido ao seu ataque aos Teleri em Aman, o povo de seu irmão Olwe. Portanto, os Ñoldor, quando usavam o sindarin, jamais empregavam esse nome *(Golodh)* para si mesmos, e ele caiu em desuso entre aqueles que lhes eram amigáveis.

4. *Eglan*, pl. *Eglain*, *Egladrim*. Esse nome, "os Abandonados", como se disse, os Sindar davam a si mesmos. Mas não era em Beleriand um nome para todos os Elfos que permaneciam lá, como o eram os nomes relacionados, *Hekeldi* e *Hecelloi*, em Aman. Aplicava-se somente àqueles que desejavam partir e esperaram por

muito tempo em vão pelo retorno de Ulmo, fazendo sua morada nas costas ou próximo a elas. Lá se tornaram habilidosos na construção e manejo de navios. Círdan era o seu senhor.

A gente de Círdan era composta por membros do séquito de Olwe que, por se desgarrarem ou se demorarem, chegaram às praias tarde demais, e também por muitos do séquito de Elwe, que abandonaram a busca por ele e não desejavam ser separados para sempre de seus parentes e amigos. Essa gente manteve o desejo por Aman por longos anos, e estavam entre as mais amigáveis aos Exilados.

Continuaram a chamar a si próprios de *Eglain* e as regiões onde habitavam, *Eglamar* e *Eglador*. Este segundo nome saiu do uso geral. Originalmente havia sido empregado a toda Beleriand ocidental entre o Monte Taras e a Baía de Balar, sendo a sua fronteira oriental aproximadamente ao longo do Rio Narog. Contudo, *Eglamar* permaneceu o nome do "Lar dos Eglain": o litoral desde o Cabo Andras até o promontório de Bar-in-Mŷl ("Lar das Gaivotas"),[8] que incluía os portos dos navios de Círdan em Brithonbar[9] e a na ponta do estreito de Eglarest.

Os *Eglain* se tornaram um povo algo apartado dos Elfos do interior e, na época da chegada dos Exilados, o seu idioma era diferente de muitas maneiras. *(Nota 12, p. 492)* Mas reconheciam a alta-realeza de Thingol, e Círdan jamais assumiu o título de rei.[10]

### **Abarī*

Esse nome, evidentemente criado pelos Eldar na época da Separação, é encontrado nos tratados históricos na forma quenya *Avari* e na forma telerin *Abari*. Ainda era usado pelos historiadores dos Ñoldor Exilados, embora pouco diferisse de *Moriquendi*, que (ver acima) não era mais usado pelos Exilados para incluir Elfos de origem eldarin. O plural *Evair* era do conhecimento dos mestres-do-saber sindarin, mas não se encontrava mais em uso. Como se disse, aqueles dentre os Avari que entravam em Beleriand eram chamados de *Morben* ou de *Mornedhel*.

## C. Os Nomes de Clãs, com notas acerca de outros nomes para divisões dos Eldar.

Nas suas formas em quenya, os nomes dos três grandes Clãs eram *Vanyar*, Ñoldor e *Lindar*. O mais antigo desses nomes era *Lindar*, que certamente remonta aos dias anteriores à Separação.

Os outros dois provavelmente surgiram no mesmo período, ainda que um pouco depois: assim, suas formas originais podem ser expressas em quend. prim. como **wanjā*, **ñgolodō* e *lindā* / *glindā*. *(Nota 13, p. 492)*

De acordo com a lenda, preservada numa forma quase idêntica tanto entre os Elfos de Aman como os Sindar, os Três Clãs nos primórdios originaram-se dos três Pais-élficos: *Imin*, *Tata* e *Enel* (isto é, Um, Dois e Três), e daqueles que escolheram segui-los. Assim, a princípio eles simplesmente possuíam os nomes *Minyar* "Primeiros", *Tatyar* "Segundos", e *Nelyar* "Terceiros". Esses contavam, dos 144 Elfos originais que despertaram, 14, 56 e 74; e essas proporções foram aproximadamente mantidas até a Separação.[11]

Diz-se que, do pequeno clã dos *Minyar*, nenhum se tornou Avari. Os *Tatyar* se dividiram igualmente. Os *Nelyar* foram os mais relutantes em deixar seus lares às margens do lago; mas eram muito coesos, e muito conscientes da unidade particular de seu Clã (como continuaram a ser), de modo que, quando ficou claro que seus chefes Elwe e Olwe estavam determinados a partir e teriam um grande número de seguidores, muitos dentre eles que a princípio haviam se juntado aos Avari passaram para o lado dos Eldar para não serem separados de seus parentes. De fato, os Ñoldor afirmavam que a maioria dos "*Teleri*" no fundo era composta de *Avari*, e que somente os *Eglain* realmente lamentavam ser deixados em Beleriand.

De acordo com os historiadores ñoldorin, as proporções daqueles que, dentre os 144, quando a Marcha começou se tornaram Avari ou Eldar eram aproximadamente as seguintes:

| | |
|---|---|
| *Minyar* 14: | *Avari* 0 *Eldar* 14 |
| *Tatyar* 56: | *Avari* 28 *Eldar* 28 |
| *Nelyar* 74: | *Avari* 28 *Eldar* 46 > *Teleri Amanyar* 20; *Sin dar e Nandor* 26 |

Como resultado, os Ñoldor eram o maior clã de Elfos em Aman; enquanto os Elfos que permaneceram na Terra-média (os *Moriquendi* no quenya de Aman) superaram os Amanyar na proporção de 82 para 62.[12]

Não se sabe agora até que ponto os nomes descritivos dos clãs, **wanjā*, **ñgolodō* e **lindā*, foram preservados entre os Avari; mas a existência dos antigos clãs era lembrada, e um parentesco especial entre aqueles do mesmo clã original, quer tivessem partido, quer tivessem permanecido, ainda era reconhecido. Os primeiros Avari que os Eldar reencontraram em Beleriand parecem ter afirmado serem Tatyar, que reconheciam o seu parentesco com os Exilados, embora não haja nenhum registro de seu uso do nome Ñoldo em qualquer forma avarin reconhecível. Eles, na verdade, eram inamistosos para com os Ñoldor, e invejosos de seus parentes mais elevados, a quem acusavam de arrogância.

Esse ressentimento vinha em parte da amargura do Debate antes de a Marcha dos Eldar começar, e sem dúvida intensificou-se posteriormente pelas maquinações de Morgoth; mas também lança certa luz sobre o temperamento dos Ñoldor em geral, e de Fëanor em particular. De fato, os Teleri, por sua vez, afirmavam que a maioria dos Ñoldor na própria Aman eram no fundo Avari, e retornaram para a Terra-média ao perceberem o seu erro; eles precisavam de espaço para querelar. Pois, em contraste, os elementos lindarin nos Avari ocidentais eram amigáveis com os Eldar, e dispostos a aprender com eles; e tão íntimo era o sentimento de parentesco entre os remanescentes dos Sindar, dos Nandor e dos Avari lindarin que posteriormente, em Eriador e no Vale do Anduin, eles com frequência se misturaram por completo.

## *Lindar (Teleri)*[13]

Como se viu, esse sem dúvida era o maior dos antigos clãs. O nome, que aparece posteriormente em quenya na forma *Lindar* (telerin *Lindai*), já é mencionado na lenda do "Despertar dos Quendi", que diz acerca dos Nelyar que "cantavam antes que pudessem falar com palavras". O nome **Lindā*, portanto, é claramente um derivado do radical primitivo *LIN (que mostra reforço do N medial e *-ā* adjetivo). Esse radical possivelmente foi uma das contribuições dos Nelyar para o quendiano primitivo, pois reflete as predileções e associações deles, e produz mais derivados nas línguas lindarin do que em outras. Sua referência primária era a sons melodiosos ou agradáveis, mas também se refere (especialmente em lindarin) à água, cujos movimentos sempre foram associados pelos Lindar com sons vocais (élficos). Os reforços — quer o *lind-* medial, quer *glin-*, *glind-* inicial — eram, no entanto, quase que unicamente usados para sons musicais, especialmente vocais, produzidos com a intenção de agradar. Assim, é ao amor dos Nelyar pela canção, pela música vocal com ou sem o uso de palavras articuladas, que o nome

*Lindar* se referia originalmente; apesar de também amarem a água, e antes da Separação jamais se afastavam do lago e da cascata[14] de Cuiviénen, e aqueles que foram para o Oeste se enamoraram do Mar. *(Nota 14, p. 492)*

Em quenya, isto é, no idioma dos Vanyar e dos Ñoldor, aqueles desse clã que se juntaram à Marcha eram chamados de *Teleri*. Esse nome era aplicado em particular àqueles que por fim e por último chegaram a Aman; mas também foi aplicado posteriormente aos Sindar. O nome *Lindar* não foi esquecido, mas, no saber ñoldorin, era usado principalmente para descrever o clã inteiro, incluindo os Avari entre eles. *Teleri* significava "aqueles no final da fila, os últimos", e era evidentemente uma alcunha que surgiu durante a Marcha, quando os Teleri, os menos ávidos por partir, com frequência ficavam muito para trás. *(Nota 15, p. 492)*

## *Vanyar*

Esse nome provavelmente foi dado ao Primeiro Clã pelos Ñoldor. Eles o aceitaram, mas continuaram a chamar a si mesmos mais frequentemente pelo seu antigo nome numérico *Minyar* (uma vez que todo esse clã havia se juntado aos Eldar e chegado a Aman). O nome se referia aos cabelos dos Minyar, que em quase todos os membros do clã eram amarelos ou de um dourado profundo. Essa era considerada uma característica bela pelos Ñoldor (que amavam o ouro), embora eles próprios em sua maioria tivessem cabelos escuros. Devido a casamentos entre os clãs, o cabelo dourado dos Vanyar por vezes posteriormente apareceu entre os Ñoldor: de maneira notável no caso de Finarfin e no de seus filhos, Finrod e Galadriel, nos quais vinha da segunda esposa do Rei Finwë, Indis dos Vanyar.

Assim, *Vanyar* vem de um derivado adjetivo **wanjā* a partir do radical *WAN. Seu sentido primário parece ter sido muito similar ao uso inglês (moderno) de "fair" [belo] com referência ao cabelo e compleição, embora o seu desenvolvimento real tenha sido o oposto do inglês: significava "pálido, de cor clara, não castanho ou escuro", e sua implicação de beleza era secundária. Em inglês, o significado "beautiful" [bonito, belo] é primário. Do mesmo radical derivou-se o nome dado em quenya à Valie *Vána*, esposa de Orome.

Uma vez que os Lindar tiveram pouco contato com os Vanyar na Marcha ou posteriormente em Aman, esse nome não era muito usado por eles para o Primeiro Clã. Os Teleri Amanyar possuíam a forma *Vaniai* (sem dúvida tomada dos Ñoldor), mas o nome parece ter sido esquecido em Beleriand, onde o Primeiro Clã (apenas no saber e na história) era chamado *Miniel*, pl. *Mínil*.

## *Ñoldor*

Esse nome provavelmente era mais antigo que *Vanyar*, e pode ter sido criado antes da Marcha. Ele foi dado ao Segundo Clã pelos outros. Foi aceito, e era usado como o seu nome regular e apropriado por todos os membros eldarin do clã no decorrer de sua história tardia.

O nome significava "os Sábios", isto é, aqueles que possuem grande conhecimento e compreensão. Os Ñoldor, de fato, logo de início demonstraram ter os maiores talentos dentre todos os Elfos para atividades intelectuais e para habilidades técnicas.

As formas variantes do nome: quen. Ñoldo, tele. *Goldo*, sind. *Golodh (Ngolodh)*, indicam um quend. prim. original **ñgolodō*. Esse é um derivado do radical *NGOL "conhecimento, sabedoria, saber". É visto no quen. ñóle "longo estudo (de qualquer assunto)", *iñgole* "saber", *ingolmo* "mestre-do-saber". Em tele., *góle*, *engole* possuíam os mesmos sentidos que em quen., mas eram usadas com mais frequência para o "saber" especial possuído pelos Ñoldor. Em sind., a palavra *gûl* (equivalente do quen. ñóle) possuía associações menos laudatórias, sendo usada principalmente para conhecimento secreto, em especial aquele possuído por artífices que faziam coisas maravilhosas; e a palavra tornou-se ainda mais obscurecida pelo seu uso frequente na palavra composta *morgul* "artes negras", aplicada às artes e conhecimentos delusórios ou perigosos originados de Morgoth. De fato, aqueles entre os Sindar que eram inamistosos para com os Ñoldor atribuíam a supremacia deles nas artes e no saber ao seu aprendizado com Melkor-Morgoth. Isso era uma falsidade, que em si mesma tinha sua origem última em Morgoth, embora não fosse sem fundamento (como as mentiras de Morgoth raramente o eram). Mas os grandes dons dos Ñoldor não vinham do ensinamento de Melkor. Fëanor, o maior de todos eles, jamais tratou com Melkor em Aman e foi o seu maior inimigo.

## *Sindar*

Usada com menos frequência, a forma *Sindel*, pl. *Sindeldi*, também é encontrada no quenya exílico. Esse era o nome dado pelos Ñoldor Exilados (ver Nota 11) à segunda maior das divisões dos

Eldar. *(Nota 16, p. 493)* Era aplicado a todos os Elfos de origem telerin que os Ñoldor encontraram em Beleriand, embora posteriormente excluísse os Nandor, exceto aqueles que eram súditos diretos de Elwe, ou que haviam se misturado ao povo dele. O nome significava "os Cinzentos", ou "os Elfos-cinzentos", e derivava de *THIN, quend. prim. **thindi* "cinzento, cinza claro ou prateado", quen. *þinde*, dialeto ñold. *sinde*.

Quanto à origem desse nome, ver Nota 11. Os Mestres-do-saber supunham também que fazia referência aos cabelos dos Sindar. O próprio Elwe de fato possuía cabelos longos e belos de matiz prateada, mas essa não parece ter sido uma característica comum dos Sindar, embora por vezes fosse encontrada entre eles, especialmente nos parentes mais próximos ou mais distantes de Elwe (como no caso de Círdan).[15] Em geral, os Sindar parecem ter se assemelhado muito aos Exilados, por terem cabelos escuros, serem fortes e altos, mas esguios. De fato, mal se podia diferenciá-los, exceto pelos olhos; pois os olhos de todos os Elfos que haviam habitado em Aman impressionavam aqueles da Terra-média por seu brilho penetrante. Por essa razão, os Sindar com frequência os chamavam de *Lachend*, pl. *Lechind*, "de olhos flamejantes".

## *Nandor*

Esse nome deve ter sido criado na época — nos últimos dias da Marcha — em que certos grupos dos Teleri abandonaram a Marcha; e era aplicado especialmente ao grande séquito de Lenwe, *(Nota 17, p. 493)* que se recuou a atravessar as Hithaeglir.[16] O nome era frequentemente interpretado como "Aqueles que voltam atrás"; mas, na verdade, nenhum dos Nandor parece ter retornado ou se juntado aos Avari. Muitos permaneceram e se estabeleceram nas terras aonde haviam chegado, especialmente às margens do Rio Anduin; alguns mudaram de direção e rumaram para o sul. *(Nota 18, p. 493)* Contudo, como se viu mais tarde, houve um lento deslocamento rumo a oeste dos Moriquendi durante o cativeiro de Melkor, e grupos dos Nandor, atravessando o Desfiladeiro entre as Hithaeglir e as Eryd Nimrais, acabaram por se espalhar por toda parte em Eriador. Alguns desses por fim entraram em Beleriand, não muito antes do retorno de Morgoth.[17] Esses Elfos estavam sob a liderança de Denethor, filho de Denweg (ver Nota 17), que se tornou um aliado de Elwe nas primeiras batalhas com as criaturas de Morgoth. Entretanto, o antigo nome *Nandor* só era lembrado pelos historiadores ñoldorin em Aman; e eles nada sabiam da história posterior dessa gente, recordando-se apenas de que o líder da deserção antes da travessia das temíveis Hithaeglir era chamado Lenwe (isto é, Denweg). Os mestres-do-saber sindarin lembravam-se dos Nandor como *Danwaith*, ou, por confusão com o nome de seu líder, *Denwaith*.

Esse nome eles empregaram primeiro aos Nandor que entraram em Beleriand Leste; mas esse povo ainda chamava a si mesmo pelo antigo nome de clã **Lindai*, que naquela época havia assumido a forma *Lindi* na língua deles. A região na qual a maioria deles acabou por se estabelecer, como uma pequena gente independente, eles chamavam de *Lindon* (< **Lindānā*): essa era a região nos sopés ocidentais das Montanhas Azuis (Eryd Luin), banhada pelos tributários do grande Rio Gelion, e anteriormente chamada pelos Sindar de *Ossiriand*, a Terra dos Sete Rios. Os Sindar rapidamente reconheceram os *Lindi* como parentes de origem lindarin (sind. *Glinnil*), que faziam uso de uma língua que, apesar de grandes diferenças, ainda era vista como aparentada à própria língua deles; e adotaram os nomes *Lindi* e *Lindon*, dando-lhes as formas *Lindil* (sing. *Lindel*) ou *Lindedhil*, e *Lindon* ou *Dor Lindon*. Em quenya exílico, as formas usadas (derivadas dos Sindar ou diretamente dos Nandor) eram *Lindi* e *Lindon* (ou *Lindóne*). Os Ñoldor Exilados também costumam se referir às Eryd Luin como *Eryd Lindon*, visto que as partes mais elevadas daquela cadeia formavam as fronteiras orientais do país de Lindon.

No entanto, esses nomes foram posteriormente substituídos entre os Sindar pelo nome "Elfos-verdes", pelo menos no que dizia respeito aos habitantes de Ossiriand; pois eles se afastaram e tomavam a menor parte que podiam no conflito com Morgoth. Esse nome, sind. *Laegel*, pl. *Laegil*, plural de classe *Laegrim* ou *Laegel(d)rim*, foi dado tanto devido ao verdor da terra de Lindon como pelo fato de que os *Laegrim* trajavam-se de verde como um modo de auxiliar em seu sigilo. Esse termo os Ñoldor traduziam em quenya como *Laiquendi*, mas não era muito usado.

## Apêndice A. Nomes élficos para os Homens.

Os primeiros Elfos que os Homens encontraram no mundo eram Avari, alguns dos quais lhes foram amigáveis, mas a maioria os evitou ou foi hostil (de acordo com as histórias dos Homens). Não há agora registro de que nomes os Homens e os Elfos deram uns aos outros naqueles dias remotos, acerca dos quais pouco era lembrado quando os Mestres-do-saber em Beleriand encontraram os Nascidos-depois. Pelos Dúnedain, os Elfos eram chamados de *Nimîr* (os Belos).[18]

Os Eldar não encontram Homens de nenhum tipo ou raça antes que muito tempo tivesse se passado desde que os Ñoldor retornaram para Beleriand e entraram em guerra com Morgoth. Os Sindar nem mesmo sabiam de sua existência antes da chegada dos Nandor; e estes trouxeram apenas rumores de um povo estranho (que eles próprios não haviam visto) que vagava pelas terras do Leste para além das Hithaeglir. Por essas histórias incertas, os Sindar concluíram que o "povo estranho" ou era alguma raça diminuída dos Avari, ou então relacionada aos Orques, criaturas de Melkor, gestada em zombaria dos verdadeiros Quendi. Mas os Ñoldor já haviam ouvido falar dos Homens em Aman. Seu conhecimento vinha em primeiro lugar de Melkor e havia sido pervertido pela malícia dele, mas antes do Exílio aqueles dispostos a ouvir haviam aprendido mais sobre a verdade pelos Valar, e sabiam que os recém-chegados eram aparentados deles próprios, por serem também Filhos de Ilúvatar, embora diferissem em dádivas e fado. Portanto, os Ñoldor criaram nomes para a Segunda Raça dos Filhos, e os chamaram de *Atani*, "a Segunda Gente". Outros nomes que eles elaboraram foram *Apanónar*, "os Nascidos-depois", e *Hildor*, "os Seguidores".

Em Beleriand, *Atan*, pl. *Atani*, foi o nome mais usado a princípio. Mas visto que em Beleriand, por muito tempo, os únicos Homens conhecidos dos Ñoldor e Sindar eram aqueles das Três Casas dos Amigos-dos-Elfos, esse nome ficou especificamente associado a eles, de modo que era raramente aplicado na fala usual a outros tipos de Homens que chegaram mais tarde a Beleriand, ou que estariam habitando além das Montanhas. Os Amigos-dos-Elfos *(Nota 19, p. 493)* eram por vezes chamados pelos Mestres-do-saber de *Núnatani* (sind. *Dúnedain*), "Homens do Oeste", um termo criado para se equiparar a *Dúnedhil*, que era o nome para todos os Elfos de Beleriand, aliados na Guerra (ver p. 456). A referência original era ao Oeste da Terra-média, mas o nome *Núnatani*, *Dúnedain* foi posteriormente aplicado somente aos Númenóreanos, descendentes dos *Atani*, que se mudaram para a ilha de *Númenóre* no extremo oeste.

*Apanónar*, "os Nascidos-depois", era uma palavra de saber, que não era usada na fala diária. Um termo geral para Homens de todos os tipos e raças, como distintos dos Elfos, só foi criado depois que os Elfos tomaram conhecimento, pela experiência, de sua mortalidade e duração de vida breve. Foram então chamados de *Firyar*, "Mortais", ou *Fírimar*, de sentido similar (literalmente "aqueles capazes de morrer"). *(Nota 20, p. 494)* Essas palavras derivavam do radical *PHIRI "exalar, expirar", que não possuía ligação original com a morte.[19] Da morte, como sofrida pelos Homens, os Elfos nada sabiam antes de travarem estreita associação com os *Atani*; mas havia casos nos quais um Elfo, tomado por um grande pesar ou cansaço, havia renunciado à vida no corpo. O principal desses, a partida de Míriel, esposa do Rei Finwe, era uma questão de profunda preocupação para todos os Ñoldor, e a respeito dela se contava que o seu último ato, ao abrir mão da vida no corpo e partir para a guarda de Mandos, havia sido um profundo suspiro de cansaço.

Esses nomes em quenya foram posteriormente adaptados para as formas da fala sindarin: *Atan* > *Adan*, pl. *Edain*; *Firya* > *Feir*, pl. *Fîr* (com *Firion* m. sing., *Firieth* f. sing.), plural de classe *Firiath*; *Fírima* > *Fíreb*, pl. *Fírib*, plural de classe *Firebrim*. Essas formas — que por razões históricas não podem ter sido herdadas do eld. com., mas, sim, a forma que as palavras teriam assumido caso tivessem sido herdadas — mostram que foram adaptadas por pessoas com considerável conhecimento de ambas as línguas e que compreendiam as relações de uma com a outra; isto é, elas provavelmente foram criadas primeiramente pelos Ñoldor para serem usadas em sindarin quando eles adotaram esse idioma para uso diário em Beleriand. *Fíreb*, comparado com *Fírima*, mostra o uso de um sufixo diferente, *(Nota 21, p. 494)* visto que o equivalente sind. do quen. *-ima* (**-ef*) não era corrente. *Apanónar* foi vertido como *Abonnen*, pl. *Eboennin*, usando uma formação participial diferente do radical *ONO "gerar, dar à luz". *Hildor*, visto que o radical *KHILI "seguir" não era corrente em sindarin, foi vertido como *Aphadon*, pl. *Ephedyn*, plural de classe *Aphadrim*, do sind. *aphad-* "seguir" < **ap-pata* "andar atrás, em uma trilha ou caminho".

## Apêndice B. Nomes élficos para os Anãos.

Os Sindar há muito tinham conhecimento dos Anãos, e haviam travado relações pacíficas com eles, ainda que de comércio e câmbio de habilidade em vez de amizade, antes da chegada dos Exilados. O nome (no plural) que os Anãos davam a si memos era *Khazâd*, e esse os Sindar verteram como puderam nos termos de sua própria fala, dando-lhe a forma **chaðǭd* > **chaðaud* > *Hadhod*. *(Nota 22, p. 494)* *Hadhod*, *Hadhodrim* era o nome que eles continuaram a usar em suas comunicações de fato com os Anãos; mas, entre eles mesmos, geralmente se referiam aos Anãos como os *Naugrim*, "a Gente Mirrada". No entanto, o adjetivo *naug* "apequenado, mirrado" não era usado por si só com referência a um dos *Khazâd*. A palavra usada era *Nogoth*, pl. *Noegyth*, plural de classe *Nogothrim* (como um equivalente ocasional de *Naugrim*). *(Nota 23, p. 494)* Eles também se referiam aos Anãos como uma raça pelo nome *Dornhoth* "a Gente Inflexível", devido ao seu temperamento obstinado, assim como por sua resistência corporal.

Os Exilados ouviram a respeito dos Anãos primeiramente pelos Sindar e, ao usarem a língua sindarin, naturalmente adotavam os nomes já estabelecidos. Mas posteriormente, em Beleriand Leste, os Ñoldor travaram relações independentes com os Anãos das Eryd Lindon, e adaptaram mais uma vez o nome *Khazâd* para ser usado em quenya, dando-lhe a forma *Kasar*, pl. *Kasari* ou *Kasâri*. *(Nota 24, p. 495)* Essa era a palavra usada com mais frequência em quenya para os Anãos, com o plural partitivo *Kasalli* e o nome da raça como *Kasallie*. Mas os nomes sindarin também foram adaptados ou imitados, e um Anão era chamado *Nauko* ou *Norno* (o povo como um todo, *Naukalie* ou *Nornalie*). *Norno* era o termo mais amigável. *(Nota 25, p. 495)*

*Os Anãos-Miúdos*. Ver também Nota 7. Os Eldar a princípio não os reconheceram como Encarnados, pois raramente os avistavam à luz plena. De fato, só ficavam cientes da sua presença quando os Eldar eram atacados por eles sorrateiramente à noite, ou se os encontravam sozinhos em lugares ermos. Portanto, os Eldar pensavam que eram uma espécie ardilosa de animais de duas patas que vivia em cavernas, e os chamavam *Levain tad-dail*, ou simplesmente *Tad-dail*, e os caçavam. Porém, depois que os Eldar entraram em contato com os Naugrim, os *Tad-dail* foram reconhecidos como uma variedade de Anãos e foram deixados em paz. Poucos deles haviam sobrevivido, e eram muito cautelosos, e temerosos demais para atacar qualquer Elfo, a não ser que se aproximassem demais de seus esconderijos. Os Sindar lhes deram os nomes *Nogotheg*, "Anãozito", ou *Nogoth niben*, "Anão Miúdo".[20]

Os grandes Anãos desprezavam os Anãos-Miúdos, que eram (dizia-se) os descendentes de Anãos que haviam partido ou sido expulsos das Comunidades por serem deformados ou diminutos, ou indolentes e rebeldes. Mas eles ainda reconheciam o seu parentesco e se ressentiam de quaisquer injúrias que lhes eram feitas. De fato, uma de suas queixas contra os Eldar era a de que eles haviam caçado e matado seus parentes menores, que haviam se fixado em Beleriand antes de os Elfos lá chegarem. Essa queixa foi deixada de lado quando tratados foram feitos entre os Anãos e os Sindar, em consideração do argumento de que os Anãos-Miúdos jamais haviam se declarado aos Eldar, nem haviam apresentado quaisquer reivindicações a terras ou habitações, mas haviam atacado de imediato os recém-chegados na escuridão e à sorrelfa. Mas a queixa ainda ardia lentamente, como se viu mais tarde no caso de Mîm, o único Anão-Miúdo que teve um papel memorável nos Anais de Beleriand.

Os Ñoldor, para o seu uso em quenya, traduziam esses nomes sindarin para os Anãos-Miúdos como *Attalyar*, "Bípedes", e *Pikinaukor* ou *Pitya-naukor*.

As principais moradas dos Anãos que se tornaram conhecidas dos Sindar (embora poucos as visitassem) ficavam na face oriental das Eryd Luin. Eram chamadas na língua-anânica de *Gabilgathol* e *Tumunzahar*. A maior de todas as mansões dos Anãos, *Khazad-dûm*, sob as Hithaeglir muito a leste, era conhecida pelos Eldar apenas por nome e rumores originados dos Anãos do oeste.

Esses nomes os Sindar não tentaram adaptar, mas os traduziram de acordo com o sentido, como *Belegost* "Magnoforte"; *Novrod*, posteriormente *Nogrod*, que significava originalmente "Casacava"; e *Hadhodrond* "Domanano".[21] *(Nota 26, p. 495)* Esses nomes os Ñoldor naturalmente usavam ao falar ou escrever em sindarin, mas para o uso em quenya eles traduziam os nomes como *Túrosto*, *Návarot* e *Casarrondo*.

## Apêndice C. Nomes élficos para os Orques.

Os parágrafos iniciais desse Apêndice foram apresentados em *O Anel de Morgoth*, p. 501, e não são repetidos aqui. As palavras a seguir, "essas formas e o terror que inspiravam", referem-se às "terríveis formas" que assombravam as moradas dos Elfos na terra de seu despertar.

Para essas formas e o terror que inspiravam, o principal elemento usado na antiga língua dos Elfos parece ter sido *RUKU. Em todas as línguas eldarin (e, diz-se, também nas avarin) há muitos derivados desse radical, que possuem formas antigas como: *ruk-*, *rauk-*, *uruk-*, *urk(u)*, *runk-*, *rukut/s*, além do radical reforçado *gruk-* e o elaborado *guruk-*, ñguruk. *(Nota 27, p. 496)* Já em quend. prim. deve ter sido formada a palavra que em eld. com. possuía a forma **rauku* ou **raukō*. Aplicava-se às maiores e mais terríveis das formas inimigas. Mas antigas também eram as formas *uruk*, *urkulō* e a adjetiva **urkā* "horrível". *(Nota 28, p. 497)*

Em quenya, vemos o substantivo *urko*, pl. *urqui*, derivando, como mostra a forma plural, de **urku* ou **uruku*. Em sindarin encontra-se a correspondente *urug*; mas há em uso frequente a forma *orch*, que deve ser derivada de **urkō* ou da adjetiva **urkā*.

No saber do Reino Abençoado, o quen. *urko* naturalmente ocorre raras vezes, exceto em histórias dos dias antigos e da Marcha, e nesses casos é vago em significado, referindo-se a qualquer coisa que causava medo aos Elfos, qualquer forma ou sombra dúbia, ou criatura espreitadora. Em sindarin, *urug* possui um uso similar. De fato, poderia ser traduzido como "assombração". Mas a forma *orch* parece ter sido aplicada de imediato aos Orques, assim que apareceram; e *Orch*, pl. *Yrch*, plural de classe *Orchoth*, permaneceu sendo o nome regular para essas criaturas em sindarin posteriormente. A relação, embora não a equivalência precisa, do sind. *orch* com o quen. *urko*, *urqui* era reconhecida, e em quenya exílico *urko* era comumente usado para traduzir o sind. *orch*, embora uma forma que apresentava a influência do sindarin, *orko*, pl. *orkor* e *orqui*, também seja encontrada com frequência.

Esses nomes, derivados por várias rotas das línguas élficas, do quenya, sindarin, nandorin e, sem dúvida, de dialetos avarin, espalharam-se por toda parte, e parecem ter sido a fonte dos nomes para os Orques na maioria dos idiomas dos Dias Antigos e das primeiras eras sobre as quais há qualquer registro. A forma *urku*, *urkhu* em adunaico pode vir diretamente do quenya ou do sindarin; e essa forma subjaz às palavras para Orque nos idiomas dos Homens do Noroeste na Segunda e Terceira Eras. Os próprios Orques a adotaram, pois o fato que se referia a terror e abominação os deleitava. A palavra *uruk* que ocorre na língua negra, criada (diz-se) por Sauron para servir como uma língua franca para os seus súditos, provavelmente foi tomada de empréstimo por ele das línguas élficas de épocas passadas. Contudo, ela se referia especialmente aos Orques treinados e disciplinados dos regimentos de Mordor. Estirpes menores parecem ter sido chamadas de *snaga*.[22]

Os Anãos afirmavam que haviam encontrado e lutado com os Orques muito antes de os Eldar em Beleriand ficarem cientes deles. De fato, foi o seu ódio óbvio pelos Orques, e sua disposição em auxiliar em qualquer guerra contra eles, que convenceram os Eldar de que os Anãos não eram criaturas de Morgoth. Ainda assim, o nome anânico para os Orques, *Rukhs*, pl. *Rakhās*, parece mostrar uma semelhança com os nomes élficos, e possivelmente derivava, em última análise, do avarin.

Os Eldar possuíam muitos outros nomes para os Orques, mas a maioria deles eram "kennings", termos descritivos de uso ocasional. No entanto, um possuía uso frequente em sindarin: mais frequentemente do que *Orchoth*, o nome geral para os Orques como uma raça que aparece nos Anais era *Glamhoth*. *Glam* significava "alarido, alvoroço, os gritos e berros confusos de feras", de modo que *Glamhoth* originalmente significava mais ou menos "a Horda Gritadora", com referência ao clamor horrível dos Orques em batalha ou quando em perseguição — eles podiam ser sorrateiros o suficiente quando necessário. Mas *Glamhoth* tornou-se tão firmemente associado aos Orques que *Glam* podia ser usado sozinho para qualquer grupo de Orques, e uma forma singular foi criada a partir dele, *glamog*. (Compare-se com o nome da espada *Glamdring*.)

*Nota*. A palavra usada na tradução do quen. *urko*, sind. *orch*, é Orc [Orque]. Mas isso se dá devido à similaridade da palavra inglesa antiga *Orc*, "espírito maligno ou duende", com as palavras élficas. Possivelmente não há ligação entre elas. Geralmente se supõe agora que a palavra inglesa deriva do latim *Orcus*.

A palavra para Orque na agora esquecida língua dos Druedain no reino de Gondor é registrada como sendo (? no plural) *gorgûn*. Ela possivelmente derivava em última análise das palavras élficas.

## Apêndice D.
## **Kwen*, *quenya* e as palavras élficas (especialmente *ñoldorin*)para "Linguagem".

Os Mestres-do-saber ñoldorin com frequência afirmam que o significado de *Quendi* era "falantes", "aqueles que formam palavra com vozes" — *i karir quettar* ómainen. Visto que eles estavam de posse de tradições que remontavam aos dias antigos anteriores à Separação, essa afirmação não pode ser desconsiderada, embora o desenvolvimento do sentido apresentado acima também possa ser tido como correto.

É possível objetar que, na verdade, não se encontra nenhum radical *KWEN que claramente se refira a fala ou som vocal em qualquer língua élfica conhecida. O mais próximo em forma é o radical *KWET "falar, proferir palavras, dizer". Mas, ao lidar com essa palavra antiga, precisamos voltar aos primórdios da fala élfica, antes da organização posterior de sua estrutura básica, com sua preferência (especialmente em radicais de significância verbal) pelo padrão X-X(-), com uma consoante medial fixa como, por ex., nos radicais já exemplificados acima, como **Dele*, **Heke*, **Tele*, **Kala*, **Kiri*, **Nuku*, **Ruku* etc. Um grande número de radicais monossilábicos (com apenas uma consoante inicial ou grupo consonantal) ainda aparece nas línguas eldarin; e muitos dos radicais dissilábicos devem ter sido criados por elaboração desses, da mesma forma que (mais uma vez em um estágio tardio) os chamados radicais **kalat*- foram estendidos a partir das formas dissilábicas: **kala* > **kalat(a)*.

Então, supondo que a forma mais antiga desse radical que se referia à fala vocal era *KWE, da qual *KWENE e *KWETE eram elaborações, encontramos um paralelo notável nas formas de *KWA. Esse radical evidentemente se referia à "conclusão". Dessa maneira, ele foi preservado como um elemento em muitas das palavras eldarin para "todo, total, tudo" etc. Mas também aparece na forma *KWAN, e não pode ser bem separado do radical verbal *KWATA, quen. *quat*- "encher". A suposição também ajuda a explicar uma forma curiosa e evidentemente arcaica que foi preservada apenas nos idiomas de Aman: **ekwē*, quen. *eque*, tele. *epe*. Ela não possui formas temporais e geralmente não recebe afixos pronominais, *(Nota 29, p. 497)* sendo majoritariamente usada apenas antes de um nome próprio (sing. ou pl.) ou de um pronome independente pleno, nos sentidos *diz / dizem* ou *disse / disseram*. Segue-se então uma citação, seja direta, ou, com menos frequência, indireta após uma conjunção do tipo "que".

Nesse **ekwē* temos claramente o último sobrevivente do primitivo *KWE. Ele mais uma vez encontra-se num paralelo com uma formação similar (embora de função diferente) vinda de *KWA: **akwā*. Ela foi preserva em quenya apenas como *aqua* "totalmente, completamente, inteiramente". *(Nota 30, p. 497)* Compare-se o uso de *-kwā* na formação de adjetivos a partir de substantivos, como *-ful* em inglês [e -ável, -ível em português], exceto pelo fato de que o sentido foi menos enfraquecido, e permanece mais próximo do significado original do radical: "completamente". *(Nota 31, p. 497)*

Em quenya, a forma *eques*, que originalmente significava "disse ele, disse alguém" (ver Nota 29) também era usada como um substantivo *eques*, com o plural análogo *equessi*, "um dizer, sentença, uma citação das palavras proferidas por alguém", daí também "um dizer, uma sentença corrente ou proverbial".

Portanto, podemos aceitar a etimologia de **kwene*, **kwēn* que tornaria o seu significado original "falante, alguém que usa linguagem vocal". Realmente seria natural para os Elfos, ao precisarem de uma palavra para alguém de sua própria raça distinto de outras criaturas então conhecidas, selecionar o uso da fala como uma característica principal. Mas, uma vez formada, a palavra deve ter assumido o significado de "pessoa", sem referência específica a esse talento dos Encarnados. Assim, **nere*, **nēr* "uma pessoa do sexo masculino, um homem" foi derivado de *NERE referindo-se à força e valor físicos, mas era possível falar de um *nēr* fraco ou covarde; ou, de fato, de falar de uma *kwēn* muda ou calada.

Portanto, ainda seria possível se duvidar de que no derivado **kwendī* a noção de fala ainda estivesse efetivamente presente. No entanto, a afirmação dos Mestres-do-saber não pode ser desconsiderada, ao mesmo tempo que é preciso se lembrar que os Elfos sempre foram mais profundamente interessados em linguagem do que as outras raças. Então, pelo menos até a época da Separação, **Kwendī* ainda devia implicar "nós, o povo falante"; de fato, pode ter sido empregado primariamente a assembleias para discussões, ou para se ouvir discursos e recitações. Mas quando os Elfos tomaram conhecimento de outras criaturas de formas similares, e de outros Encarnados que usavam linguagem vocal, e o nome **Kwendī*, *Quendi* era usado para distinguir a si próprios dessas outras espécies, o sentido linguístico não devia mais estar presente na linguagem comum.

Em relação à palavra *quenya*: acima foi feito um relato sobre o modo em que essa palavra passou a ser usada pela primeira vez em Aman para a fala élfica, *(Nota 32, p. 497)* e depois para os dialetos dos Eldar em Aman e, posteriormente, para o idioma dos Vanyar e dos Ñoldor, e por fim, na Terra-média, para a língua antiga dos Ñoldor preservada como um idioma de ritual e saber. Isso está etimologicamente correto, qualquer que seja a etimologia última de *quenya* antes de os Eldar chegarem a Aman. A opinião exposta acima (p. 436) é de que derivava de um adjetivo **kwendjā* formado com base no radical **kwende* (do qual **kwendi* era o plural), que significava "pertencente aos Quendi ou Elfos".

Pengolodh, o Mestre-do-saber de Eressëa, diz em seu *Lammas*, ou Relato de Línguas, que *quenya* significava propriamente "linguagem, fala", e era a palavra mais antiga para esse significado. Essa não é uma afirmação baseada em tradição, mas uma opinião de Pengolodh; e ele parece querer dizer apenas que *quendya*, *quenya* na verdade jamais é registrado de outro modo que não como o nome de um idioma, e esse idioma era o único de que se tinha conhecimento quando essa palavra foi criada.

Seja como for, está claro que, na verdade, *quenya* sempre foi particular em sua referência; pois quando os Mestres-do-saber ñoldorin passaram a se preocupar com questões linguísticas e precisavam de palavras para fala ou linguagem vocal em geral, como um meio de expressão ou comunicação, e para diferentes aspectos da fala, eles não usaram o elemento **kwen*, *quen* ou seus derivados.

A palavra usual e não técnica para "idioma, língua" era **lambē*, quen. e tele. *lambe*, sind. *lam*. Ela sem dúvida era relacionada com a palavra para a língua física: **lambā*, quen. e tele. *lamba*, sind. *lam*. Significava "movimento de língua, (modo de) usar a língua". *(Nota 33, p. 497)* Esse uso de uma palavra que indicava a língua e seus movimentos para linguagem articulada sem dúvida surgiu — mesmo em um período no qual todos os falantes conhecidos falavam substancialmente o mesmo idioma — de observações elementares do papel importante desempenhado pela língua na fala articulada, e por notarem as peculiaridades de indivíduos e as diferenças menores na linguagem de grupos e clãs que não tardaram a se desenvolver.

Assim, *lambe* significava primariamente "um modo de falar", dentro de um sistema comum geralmente inteligível, e estava mais próxima da nossa palavra "dialeto" do que de "idioma"; mas posteriormente, quando os Eldar ficaram cientes de outras línguas, que não eram inteligíveis sem estudo, *lambe* naturalmente passou a ser aplicada aos idiomas separados de qualquer povo ou região. Portanto, os Mestres-do-saber não usavam *lambe* como termo para linguagem ou fala em geral. Seus termos derivavam do radical *TEÑ "indicar, significar", a partir do qual se formara a palavra já bem conhecida **tenwe* > quen. *tengwe* "indicação, sinal, símbolo". A partir dela eles criaram a palavra *tengwesta*, "um sistema ou código de sinais". Cada "idioma" era um desses sistemas. Um *lambe* era um *tengwesta* feito de sons *(hloni)*. Para o sentido de Linguagem, como um todo, a arte peculiar dos Encarnados da qual cada *tengwesta* era um produto específico, eles usavam a formação abstrata *tengwestie*.

Ora, *TEÑ não possuía especial referência a sons. Em última análise, significava "apontar para" e, assim, para indicar algo, ou comunicar um pensamento, por algum gesto ou por qualquer sinal que fosse compreendido. Era prezado pelos Mestres-do-saber, que desejavam uma palavra livre de quaisquer limitações com relação ao tipo de sinais ou *tengwi* usados. Assim, podiam incluir sob *tengwesta* qualquer grupo de sinais, inclusive gestos visuais, usados e reconhecidos por uma comunidade.

Eles tinham conhecimento de tais sistemas de gestos. Os Eldar possuíam um sistema bastante elaborado, *(Nota 34, p. 498)* que continha um grande número de sinais gestuais convencionais, alguns dos quais eram tão "arbitrários" quanto aqueles de sistemas fonéticos. Isto é, eles não possuíam ligações mais óbvias com gestos autoexplicativos (como apontar para uma direção desejada) do que a maioria dos elementos ou combinações vocais com palavras imitativas ou "ecoicas" (como **māmā*, quen. *máma* "ovelha", ou **k(a)wāk*, quen. *quáko* "corvo").

De fato, os Anãos, como se soube mais tarde, possuíam um sistema muito mais organizado e elaborado. Na verdade, eles possuíam um *tengwesta* secundário de gestos, concomitante com o seu idioma falado, que começavam a aprender quase tão logo começavam a aprender a falar. Seria melhor dizer que eles possuíam vários códigos gestuais desse tipo; pois, ao contrário de sua língua falada — que permaneceu espantosamente uniforme e inalterada tanto em tempo como em localidade —, seus códigos gestuais variavam muito de comunidade para comunidade. E eram empregados de modo diferente. Não para comunicação à distância, pois os Anãos eram míopes, mas por sigilo e para a exclusão de estranhos.

Os elementos de sinais componentes de qualquer um desses códigos eram tão sutis e tão rápidos que mal podiam ser detectados, menos ainda interpretados por observadores inexperientes. Como os Eldar acabaram por descobrir em seus tratos com os Naugrim, eles podiam falar com suas vozes, mas, ao mesmo tempo, transmitir por meio de "gestos" à sua própria gente modificações do que estava sendo dito. Ou podiam permanecer em silêncio enquanto levavam em consideração alguma proposta e, ainda assim, deliberar entre si nesse ínterim.

Esse "idioma gestual", ou, como o chamavam, *iglishmêk*, os Anãos não eram ávidos para ensinar, assim como a sua própria língua. Mas eles compreendiam e respeitavam o desejo desinteressado por conhecimento, e foi permitido a alguns dos mestres-do-saber ñoldorin posteriores aprender o suficiente de seu *lambe* (*aglâb*) e seu *iglishmêk* para compreenderem esses sistemas.

Assim, embora um *lambe* fosse em teoria simplesmente um *tengwesta* que por acaso empregava sinais fonéticos, *hloníti tengwi*, os primeiros mestres-do-saber o consideravam a forma superior, capaz de produzir um sistema incalculavelmente mais sutil, preciso e extenso do que qualquer *hwerme* ou código gestual. Quando não qualificado, portanto, *tengwesta* significava um idioma falado. Mas, no uso técnico, significava mais do que *lambe*. O estudo de um idioma incluía não apenas *lambe*, o modo de falar (isto é, o que chamaríamos de fonética e fonologia), mas também a sua morfologia, gramática e vocabulário.

A seção omitida do Apêndice D (ver p. 435) começa aqui. O restante do texto, que se segue agora, foi todo incluído neste Apêndice.

Antes de se voltar para outras questões, Fëanor terminou o seu sistema alfabético, e aqui ele também introduziu uma mudança em termos que mais tarde foi seguida. Ele chamou a representação escrita de um *tengwe* falado (de acordo com sua definição)[23] de *tengwa*. Uma "letra" ou qualquer marca individual significativa anteriormente havia sido chamada de *sarat*, de *SAR "sulcar, incisar" > "escrever".[24] As letras fëanorianas sempre foram chamadas de *tengwar* em quenya, embora *sarati* tenha permanecido o nome para as letras rúmilianas. Contudo, uma vez que no modo de escrita geralmente usado os sinais plenos eram consonantais, em uso comum não técnico *tengwar* se tornou equivalente a "consoantes", e os sinais vocálicos foram chamados de ómatehtar. Quando as letras fëanorianas foram trazidas para Beleriand e empregadas (primeiro pelos Ñoldor) ao sindarin, *tengwa* foi vertida pelo seu equivalente sindarin reconhecido *têw*, pl. *tîw*. As letras do alfabeto nativo sind. eram chamadas *certh*, pl. *cirth*. A palavra *certa*, pl. *certar* em quenya exílico era um empréstimo acomodado do sindarin; não havia tal palavra em quenya mais antigo. O sindarin *certh* provavelmente vem de **kirtē* "cortar", um derivado verbal de um tipo não usado em quenya, cuja forma, de qualquer maneira, teria sido **kirte*, caso fosse herdada.

Apesar de Fëanor, depois dos dias do início de sua juventude, não ter mais assumido um papel ativo no saber e investigação linguísticos, a tradição lhe atribui a fundação de uma escola de *Lambengolmor*, ou "Mestres-do-saber das Línguas", para dar prosseguimento a esse trabalho. Ela continuou a existir entre os Ñoldor, mesmo em meio aos rigores e desastres da Fuga de Aman e das Guerras em Beleriand, e, de fato, sobreviveu para retornar a Eressëa.

O membro mais eminente da Escola depois do fundador era, ou ainda é, Pengolodh,[25] um Elfo de ascendência mista sindarin e ñoldorin, nascido em Nevrast, que viveu em Gondolin desde a sua fundação. Ele escrevia tanto em sindarin como em quenya. Foi um dos sobreviventes da destruição de Gondolin, da qual resgatou alguns escritos antigos e algumas de suas próprias cópias, compilações e comentários. É devido a isso, e à sua prodigiosa memória, que muito do conhecimento dos Dias Antigos foi preservado.

Tudo o que foi dito aqui acerca dos nomes élficos e suas origens, e acerca das opiniões dos mestres-do-saber mais antigos, vem direta ou indiretamente de Pengolodh. Pois, antes da derrubada de Morgoth e da ruína de Beleriand, ele reuniu muitos materiais entre os sobreviventes das guerras na Foz do Sirion a respeito de idiomas e sistemas gestuais com os quais, devido ao isolamento de Gondolin, não havia tido qualquer contato direto. Diz-se que Pengolodh permaneceu na Terra-média até a Segunda Era já ir avançada para o fomento de suas investigações, e durante algum tempo teria vivido entre os Anãos de Casarrondo (Khazad-dûm). Mas, quando a sombra de Sauron caiu sobre Eriador, ele partiu da Terra-média, o último dos *Lambengolmor*, e navegou para Eressëa, onde talvez ainda habite.

## *Nota acerca do "Idioma dos Valar"*

Pouco se diz no saber ñoldorin, do que foi preservado, a respeito do "idioma dos Valar e dos Maiar", embora tenha sido suposto acima que a aplicação de *quenya* à fala dos Elfos em Aman tenha se dado devido ao contraste entre a língua dos Valar e a língua dos Elfos, que eles antes haviam imaginado ser o único idioma do mundo. Levando-se em consideração o interesse dos Ñoldor por todas as questões relacionadas com a fala, isso é estranho. Pengolodh de fato comenta a respeito disso e oferece explicações. O que ele diz no início de seu *Lammas* está resumido aqui, pois o seu comentário contém tudo o que agora é conhecido acerca do assunto.

"Mesmo que não tivéssemos qualquer conhecimento dele", diz ele, "não poderíamos duvidar de forma razoável que os Valar possuíssem um *lambe* próprio. Sabemos que todos os membros de sua ordem estavam encarnados por seu próprio desejo, e que a maioria deles escolheu assumir formas como aquelas dos Filhos de Eru, como nos chamam. Em tais formas, eles assumiam todas as características dos Encarnados que se deviam à cooperação do *hröa* com o *fëa* residente, pois, do contrário, assumir essas formas teria sido desnecessário, e eles se vestiam dessa maneira muito antes de terem qualquer motivo para aparecer visivelmente diante de nós. Então, uma vez que a criação de um *lambe* é a principal característica de um Encarnado, os Valar, tendo se vestido dessa maneira, durante a sua longa estada em Arda teriam inevitavelmente criado um *lambe* para si próprios.

"Mas sem dúvida alguma sabemos que eles assim o fizeram; pois há referências ao *lambe valarinwa* no saber e nos tratados históricos antigos, embora sejam poucos e estejam espalhados. A maioria dessas referências parece derivar, por tradição oral, de 'os Dizeres de Rúmil' *(I Equessi Rúmilo)*, o sábio ancestral de Tirion, acerca dos primeiros dias dos Eldar em Aman e de seus primeiros tratos com os Valar. Somente parte desses *Equessi*[26] foi preservada na memória dos *Lambengolmor* durante os anos sombrios da Fuga e do Exílio. Tudo o que pude encontrar ou recordar eu reuni aqui."

As informações que Pengolodh então fornece são apresentadas aqui em caráter mais breve. Seus pontos preliminares são estes. Poucos dos Eldar aprenderam a falar valarin, mesmo com dificuldade; entre o povo como um todo, somente um pequeno número de palavras ou nomes tornou-se amplamente conhecido. De fato, diz-se que Fëanor, antes de o seu descontentamento crescer, aprendeu mais dessa língua do quaisquer outros antes de seu tempo e, de qualquer modo, o seu conhecimento deve ter superado em muito o pouco que agora está registrado; mas o que sabia ele guardou para si mesmo, e recusou-se a transmiti-lo até mesmo para os *Lambengolmor* devido à sua querela com os Valar.

Portanto, o nosso conhecimento *(Nota 35, p. 498)* agora é limitado (1) a afirmações dos "antigos" de que certas palavras em quenya na verdade derivavam do valarin; (2) à citação ocasional de palavras e nomes que seriam valarin (que não foram adotados em quenya nem adaptados ao idioma), ainda que sem dúvida registradas apenas com precisão aproximada, visto que nenhum sinal ou letra que não fossem conhecidos nos alfabetos élficos são empregados; (3) a afirmações de que certos nomes (especialmente aqueles dos Valar ou de lugares em Valinor) eram traduções das formas valarin. Nos casos (1) e (3), as verdadeiras palavras valarin não são sempre indicadas.

Com relação ao grupo (1), Pengolodh cita um "Dizer" de Rúmil: "Os Eldar adotaram poucas palavras dos Valar, pois eram ricos em palavras e estavam prontos para inventar se necessário. Mas, embora a honra que concediam aos Valar pudesse ter feito com que adotassem palavra da fala deles, fossem elas necessárias ou não, poucas palavras do valarin podiam se ajustar à fala élfica sem grandes mudanças ou diminuições. Pois as línguas e vozes dos Valar são grandes e austeras e, no entanto, também ligeiras e sutis em movimento, criando sons que achamos difíceis de imitar; e suas palavras são em sua maioria longas e rápidas, como o cintilar de espadas, como o farfalhar de folhas num vendaval ou a queda de pedras nas montanhas".

Pengolodh comenta: "Claramente o efeito do valarin nos ouvidos élficos não era agradável". O idioma, acrescenta ele, como se pode ver ou supor a partir do que foi preservado, era repleto de muitas consoantes desconhecidas dos Eldar e estranhas ao sistema de sua fala.[27]

Os exemplos que Pengolodh fornece são os seguintes.

*(1) (a) palavras*

*Ainu* "um membro da 'ordem' dos Valar e dos Maiar, feito antes de Eä". Valarin *ayanūz*. Foi a partir desse *ainu* que foi criado em quenya o adjetivo *aina* "sacro", uma vez que, de acordo com a derivação em quenya, *ainu* parecia ser uma forma pessoal de tal adjetivo.

*aman* "abençoado, livre do mal". Usado principalmente como o nome da terra onde os Valar habitavam. Forma val. não fornecida; dito significar "em paz, de acordo (com Eru)". Ver *Manwe*.

*aþar*, ñold. *asar* "hora fixa, festival". Val. *aþāra* "designado".

*axan* "lei, regra, mandamento". Val. *akašān*, dito significar "Ele diz", com referência a Eru.

*indil* "um lírio, ou outra flor grande unitária". Val. *iniðil*.

*mahalma* "trono". Val. *maχallām* (adaptado para o quenya), propriamente um dos assentos dos Valar no *Máhanaxar*, ou "Círculo do Julgamento". O elemento *māχan*, dito significar "autoridade, decisão oficial", também era usado na forma *Máhan*, um dos oito principais Valar, geralmente traduzido como *Aratar*.

*miruvóre*, *miruvor* "um vinho ou licor especial". Val. *mirubhōzē-*; dito ser o início de uma palavra mais longa, que contém o elemento *mirub-* "vinho".[28]

*telluma* "abóbada, domo", especialmente a "Abóbada de Varda" sobre Valinor; mas também aplicado aos domos da mansão de Manwe e Varda sobre Taniquetil. Val. *delgūmā*, alterado por associação com o quen. *telume*. Ver Nota 15.

Pengolodh também cita palavras para cores, que ele diz poderem ser encontradas em versos antigos, embora sejam usadas somente pelos Vanyar, "que, como relata Rúmil, adotaram muito mais palavras do que os Ñoldor":

*ezel*, *ezella* "verde". Ver *Ezellohar*.

*nasar* "vermelho"; *ulban* "azul". Formas val. não fornecidas.

*tulka* "amarelo". Ver *Tulkas*.

(b) nomes

*Aule* Val. *Aʒūlēz* (significado não fornecido).

*Manwe* Redução e alteração para se adequar ao quenya, no qual palavras dessa forma, terminando em *-we*, eram frequentes em nomes pessoais. Val. *Mānawenūz* "Abençoado, Aquele (mais) de acordo com Eru". Formas quen. mais antigas *Mánwen*, *Mánwe*.

*Tulkas* Val. *Tulukhastāz*; dito conter os elementos val. *tulukha(n)* "amarelo" e *(a)šata-* "cabelo": "o de cabelos dourados".

*Osse, Orome* Quanto a esses dois nomes, os únicos que se tornaram conhecidos dos Eldar antes de chegarem a Aman, ver a nota abaixo.

*Ulmo* Como *Manwe*, uma redução e alteração para se adequar ao quenya, no qual a desinência *-mo* aparecia com frequência em nomes ou títulos, por vezes com um significado agentivo: *Ulmo* era interpretado como "o Vertedor" < *UL "verter, derramar". A forma val. é fornecida como *Ul(l)ubōz*, que contém o elemento *ul(l)u* "água".

*Osse e Orome.* Orome foi o primeiro dos Valar que qualquer um dos Eldar viu. Osse eles encontraram em Beleriand, e ele permaneceu por muito tempo nas costas, e se tornou bem conhecido dos Sindar (especialmente dos Eglain). Esses dois nomes, portanto, possuem formas sindarin. A *Osse* corresponde o sind. *Yssion* ou *Gaerys*; a *Orome*, o sind. *Araw*. As formas val. são dadas como *Oš(o) šai* (dito significar "espumante"); e *Arǭmēz*.

O primeiro nome foi evidentemente adotado na forma *Ossai*, que se tornou naturalmente o quen. *Osse*. Em sind., *Ossai* se tornaria *ossī* > *ussi* > *yssi̯*, ao qual a desinência (de nomes masculinos) *-on* foi anexada; ou então o adjetivo **gairā* "terrível, temível" foi prefixado, produzindo *Gaerys*. Este era mais usado pelos Teleri do interior. **gairā* vem de **gay-* "espantar, aterrorizar", que também foi usado na mais antiga palavra eldarin para o Mar: **gayār*, quen. ëar, sind. *gaear*.

*Arǭmēz* evidentemente, como foi salientado por Fëanor, possuía o *ǭ* aberto similar a *a* (o qual ocorria frequentemente em valarin, como se viu por observações posteriores). Ele era tratado como o eldarin *ǭ*, de modo que o desenvolvimento sindarin foi > **arāmē* > *arǭmæ* > *araum(a)* > *araum̌*, *arauv* > *araw*. (Em sindarin setentrional, ou mithrim, no qual a ditongação de *ō* e a abertura de *m* intervocálico não ocorria, a forma produzida foi *Arum*; cf. a transformação em sindarin setentrional do nome ñoldorin exílico *Hísilóme* > *Hithlum*.) A forma quenya, com *Orome* no lugar de **Arome* < **Arōmē*, talvez exiba a assimilação do *o* inicial com o *ō* seguinte antes da retração da ênfase quenya normal para a primeira sílaba; mas Pengolodh diz que foi devido à associação do nome com o quen. nativo **rom*, usado para o som de trombetas ou trompas, visto no nome quen. para a grande trompa de Orome, a *Vala-róma* (também no quen. *romba* "trompa, trombeta", sind. *rom*).

"Os Eldar", diz ele, "agora presumem que o nome signifique 'sopro de trompa' ou 'soprador de trompa'; mas para os Valar ele não possuía tal significado. Ora, os nomes que temos para os Valar ou os Maiar, quer adaptados do valarin, quer traduzidos, não são nomes de direito, mas títulos, que se referem a alguma função ou característica da pessoa; pois embora os Valar possuam nomes de direito, eles não os revelam. Salvo apenas no caso de Orome. Pois é dito nos tratados históricos dos dias mais antigos dos Quendi que, quando Orome apareceu entre eles, e alguns finalmente ousaram se aproximar dele, perguntaram-lhe o seu nome, e ele respondeu: *Orome.* Então eles lhe perguntaram o que significava, e mais uma vez ele respondeu: *Orome. A mim somente ele é dado; pois sou Orome.* Contudo, os títulos que ele possuía eram vários e gloriosos; mas não os revelou naquele tempo, para que os Quendi não tivessem medo".

*Nahar*, o nome do cavalo de Orome. "De outro modo se dava com o corcel que o Senhor Orome cavalgava", diz Pengolodh. "Quando os Quendi perguntaram qual era o seu nome e se tinha algum significado, Orome respondeu: '*Nahar*, e ele é chamado pelo som de sua voz, quando está ávido por correr'". Mas a forma val. que foi registrada por Rúmil era *næχærra.*

*Ezellohar* (também traduzido como *Koron Oiolaire*, *Korollaire*), o Teso Verdejante sobre o qual cresciam as Duas Árvores. Val. *Ezellōχār.*

*Máhanaxar*, o "Círculo-do-julgamento" onde se encontraram os tronos dos Valar, nos quais se sentavam em concílio (ver *mahalma* acima, p. 479). Reduzido e alterado do val. *māχananaškād.* Também traduzido como *Rithil-Anamo.*

*(2) palavras e nomes valarin registrados, mas não adotados.*

*(a) palavras*

*uruš*, *rušur* "fogo".

*ithīr* "luz".

*ul(l)u* "água".

*šebeth* "ar".

*(b) nomes*

Arda: val. *Aþāraphelūn* (dito significar "morada designada"). Arda Imaculada: *Aþāraphelūn Amanaišāl*; Arda Maculada: *Aþāraphelūn Dušamanūðān.*

Telperion: val. *Ibrīniðilpathānezel.*

Laurelin: val. *Tulukhedelgorūs.*

Ithil "lua": val. *Phanaikelūth.* Dito significar "espelho brilhante".

Anar "Sol": val. *Apāraigas.* Dito significar "calor designado".

Ao final dessa breve lista, Pengolodh cita outro *eques* de Rúmil, que pode parecer contrário àqueles já citados acima: "Que não se surpreenda aquele que se empenhar em aprender um pouco da língua dos Senhores do Oeste, como eu me empenhei, caso encontre nela muitas palavras ou partes de palavras que se assemelhem às nossas próprias palavras para os mesmos significados ou similares. Pois assim como eles assumiram nossa forma por amor a nós, naquela forma é provável que suas vozes encontrassem *tengwi* similares".

Sobre isso Pengolodh comenta: "Ele não tinha conhecimento dos Homens ou dos Anãos. Mas nós, que habitamos entre Homens, sabemos que (por mais estranho que pareça a alguns) os Valar não os amam menos. E, de minha parte, noto uma semelhança não menor, ou, de fato, maior, entre o valarin e as línguas dos Homens, notavelmente o idioma dos Dúnedain e dos Filhos de Marach (isto é, o adunaico). Ademais, de maneira geral, ele se assemelha às línguas dos Kas*ā*ri; embora isso não seja de se espantar, caso a tradição que eles possuem seja verdadeira, de que Aulë elaborou para eles a sua língua nos primórdios e, portanto, ela pouco muda, enquanto o *iglishmêk* que criaram para si mesmos é mutável".

(3) [Cf. p. 478: "afirmações de que certos nomes (especialmente aqueles dos Valar ou de lugares em Valinor) eram traduções das formas valarin"]

*Arda* quen. *arda (< *gardā,* sind. *gardh)* significava qualquer lugar mais ou menos delimitado ou definido, uma região. Seu uso como um nome próprio para o Mundo se devia ao val. *Apāraphelūn.*

*Aratar* "os Supremos", era uma versão do val. *māχanāz,* pl. *māχanumāz* "Autoridades", também adaptado como *Máhan,* pl. *Máhani.*

*Eä* "Toda Criação", com o significado de "é" ou "que seja". Forma valarin não registrada.

*Ambar* "a Terra", com o significado de "habitação". Embora os Eldar com frequência usassem *Arda* basicamente no mesmo sentido, o significado apropriado de *Ambar* era apenas Terra, como o lugar onde os Aratar estabeleceram sua morada, e os Encarnados estavam destinados a aparecer.[29]

*Eru* "o Uno". *Ilúvatar*, no entanto, era um nome criado pelos Eldar (quando aprenderam acerca de Eru pelos Valar), que usavam com mais frequência do que *Eru*, reservado para as ocasiões mais solenes. Fora criado a partir de *ilúve* "totalidade, o todo", um equivalente de *Eä*, e *atar* "pai".

*Varda* "a Sublime". Forma val. não fornecida.

*Melkor* "Aquele que se alevanta em Poder", forma mais antiga em quen. **mbelekōro*. Forma val. não fornecida.

*Námo* "Juiz"; geralmente chamado pelos Eldar de *Mandos*, o lugar de sua morada.

*Irmo* "O Que Deseja"; geralmente chamado pelo nome de sua morada, *Lórien*.

*Este* "Repouso". (*SED: eld. com. **esdē* > **ezdē*, quen. *Este*, tele. *Ēde* (apenas como nomes); sind. îdh "descanso, repouso".)

*Vala* "tem poder" (isto é, sobre a matéria de Eä), "um Poder"; pl. *Valar*, "eles têm poder, os Poderes". Como essas palavras, do ponto de vista da estrutura do quen., são verbais em origem, elas provavelmente eram versões das palavras val. de significado verbal. Cf. *axan* (p. 479), *Eä*; e também o quen. *eques*.

*Atan*, pl. *Atani* "Homens", com o significado de "os Segundos, aqueles que vêm em seguida". Os Valar os chamavam em sua forma plena de "Os Segundos Filhos de Eru", mas os Quendi eram "os primeiros Filhos de Eru". A partir desses termos, o quen. *Minnónar* "Primogênitos" e *Apanónar* "Nascidos-depois" foram criados em imitação; mas o quen. *Eruhin*, pl. *Eruhíni* "Filhos de Eru", ou "Elfos e Homens", é uma tradução da expressão valarin "Filhos de Eru" (cuja forma valarin não se encontra registrada, provavelmente porque o equivalente val. de *Eru* não foi revelado em nenhum lugar). Além da forma *-hin*, *-híni*, usada apenas em composição após um nome parental, o quen. possui *hína* "filho", e *hina* usado somente no vocativo ao se dirigir a uma criança (nova), especialmente em *hinya* (< *hinanya*) "meu filho". O sind. possui *hên*, pl. *hîn*, usado principalmente preposto a patronímicos ou matronímicos: como *Hîn Húrin* "Os Filhos de Húrin". Essas palavras derivam do radical **khin*: *khīnā* (em composição *khīna* > quen. *-hin*), e *khinā*.

*Kalakiryan* "a Fenda de Luz", o passo nas Pelóri não muito longe da face norte de Taniquetil através do qual a Luz das Árvores em Valinor fluía até as costas de Aman.

*Taniquetil*, a mais elevada das montanhas das Pelóri, sobre a qual ficavam as mansões de Manwe e Varda. O nome era mais apropriadamente apenas o do pico mais elevado, que significava Alto Pico Nevado. A montanha como um todo era com mais frequência chamada pelos Eldar de *(Oron) Oiolosse*, "(Monte) Semprebranco" ou "Sempreneve". Havia muitos nomes para essa montanha em quenya. Uma variante ou equivalente próximo de *Taniquetil* era *Arfanyaras(se)*. As formas sindarin dos nomes foram criadas pelos Ñoldor, pois os Sindar nada sabiam da terra de Aman, exceto por relatos dos Exilados: por ex., *Amon-Uilos* e *Ras-Arphain*.

*Pelóri* "a cerca, ou Alturas defensivas". As montanhas de Aman, que se estendiam em forma de crescente de Norte a Sul, próximo das costas ocidentais.

Sobre essa lista, Pengolodh comenta: "Essas palavras são todas as que pude encontrar em antigos saberes ou me lembrar de ter lido ou ouvido. Mas a lista claramente está incompleta. Muitos dos nomes outrora conhecidos e usados, quer agora sejam encontrados nos tratados históricos preservados, quer omitidos, devem ter pertencido ao primeiro ou ao último grupo. Entre aqueles que ainda são lembrados, saliento *Avathar*, o nome da terra estreita e sombria entre as Pelóri meridionais e o Mar, onde Ungoliante fizera sua morada. Esse nome não é élfico. Há também os nomes *Nessa*, a esposa de Tulkas, e *Uinen*, a esposa de Osse. Esses também não são élficos, até onde se pode compreender agora; e, uma vez que os nomes *Tulkas* e *Osse* vêm do valarin, os nomes de suas esposas também podem representar títulos na língua valarin, ou parte deles como os Eldar puderam adaptar. Digo 'até onde se pode compreender agora' pois não há certeza acerca dessa questão sem registros. Está claro que algumas, ou, de fato, muitas dessas adaptações e traduções foram feitas em dias muitos antigos, quando o idioma dos Eldar era diferente do que se tornou antes do Exílio. Nos longos anos, devido à inquietação e inventividade dos Eldar (e dos Ñoldor, em particular), palavras foram deixadas de lado e novas palavras foram criadas; mas os nomes dos permanecentes permaneceram, como memoriais da fala do passado. Há também isto a ser considerado. Quando palavras da língua élfica foram usadas para criar os nomes de coisas e pessoas elevadas e admiráveis, parece ter havido um sentimento de que não eram adequadas para serem aplicadas a coisas menores e, dessa maneira, saíram da fala diária.

"Assim, vemos que *vala* não é mais usada para qualquer poder ou autoridade menor que aqueles dos próprios Valar. Pode-se dizer *Ā vala Manwe!* "que Manwë ordene!"; ou *Valar valuvar* "a vontade dos Valar será feita"; mas não dizemos isso para qualquer nome menor. De modo similar, *Este* ou *Ēde* é o nome apenas da esposa de Lórien, enquanto a forma que essa palavra possui em sindarin *(*îdh*)* significa "descanso", do tipo que mesmo um mastim cansado pode encontrar diante de uma fogueira". *(Nota 36, p. 498)*

As razões que Pengolodh dá ou supõe para o parco conhecimento do valarin preservado no saber ñoldorin são resumidas aqui. Já foram feitas referências a algumas delas.

Embora o valarin tivesse muito mais sons do que o eldarin, alguns estranhos ao estilo e ao sistema do eldarin, isso só causava alguma dificuldade diante do empréstimo de palavras e suas adaptações para o eldarin. Aprender valarin provavelmente não estava além dos poderes dos Eldar, caso tivessem sentido a necessidade ou desejo de fazê-lo; referências à dificuldade do valarin são principalmente devido ao fato de que, para a maioria dos Eldar, aprendê-lo era uma tarefa ingrata e infrutífera.

Pois os Eldar não tinham necessidade de aprender o idioma de Valinor para os propósitos de comunicação; e não desejavam abandonar ou alterar sua própria língua, que amavam e da qual tinham orgulho. Portanto, somente os que dentre eles possuíam uma curiosidade linguística especial desejavam aprender o valarin por si só. Tais "mestres-do-saber" nem sempre registravam o seu conhecimento, e muitos dos registros que foram feitos se perderam. Fëanor, que provavelmente sabia mais a respeito da questão do que qualquer uma das gerações mais jovens nascidas em Aman, deliberadamente não compartilhou o seu conhecimento.

Provavelmente foi apenas nos dias mais antigos que os Eldar ouviram o valarin ser muito falado, ou tiveram oportunidade de aprendê-lo, a não ser por um esforço individual especial. Os Teleri tiveram pouco contato imediato com os Valar e os Maiar após se estabelecerem nas costas. Os Ñoldor ficaram cada vez mais absortos em suas próprias atividades. Somente os Vanyar permaneceram em constante associação com os Valar. E, de qualquer forma, os Valar parecem ter adotado o quenya rapidamente.

Todas as ordens de criaturas de Eru possuem, cada uma, algum talento especial, o qual ordens mais elevadas podem admirar. Era o talento especial dos Encarnados, que viviam por uma união *necessária* de *hröa* e *fëa*, criar linguagens. Os Quendi, os primeiros e principais dos Encarnados, possuíam (ou assim mantinham) o maior talento para a criação de *lambe*. Os Valar e Maiar admiravam e se deleitavam com o *lambe* eldarin, como faziam com muitas outras das obras habilidosas e delicadas dos Eldar.

Portanto, os Valar aprenderam o quenya por escolha própria, tanto por prazer como para comunicação; e parece claro que eles preferiam que os Eldar criassem novas palavras de seu próprio estilo, ou traduzissem os significados de nomes em belas formas eldarin, a que mantivessem as palavras valarin ou as adaptassem ao quenya (um processo que, na maioria dos casos, não fazia justiça a nenhuma das duas línguas).

Logo após a chegada dos Vanyar e dos Ñoldor, os Valar deixaram de falar em sua própria língua na presença dos Eldar, salvo raramente: como, por exemplo, nos grandes Concílios, nos quais os Eldar por vezes estavam presentes. De fato, diz-se que com frequência os Valar e os Maiar podiam ser ouvidos falando em quenya entre si mesmos.

Seja como for, em se tratando dos primeiros dias do estabelecimento em Tirion, era mais fácil e mais rápido para os Valar aprender quenya do que ensinar valarin aos Eldar. Pois, de certa forma, nenhum *lambe* era estranho aos Autoencarnados. Mesmo quando usavam formas corpóreas, eles tinham menos necessidade de qualquer *tengwesta* do que tinham os Encarnados; e haviam criado um *lambe* pelo prazer de exercitar os poderes e habilidades da forma corpórea e (em um nível mais distante) para uma melhor compreensão das mentes dos Encarnados quando aparecessem, e não para qualquer necessidade que sentissem entre si mesmos. Pois os Valar e os Maiar podiam transmitir e receber pensamentos diretamente (pela vontade de ambas as partes) em conformidade com sua verdadeira natureza;[30] e embora o uso de formas corpóreas (ainda que assumidas, e não impostas) em certa medida tornasse esse modo de comunicação menos veloz e preciso, eles mantinham essa faculdade em um grau que superava em muito aquele visto entre qualquer um dos Encarnados.

Nesse ponto Pengolodh não vai além na discussão dessa questão da transmissão e recepção de pensamentos e de sua limitação em qualquer ordem de criaturas. Mas ele cita, como um exemplo da velocidade com a qual por auxílio dela um *tengwesta* pode ser aprendido por uma ordem mais elevada, a história da Descoberta dos Edain. De acordo com esse relato, o rei ñoldorin Finrod aprendeu rapidamente a língua da gente de Bëor, que ele descobriu em Ossiriand, pois ele compreendeu em larga medida o que queriam dizer quando falavam. "Ora, Finrod", diz ele, "era renomado entre os Eldar por esse poder que ele possuía, devido ao calor de seu coração e o desejo de compreender outros; contudo, seu poder não era maior do que aquele do menor dos Maiar".[31]

Pengolodh conclui da seguinte maneira. "Nos tratados históricos, os Valar são sempre apresentados falando quenya em todas as circunstâncias. *(Nota 37, p. 499)* Mas isso não pode provir de traduções feitas pelos Eldar, dos quais poucos dentre os seus historiadores sabiam valarin. A tradução deve ter sido feita pelos próprios Valar ou Maiar. De fato, aqueles tratados históricos ou lendas que dizem respeito a épocas anteriores ao despertar dos Quendi, ou ao passado mais remoto, ou a coisas sobre as quais os Eldar não poderiam ter conhecimento, devem ter sido apresentados desde o início em quenya pelos Valar ou pelos Maiar quando instruíram os Eldar. Ademais, essa tradução devia dizer respeito a mais do que as meras palavras de idiomas. Se levarmos em consideração a Primeira História, que é chamada o *Ainulindalë*: ela deve ter vindo dos próprios Aratar (acredita-se que a maior parte, de fato, tenha vindo de Manwe). Embora claramente tenha sido colocada em sua presente forma pelos Eldar, e já se encontrasse nessa forma quando foi registrada por Rúmil, ela, não obstante, deve ter-nos sido apresentada desde o início não só nas palavras do quenya, mas também de acordo com os nossos modos de pensamento e de nossa imaginação do mundo visível, em símbolos que nos eram inteligíveis. E esses os Valar compreendiam porque haviam aprendido a nossa língua".

## *Notas do Autor a Quendi e Eldar*

*Nota 1 (p. 444; mencionada em duas passagens)*
Distinguir *yomenie* "encontro, reunião" (de três ou mais que vêm de diferentes direções). A forma telerin era: *ēl sīla lūmena vomentienguo.*

*Nota 2 (p. 446)*
Foi um desenvolvimento tardio em quenya, depois que os elementos *-ō* e *-vā* haviam se tornado flexões, aplicável a todos os

substantivos, pluralizar *-o* pelo acréscimo do sinal de plural *-n*, quando adicionado a um radical plural (como podia ser por função natural): como *lasseo* "de uma folha", *lassio* > *lassion* "de folhas". De modo similar com *-va*; mas este era e permaneceu um adjetivo, e possuía a forma plural *-ve* em atribuição de plural (quen. arcaico *-vai*); contudo, não podia indicar pluralidade de fonte, originalmente, e a distinção quen. *Eldava* "de Elfo" e *Eldaiva* "de Elfos" era uma inovação do quen.

*Nota 3 (p. 450)*
*roquen* é < **roko-kwēn* com síncope em quenya, sendo **roko* uma forma mais simples e mais antiga do radical, encontrada em algumas palavras compostas e nomes compostos, embora a forma normal da palavra independente "cavalo" possuísse a forma fortalecida *rokko*. Essas palavras compostas, por serem antigas, eram enfatizadas como palavras unitárias, e a tônica principal caía na sílaba que precedia *-quen*: *kirya:quen*, *kirya:queni*.

*Nota 4 (p. 451)*
Isto é, elipticamente para *quenya lambe*, como *o português* para *o idioma português*. Quando historiadores precisaram de um adjetivo geral "quendiano, pertencente aos Elfos como um todo", eles criaram o novo adjetivo *quenderin* (seguindo o modelo de *eldarin*, ñoldorin etc.); mas essa permaneceu uma palavra erudita.

*Nota 5 (p. 453)*
Essa mudança ocorreu nos primórdios da história linguística élfica, possivelmente antes da Separação. De qualquer modo, é comum ao telerin de Aman, ao sindarin e ao nandorin.

*Nota 6 (p. 453)*
Os Mestres-do-saber ñoldorin registram que *Pendi* era usado pelos Teleri somente para os dias mais antigos, porque sentiam que significava "os carentes, os pobres" (*PEN), com referência à indigência e ignorância dos Elfos primitivos.

*Nota 7 (p. 455)*
Os Anãos estavam em uma posição especial. Afirmavam ter conhecimento de Beleriand antes mesmo de os Eldar lá chegarem pela

primeira vez; e parece ter havido pequenos grupos habitando furtivamente nos planaltos a oeste do Sirion desde muito cedo: eles atacavam e emboscavam os Elfos sorrateiramente, e os Elfos a princípio não os reconheceram como Encarnados, mas pensavam que eram alguma espécie de animal ardiloso, e os caçavam. De acordo com eles próprios, eram fugitivos, impelidos para o ermo por sua própria gente mais ao leste, e posteriormente foram chamados de *Noegyth Nibin*,[32] ou Anãos-Miúdos, pois haviam se tornado menores do que a norma de sua gente, e cheios de ódio por toda as outras criaturas. Quando os Elfos encontraram os poderosos Anãos de Nogrod e Belegost, na face oriental das Montanhas, eles os reconheceram como Encarnados, pois possuíam habilidade em muitos ofícios, e aprenderam a língua élfica de bom grado para fins de comércio. No início, os Elfos tinham dúvidas quanto a eles, acreditando serem relacionados aos Orques e criaturas de Morgoth; mas quando descobriram que, apesar de soberbos e inamistosos, era possível confiar neles para honrarem quaisquer tratados que fizessem, e não incomodavam aqueles que os deixavam em paz, comerciaram com eles e os deixaram ir e vir conforme quisessem. Não mais os classificavam como *Moerbin*, mas tampouco os contavam como *Celbin*, chamando-os de *Dornhoth* ("a gente inflexível") ou de *Naugrim* ("o povo mirrado"). [Ver mais acerca dos Anãos-Miúdos nas pp. 467-8.]

*Nota 8 (p. 455)*
Embora *Morben* ainda pudesse ser aplicado a eles por qualquer um que permanecesse hostil aos Homens (como o eram o povo de Doriath, em sua maioria); mas isso era feito para insultar.

*Nota 9 (p. 455; mencionada em duas passagens)*
No entanto, a implicação de que, em oposição a *Celbin*, os *Moerbin* eram aliados de Morgoth, ou pelo menos de lealdade duvidosa, não era verdadeira no que dizia respeito aos Avari. Nenhum Elfo de qualquer tipo jamais tomou o lado de Morgoth de livre vontade, ainda que sob tortura ou pressão de um grande medo, ou iludidos por mentiras, pudessem obedecer a seus comandos: mas isso também se aplicava a *Celbin*. Contudo, os "Elfos-escuros" com frequência eram hostis, e mesmo traiçoeiros, em seus tratos com os Sindar e os Ñoldor; e, se lutavam, como faziam quando eles próprios eram

atacados pelos Orques, jamais tomavam qualquer parte aberta na Guerra no lado dos *Celbin*. Ao que parecem, eram tomados por uma amargura herdada contra os Eldar, que consideravam como desertores de sua gente, e em Beleriand esse sentimento foi aumentado pela inveja (especialmente dos *Amanyar*) e pelo ressentimento de sua altivez. A crença dos *Celbin* de que, no mínimo, eles eram mais fracos para resistir às pressões ou mentiras de Morgoth, no que diz respeito a essa queixa, pode ter sido justificada; mas o único caso registrado nos tratados históricos é o de Maeglin, o filho de Eöl. Eöl era um *Mornedhel*, e diz-se que pertencia ao Segundo Clã (cujos representantes entre os Eldar eram os Ñoldor).[33] Ele habitava em Beleriand Leste, não muito longe das fronteiras de Doriath. Era grande a sua arte de ferreiro, especialmente na feitura de espadas, trabalho no qual ele superava mesmo os Ñoldor de Aman; e, portanto, muitos acreditavam que ele usava a *morgul*, as artes negras ensinadas por Morgoth. De fato, os próprios Ñoldor haviam aprendido muito com Morgoth nos dias do cativeiro deste em Valinor; mas é mais provável que Eöl conhecesse os Anãos, pois em muitos lugares os Avari se tornaram mais próximos em amizade com aquele povo do que os Amanyar ou os Sindar. Eöl encontrou Írith,[34] a irmã do Rei Turgon, perdida no ermo próximo à sua morada, e a tomou como esposa à força: um ato muito perverso aos olhos dos Eldar. Seu filho, Maeglin, mais tarde foi recebido em Gondolin, e recebeu honrarias como o filho da irmã do rei; mas, no fim, ele traiu Gondolin a Morgoth. Maeglin era de fato um Elfo de temperamento mau e mente sombria, e possuía uma cobiça e um rancor para saciar; mas, ainda assim, só fez o que fez após o tormento e sob uma nuvem de medo. Alguns dos Nandor, aos quais foi permitido serem *Celbin*, não eram melhores. Saeros, um conselheiro do Rei Thingol, que pertencia a um pequeno clã de Nandor que vivia no leste de Doriath, foi o principal responsável por levar à proscrição Túrin, filho de Húrin. A mãe de Túrin foi chamada de *Morwen*, "donzela sombria", por causa de seus cabelos escuros, e foi um dos piores insultos de Saeros chamá-la de *Morben*. Por dizer isso, Túrin o golpeou no salão do rei.[35]

Esse ressentimento da parte dos Avari é ilustrado pela história do quend. prim. **kwendī*. Essa palavra, como se mostrou, não foi preservada nos idiomas telerin da Terra-média e foi quase esquecida mesmo no telerin de Aman. Mas os Mestres-do-saber de dias posteriores, quando relações mais amigáveis foram estabelecidas com Avari de vários tipos em Eriador e no Vale do Anduin, registram que a palavra era encontrada com frequência em dialetos avarin. Esses eram numerosos e, com frequência, tão separados uns dos outros quanto o eram das formas eldarin da fala élfica; mas onde quer que os descendentes de **kwendī* fossem encontrados, eles significavam não "Elfos em geral", mas eram os nomes que os Avari davam a si próprios. Eles evidentemente continuaram a se chamar de **kwendī*, "o Povo", considerando aqueles que partiram como desertores — ainda que, de acordo com a tradição eldarin, os números dos Eldar na época da Separação se encontravam na proporção aproximada de 3:2, em comparação com os Avari (ver p. 459). A formas avarin citadas pelos Mestres-do-saber eram: *kindi*, *cuind*, *hwenti*, *windan*, *kinn-lai*, *penni*. A última é interessante por mostrar a mutação *kw* > *p*. Ela talvez seja independente da mutação do telerin comum; mas sugere que já ocorria entre os Lindar antes da Separação. A forma *penni* é citada como originária da fala "élfica-da-floresta" do Vale do Anduin, e esses Elfos estavam entre os mais amigáveis aos fugitivos de Beleriand, e se consideravam aparentados dos remanescentes dos Sindar.

*Nota 10 (p. 456)*

Não é de surpreender que os Edain, quando aprenderam sindarin — e, em certa medida, também o quenya —, achavam difícil discernir se palavras e nomes que continham o elemento *el* se referiam às estrelas ou aos Elfos. Isso se vê no nome *Elendil*, que se tornou um favorito entre os Edain, cuja intenção era de que tivesse o sentido "Amigo-dos-Elfos". Em quenya, ele significava propriamente "um amante ou estudante das estrelas", e era empregado àqueles dedicados ao saber astronômico. "Amigo-dos-Elfos" teria sido representado mais corretamente por *Quen(den)dil* ou *Eldandil*.

*Nota 11 (p. 456)*

Lago Mithrim, que originalmente significava "Lago dos Mithrim". *Mithrim* era um nome dado a eles pelos habitantes do sul, devido ao clima mais frio e aos céus mais cinzentos, e às névoas do Norte. Provavelmente foi porque os Ñoldor entraram em contato primeiro com esse ramo setentrional que eles deram em quenya o nome *Sindar* ou *Sindeldi* "Elfos-cinzentos" a todos os habitantes telerin das Terras do Oeste que falavam o idioma sindarin,[36] embora também se considerasse posteriormente que esse nome se referia ao nome *Thingol (Sindikollo)* "Capa-gris" de Elwe, visto que ele era reconhecido como alto-rei de toda a terra e seus povos. Diz-se também que a gente do Norte vestia-se muito de cinza, especialmente após o retorno de Morgoth, quando o sigilo tornou-se necessário; e os Mithrim possuíam uma arte de tecer um tecido cinzento que tornava aqueles que o usavam quase invisíveis em lugares sombrios ou em uma terra pedregosa. Essa arte foi usada mais tarde mesmo nas terras meridionais, à medida que os perigos da Guerra aumentavam.

*Nota 12 (p. 458)*
O idioma de Mithrim também era um dialeto marcado; mas nenhum dos dialetos sindarin diferia o bastante para interferir na comunicação. Suas divergências não eram maiores do que aquelas que haviam surgido entre o quenya como falado pelos Vanyar e como falado pelos Ñoldor na época do Exílio.

*Nota 13 (p. 459)*
Para o *gl-* quen. prim. tardio como uma variação inicial de *l-*, ver Fonologia Geral.[37] Embora esse nome de clã possua **glind-* em sindarin, o *g-* não aparece em telerin amanya, nem em nandorin, de modo que, nesse caso, pode ser um acréscimo em sindarin, que favorecia e aumentou em muito os grupos iniciais desse tipo.

*Nota 14 (p. 461)*
Por essa razão, o mais frequentemente usado dos "títulos" ou nomes secundários dos Lindar era *Nendili* "Amantes-da-Água".

*Nota 15 (p. 461)*
Uma simples formação agentiva (como **abaro* > **abar* de *ABA) a partir do radical *TELE, cujo sentido primário parece ter sido "encerrar, terminar, vir no fim": daí em quen. *telda* "último, final"; verbo intransitivo *tele-* "terminar, acabar", ou "ser a última coisa ou pessoa em uma série ou sequência de eventos"; verbo transitivo *telya* "terminar, encerrar, concluir"; *telma* "uma conclusão, qualquer coisa usada para terminar um trabalho ou assunto". Isso provavelmente era distinto de **tel-u* "telhar, colocar o topo em uma

construção", vista no quen. *telume* "telhado, cobertura". (Essa provavelmente era uma das palavras quendianas mais antigas para os céus, o firmamento, antes da ampliação de seu conhecimento e da invenção da palavra eldarin *Menel.* Cf. *Telumehtar* "guerreiro do céu", um nome mais antigo para *Menelmakil*, Órion.) A palavra *telluma* "abóbada, domo, cúpula" é uma alteração de *telume* por influência do valarin *delgūmā*: ver p. 479. Mas **telu* pode simplesmente ser uma forma diferenciada de *TELE, uma vez que o telhado era a última parte trabalhada de uma construção; cf. *telma*, frequentemente aplicada ao último item de uma estrutura, como uma cimalha, ou o pináculo mais elevado.

*Nota 16 (p. 463)*

Ver acima, p. 381. A proporção, por 144, dos Eldar remanescentes na Terra-média foi registrada como 26, dos quais cerca de 8 eram Nandor.

*Nota 17 (p. 463)*

*Lenwe* é a forma na qual o seu nome era lembrado nos tratados históricos ñoldorin. Seu nome provavelmente era **Denwego*, nandorin *Denweg.* Seu filho era o chefe nandorin *Denethor.* Esses nomes provavelmente significavam "esguio-e-ativo" e "esguio-e-delgado", de **dene-* "magro e forte, flexível, esguio" e **thara-* "alto (ou longo) e esbelto".

*Nota 18 (p. 463)*

O nome *Nandor* era um derivado do elemento **dan*, **ndan-*, que indica a reversão de uma ação, para desfazer ou anular o seu efeito, como em "desfazer, voltar (pelo mesmo caminho), desdizer, devolver (o mesmo presente: não outro em retribuição)". Portanto, a palavra original **ndandō* provavelmente implicava apenas "alguém que falta com a palavra ou que volta atrás em uma decisão".

*Nota 19 (p. 465)*

Em quen. *Eldameldor*, sind. *Elvellyn.* Isto é, "Amantes-dos-Elfos". As palavras *Quendili*, *Eldandili* (ver Nota 10), embora não excluam afeição e lealdades pessoais, também teriam implicado um profundo interesse para com todo o saber relativo aos Elfos, que não necessariamente estava incluído nas palavras *meldor*, *mellyn* "amantes, amigos".

*Nota 20 (p. 466)*

Isto é, morrer naturalmente, de velhice ou cansaço, e inevitavelmente, não somente (como os Elfos) por algum ferimento ou pesar doloroso.

*Nota 21 (p. 466)*

O sind. *-eb* vem de **ikwā*, tele. com. **-ipā*, provavelmente relacionado com o quen. *-inqua*. Cf. o sind. *aglareb* "glorioso", quen. *alkarinqua*. Ambas provavelmente estão relacionadas ao elemento **kwa*, **kwa-ta* visto em palavras eldarin para "repleto, pleno, cheio".

*Nota 22 (p. 467)*

O *ch* sind. era apenas uma aproximação; na verdade, o *kh* anânico era uma aspirada forte, não uma fricativa. De modo similar, na época do empréstimo, o sindarin não possuía o *z* sonoro nem o *ā* longo. Isso não significa que os Elfos não podiam imitar ou adquirir sons estranhos à sua fala nativa. Todos os Elfos possuíam grande habilidade com idiomas, e superavam em muito os Homens nessa questão. Os Ñoldor eram os principais linguistas dos Elfos, mas sua superioridade era demonstrada não tanto na aquisição de novas línguas como no seu amor pela linguagem, sua inventividade e seu interesse pelo saber da linguagem e a história e relações de diferentes línguas. Ao adotarem uma palavra para ser usada em sua própria língua (que eles amavam), os Elfos a adequavam ao seu próprio estilo por razões estéticas.

*Nota 23 (p. 467)*

Essas palavras derivam do radical *NUKU "apequenado, mirrado, que não atingiu pleno crescimento ou realização, aquém de alguma meta ou padrão", visto em **nuktā-*, quen. *nuhta-* "mirrar, impedir de ser completado, interromper, não permitir que continue", sind. *nuitha-* de sentidos similares. Uma formação adjetiva era **naukā*, da qual foram derivados o sind. *naug* e o quen. *nauka*, empregado especialmente a seres que, apesar de serem em si mesmos completamente crescidos, eram menores ou mais baixos do que a sua espécie, e eram rígidos, distorcidos ou deformados. *Nogoth* provavelmente vem de alguma forma similar, como **nukotto/a* "uma coisa (ou pessoa) mirrada ou deformada".

*Nota 24 (p. 467)*

O *h* quen. se tornara fraco demais para representar o *kh* aspirado que, portanto, era vertido como *k*. O *d* final se tornara *r*, e essa mudança foi reconhecida na adaptação. O *z* < *s* medial se tornara *r* no dialeto ñoldorin do quen., exceto quando uma sílaba adjacente, ou (como aqui) a mesma sílaba, já continha um *r*.

*Nota 25 (p. 467)*

*Norno* é uma forma personalizada do adjetivo *norna* "rígido, duro", o equivalente quen. do sind. *dorn*. Ambas vêm do radical *DORO "ressecado, duro, inflexível". Com o enriquecimento inicial frequente *d* > *nd*, ela aparece no quend. prim. **ndorē* "a terra dura e seca, em oposição à água ou pântano > terra em geral em oposição ao mar; uma terra (uma região específica com limites mais ou menos definidos)". Daí o sind. *dôr* (*-ndor* > *-nor*, *-nnor*) "terra". Em quen., essa palavra foi confundida ou misturada com a distinta **nōrē* do radical *ONO (ver p. 466), "família, tribo ou grupo que possui uma linhagem em comum, a terra ou região em que eles habitavam". Assim, o quen. *nóre* geralmente era usado para "terra" associada com um povo específico, e a antiga **ndorē* sobreviveu apenas em nomes compostos: como *Valinóre* < **Valinōrē* "o povo e a terra dos Valar", junto a *Valinor*, *Valandor*. Uma terra ou região específica em quen. era *arda*; "terra" em oposição à água ou o mar era *nór* (< **ndōro*) em oposição a *eär*. As formas quen. *norna*, *Norno* também podem conter *nd-*, embora o sind. *dorn* não possa; mas esse provavelmente é um dos casos em que o *d* inicial do quen. tornou-se *n-*, e não *l-*, por assimilação a um *n* que ocorre posteriormente na palavra.

*Nota 26 (p. 468)*

*Novrod* era a forma mais antiga, e aparece nos primeiros anais, ao lado da variante *Grodnof*. Elas possuem os elementos eld. com. **nābā* "oco", e *(g)rotā* "escavação, morada subterrânea". *Novrod* mantém a ordem eldarin (e anânica) mais antiga com o elemento adjetival na frente. Na época de sua criação, **nāba-grota* sem dúvida já havia chegado em sua forma sind. arcaica **nǭv-ʒrot* > *novrod*. *Grodnof* possui os mesmos elementos na ordem sindarin tardia mais usual. A forma *Nogrod*, que posteriormente se tornou usual, deve-se ao fato de que, após o elemento *Nov-* ter se tornado obscuro, ele foi substituído por *Nog-*, interpretado como uma forma de *Naug* "anão" (com a mutação usual de *au* > *o*). O adjetivo **nābā* > *nǭv*, *nǭf* só permaneceu corrente no dialeto setentrional, onde o nome *Novrod* se originou. Nos outros dialetos, *nǭv*, como uma palavra independente tônica, tornou-se *nauv* > *naw* (com a queda usual do *v* final após *au*, *u*), e essa palavra deixou de ser usada em fala corrente. *Novrod* nos anais mais antigos por vezes é encontrada glosada como *Bar-goll* "morada oca", fazendo uso do adjetivo mais corrente *coll* < **kuldā*.

*Hadhodrond* usa a forma adaptada *Hadhod* = *Khazād*. O elemento *rond* não possui relação com *grod*, *-rod*. Este vem de **groto* "cavar, escavar, fazer um túnel". O sind. *rond* e o quen. *rondo* vêm de **rono* "arquear por cima, telhar". Podia-se aplicar tanto a estruturas naturais como artificiais, mas a visão era sempre de baixo e do interior. (Contraste-se com os derivados de **tel*, **telu* mencionados na Nota 15.) O eld. com. **rondō* tinha o significado de "um teto abobadado ou com arcos, conforme visto de baixo (e que, geralmente, não era visível do exterior)", ou de "um (grande) salão ou câmara com teto desse tipo". Ainda era aplicado com frequência de maneira pictórica aos céus após os Elfos adquirirem conhecimentos muito maiores do "saber das estrelas". Cf. o nome *Elrond* "Domo-de-estrelas" (*Elros* significava "Brilho-de-estrelas"). Cf. também o sind. *othrond* aplicado a uma fortaleza subterrânea, construída ou ampliada por escavações, com um ou mais salões grandes abobadados desse tipo; *othrond* é de < sind. *ost* + *rond*. O eld. com. **ostō*, quen. *osto*, sind. *ost*, deriva de **soto* "abrigar, proteger, defender", e era aplicado a qualquer fortaleza ou praça-forte construída ou reforçada por artes. O exemplo mais famoso, depois da grande morada de Elwe em Menegroth, era *Nargothrond* < *Narog-ost-rond* ("a grande cidade fortificada e salões subterrâneos do Rio Narog"), que foi construída por Finrod, ou terminada e ampliada por ele, a partir das moradas mais primitivas construídas pelos Anãos-Miúdos.

Embora distintos em origem, os derivados de **groto* e **rono* naturalmente entraram em contato, visto que não eram dissimilares em forma, e um **rondō* geralmente era feito por meio de escavação. Assim, o sind. *groth* < **grottā* (uma forma intensificada de *grod* < **grotā*) "uma grande escavação" pode bem ser aplicado a um *rond*. *Menegroth* significa "As Mil Cavernas ou Escavações", mas possuía um grande *rond* e muitos menores.

*Nota 27 (p. 469)*

**(ñ)guruk* deve-se a uma combinação de **(g)ruk* com *NGUR "horror", visto no sind. *gorth*, *gorthob* "horror, horrível", e (reduplicado) em *gorgor* "horror extremo".

_Nota 28 (p. 469)_
Alguns outros derivados em quenya são: _rukin_ "sinto medo ou horror" (construído com "de" do objeto temido); _ruhta-_ "aterrorizar"; _rúkima_ "terrível"; _rauko_ e _arauko_ < *_grauk-_) "uma criatura poderosa, hostil e terrível", especialmente na palavra composta _Valarauko_ "Demônio de Poder", aplicada posteriormente aos mais poderosos e terríveis dos Maiar serviçais de Morgoth. Em sindarin, por exemplo, aparecem _raug_ e _graug_, e na palavra composta _Balrog_ (equivalentes do quen. _rauko_ etc.); _groga-_ "sentir terror"; _gruitha_ "aterrorizar"; _gorog_ (< *_guruk)_ "horror".

_Nota 29 (p. 471)_
Afixos aparecem em _equen_ "disse eu", _eques_ "disse ele / ela", usadas ao se relatar um diálogo.

_Nota 30 (p. 472)_
*_ekwē_ provavelmente era um pretérito primitivo, marcado como tal pelo "aumento" ou vogal-base reduplicada, e pela vogal temática longa. Pretéritos dessa forma eram usuais em verbos sindarin primários ou "fortes": como *_akāra_ "fez" > sind. _agor_. *_akwā_, contudo, provavelmente não era verbal, mas uma extensão ou intensificação de *_kwā_, usada adverbialmente.

_Nota 31 (p. 472)_
Em idiomas eldarin, geralmente encontra-se nas formas _-ikwā_ ou _-ukwā_, ou, com infixação nasal, _-iñkwā_, _-uñkwā_. As vogais _i_ e _u_ provavelmente derivaram das terminações de substantivos ou outros radicais aos quais _kwā_ foi acrescentado, mas as formas verbais dissílabas haviam se tornado bastante independentes dessa origem. As formas que usavam _u_ eram aplicadas principalmente a coisas pesadas, desgraciosas, feias ou ruins.

_Nota 32 (p. 472)_
Pouco se diz no saber ñoldorin acerca do idioma dos Valar e dos Maiar; mas, a respeito desse ponto, foi acrescentada uma nota ao final deste Apêndice (pp. 477 ss.).

_Nota 33 (p. 473)_
_lamba_ deriva de *LABA "mover a língua, lamber", e pode se referir a *_lab-mā_ (com um sufixo frequente nos nomes de implementos):

o grupo *bm* > *mb* no eld. com. e possivelmente mais cedo. *lambe* provavelmente vem de **lab-mē*, que denota a ação de *LABA, ou o uso da **lambā*. (Cf. *JULU "beber", **julmā*, quen. *yulma*, sind. *ylf* "taça, recipiente de bebida"; **julmē*, quen. *yulme*, "ato de beber, beberronia".) Essas palavras não possuem uma ligação original com *LAMA, que se refere a sons, especialmente sons vocais, mas era aplicado somente àqueles sons que eram confusos ou inarticulados. Era geralmente usado para descrever os vários gritos de animais. Daí a palavra **laman(a)*, **lamān*, quen. *laman*, pl. *lamni* ou *lamani*; sind. *lavan*, pl. *levain*, "animal", em geral aplicada somente a animais de quatro patas, e nunca a répteis ou aves. (É possível comparar com **kwene* "usuário de fala articulada".) O sindarin *glam* < *glamb* / *glamm* (p. 470) é uma elaboração de *LAM.

*Nota 34 (p. 474)*

Em uso independente genuíno, empregados principalmente entre pessoas fora do alcance da voz: os Elfos possuíam uma visão surpreendentemente aguçada à distância. Esses "sinais" eram realmente distintos dos gestos (especialmente aqueles das mãos) feitos como concomitantes à fala e acréscimos a mudanças de tom para a transmissão de sentimento, embora alguns dos gestos em ambos os sistemas fossem similares. Os Elfos faziam considerável uso dos gestos concomitantes, especialmente na oratória ou em recitações.

*Nota 35 (p. 478)*

Com isso, Pengolodh queria dizer o conhecimento disponível na Terra-média. O *Lammas* foi composto em Eriador.

*Nota 36 (p. 485)*

Outros Mestres-do-saber tardios conjecturavam que *Nessa* na verdade era élfico em forma (embora arcaico, pelo próprio princípio de Pengolodh), sendo < **neresā*, uma formação feminina a partir de *NER, com o significado de "aquela que possui valor ou força viril". Eles também removiam *Taniquetil* do grupo de "traduções". *Arfanyarasse*, diziam, é a tradução: "pico elevado (isto é, nobre, venerado) — de brilho branco", mas *Taniquetil* é uma adaptação, embora uma que provavelmente alterou em muito o original na tentativa de dar ao nome alguma espécie de significância eldarin: ? ponto branco elevado. Como dizem eles, *ta-* não significa "elevado" em eldarin, embora possa evocar *tára* "alto, grande" (*TAR); *nique* não se refere à neve, mas ao frio; e o quen. *tilde*, *-til* não é um pico de montanha, mas uma ponta afiada e fina (usado principalmente para coisas pequenas e finas). Para *nique*, cf. quen. *niku-* "esfriar, estar frio (o clima)"; *nique* "é frio, congela"; *ninque* "frio, pálido", *nixe* "geada", *niquis*, *niquesse* "padrões de geada" (este por associação com *quesse* "pena").

De modo mais significativo, eles citam de uma antiga lenda da Fuga a história de que, quando as brumas de Araman envolveram as distantes montanhas de Valinor e as ocultaram da vista dos Ñoldor, Fëanor ergueu as mãos como um sinal de rejeição e gritou: "Eu me vou. Nem na luz, nem na sombra tornarei a olhar para ti, *Dahanigwishtilgūn*". Assim foi registrado, embora os autores dos tratados históricos não mais soubessem o que ele quis dizer. Por essa razão, a estranha palavra pode ter sido mal transmitida. Mas, mesmo assim, ela ainda possui certa semelhança com *Taniquetil*, embora não possa mais ser analisada. (Em algumas versões, dizem os Mestres-do-saber, ela foi escrita *dāhan-igwiš-telgūn*.) Eles também citam *Fionwe* [leia-se *Eönwe*?] (o arauto de Manwe) como outro nome para o qual não se conhece nenhuma etimologia élfica.

*Nota 37 (p. 487)*

Geralmente em um estilo formal e elevado. Muitas vezes, quando havia diferenças, mais de acordo com a maneira vanyarin do que com a ñoldorin, pois os Vanyar eram os que mais ficavam em sua companhia (embora os escritores ñoldorin por vezes usassem suas próprias formas como substitutas).

## NOTAS EDITORIAIS

1 "afeição": mutação (da vogal *o* causada pelo *i* seguinte em *Mori(quendi)*).

2 *sundóma*: ver p. 384.

3 *omentielvo*: essa palavra foi datilografada *omentielmo*, subsequentemente alterada para *omentielvo*. A mesma alteração foi feita na Segunda Edição de *A Sociedade do Anel* (p. 142).

4 *A Sociedade do Anel*, p. 498 (no final do capítulo *Lothlórien*); *vanimalda* na Primeira Edição, *vanimelda* na Segunda Edição.

5 O termo ómataina, ou "extensão vocálica", é usado para o acréscimo à "base" de uma vogal final idêntica à *sundóma* (p. 384).

6 "Às escuridões e às nuvens que cobriam o sol e as estrelas": ao que parece, uma referência explícita a alguma forma do mito astronômico alterado pressagiado

no Texto II da seção "Mitos Transformados" em *O Anel de Morgoth*. Naquele texto, meu pai fez a pergunta: "Mas como, mesmo assim, os Eldar podem ser chamados de "Povo-das-estrelas"?" se o Sol é "O Sol deveria ser coetâneo da Terra" (X. 453); e propôs uma história complexa (X. 455-6) na qual o obscurecimento do mundo por Melkor, que fez subir vastas escuridões para bloquear toda a vista dos céus, é um elemento principal. Ver mais nas pp. 505-6.

7 "O primeiro povo desse tipo a ser encontrado foi os Nandor": isso estranhamente contradiz a história registrada nos *Anais* (AC §19, p. 22; também AAm §84, X. 122), segundo a qual os Anãos entraram pela primeira vez em Beleriand no Ano Valiano 1250, e a construção de Menegroth foi realizada antes da chegada de Denethor, líder dos Nandor, em 1350 (pp. 24-6). A afirmação seguinte aqui — de que as primeiras invasões dos Orques se deram após o retorno de Morgoth — é uma contradição igualmente notável dos *Anais*: de acordo com AC §27, os Orques entraram em Beleriand em 1330 (cf. também X. 137, §85): "Donde vinham, ou que eram, os Elfos não sabiam então, julgando que fossem os Avari, quiçá, que tinham se tornado maus e selvagens nas matas".

8 "desde o Cabo Andras até o promontório de Bar-in-Mŷl": *Cape Andras* [Cabo Andras] foi inserido no mapa (p. 227, quadrado G2), mas o promontório ao sul (por si só uma extensão do litoral como desenhado originalmente) é lá chamado *Ras Mewrim* (p. 234, §63). O nome no presente texto foi datilografado *Bar-in-Gwael*; a tradução "Lar das Gaivotas" foi acrescentada na mesma época que a alteração para *Bar-in-Mŷl* (por uma alteração a lápis tardia em uma cópia, *-in-* > *-i-*).

9 *Brithonbar*, e não *Brithombar*, é a forma que foi datilografada e não foi corrigida.

10 Com essa passagem acerca dos Eglain, cf. p. 233, §57, e pp. 415-6. A frase final, "Mas reconheciam a alta-realeza de Thingol, e Círdan jamais assumiu o título de rei", difere dos *Anais*, onde Círdan ou reconhecia Felagund de Nargothrond como suserano, ou então era (como parece) um Senhor da Falas independente, "mas sempre teve amizade estreita com Nargothrond" (GA §85, e comentário, p. 142).

11 Sobre a lenda de *Imin*, *Tata* e *Enel*, ver pp. 502 ss.

12 A história encontrada nos *Anais de Aman* a respeito das gentes de Morwë e Nurwë, que recusaram a convocação dos Valar e se tornaram os Avari (X. 109, 116, 211), havia sido abandonada.

13 O nome *Lindar* "Cantores" para os Teleri apareceu no "Glossário" ao *Athrabeth Finrod ah Andreth* (X. 420); por muito tempo foi o nome para a Primeira Gente, os Vanyar posteriores.

14 Quanto à cascata de Cuiviénen, ver p. 506.

15 Em outro escrito tardio, é dito que Círdan era da gente de Elwë, mas não encontrei qualquer afirmação acerca da natureza do parentesco.

16 *Lenwë* substituiu o duradouro nome *Dân* para o pai de Denethor; ele foi adotado desse texto em *O Silmarillion*.

17 A afirmação de que os Nandor entraram em Beleriand "não muito antes do retorno de Morgoth" é outra contradição notável dos *Anais* (cf. nota 7 acima). Anteriormente (p. 455) foi dito que eles chegaram "antes do retorno de Morgoth", que sem dúvida implica a mesma situação. Mas em AC §31 há uma maravilhosa evocação dos "longos anos de paz que se seguiram depois da vinda de Denethor", e foram de fato longos: de 1350 a 1495, 145 Anos Valianos, ou 1.389 Anos do Sol. Não sei como explicar essas alterações profundas na história fixada.

18 Quanto à palavra adunaica *Nimir* "Elfo", ver *A Submersão de Anadûnê* (Vol. IX, Índice Remissivo II, p. 546).

19 *Fírimar*: a forma antiga era *Fírimor* (QS §83, V. 291, nota de rodapé). Um relato do desenvolvimento de significado no verbo *fírë* foi apresentado em relação a *Fíriel*, o nome posterior de Míriel, em X. 305.

20 O nome *Nogoth niben* foi adotado em *O Silmarillion* (no plural, *Noegyth nibin*: ver Nota 7 ao presente texto, p. 488); a palavra *nogoth* para os Anãos não ocorrera antes (ver nota 32 abaixo). Para outros nomes e formas de nomes dos Anãos-Miúdos, ver p. 230, §26.

21 Na revisão do capítulo do QS acerca dos Anãos, o nome sindarin de Khazad-dûm era *Nornhabar*, traduzido como "Covanana" (p. 254). "Covanana" também aparece em *A Sociedade do Anel*; no presente texto, o nome sindarin foi datilografado *Hadhodrûd* e traduzido como "Mina-anânica", mas a alteração para *Hadhodrond* "Domanano" foi feita imediatamente. *Hadhodrond* foi adotado em *O Silmarillion*.

22 Cf. Apêndice F de *O Senhor dos Anéis*, p. 1611: "As espécies menores eram chamadas, especialmente pelos Uruk-hai, de *snaga*, 'escravo'".

23 Fëanor considerava que, apesar do modo usual de grafia, as vogais eram cada uma *tengwi* independentes ou elementos de formação de palavras.

24 Em apenas uma cópia, uma correção tardia a lápis alterou *SAR para *SYAR.

25 No alto da página há uma nota a lápis, em apenas uma cópia: "Alterar *Pengolodh* para *Thingódhel*".

26 Para a palavra *equessi*, ver p. 472. Tanto naquela passagem como nesta, a palavra foi datilografada *Equeri* e depois corrigida.

27 Para a antiga concepção no *Lhammas* dos anos 1930, de acordo com a qual a origem de toda fala élfica estava no idioma dos Valar (comunicado aos Elfos por Oromë), ver V. 199, 228.

28 Em *The Road Goes Ever On* é dito que o nome *miruvórë* (que ocorre no *Namárië*) é de origem valarin.

29 Cf. Nota 2 do Comentário ao *Athrabeth Finrod ah Andreth* (X. 406), onde é dito que "Physically Arda was what we should call the Solar System", e que, nas tradições élficas, "the principal part of Arda was the Earth (*Imbar* 'the

Habitation')... so that loosely used Arda often seems to mean the Earth". Para *Ambar*, ver as referências dadas em X. 432, nota 12.

30 Cf. AAm §164 (X. 163): "without voices in silence [os deuses] may hold council one with another", e a passagem citada de *O Retorno do Rei* em minha nota àquela passagem (X. 169).

31 Cf. o capítulo tardio do QS *Da Vinda dos Homens para o Oeste*, p. 229: "Felagund descobriu ... que podia ler nas mentes dos Homens tais pensamentos, como os que desejavam revelar na fala, de modo que suas palavras eram facilmente interpretadas".

32 *Noegyth Nibin* foi uma correção do nome datilografado, *Nibinn..g*, provavelmente *Nibinnoeg* (ver p. 230, §26). Com as notas entremeadas ao texto, esta nota foi escrita antes de se chegar na passagem na p. 467.

33 É curioso que — como no texto original de *Maeglin*, onde ele era "do clã de Thingol" —, no trabalho bastante tardio de meu pai na história, Eöl mais uma vez se torne "um dos Eldar" (p. 396), embora consumido pelo ódio aos Ñoldor; ao passo que aqui ele é um *Mornedhel* (um dos Avari) e, ademais, do Segundo Clã nativo.

34 O nome Írith é encontrado como uma correção (feita após a publicação de *O Senhor dos Anéis*) do antigo nome *Isfin* em QS §42 (X. 220). Quando meu pai trabalhou na história *Maeglin* por volta de 1970, ele parece ter se esquecido de Írith, pois suas notas naquela época expressam descontentamento com o nome *Isfin* "sem significado", como se nunca tivesse sido substituído (pp. 381-2).

35 O insulto de Túrin por Saeros ao chamar sua mãe Morwen de *Morben* foi um desenvolvimento na história (ver QS §39, V. 385, e *Contos Inacabados*, p. 117) que, naturalmente, só podia ocorrer com o surgimento das palavras *Calben* e *Morben*.

36 Nem a interpretação de *Mithrim* como o nome de um povo (para a antiga etimologia, ver V. 466, radical RINGI), nem essa explicação do nome *Sindar* haviam aparecido antes.

37 "Fonologia Geral": meu pai não estava se referindo a qualquer obra específica terminada.

# APÊNDICE

## *A lenda do Despertar dos Quendi (Cuivienyarna)*

É dito em *Quendi e Eldar*, p. 359:

> De acordo com a lenda, preservada numa forma quase idêntica tanto entre os Elfos de Aman como os Sindar, os Três Clãs nos primórdios originaram-se dos três Pais-élficos: *Imin*, *Tata* e

*Enel* (isto é, Um, Dois e Três), e daqueles que escolheram segui-los. Assim, a princípio eles simplesmente possuíam os nomes *Minyar* "Primeiros", *Tatyar* "Segundos", e *Nelyar* "Terceiros". Esses contavam, dos 144 Elfos originais que despertaram, 14, 56 e 74; e essas proporções foram aproximadamente mantidas até a Separação.

Uma forma dessa lenda encontra-se em um único texto datilografado com uma cópia em papel carbono. Em uma cópia meu pai escreveu (e, de maneira similar, mais sucintamente na outra): "Na verdade escrito (em estilo e noções simples) para ser um "conto de fadas" ou história infantil élfica que foi preservado, misturado com saber acerca da contagem de números". Correções a qualquer uma das cópias foram inseridas no texto que se segue.

Enquanto os seus primeiros corpos estavam sendo feitos da "carne de Arda", os Quendi dormiam "no regaço da Terra", sob a verde relva, e despertaram quando estavam adultos. Mas os Primeiros Elfos (também chamados de Não Gerados, ou Gerados por Eru) não despertaram todos juntos. Eru ordenara que cada um jazesse ao lado de seu "cônjuge destinado". Mas três Elfos despertaram em primeiro lugar; e eram Elfos homens, pois os Elfos homens são mais fortes de corpo e mais ávidos e aventureiros em lugares estranhos. Esses três Pais-élficos são nomeados nas antigas histórias *Imin*, *Tata* e *Enel*. Despertaram nessa ordem, mas com pouco tempo entre eles; e deles, dizem os Eldar, foram feitas as palavras para um, dois e três: os mais antigos de todos os numerais.[**]

Imin, Tata e Enel despertaram antes de suas esposas, e a primeira coisa que viram foram as estrelas, pois despertaram no início da penumbra antes do amanhecer. E a próxima coisa que viram foram suas esposas destinadas, jazendo adormecidas no verde relvado ao lado deles. Então, tanto se enamoraram da sua beleza que seu desejo pela fala foi avivado de imediato, e começaram "a pensar em palavras" para falarem e cantarem. E, visto que estavam

[*] [nota de rodapé ao texto] As palavras eldarin referidas são *Min*, *Atta* (ou *Tata*), *Nel*. Provavelmente o inverso é histórico. Os Três não tinham nomes até desenvolverem a linguagem, e receberam (ou tomaram) nomes depois de terem inventado numerais (ou pelo menos os doze primeiros).

impacientes, não foram capazes de esperar, mas despertaram suas esposas. Assim, dizem os Eldar, a primeira coisa que cada Elfa viu foi seu esposo, e seu amor por ele foi o seu primeiro amor; e o seu amor e a sua reverência pelas maravilhas de Arda vieram depois.

Mas, após certo tempo, quando haviam habitado juntos por um tanto e haviam inventado muitas palavras, Imin e Iminyë, Tata e Tatië, Enel e Enelyë caminharam juntos, e deixaram o verde vale de seu despertar, e logo chegaram a outro vale maior e ali encontraram seis casais de Quendi, e outra vez as estrelas reluziam na penumbra matutina e os Elfos homens acabavam de despertar.

Então Imin afirmou ser o mais velho e ter o direito da primeira escolha; e disse: "Escolho estes doze para serem meus companheiros". E os Elfos despertaram suas esposas, e quando os dezoito Elfos se haviam demorado juntos por algum tempo, e haviam aprendido muitas palavras e inventado outras mais, seguiram caminhando juntos, e logo, em outra baixada ainda mais funda e ampla, encontraram nove casais de Quendi, e os Elfos homens acabavam de despertar na luz das estrelas.

Então Tata reivindicou o direito da segunda escolha, e disse: "Escolho estes dezoito para serem meus companheiros". Então outra vez os Elfos despertaram suas esposas, e habitaram e falaram juntos, e inventaram muitos novos sons, e palavras novas e mais longas; e então os trinta e seis saíram a caminhar juntos, até chegarem a um bosque de bétulas junto a um regato, e ali encontraram doze casais de Quendi, e da mesma forma os Elfos homens acabavam de se pôr de pé, e olhavam as estrelas através dos ramos das bétulas.

Então Enel reivindicou o direito da terceira escolha, e disse: "Escolho estes vinte e quatro para serem meus companheiros". Outra vez os Elfos homens despertaram suas esposas; e por muitos dias os sessenta Elfos habitaram junto ao regato, e logo começaram a fazer versos e canções ao som da música da água.

Por fim, todos partiram juntos outra vez. Mas Imin observou que a cada vez haviam encontrado mais Quendi que antes, e pensou consigo: "Tenho apenas doze companheiros (apesar de ser eu o mais velho); farei minha escolha mais tarde". Logo chegaram a um bosque de abetos de doce aroma em uma encosta, e ali encontraram dezoito casais de Quendi, e todos ainda dormiam. Ainda era noite e havia nuvens no firmamento. Mas antes da aurora um vento veio, e animou os Elfos homens, e eles despertaram e se admiraram com as estrelas; pois todas as nuvens foram levadas pelo vento e as estrelas estavam luminosas de leste a oeste. E por longo tempo os dezoito novos Quendi não se deram conta dos demais, mas olharam para as luzes de Menel. Mas, quando finalmente volveram os olhos para a terra, contemplaram suas esposas e as despertaram para que olhassem as estrelas, exclamando-lhes *elen, elen!* E assim as estrelas adquiriram seu nome.

Então Imin disse: "Ainda não escolherei de novo"; e Tata, portanto, escolheu aqueles trinta e seis para serem seus próprios companheiros; e eram altos e de cabelos escuros e fortes como os abetos, e deles descendeu mais tarde a maior parte dos Ñoldor.

E agora os noventa e seis Quendi falaram entre si, e os recém-despertos inventaram muitas palavras novas e belas, e muitos engenhosos artifícios da fala; e riam, e dançavam na encosta, até que por fim desejaram encontrar mais companheiros. Então todos eles outra vez partiram juntos, até chegarem a um lago, escuro na penumbra; e havia acima dele um grande penhasco do lado leste, e uma cascata descia das alturas, e as estrelas rebrilhavam na espuma. Mas os Elfos já se banhavam na cascata, e haviam despertado suas esposas. Havia vinte e quatro casais; mas até então não tinham fala formada, apesar de cantarem com doçura e suas vozes ecoarem na pedra, misturando-se ao ímpeto da cascata.

Mas outra vez Imin conteve sua escolha, pensando "da próxima vez será uma grande companhia". Portanto, Enel disse: "Tenho a escolha, e escolho estes quarenta e oito para serem meus companheiros". E os cento e quarenta e quatro Quendi habitaram juntos por muito tempo à margem do lago, até terem todos um pensamento e uma fala, e estavam contentes.

Por fim Imin disse: "Agora é a hora de prosseguirmos e buscarmos novos companheiros". Mas a maior parte dos demais estava contente. Assim, Imin e Iminyë e seus doze companheiros partiram, e caminharam longe, de dia e na penumbra, em toda a região em torno do lago, perto do qual haviam despertado todos os Quendi — razão pela qual ele se chama Cuiviénen. Mas jamais encontraram outros companheiros, pois o conto dos Primeiros Elfos estava completo.

E assim foi que, depois disso, os Quendi sempre contaram em dúzias, e que 144 por muito tempo foi seu maior número, de modo que em nenhuma de suas línguas posteriores havia um nome comum para números maiores. E assim também ocorreu que os "Companheiros de Imin" ou Companhia Mais Antiga (dos quais provieram os Vanyar) fossem, apesar de tudo, apenas catorze no total, e a menor companhia; e os "Companheiros de Tata" (dos quais provieram os Ñoldor) eram cinquenta e seis ao todo; mas os "Companheiros de Enel", apesar de serem a Companhia Mais Recente, eram os mais numerosos; deles provieram os Teleri (ou Lindar), e no início eram setenta e quatro ao todo.

Ora, os Quendi amavam tudo que já tinham visto de Arda, e coisas verdes que crescem, e o sol do verão, eram seu deleite; mas ainda assim as Estrelas sempre comoviam mais seus corações, e as horas de penumbra, no "matinturvo" e "vesperturvo" com tempo claro, eram os tempos de sua maior alegria. Pois nessas horas, na primavera do ano, haviam primeiramente despertado à vida em Arda. Mas os Lindar, acima de todos os demais Quendi, foram desde seu princípio os mais enamorados da água, e cantaram antes de poderem falar.

> Parece que meu pai havia resolvido (pelo menos para os propósitos desse "conto de fadas") o problema do nome "Gente-das-estrelas" (ver p. 499, nota 6) de uma maneira belamente simples: os primeiros Elfos despertaram tarde da noite sob céus de estrelas desanuviadas, e as estrelas foram a sua primeira lembrança.
>
> Em *Quendi e Eldar* (p. 461), meu pai escreveu sobre "[o] lago e [a] cascata de Cuiviénen", e isso é explicado no *Cuivienyarna*: "até chegarem a um lago, escuro na penumbra; e havia acima dele um grande penhasco do lado leste, e uma cascata descia das alturas, e as estrelas rebrilhavam na espuma". Depois de tantos anos, ele estava retornando ao Conto de Gilfanon em *O Livro dos Contos Perdidos* (I. 279):
>
>> Ora, os locais próximos a Koivië-néni, as Águas do Despertar, são acidentados e repletos de rochas imensas, e o riacho que alimenta aquele lago cai ali descendo uma fenda profunda … um filamento pálido e delgado, mas o escape daquele lago escuro era debaixo da terra, em muitas cavernas sem fim que desciam cada vez mais profundas no seio do mundo.

# Índice Remissivo

Elementos neste livro sobrecarregaram em muito meus poderes limitados como criador de índices remissivos: de forma notável, a reconstituição da genealogia da casa regente do povo de Brethil, que introduziu deslocamentos extremamente complexos de nomes muito similares, mas também em questões como as cidades-anânicas ou os termos em diferentes idiomas para "Eldar" e "Elfos". Com frequência, considerei impossível fornecer dentro de um espaço curto uma indicação adequada das posições e relações dos nomes, e minhas breves identificações explanatórias não podem, em tais casos, ser persuasivas.

Enquanto nos próprios textos segui em grande medida o uso muito variável de meu pai com respeito a letras maiúsculas, hifenização, separação de elementos ou posição do trema (Ëarendil, Eärendil), no índice remissivo emprego formas constantes (e coloco padrões como a combinação de *Eryd-* e *Ered-* nos nomes de cadeias de montanhas em um único verbete). Para o "*th* sonoro" uso "*dh*" (*Aredhel*) em vez de "ð" (*Areðel*).

Nomes que aparecem nas tabelas genealógicas das casas dos Edain foram incluídos, assim como aqueles nos mapas (pp. 225-8), estes sendo indicados por asteriscos; mas nomes presentes no mapa repetido na p. 401 não foram, a não ser que sejam adicionais ou alterados.

Nos verbetes relacionados à Parte Quatro (*Quendi e Eldar*), nomes de idiomas, como *quenya*, *sindarin* ou *eldarin comum*, incluem os muitos casos em que abreviações são usadas no texto. Nenhum nome valarin foi registrado no índice remissivo, e apenas excepcionalmente as formas de nomes "deduzidos" ou "não registrados" marcadas no texto por asteriscos.

Nomes que ocorrem nos títulos ou subtítulos de capítulos etc. foram incluídos apenas de maneira excepcional.

*Abari* Ver *Avari.*
*Abonnen* Ver *Apanónar.*
*Adan* Ver *Edain.*
*Adanel* "Mulher-sábia" do Povo de Marach. 283-4, 287-8
*adunaico* 469, 482
*Adurant, Rio* Em Ossiriand. 26, *228, 235, 241
Ælfwine 236, 238, 254, 374-5, 377-8
*Aelin-uial* 240. Ver *Hithliniath, Umboth Muilin, Alagados do Crepúsculo.*
*Aeluin* Ver *Tarn-aeluin.*
*Aerandir* Companheiro de Eärendil em suas viagens; forma anterior *Airandir.* 302
*Aerin* Esposa de Brodda. 178; forma anterior *Airin.* 107, 109, 178-9
*Agarwaen* "Manchado-de-sangue", nome assumido por Túrin em Nargothrond. 169, 174. Ver *Iarwaeth.*
*Agathor* Pai de Manthor de Brethil. 330
*Aglon, Passo do* 53, 65, 69, 95 *(Garganta de)*, 232, 394-5, 398-9, 409-10; *Aglond* 232, 397-8, 402, 409; *Aglon(d)* 232. Quanto às duas formas, ver 409.
Águas do Despertar Ver *Cuiviénen.*
Águias 70, 74, 75, 154, 209, 331, 332, 364, 411, 413, *as Grandes Águias* 331, *as Águias de Manwë* 332; e ver *Gwaihir, Lhandroval, Sorontar, Thorondor.*
*Ainulindalë* 15, 487; *a Primeira História* 487
*Ainur* *Visão dos Ainur* 412; singular *Ainu* 478; *Música* 413
*Alagados do Crepúsculo* 50, 182-3, 240. Ver *Aelin-uial, Umboth Muilin.*
*Alairë* Elfa vanyarin, esposa de Turgon. 390. Ver *Anairë, Elenwë.*
*Albarth* Precursor de Hunthor de Brethil. 188, 191-2, 203, 326; *Albard* 188. Ver *Torbarth, Gwerin.*
*Aldarion e Erendis* 284
*Alqualondë* 32, 40-1, 59, 219
*Alta fala (do Oeste)* 35, 41-42, 59; *alta língua (de Valinor)* 40
*Altos Elfos* 413
*Altos Faroth* 50, 140, 233. Ver *Taur-en-Faroth, Morros dos Caçadores.*
*Aman* 7, 12, 16-21, 30, 35, 39-40, 44, 50, 52, 56, 57, 58, 124, 126, 128-9, 136, 147, 177, 214, 239, 256, 267, 380, 390, 398, 414-6, 442, 447-8, 450-4, 457-65, 471-3, 476-7, 480, 483-5, 488, 490, 500, 502. *A(s) Crônica(s) de Aman* 18, 44, 126; *Montanhas de Aman* 484 (ver *Pelóri, Valinor*).
*Amaneldi* = *Amanyar.* 451
*Amanyar* "(Elfos) de Aman". 451-2, 459, 461, 490; adjetivalmente *amanya(r)* 492,
*Amárië* Elfa vanyarin, amada de Felagund. 60, 79, 84, 157-8, 298, 390
*Ambar* ("Habitação"), a Terra. 482, 502. Ver *Imbar.*
*Ambarkanta* 125-6, 131, 214
*Amigos-dos-Elfos* 52, 55, 64, 78, 88, 98, 143, 254, 269, 271, (465); como tradução *Elendil* 491. Ver *Eldameldor, Eldandil(i), Quendil.*
*Amlach* Neto de Marach, um líder de dissensão em Estolad. 270-1, 279, 285, 287
*Amon Carab* Ver *Carabel.*
*Amon Darthir* Montanha acima do lar de Húrin em Dor-lómin. 224, *225
*Amon Ereb* "O Monte Solitário" em Beleriand Leste. 29, 135, *228
*Amon Ethir* "O Monte dos Espiões" a leste de Nargothrond. 113-4, 183, 185
*Amon Garabel* Ver *Carabel.*
*Amon Gwareth* A colina de Gondolin. 247-8; *Amon Gwared* 248
*Amon Obel* Monte na Floresta de Brethil. 108, 112, 177, 185-6, 196, *225
*Amon Rûdh* "O Monte Calvo", morada de Mîm. 168, 230, 374, 377-8. Nomes descartados *Carabel, Amon Carab, ~ Garabel, ~ Nardol, ~ Rhûg* 230
*Amon-Uilos* Nome sindarin de Oiolossë. 484. Ver *Ras-Arphain.*
*Amras* Nome posterior de Díriel, filho de Fëanor. 243, 276, 294, 398
*Amrod* Nome posterior de Damrod, filho de Fëanor. 243, 294, 398
*Anach, Pass of* [Passo de] *226
*Anairë* (1) Elfa vanyarin, esposa de Turgon. 390 (ver *Alairë, Elenwë*). (2) Esposa de Fingolfin. 390

*anânico(s)* (sobre o idioma, nomes) 222, 258, 407, 428, 470, 494; (com outra referência) 431, 495

*Anãos* (incluindo muitas palavras compostas como *reis-anânicos, faca-, minas-, fala-, mulheres-* etc.) 22-5, 61, 76-7, 89, 129-31, 136, 143, 146-7, 156, 161, 164, 168, 176, 206, 222, 230, 232, 248, 250-66, 269, 272, 293, 312, 341, 361, 377, 388, 391, 394, 396, 398, 403-6, 408, 410-3, 418-21, 423, 425, 427-8, 430-1, 435, 450, 466-8, 470, 474-6, 482, 488-90, 496, 500-1; *Anões* 248, 250, 293

Origem dos Anãos 130, 259, 261; nomes élficos para 258, 264, 466-8; idioma (*aglâb* 475) 23, 129, 253, 255-7, 260-1, 474-5, 484, idioma gestual *(iglishmêk)* 475, 482; cidades-anânicas e seus nomes 129, 249, 254, 257-8, 468; natureza dos Anãos 128, 248, 474. Ver *Pais dos, Colar dos, Anãos.*

*Anãos-Miúdos* 230, 361, 377, 467, 468, 489, 496, 501; *Anão-Miúdo* (referindo-se a Mîm) 222, 468. Para nomes élficos, ver *Neweg, Nibin-noeg, Nogoth*; *Attalyar, Levain tad-dail, Pikinaukor*.

*Anar* O Sol. 482

*Anaxartaron Onyalië, Anaxartamel* Títulos do texto *Dos Ents e das Águias*. 411, 413

*Ancalagon* O Dragão Negro. 420-1

*Andram* "A Longa Muralha" que atravessava Beleriand. 29, *228, 234, 238, 240, 405

*Andras, Cabo* O "cabo longo" a oeste de Brithombar. *227, 233, 458, 500

*Andrast* O "cabo longo" no oeste de Gondor. 233

*Andreth* "Mulher-sábia" da Casa de Bëor. 279, 282-4, 287. Ver *Saelin.*

*Andróg* Membro do bando de proscritos de Túrin. 374, 377-8

*Androth, cavernas de* Nas colinas de Mithrim. 110

*Anduin* 127, 132, 463, 491; *Vale do Anduin* 132, 460, 491; *Fozes do Anduin* 26. Ver *Grande Rio.*

*Andvír* Filho de Andróg. 374, 377-8

*Anfangrim* "Barbas-longas", os Anãos de Belegost. 388. Ver *Enfeng.*

*Anfauglith* "A Poeira Sufocante", nome de Ardgalen após sua desolação. 68, 71, 77, 80, 85, 88-9, 91, 97, 104, 151, 153, 160, 173, 206, 208, 309. Ver *Dor-na-Fauglith.*

*Angainor* A corrente com a qual Melkor foi aprisionado. 303

*Angband* 28-9, 31, 45-6, 50-2, 62, 66, 68, 70-2, 77-8, 80, 85-6, 89-3, 95, 97, 100-3, 105, 117, 133-4, 137, 141-2, 147, 151, 153, 156, 160-1, 163, 167-9, 205-8, 217, 242-3, 251, 308-10, 317, 321-2, 326, 335, 338, 344, 346, 388, 399, 417-8, 421; *a Prisão de Ferro* 28, *os infernos de ferro* 242-3; chamada *inferno* 62. História posterior da origem de Angband 242, 417. *O Cerco de Angband, o sítio* 51, 53-4, 141, 217, 245, 251, 399

*Angbor* A "Rocha-da-sina" no círculo da Assembleia em Brethil. 343-4, 352, 372; chamada *Halabor* 372; *a Pedra* 333, 344, 353, 356, 358, 362, 368, 372

*Anglachel* A espada de Beleg (feita por Eöl) que foi reforjada por Túrin. 387. Ver *Gurthang.*

*anglo-saxão* 173 *(Crônica)*, 377 (poesia). Ver *inglês.*

*Angrod* Filho de Finarfin (= Finrod (1)). 47-8, 53-4, 58, 69, 139, 144, 166, *226, 241

*Annael* Elfo de Mithrim, pai adotivo de Tuor. 97, 165, 167.

*Annon(-in-)Gelydh* "O Portão dos Noldor" em Dor-lómin. 224, *225

*Ano da Lamentação* O ano da Batalha das Lágrimas Inumeráveis. 89, 247

*Anórien* 230

*Apanónar* "Os Nascidos-depois", os Homens. 465-6, 483; sindarin *Abonnen*, plural *Eboennin* 466

*Aphadon*, plurais *Ephedyn, Aphadrim* 466. Tradução sindarin de *Hildor*. Ver *Echil.*

*Ar-Feiniel* Ver *Feiniel.*

*Arachon* Pai de Beldis, mãe de Brandir, o Coxo. 283

*Aradan*Ver *Malach.*
*Aragorn* 158, 159, 219, 447
*Araman* A terra desolada entre as Pelóri e o Mar, ao norte de Taniquetil. 215-6, 499. Ver *Eruman.*
*Aranel* Nome de Dior, herdeiro de Thingol. 89, 162
*Aratar* Os principais Valar. 479, 482-3 (*"os Supremos"*), 487. Ver *Máhani, Varda.*
*Araw* (Sindarin) Oromë. 480; *Arum* em mithrim 480
*Arda* 23-4, 32, 39, 57, 87, 97, 252, 255, 267, 412, 420, 477, 481-2, 501-6; *Arda Maculada, - Imaculada* 481; *Primavera de Arda* 34, 41, 45, *Segunda -* 34, 41, 45
*Ardamir* Nome de Eärendil. 289
*Ardgalen* A grande planície setentrional. 31, 51, 53, 62, 68, 136, 137, *226. Ver *Bladorion.*
*Aredhel* "Elfa-nobre" (382), irmã de Turgon, esposa de Eöl. 382-5, 389-90, 393-5, (398-9), 407; *a Dama Branca dos Noldor* 382. Ver *Isfin*, Írith, *Feiniel.*
*Arfanyarassë* Taniquetil. 484, 498. Ver *Ras-Arphain.*
*Arminas* Elfo noldorin que, com Gelmir (2), também chamado Faramir, chegou a Nargothrond com avisos do perigo que o reino corria. 172-4, 313, 361
*Aros, Rio* 29, 135, *226, *228, 231-3, 235, 239, 273, 384, 392-3, 402-5, 407-10. *Vau(s) do Aros* *226, 384, 394, 402-7, 410
*Arossiach* Os Vaus do Aros. 394, 409
*Arthad* Companheiro de Barahir. 73, 153, 294; anteriormente *Arthod* 153, 294; forma errônea *Arthrod* 294
*Arthórien* Doriath entre o Aros e o Celon. 135-6, *226, 232-3; *Arthúrien*, nome de Doriath, 233 (ver *Garthúrian*).
*Arvernien* Região elevada a oeste das fozes do Sirion. *227, 234
Árvores, *As* 21, 27, 35, 38, 4405, 56, 195, 216, 242, 247, 481, 483; *Anos das Árvores* 45. As Árvores de Gondolin 247
*Arwen* 88, 161, 447
*Ascar, Rio* Em Ossiriand. 26, *228, 254, 266, 272, 404-5, 408, 421, 423; *Vau(s) do Ascar* 421, 425, 427; *Asgar* 408. Ver *Rathlóriel.*
*Asgon* (anteriormente também *Asgorn*, ver 361) Companheiro de Húrin após a libertação deste. 179, 309, 314-5, 319-25, 330, 338, 361-4, 366, 369-70, 373, 430
*Assembleia (de Brethil)* Ver *Brethil.*
*Atanatári* "Pais de Homens". 55, 215; *Atanatardi* 215; *Atanatarni* 205, 215. *Atanatárion*, "Legendário dos Pais de Homens", 215
*Atani* "Os Segundos", os Homens. 45, 138, 215, 254, 465, 466, 483; singular *Atan* 465-6, 483. Ver *Edain.*
*Athrabeth Finrod ah Andreth* 277, 282, 500, 501
*Athrad Dear* "O Grande Vau", Sarn Athrad. 406; *- Dhaer* 410. Ver *Harathrad, Sarn Athrad* e o verbete seguinte; também *Vau Setentrional.*
*Athrad i-Nogoth, - i-Negyth* "Vau dos Anãos", Sarn Athrad. 410
*Attalyar* (Quenya) Anãos-Miúdos. 468
*Aulë* 23, 130, 251-3, 255, 259-63, 265, 411-3, 482; chamado *o Criador* 23. *Filhos de Aulë*, os Anãos, 263. Ver *Mahal.*
*Aureldi, Auzeldi* Os Elfos que partiram da Terra-média e foram para Aman; singular *Aurel, Auzel.* 440-1, 452; telerin *Audel, Audelli* 441, 454. Ver *Oäreldi.*
*Avamanyar* Os Elfos que não queriam ir para Aman (Avari). 448
*Avari* Os Elfos que recusaram a Grande Marcha. 25, 135-6, 214, 448-52, 455-6, 458-61, 463-5, 489-91, 500, 502; singular *Avar* 449, 455; telerin *Abari* 458. Ver *avarin, Evair.*
*avarin* (idiomas) 460, 469-70, 491; formas avarin citadas 460
*Avathar* "As Sombras", terra desolada entre as Pelóri e o Mar, ao sul de Taniquetil. 484
*Avranc* Filho de Dorlas de Brethil, inimigo de Húrin e assassino de Manthor.

335-40, 345-51, 353-5, 358, 365, 367, 370-2; nomes rejeitados *Farang, Faranc* 365, 369; mudança tardia para *Daruin* 372
*Azaghâl* Senhor de Belegost. 93, 176

*Bacia-de-prata* Ver *Celebros.*
*Balada da Queda de Gondolin* 147, 386
*Balada de Leithian* 76, 79, 82, 130, 157, 159, 231
*Balada dos Filhos de Húrin* (em *As Baladas de Beleriand:* verso aliterante) 131, 167-8, 378
*Balan* Verdadeiro nome de Bëor. 268, 281
*Balar* Nome de Ossë. 17, 124-5; origem do nome *Beleriand* 17, 124-5; *Baía de Balar* 18-20, 125, *227, 458; *Cabo Balar* 125, 128, *227; *Ilha de Balar* 18, 20-1, 24, 70, 98, 128, 152, 166, *227, 418-9
*Balrog(s)* 31, 92-93, 133, 137-8, 163, 239, 497; número de 92, 163; etimologia 497
*Ban* Pai de Blodren. 100
*Bar Bëora* A Casa de Bëor. 284
*Bar Haleth* Nome passageiro que substituiu *Ephel Brandir.* 193, *225, 230
*Bar-goll* "Morada oca", tradução de *Novrod* (Nogrod). 496
*Bar-in-M⊠l* "Lar das Gaivotas", cabo a sudoeste de Eglarest (em substituição a *Bar-in-Gwael* 500). 234, 458, 500. Ver *Ras Mewrim.*
*Barad Eithel* Fortaleza dos Noldor em Eithel Sirion. 208
*Barad Nimras* Torre no cabo a oeste de Eglarest. *227, 234, 244; *Nimras* 244. (Substituiu *Ingildon.*)
*Baragund* Pai de Morwen. 67, 68, 73, (79), 153, 200, 282-4, 296, 327; sua esposa 153
*Barahir* Pai de Beren; originalmente filho de Bëor, posteriormente filho de Bregor. 65, 67, 69, 72-3, 75-6, 79, 82, 88, 153, *226, 267, 275, 281-2, 284, 294, 296
*Baran* Filho mais velho de Bëor, o Velho. 269, 281-2, 405; chamado *Bëor, o Jovem* 282
*Baranor* Filho de Baran. 282-3
*Barbas-longas* Os Anãos de Belegost. 23, 130, 254, 256-7, 388; de Nogrod 130, 256. Ver *Anfangrim, Enfeng, Indrafangs.*
*Batalha da Chama Repentina* A Quarta Batalha de Beleriand (anteriormente a terceira). 68, 154, 163, 292, 295, 399; *a Chama Repentina* 69; anteriormente ~ *do Fogo Repentino* 151, 153, 292, ~ *do Fogo* *226. Ver *Dagor Bragollach.*
*Batalha das Lágrimas Inumeráveis* A Quinta Batalha de Beleriand (anteriormente a quarta). 43, 147-9, 166-7, 204, 207, 209, 215, *225, 291, 299, 301, 376, 378, 380. Ver *Nírnaeth Arnoediad.*
*Batalha dos Deuses* (quando Melkor foi acorrentado) 256
*Batalha Gloriosa* A Terceira Batalha de Beleriand (anteriormente a segunda). 43, 51, 141. Ver *Dagor Aglareb.*
*Batalha-sob-as-Estrelas* A Segunda Batalha de Beleriand (anteriormente a primeira). 133, 137. Ver *Dagor-nuin-Giliath.*
*Bauglir* Nome de Morgoth. 102
*Beldir* Filho de Belen, filho de Bëor, o Velho. 282-3
*Beldis* Esposa de Handir de Brethil, mãe de Brandir, o Coxo. 282-3, 291, 327; anteriormente a filha de Bregor 283
*Beleg* "O Arqueiro", de Doriath. 73, 81, 99, 101-2, 122, 153, 162, 168-9, 171, 197, 377, 427
*Belegor* Filho de Boron. 282-3
*Belegost* "Grande Fortaleza", cidade dos Anãos nas Montanhas Azuis. 23, 61, 93, 129-31, 164, 176, 206, *226, 249, 254, 256-8, 265, 388, 398, 405, 421, 425, 427, 468, 489. Ver *Gabilgathol; Turosto; Grande Fortaleza, Magnoforte.*
*Belegund* Pai de Rían, a mãe de Tuor. 67-8, 73, 89, 153, 282-4, 296; sua esposa 153
*Belemir* O esposo de Adanel. 282-3, 287
*Belen* Segundo filho de Bëor, o Velho. 282-3
*Beleriand* 15-7, 19-22, 25-8, 32-45, 47-8, 51-4, 57, 59, 61-3, 65-6, 68-9, 71, 76-8, 81, 88, 95-8, 123-6, 128-35, 140-4, 146, 148, 150-1, 155-6, 161-2,

165-6, 198, 219, 222-3, 229, 232-9, 244-7, 249-51, 254, 265-6, 269-70, 275, 277-8, 280-1, 283-5, 288, 292, 296, 303, 317, 344, 358, 362, 366, 374, 376, 379, 389, 396, 400, 404-5, 408, 410, 414, 416-8, 437, 442, 451-60, 462-8, 470, 476, 480, 488, 490-1, 500-1; *Belerian* 17, 125

*Beleriand Leste* 69, 76, 155-6, *228, 232, 400, 404, 455, 464, 467, 490; *- Oeste* *225-6, 238, 456; *Beleriand Central* *225-6 (ver *Methiriad*); *- Sul* *228, 235, 292; *- Norte* 18, *Marcas Setentrionais de -* 239.

Origem e referência ao nome 17, 124. *Baladas de Beleriand* 123, 198, 374

*beleriândico* (relacionado ao idioma) 36-8, 133; (com outras referências) 129, 417

*Beleth* Filha de Bregolas. 282-4; anteriormente a filha de Boron 282

*Belos-elfos* Os Vanyar. 302

*Belthil* Imagem de Telperion em Gondolin. 247

*Bëor (o Velho)* 64-9, 79, 153, 254, 266-71, 274-85, 287, 289, 291; nome significava "Vassalo" 254, 267, 278, 281, "Serviçal" 268, 278; usado como título dos sucessores de Bëor 267, 281; ver *Balan.*

*Casa, Povo, Gente, Homens de Bëor* 66-9, 78-9, 81-2, 150-1, 156, 198, *226, 269-71, 274-5, 278, 280-7, 291, 295, 327, 329, 339, 349-51, 361, 369-70, 487; *Bëoriano(s)* 281, 289; ver *Bar Bëora.* Antiga língua da 238, 267, 278–9, 329; tabela genealógica 286

*Bëor, o Jovem* Ver *Baran.*

*Bereg* Filho de Baranor, um líder de dissensão em Estolad. 270-2, 279, 282-3

*Beregar*Pai de Erendis de Númenor. 284

*Beren* (1) Avô de Beren Uma-Mão. 275

*Beren* (2) "Uma-Mão". 36, (67), 73, 76, 78-88, 98, 102, 151, 153, 157-61, 241, 275, 280, 283-4, 287, 296-8, 303, 418, 419-21, 423, 425, 428, 431. Chamado *o abençoado* 82; e ver *Camlost, Erchamion.*

*Beril* Filha de Boromir (2). 283

*Bilbo* 234

*Bladorion* Nome anterior de Ardgalen. 136-7, 216, 236, 241, 292

*Blodren* Lestense que traiu o esconderijo de Túrin em Dimbar. 100-1; anteriormente *Blodrin,* um Elfo noldorin, 168

*Bór* Um chefe dos Lestenses, leal aos Eldar. 78, 81, 87, 92, 156, 164; seus filhos (não nomeados) 81, 164

*Borlach*Filho de Bór. 295. Ver *Boromir* (1).

*Borlad* Filho de Bór. 295; anteriormente *Borlas* 78, 81, 156, 295

*Boromir* (2) Filho de Boron; quarto governante da Casa de Bëor. 274-5, 280-4, 294-5

*Boromir* (1) Filho de Bór (substituído por *Borlach*). 78, 81, 156, 294-5.

*Boron* Terceiro governante da Casa de Bëor. 274, 281-4

*Borthand* Filho de Bór. 78, 295; anteriormente *Borthandos* 78, 81, 156, 295

*Bragollach, A* Ver *Dagor Bragollach.*

*Brandir* (1) Tio de Brandir (2). 286, (290). (2) Brandir, o Coxo, filho de Handir de Brethil. 108, 112, 116-7, 119-22, 181-2, 185-7, 191, 193-9, 201-3, 230, 283, 290, 313-4, 321-2, 324-9, 339, 346, 359, 361-2, 364-5, 367, 372. Ver *Tamar.*

*Bregil* Filha de Bregor, avó de Brandir, o Coxo. 282-3, 327; anteriormente a filha de Boromir 283

*Bregolas* Irmão de Barahir; originalmente filho de Bëor, posteriormente filho de Bregor. 65, 67-9, 73, 267, 275, 281-4, 294, 296, 327

*Bregor* Quinto governante da Casa de Bëor. 275, 280-3, 294, 327

*Brethil, (Floresta de)* 63, 65-6, 73, 75, 88, 90-1, 97, 103-4, 108, 111-2, 115-7, 122, 148, 150, 153-4, 161, 169, 173, 177-8, 180, 193, 195, 201, 205, 207, *225, 247, 273-4, 279-80, 283, 289, 291, 296, 300, 307, 311-5, 317-33, 337, 339-40, 344, 346-7, 350-2, 358-67, 369-73, 384, 402, 430

*Homens de Brethil* 91, 111, 116, 123, 173, 180, 201, 207, 291, 295, 313-4, 322, 329, 352, 368, e ver *Homens-da-floresta*. *Gente de Brethil* 349-51, 370; *a Gente* 340-1, 344, 350-1, 356, 366, 368, 370, 372. *Assembleia-da-gente* 342, *a Assembleia* 342-5, 348, 357; *círculo da Assembleia* 343, 348, 350, 353, 367-8, 372, *o Círculo* 353, 354, 357, 372; a Pedra no círculo da Assembleia, ver *Angbor*. *O Jardim dos Túmulos* 357

Títulos dos Chefes de Brethil: *Senhor* 361, 364; *Mestre* 324, 331; *Guardião* (ver *Halad*) 325, 326, 329, 366; *Chefe* (o termo final) 182, 313, 315, 321-2, 329, 331, 335-6, 338-9, 341, 348, 352, 354, 357, 359, 361, 365, 368, 370. *Salão dos Chefes* 339, 354, 368, *Salão dos Haladin* 355; e ver *Obel Halad*.

*Brilthor, Rio* Em Ossiriand. 26, *228

*Brithiach* Vau sobre o Sirion na extremidade norte de Brethil. 74, 154, *225, 229, 231, 273, 279-80, 319, 326, 330, 363-5, 384, 392-3, 402, 404, 406

*Brithombar* O porto setentrional da Falas. 21, 55, 98, 134, 142, *227, 244, 500; *Brithonbar* 458, 500

*Brithon, Rio* 98, *225

*Brodda* Lestense em Hithlum, morto por Túrin. 107-9, 178, 179, 309, 314, 361-2; *o Forasteiro* 109

*Bronwë* Companheiro de Tuor. 110, 167, 179; *Bronweg* 167, 429. Ver *Voronwë*.

*Cabad Amarth* "Salto da Perdição". 197. Ver *Cabed Naeramarth*.

*Cabed Naeramarth* (anteriormente também *Cabad -*) "Salto do Destino Horrendo", nome de Cabed-en-Aras após a morte de Niënor. 333-4, 358, 368

*Cabed-en-Aras* (anteriormente também *Cabad -*) "O Salto do Cervo" (193), profunda garganta no Taiglin. 118, 120, 193, 196-7, 326, 362. Nome original *Mengas Dûr* 193

*Calapendi* Ver *Kalaquendi*.

*Calben*, plural *Celbin* Nome sindarin derivado de *Kalaquendi* (para o significado, ver 453-4). 438, 454-5, 489-90, 502

*Camlost* "O de Mão-vazia", nome de Beren. 67, 86, 303; *Gamlost* 283

*Campo da Serpe*, *Campo do Incêndio* Em Cabed Naeramarth. 357

*Carabel* Também *Amon Carab* "Monte do Chapéu", *Amon Garabel*; nomes de Amon Rûdh. *225, 230

*Caragdar* Precipício de Amon Gwareth de onde Eöl foi jogado. 392. (Forma tardia *Caragdûr*.)

*Caranthir* Filho de Fëanor. 140, 144, *226, 243, 265, 269, 272-3, 278-9, 294, 398, 427-8; *Carathir* 279; forma anterior *Cranthir* 48, 58, 61, 69, 78, 81, 139-40, 144, 146-7, 164, 243, 248, 251, 254, 265, 278, 294, 385, 422, 426

*Carcharoth* 80-1, 85-7, 160

*Cartas de J.R.R. Tolkien, As* 143, 262, 413, 428

*Casacava* Nogrod. 254, 258, 468; tradução da forma original *Novrod*, ver 468, 495-6.

*Casarrondo* (Quenya) Khazad-dûm. 468, 476. Cf. *Kasari*.

*Celbin* Ver *Calben*.

*Celeborn* 424, 427, 431

*Celebros* (1) As Quedas. 115, 185-6, 188; *as Quedas da Bacia-de-prata* 185. Ver *Dimrost, Nen Girith*. (2) O nome da torrente (afluente do Taiglin). 202-3, 230, 357

*Celegorm* Filho de Fëanor. 63, 79, 148, 158-9, 161, *226, 385, 391-2, 395-6, 397, 399, 402, 409, 419-22, 425, 427; *Celegorn* 31, 69, 71, 79-80, 83-5, 87, 137, 152, 158-60, 292, 297, 426

*Celon, Rio* 19, 29, 69, 135, *226, 232-3, 235-6, 268-9, 273, 385, 394, 402, 404-5, 407-8, 410. Ver *Limhir*.

*Cerco de Angband* Ver *Angband*.

*Cidade Oculta* Ver *Gondolin*; *Reino Oculto*, ver *Gondolin* e *Doriath*; *Via Oculta* (para Gondolin) 64

*Cidade Protegida* Ver *Gondolin*; *Reino Protegido*, ver *Doriath* e *Gondolin*.
*Cinturão de Melian* 29, 47, 66, 78, 99, 109, 185, 231, 273, 280, 386, 387, 403, 427, 431; outras referências, como *Cinturão de Doriath*, *Cerca de Melian* 82, 387. Ver *List Melian*; *Doriath*.
*Círculo-do-julgamento* (dos Valar) 481. Ver *Máhanaxar*.
*Círculos do Mundo* 263
*Círdan* (também *Cirdan*) "O Armador". 21-2, 24, 29, 31, 35, 49, 54, 58, 77, 95, 98-9, 128, 140, 142, 144, 155, 165-7, 233, 244, 458, 463, 500
*Cirith Ninniach* "Fenda do Arco-íris", na ponta do Estreito de Drengist. 224, 313, 361; *Kirith* ~ *225
*Cirth* 27, 132, 476; singular *Certh* 476; quenya *certa(r)* 476. Ver *Runas*.
*Colar dos Anãos* 300, 316, 360, 420; *o Colar*, *colar de Thingol* 420, 425-6, 428; *Sigil Elu-naeth* "Colar da Angústia de Thingol" 316, 360. Ver *Nauglamîr*.
*Condenação dos Noldor* 275 (ver *Mandos*). *Sina dos Homens* 303
*Contos Inacabados* 124-5, 132, 135, 140, 167, 171-8, 182-3, 186, 193, 196-8, 204, 208-9, 217-9, 222, 224, 229, 231, 233, 237, 247, 280, 284, 288, 291, 361-2, 364, 367-8, 370, 374, 377-9, 382, 387, 390, 423-4, 427, 429, 502
*Contos Perdidos* Ver *(O) Livro dos Contos Perdidos*.
*Coroa de Ferro* 53, 80, 86; outras referências à coroa de Morgoth 79, 82, 86, 420
*Covanana* Khazad-dûm (Moria). 248, 254, 258, 501 (também *Mina-anânica*, *Domanano* 468, 501). Ver *Mina-anânica*.
*Cranthir* Ver *Caranthir*.
*Criador, O* 262
*Crisaegrim* Montanhas ao sul de Gondolin. 74, *225, 239, 293, 318, 364, 393; *Crissaegrim* 239
*Cronologia* (de composição) 15-6, 63, 74, 126-7, 141, 148, 154, 171-4, 176-7, 216, 230-1, 236, 255, 263-4, 281, 299, 315-6, 380, 389, 393, 411-3, 429, 435
*Cúarthol* Ver *Dor-Cúarthol*.
*Cuiviénen* As Águas do Despertar. 241, 461, 500, 505-6; *Kuiviénen* 18, 126, 141, 214; a cascata de ~ 500, 506. Ver *Koivië-néni*.
*Cuivienyarna* Lenda do Despertar dos Quendi. 502, 506
*Curufin* Filho de Fëanor. 69, 71, 79-80, 83-7, 140, 152, 159-61, *226, 292, 297, 312, 385, 392-9, 402, 407, 409, 419-22, 425-7

*Dagnir* Companheiro de Barahir. 73
*Dagnir Glaurunga* Título de Túrin. 192; cf. *Túrin, a ruína (matador) de Glaurung* 120, 274
*Dagor Aglareb* 35, 40-1, 43, 51, 53, 140-2, 221, 246. Ver *Batalha Gloriosa*.
*Dagor Arnediad* 35. Ver *Nírnaeth Arnoediad*.
*Dagor Bragollach* 68, 151, 155, 166, 292, 399; *a Bragollach* 76, 88, 91, 147; nomes antigos *Dagor Húr-Breged* 151, *Dagor Vreged-úr* 151, 292. Ver *Batalha da Chama Repentina*.
*Dagor-nuin-Giliath* 30, 52, 136; ~ *nui-Ngiliath* 136. Ver *Batalha-sob-as-Estrelas*.
*Dairon* 26, 27, 34, 40, 43, 49, 82, 84, 86, 132, 133, 140, 157; *Alfabeto de Dairon* 133; forma posterior *Daeron* 133. Ver *Runas*.
*Dairuin* Companheiro de Barahir. 73
*Dalath Dirnen* Ver *Talath Dirnen*.
*Damrod* Filho de Fëanor, irmão gêmeo de Díriel. 54, 69, 243, 294, 398, 426. Ver *Amrod*.
*Dân* Primeiro líder dos Danas; pai de Denethor. 26, 134 *(Dan)*, 241, 501; *Hoste de Dân* 241. (Substituído por *Lenwë*.)
*Danas* O povo de Dân, os Nandor. 143; *Elfos danianos* 133
*Danwaith* Os Nandor. 464; *Denwaith* 464
*Darlas* Ver *Dorlas*. *Daruin*, ver *Avranc*.
*Debatable Land* [Terra Contestável] Ao sul de Ivrin. *225
*Deldúwath* "Sombra Mortal da Noite", Taur-na-Fuin. 292

*Denethor* Líder dos Nandor em Beleriand. 17, 26, 29, 131-2, 134-6, 241, 463, 493, 500-1; etimologia 493; anteriormente *Denithor* 134
*Denweg* Forma nandorin de Lenwë. 463-4, 493. Ver *Lenwë*; Dân.
*Desfiladeiro (de Rohan)* 463
*Despertar dos Elfos* 125-6, 130, 415; *~ dos Quendi* 52, 141, 487; lenda do Despertar *(Cuivienyarna)* 460, 502
*Despossuídos, Os* A Casa de Fëanor. 48, 219
*Deus* 262
*Deuses* 57, 72, 82, 219, 293, 302-3; *Batalha dos Deuses* 256, *Povo ~* 293, *Filhos ~* 302-3
*Dia do Terror* O final da Batalha das Lágrimas Inumeráveis. 341
*Dias Antigos* 7-9, 15-7, 37, 41-2, 68, 126, 132, 140-1, 174, 223, 298, 300, 360, 393, 409, 414-5, 417-8, 420-1, 428, 469, 476; ver especialmente 414-5
*Dimbar* Terra entre o Sirion e o Mindeb. 74, 99, 101, 167, 168, 231, 239, 319, 325-6, 330-1, 339, 363-4; *Dimbard* *225-6, 229, 231
*Dimrost* "A Escada Chuvosa", as quedas no rio Celebros. 186. Ver *Nen Girith*.
*Dior* (frequentemente chamado *Dior, Herdeiro de Thingol*) 36, 89, 161, 283-5, 314, 362, 419, 421-6, 428-9; chamado *Meio-Elfo* 297, e ver *Aranel*, *Eluchil*.
*Dírhaval* Homem de Dor-lómin, autor do *Narn i Chîn Húrin*. 376-9; *Dírhavel* 374-5, 379
*Díriel* (também *Diriel*) Filho de Fëanor, irmão gêmeo de Damrod. 54, 69, *226, 243, 294, 398; *Diriol* 268, 276, 278. Ver *Amras*.
*Distâncias* 28, 134, 178, 183, 197, 231, 238, 253, 300, 354, 399, 405
*Dolmed, Monte* Nas Montanhas Azuis. 22, 29, 93, 135, 164, 249, 254; *Monte Dolmeð* *226; anteriormente *Monte Dolm* 404
*Dor Caranthir* Thargelion. *226, 244; *Dor Cranthir* 244, *Dor Granthir* 244
*Dor Dínen* "A Terra Silenciosa" entre as águas a montante do Esgalduin e do Aros. *226, 232, 239, 410; *Dor Dhínen* 403, 410
*Dor Lindon* Ver *Lindon*.
*Dor-Cúarthol* "A Terra do Arco e do Elmo", defendida por Túrin e Beleg a partir de Amon Rûdh. 176, 377; *Cúarthol* 313
*Dor-Daedeloth* "Terra do Grande Terror", a terra de Morgoth. 45, 47, *226. Ver *Dor-na-Daerachas*.
*Dor-lómin* 150-1, 153, 168, 176, 178-9, 184, 205, 209, 217, 231, 274, 280, 361-2, 364, 376; *Dor-Lómen* 224, *225; *Lóminórë* 178
*Dor-na-Daerachas* Substituição tardia de *Dor-Daedeloth*. *226, 230, 409-10
*Dor-na-Fauglith* Nome anterior de Anfauglith. 151, *226, 292-3; *Dor-no-* ~ 292-3, *Dor-nu-* ~ 293, traduzido "Terra sob a Cinza Sufocante" 294; *Fauglith* 155, 163
*Dorgannas Iaur* "Relato das formas das terras de outrora". 236; *Dorgannas* 241, 254. Ver *Torhir Ifant*.
*Doriath* 8-10, 17, 25, 27, 30, 33-42, 47-50, 54, 59, 66, 69, 73, 76, 79-88, 90, 95, 98-9, 102-3, 107-9, 112-4, 121-4, 129-30, 133-6, 140, 144, 147, 150, 154-5, 157, 161, 165-6, 168-9, 184-5, 215, 219-20, 222, 229, 232-3, 239-40, 243, 251, 268, 270, 299, 311-3, 315, 341, 360, 363, 366, 373-6, 379, 383, 387, 394, 397, 402-4, 418-32, 446, 456-7, 489-90; *Terra do Cinturão* 30; *Dôr Iâth* "Terra da Cerca" 448; *Reino Protegido* 29-30, 35; *Reino Oculto* 108, 122, 195, 200, 318, 375; *Anais de Doriath* 17, 124. Ver *Arthórien*, *Garthúrian*, *Eglador*, *Nivrim*, *Radhrim*.
*doriathrin* (idioma) 36
*Dorlas* Homem de Brethil. 111-2, 116-8, 120-1, 181-2, 187-92, 201-2, 314, 335, 345-6, 349, 365, 367, 372; sua esposa 121, 201; alteração tardia para *Darlas* 372
*Dornhoth* "A Gente Inflexível", os Anãos. 467, 489
*Dorthonion* 18, 28, 31, 53-4, 62, 65-7, 69, 72-3, 75-6, 78, 82, 88, 125, 137,

161, 206, 208, *226, 231, 238-9, 270, 274, 280-1, 292, 392

*Dragão(ões)* (não incluindo referências a Glaurung) 420-1, 425; *ouro do dragão* 373; *dracos-de-fogo* 62 (ver *Urulókë*).

*Draugluin* O lobisomem. 84-5, 160

*Drengist, (Estreito de)* 18-9, 21, 30, 53, 62, 77, 108, 128, 217, 224, *225, 243, 254

*Druedain* 470

*Drûn* Região ao norte de Tarn-aeluin. *226, 231

*Duas Gentes* Elfos e Homens. 67, 81, 158, (255)

*Duilwen, Rio* Em Ossiriand. 26, *228

*Duin Dear* O rio Gelion. 406; *Duin Dhaer* 236, 407

*Dúnedain* 457, 465, 482. Ver *Núnatani.*

*Dúnedhil* "Elfos-do-Oeste" (da Terra-média). 457, 465

*Durin* 252, 255-7, 261; chamado *o Mais Velho* (dos Sete Pais dos Anãos) 261

*Eä* 478, 482-3

*Eärámë* O navio de Tuor. 426

*Eärendil* 165, *227, 234, 274-5, 288-9, 361, 425-6, 429; *Eärendel* 36, 365, 374, 376; chamado *o Abençoado*, 275, *Meio-Elfo* 421, 425, *uma nova estrela* 94. Ver *Ardamir.*

*Eärwen* Filha de Olwë, esposa de Finarfin (= Finrod (1)). 58, 139

*Ebor* Homem de Brethil, vassalo de Manthor. 321, 323, 326, 330

*Echil* Nome sindarin = *Hildor* "os Seguidores", os Homens. 269. (A existência de *Echil* negada, 453; ver *Aphadon.*)

*Echoriad* As montanhas ao redor de Gondolin. 331-2, 364; anteriormente *Echoriath* 364. Ver *Montanhas Circundantes, Gochressiel.*

*Ecthelion* (1) Um senhor de Gondolin. 31, 383-4, 397; etimologia 383. (2) Nome de dois Regentes de Gondor. 383

*Edain* 135, 207, 250-1, 254, 259, 263, 265-6, 269-70, 272, 274-8, 281, 285, 287, 289, 296, 310, 313-4, 321-2, 324, 327-8, 341, 344, 347, 361, 417, 455, 466, 487, 491; singular *Adan* 347, 466. Antiga língua dos 277, e ver *Bëor, Haladin* (1), *Marach*; tabelas genealógicas 281-90. Ver *Atani, Três Casas.*

Ēdë Ver *Estë.*

*Edhel*, plural *Edhil* A palavra sindarin geral para "Elfo, Elfos". 441, 456. Ver *Mornedhel.*

*Edhelwen* Nome de Morwen. 283, 286. Forma anterior *Eledhwen* 73, 174, 282, traduzido *Brilho-élfico* 68, 79, 82, 98

*Edrahil* Elfo de Nargothrond. 83

*Egalmoth* (1) Um senhor de Gondolin. 383-4, 397; etimologia 383. (2) Nome de um Regente de Gondor. 383

*Egla* (Originalmente) nome gnômico = *Elda.* 233

*Egladhrim* "Os Abandonados" (os Sindar, mas aplicado especialmente aos Elfos da Falas). 233, 442; também *Eglain* (singular *Eglan*) 229, 233, 442, 457-9, 480, 500. Ver *Emyn Eglain*; *Eglath.*

*Eglador* (1) ("Terra dos Elfos"), Doriath. 29, 136, *226, 229, 232-3, 416, 458. (2) A terra dos *Eglain*, o oeste de Beleriand. *225, 229, 458 (cf. *Eglamar* (3)).

*Eglahir, Rio* 142, *225, 230. (Substituiu *Eglor*, substituído por *Nenning.*)

*Eglain* Ver *Egladhrim.*

*Eglamar* (1) "Lardelfos" em Valinor (= *Eldamar*). 233. (2) = *Arthórien* (Doriath além do Aros). 136, 233. (3) A Terra dos *Eglain*, a região da Falas. *227, 229, 458; *Hills of Eglamar* [Colinas de Eglamar] *(Emyn Eglain)* *227, 233

*Eglarest* O Porto meridional da Falas. 21, 29, 32, 54-5, 98, 233-4, 236, 244, 442, 458; *Estreito de Eglarest* 458; anteriormente *Eglorest* 134, 142, *227, 233, 236, 244, 296

*Eglath* "os Abandonados", os Sindar. 21-2, 73, 154, 233, 416; outras formas *Eglim, Eglir* 416. Ver *Egladhrim.*

*Eglor, Rio* 142, 230. Ver *Eglahir.*

*Egnor* Filho de Finarfin (= Finrod (1)). 53-4, 69, *226, 241. (Forma tardia *Aegnor.*)

*Eilinel* Esposa de Gorlim, o Infeliz. 76

*Eithel Sirion* Nascente do Sirion, frequentemente com referência à fortaleza (ver *Barad Eithel*). 31, 53, 69, 77, 137, 205, 208, 238, 287; *Eithel* *225; *Sirion's Well* [Nascente do Sirion] *225

*Eithil Ivrin* Nascentes do Narog. 104, 170, 313, 362; anteriormente *Ivrineithel* 170. Ver *Ivrin.*

*Ekelli* "os Abandonados" (os Sindar). 215

*Eladar* Nome de Tuor, "Pai-da-estrela" (isto é, pai de Eärendil). 288

*Elboron e Elbereth* Filhos de Dior. 362. (Substituídos por *Eldún e Elrún.*)

*Eldalië* A Gente-élfica. 60, 88, 205, 215

*Eldamar* "Lardelfos" (= *Eglamar* (1)). 233

*Eldameldor* "Amigos-dos-Elfos". 493; sindarin *Elvellyn* 493

*Eldandil(i)* "Amigo(s)-dos-Elfos". 491

*Eldar* (e singular *Elda*) 10-1, 19, 20, 22-3, 25-6, 29, 31, 34-5, 37, 39-40, 42, 45, 51-3, 57, 65-9, 74-7, 87-8, 92-3, 95, 127, 142-3, 147, 155-6, 161, 204-5, 214-5, 229, 233-4, 252-5, 261, 263, 265-77, 287, 344, 376, 378, 383, 395-7, 399, 403, 416, 435, 439, 442, 446, 450, 452, 455-6, 458-61, 463, 465, 467-8, 470, 473-5, 477-8, 480, 482-8, 490-1, 493, 500, 502-4, 506; para as formas *Eldo*, plural *Eldor*, ver 440, 452-3. Telerin *Ello (Ella)*, plural *Elloi*, 439, 441, 450, 453-5. Ver *Gente-das-estrelas.*

*Eldarin* (relacionado ao idioma) 436, 462, 469, 480, 491, 493-5, 503; *eldarin comum* (abreviado eld. com.) 436-8, 445, 449, 457, 466, 469, 483, 495-6, 498; (com outras referências) 396, 456, 462, 485, 491

*Eldún e Elrún* Filhos de Dior. 284-5, 422, 424

*Eledhwen* Nome de Morwen. Ver *Edhelwen.*

*Elen*, plurais *Elin*, *Eledhrim* (Sindarin) Elfo, Elfos. 440, 444, 456

*Elendë* Terra dos Eldar em Aman. 219

*Elendil* Significado do nome, 491

*Elenwë* Esposa de Turgon. 390. Ver *Alairë, Anairë.*

*Elessar* A Pedra-élfica. 219; a Pedra Verde de Fëanor 219

élfica-da-floresta (fala) 491

Élfico(a) (relacionado ao idioma) 23, 34, 36, 66, 183, 249, 258, 267, 269, 274, 286, 374, 376, 435, 452, 464, 466, 468, 469, 470, 471-2, 478, 484, 489, 491, 501; (com outras referências) 147, 205, 247, 352, 374, 390, 424

Élfico(s), élfica(s) 247 (Tirion); *raça-* 251, 259; *donzela-* 84 (Lúthien); *criança-* 296 (Gilgalad); *arte-* 247; *beleza-* 352 (Morwen); *gente-* 452; *hoste-* 31; *rei(s)-* 69, 72, 84, 159, 267; *homem-elfo, homens-elfos* 459-60; *mulher-élfica* 106 (Finduilas), 439; *cavaleiros-* 184; *saia-* 185; *luz-* 333; *senhor(es)-* 54, 67, 286, 288; *visão-* 205

*Elfos* (e *Elfo*) 22-5, 27-9, 35–6, 42, 45, 52–4, 61, 66, 71–2, 77–8, 81, 89–95, 97, 100, 106, 114, 122–4, 128-9, 131–5, 147–8, 150, 153–4, 161, 166, 169, 172-3, 181–4, 202–6, 214–6, 222, 229, 233, 237, 240–1, 244, 248, 251–5, 260, 263, 270–4, 280, 299, 313, 317, 332, 351, 361, 374–6, 378-9, 386–7, 403, 418–9, 426, 431, 435–6, 442, 449–59, 462, 464–9, 472, 477, 483, 487–91, 493–6, 498, 500–6

*Elfos-cinzentos* 32, 41, 43, 48-9, 54, 90, 97, 122, 124, 138, 142, 165-6, 237, 265, 379, 416-7, 453, 463, 491 (origem do nome). élfico-*cinzenta* (língua) 274, 376. Ver *Sindar.*

*Elfos-da-luz* (1) Os Lindar (Vanyar). 302-3. (2) Elfos de Aman. 386, 438. Ver *Kalaquendi.*

*Elfos-do-Machado* Os Sindar. 131, 154

*Elfos-escuros* 54, 97, 129, 142-3, 165, 166, 222, 238, 240, 244, 248, 251, 253, 256, 264, 267, 292, 386, 438, 455, 489; *Elfos da Escuridão* 21; *Elfo-escuro* (aplicado a Thingol) 48, 140, (a Eöl) 63-4, 386. Élfico-escuro 147, 258, 278. Ver *Moriquendi.*

*Elfos-hóspedes* Elfos nandorin em Doriath. 135-6

*Elfos-verdes* 26, 29, 43, 54, 134-5, 143, *228, 266, 268-9, 423-4, 464. Ver *Danas, Laegel, Nandor.*
*Elizabeth I, Rainha* 375; *Elizabeth II* 375
*Ello, Elloi* Ver *Eldar.*
*Ellon, Elleth* (Sindarin) "Elfo" (m. e f.), plural *El(d)rim.* 439, 441, 456
*Elmo* Irmão mais novo de Elwë (Thingol). 424
*Elmo-de-dragão* *(de Galion, de Hador, de Dor-lómin)* 99, 101, 104-6, 112, 165, 167-8, 171, 173, 175-6
*Elmoth* Ver *Nan Elmoth.*
*Elrond* 88, 161, 297, 422, 423, 496; significado do nome 496
*Elros* 422-3, 496; significado do nome 496. *A Linhagem de Elros* 423
*Elrún* Ver *Eldún e Elrún.*
*Elu Thingol* Ver *Elwë.*
*Eluchil* "Herdeiro de Thingol", nome de Dior. 424
*Elulin* Esposa de Dior. 424. Ver *Lindis, Nimloth.*
*Eluwaith* Súditos do Rei Thingol. 457
*Elvellyn* Ver *Eldameldor.*
*Elwë* (1) Nome original de Olwë. 177. (2) Thingol de Doriath, chamado *Singollo* "Manto-gris". 19-22, 128, 219, 416, 424, 451, 453, 500; sindarin *Elu Thingol* 22, 425. Ver *Manto-gris, Singollo, Thingol.*
*Elwing* 36, 275, 283, 422, 424-6; chamada *a Branca* 425
*Emeldir* Mãe de Beren Uma-Mão; chamada *do Coração-de-homem.* 67, 73, 151, 153, 283, 284, 287
*Emyn Eglain* As Colinas de Eglamar. *227, 233. Ver *Egladhrim, Eglamar* (3).
*Encarnado(s)* 435-6, 450, 453, 355, 367, 472, 474, 477, 483, 486, 489; *Autoencarnados* (os Valar) 486
*Endar* Terra-média. 44, 138; *Endor* 138
*Ened* Ilha no Oceano a oeste de Drengist. 224, *225
*Enel* "Três", o terceiro dos Pais dos Elfos. 459, 500, 503-5; *Companheiros de Enel* 506. Ver *Nelyar.*
*Enelyë* Esposa de Enel. 504
*Enfeng* "Barbas-longas", Anãos de Belegost. 23-6, 93, 130, 164, 388, *Ennfeng* 254, *Enfengs* 135; de Nogrod 131, 256. Ver *Anfangrim, Indrafangs, Barbas-longas.*
*Enthor* Irmão mais novo de Hunthor e Manthor. Ver 326, 330.
*Ents* 411, 413, 428, 431; *Pastores das Árvores* 431
*Eöl* 147-9, 380, 386-96, 398, 399-400, 402-3, 405-7, 409, 417, 422, 490, 502. Ver *Elfos-escuros.*
*Eönwë* Arauto de Manwë. 302. (Substituiu *Fionwë*, filho de Manwë.)
*Ephel Brandir* Moradas dos Homens de Brethil em Amon Obel. 108, 115-7, 177, 182, 185-7, 193-5, 203, *225, 363, 368; *a Ephel* 111. Ver *Bar Haleth, Obel Halad.*
*Erchamion* "Uma-Mão", nome de Beren. 67, 283
*Ered-* (em nomes de cadeias de montanhas) Ver *Eryd-.*
*Erendis de Númenor* 284
*Ereol, Eriol* 302
*Eressëa* Ver *Tol Eressëa.*
*Eriador* 26, 54, 64-5, 77-8, 81, 131-2, 149-50, 156, 254, 272, 280, 285, 460, 463, 476, 491, 498
*Eru* 158, 412-3, 479, 483, 485, 503; *Gerados por Eru* (os primeiros Elfos) 503; *o Uno* 262, 483. Ver *Filhos de Eru.*
*Eruhíni* Filhos de Eru (singular *Eruhin*). 483
*Eruman* Nome anterior de Araman. 139, 215-6
*Eryd (Ered) Engrin* 18, 124, 242. Ver *Montanhas de Ferro.*
*Eryd (Ered) Gorgoroth* 385, *~ Gorgorath* 157, 231, *as Gorgorath* 385; *~ Orgoroth* 28, 157, 239, *~ Orgorath* 78, 82, 157, *226, 231, 239. Ver *Montanhas de Terror.*
*Eryd (Ered) Lindon* 65, *226, 464, 467. Ver *Montanhas Azuis, Eryd Luin, Ossiriand.*
*Eryd (Ered) Lómin* 30, 53, 142, 217; *Eryd Lammad* 236, 242. Ver *Montanhas Ressoantes.*

*Eryd (Ered) Luin* 18, 19, 22, 26, 47, 53, 54, 77, 124, 129, 142, 464, 468. Ver *Montanhas Azuis, Eryd Lindon, Luindirien.*

*Eryd (Ered) Nimrais* 132, 463. Ver *Montanhas Brancas.*

*Eryd (Ered) Orgoroth* Ver *Eryd Gorgoroth.*

*Eryd (Ered) Wethrin* 30, 32, 54-5, 62, 77, 92, 104, 137, 142, 242, 248, 294; anteriormente - *Wethion* 61, 108, 110, 111, 146, , *225, 248; *Eryd Wethian* 173, 248. Ver *Montanhas de Sombra.*

*Eryd Lammad* Ver *Eryd Lómin.*

*Escuridão de Fora* 420

*Esgalduin, Rio* 24, 114, 185, *226, 231-2, 239-40, 384, 392, 397, 402–6; a Ponte sobre o Esgalduin 232, 384, 402, 405-6, e ver *Esgaliant, Iant Iaur*; (anteriormente) o Vau do Esgalduin 403, 410

*Esgaliant* A Ponte do Esgalduin. 403. Ver *Esgalduin, Iant Iaur.*

*Espada Negra, O* Túrin. 116, 119, 122, 187, 194, 201, 312-3; *o Espada-Negra do Sul* 109. Ver *Mormegil.*

*Essekenta Eldarinwa* Título de *Quendi e Eldar*. 435

*Este* "Repouso"; a esposa de Lórien. 485; telerin Ēdë 485

*Estolad* Morada dos povos de Bëor e Marach ao sul de Nan Elmoth. 135, 233, 269-71, 273, 278-9, 285, 405; *Estoland* *226, 233, 278; traduzido *o Acampamento* 269

*Estrada Leste* Ver *Estradas.*

*Estrada(s)-anânica(s)* 146, *228, 232, 235, 249, 404-7; estrada norte dos Anãos *226, 405, 406

*Estradas* Em Brethil 193, 229; para Nargothrond 193, 229. *A Estrada Leste (Estrada Leste-Oeste)* 384-5, 391-3, 402-4, 406. Ver *Estrada(s)-anânica(s).*

*Estrelas, As* (incluindo referências a *luz das estrelas*) 30, 44, 63, 127, 130, 133, 137, 504, 506; *as grandes estrelas* 18; palavras élficas para "estrela" 437, 439; "saber das estrelas" 496

*Etimologias, As* No Vol. V, *A Estrada Perdida*. 125, 140, 156, 232, 233, 235, 248, 408

*Etyañgoldi* "Noldor Exilados". 452

*Evair* (Sindarin) Avari. 458

*Exilados, Os* Os Noldor na Terra-média. 35, 37, 39, 48, 59, 217, 396, 426, 441, 452, 455, 457-8, 460, 462-4, 467; *Noldor Exilados* 243, 264, 265 (ver *Etyañgoldi*, Gódhel, Ódhel); o Exílio 450-2, 465, 477, 484, 492; *(quenya) exílico* 462, 464, 469, 476, 480

*Ezellohar* O Teso Verdejante das Árvores (nome valarin). 412, 479, 481. Ver *Korollairë.*

*fala comum* 274

*Falas* As costas de Beleriand. 21, 24, 28, 30, 90, 98, 103, 108, 128, 142, 187, 205, 230, 233, 237, 244, 297, 500. Ver *Forfalas, Harfalas.*

*Falasquil* Baía no Estreito de Drengist. 224, *225, 417

*Falathrim* Elfos da Falas. 456

*Faramir* = Gelmir (2), companheiro de Arminas. 361

*Farang, Faranc* Ver *Avranc.*

*Fauglith* Ver *Dor-na-Fauglith.*

*Fëanor* (incluindo referências à sua casa, povo, hoste etc.) 27, 30-3, 35-6, 38-41, 44-9, 53-9, 61, 63, 69, 71, 80, 83, 87-8, 90, 92-3, 95-6, 130, 137, 139-40, 144-5, 148, 205-6, 217-9, *226, 231, 239, 254, 266, 269, 303, 312, 375, 376, 383, 390, 393-9, 406, 418, 421-3, 425-6, 436, 457, 460, 462, 475-6, 478, 480, 485, 499; seu sistema alfabético 475, *letras fëanorianas* 475-6. Ver *Filhos de Fëanor.*

*Fëanorianos* 33, 138, 139, 160, 164, 284, 404. Juramento dos Fëanorianos 32, 44, 49, 56, 79, 82-3, 87, 218, 303, 426, 429

*Feiniel* "Dama Branca" (382), irmã de Turgon, esposa de Eöl. 382-3; *Ar-Feiniel* 382-3, 389. Ver *Isfin*, Írith, *Aredhel.*

*Feir*, plurais *Fîr, Firiath* Sindarin, = quenya *Firya(r)* "Mortal/Mortais". 269, 466

*Felagund* Rei de Nargothrond; nome usado sozinho ou com *Inglor, Finrod* (2). 50, 54, 60, 65, 76, 79-80, 83-4,

103, 105, 107, 114, 142, 145, 149, 151, 157-9, 164, 175, 180, 183, 220, 222, *226-7, 244, 266-9, 273, 275-81, 296-8, 312, 390, 431, 500, 502; dito ser um nome anânico 222; como pai de Gilgalad, ver *Gilgalad*; sua esposa 297; seu anel 76; *as Portas de Felagund* 103, 105, 175. *Senhor de Cavernas* 50, 220

*Fero Ano, O* O ano (455) da Batalha da Chama Repentina. 68, 152

*Fero Inverno, O* O inverno do ano 495, após a queda de Nargothrond. 107, 112, 313, 319

*Festa da Reunião* 49, 138. Ver *Mereth Aderthad.*

*Filhos de Aulë* Ver *Aulë.*

*Filhos de Eru* 67, 477, 483; ver *Eruhíni. Filhos de Ilúvatar* 22, 251, 269, 415, 418, 420, 465. *Os Filhos* 251–2, 259, 262, 413; *~ Mais Velhos* 81, 102, *Primeiros ~* 483; *~ Mais Novos* 45, 81, 102, *Segundos ~*, *Segunda raça dos ~* 465, 483

*Filhos de Fëanor, Os* 32, 40, 44, 45, 48–9, 54, 56–9, 69, 80, (82), 88, 90, 92–3, 95, 137–9, 204, 206, 217, *228, 239, 312, 375, 376, 393-9, 406, 418, 422-3, 426; *Cinco Filhos de Fëanor* 398. Ver *Fëanorianos.*

*Filhos de Húrin* Ver *Húrin.*

*Filhos dos Deuses, dos Valar* Ver *Deuses, Valar.*

*Filhos dos Valar* Ver *Valar.*

Filhos Mais Novos Ver *Filhos de Eru.*

*Filhos Mais Velhos* Ver *Filhos de Eru.*

*Fim, O* 252; *fim do Mundo* 88

*Finarfin* Nome posterior de Finrod (1), filho de Finwë. 139, 159, 174, 221, 231, 244, 278, 294, 298, 384, 416, 461; *Finarphin* 221, 302

*Findor* Ver *Gilgalad.*

*Finduilas* Filha de Orodreth, Rei de Nargothrond. 101-4, 106-8, 111, 115, 121, 169, 172, 174-5, 181, 198, 222, 313, 314, 361, 362

*Fingolfin* (incluindo referências à sua casa e seu povo) 30, 35, 37, 39-40, 44-9, 51, 53-5, 59, 61, 66, 69-72, 90-1, 94-6, 138-9, 142, 147, 151-3, 163-6, 219, *225, 241, 254, 269, 274, 279-80, 288, 298, 390, 395, 398-9, 415, 457; sua esposa *Anairë* 323

*Fingon* 46, 53, 62-3, 69, 72, 76-7, 87, 89-95, 139, 142, 148, 151, 155, 163-4, 204-8, 215, 218-9, *225, 298, 348, 376, 378; como pai de Gilgalad, ver *Gilgalad.*

*Finrod* (1) Nome anterior de Finarfin. (A maioria das referências é aos seus filhos ou à sua casa.) 36, 46-9, 53, 56, 58-9, 65, 68-9, 71, 83-4, 102, 139, 144, 158-9, 174, 220-1, 231, 244, 267, 270, 276, 278-9, 294, 298, 384, 416, 431, 461, 487, 496. *finrodiano* (idioma) 36

*Finrod* (2) Nome posterior de Inglor (ver 83, 158); referências incluem *Finrod Felagund.* 276, 83, 158, 221, 244, 276, 294, 298, 431, 461, 487, 496; *Finrod Inglor* 159. Ver *Felagund.*

*Finwë* 12, 19, 20, 35, 48-9, 56-7, 79, 84, 302, 395, 461

*Fionwë* Filho de Manwë. 18, 126, 302, 418; Arauto de Manwë 499. Ver *Eönwë.*

*Fíreb*, plurais *Fírib, Firebrim* Sindarin, = quenya *Fírima(r)* "Mortal/Mortais". 466

*Firiath* "Mortais", ver *Feir.*

*Fíriel* Nome dado a Míriel, esposa de Finwë. 501

*Fírima(r)* "Mortal/Mortais". 466, 501; *Fírimor* 501. Ver *Fíreb.*

*Firya(r)* "Mortal/Mortais". 269, 466. Ver *Feir.*

*Flinding* Nome anterior de Gwindor de Nargothrond. 169, 172

*Foen* Montanha em Dorthonion. *226, 231; *Taur-na-Foen* "Floresta da Foen" 231

*Forasteiros* Lestenses em Hithlum. 309 (e ver *Brodda*). Usado para Asgorn e seus companheiros em Brethil 309, 320; para Húrin 334

*Forfalas* *225, 230; *Falas Norte* *225, 230

*Forhend* Homem de Brethil. 335-6, 365

*Fratricídios, Os* O primeiro (em Alqualondë) 32, 40, 52, 56; o segundo (o ataque a Dior) 284, 354, 418-9,

422; o terceiro (o ataque aos Portos do Sirion) 422

*Fuga, A* (dos Noldor) 476, 477, 499

*Fuin, Montanhas de* 292, 403. Ver *Taur-nu-Fuin.*

*Gabilān* Nome anânico, "Grande Rio" (ver *Gevelon*). 407-8

*Gabilgathol* Nome anânico traduzido como *Belegost.* 23, 129, 249, 254, 257-8, 468

*Gaerys* Nome sindarin de Ossë. 480. Ver *Yssion.*

*Galaðon* Filho de Elmo e pai de Celeborn. 424

*Galadriel, Galaðriel* (sobre as grafias, ver 140, 145) 59-60, 66, 82-3, 140, 144-5, 150, 158-9, 219-20, 297, 413, 427, 431, 461; *Acerca de Galadriel e Celeborn* 427, 431

*Galathil* Irmão de Galadhon. 424

*Galdor* Filho de Hador e pai de Húrin e Huor; chamado *o Alto* (286), *Galdor Orchal* (348, 367). 149, 179, 209, 274, 281, 285, 287-8, 294-6, 327, 329, 336, 344, 348, 367, 417. (Substituiu *Galion.*)

*Galhir* Homem de Brethil. 365

*Galion* Nome anterior de Galdor, pai de Húrin. 65, 68-9, 73-5, 77, 79, 89, 99, 105, 149-50, 154-5, 167, 179, 209, 249-50, 281, 285, 287, 294, 302, 327, 417. (Substituiu *Gumlin.*)

*Galvorn* O metal de Eöl. 389-90. Para nomes rejeitados, ver *Rodëol, Morlîn, Targlîn, Glindûr, Maeglin.*

*Gamlost* Ver *Camlost.*

*Garthúrian* Doriath ("reino oculto"). *226, 233

*Gelduin* Nome proposto em substituição de *Gelion.* 407

*Gelion, Rio* 18-9, 26, 29, 61, 69, 126, *226, *228, 232, 235-6, 238, 240, 243, 254, 266, 268, 272, 404-7, 410, 421, 423, 464; *Grande Gelion* *226, 232; *Pequeno Gelion* *226; *as Quedas do Gelion* 410. Ver *Duin Daer, Gelduin, Gevelon.*

*Gelmir* (1) Irmão de Gwindor de Nargothrond. 91, 163, 208

*Gelmir* (2) Companheiro de Arminas. 163, 172-4, 208, 313, 361. Ver *Faramir.*

*Gelo Pungente* 44, 59; *o Gelo* 46, 59, 254, 390; *os Estreitos de Gelo* 415. Ver *Helkaraxë.*

*Gelo, O* Ver *Gelo Pungente.*

*Gente-das-estrelas* Elfos (para os elementos linguísticos originais e o desenvolvimento do significado, ver 437, 439, 452). 437, 452

*Gente-Norn* Os Anãos. 22, 129, 258. Ver *Norno, Nornwaith.*

*Gevelon, Gevilon* Nome proposto em substituição de *Gelion,* derivado do anânico *Gabilān.* 407

*Gil-Estel* "Estrela da alta esperança" (a estrela de Eärendil); outros nomes *Gil-Amdir, - Orestel, - Orrain.* 302

*Gildis* Esposa de Hador Cabeça-dourada. 286

*Gildor* Companheiro de Barahir. 73

*Gilgalad* ("Luz-das-estrelas", 296). Como filho de Fingon 72, 153, 297-8; como filho de Felagund 145, 296-7; chamado *Findor* 72, 298

*Gilwen* Irmã de Barahir. 283

*Ginglith, Rio* 170, *225

*Gladuial* Nome de Nan Elmoth (?). *226, 232

*Glamdring* A espada de Gandalf. 470

*Glamhoth* ("Horda Gritadora"), Orques; também *Glam,* singular *Glamog.* 470

*Glaurung* (incluindo referências a *o Dragão, a (Grande) Serpe* 62, 65, 68, 92-3, 104-9, 112-4, 116-22, 147, 170-6, 181, 183-4, 187-9, 192-8, 200-2, 206, 222, 274, 291, 294, 311, 313-5, 325-6, 333, 346, 352, 361-2, 399, 421, 425; *Pai de Dragões* 68, 92, *a Serpente de Angband* 322, e ver *Urulókë*; sua velocidade e poder de visão 173. (Substituiu *Glómund.*)

*Glindûr* Nome anterior de Maeglin. 64, 75, 94, 110-1, 149, 154, 164, 180, 381, 388-91, 417; também como nome do metal de Eöl 64, 388. Ver *Maeglin, Galvorn.*

*Glingal* Imagem de Laurelin em Gondolin. 247
*Glinnel*, plural *Glinnil* Sindarin, = *Lindar* (Teleri). 456, 464
*Glirhuin* Vidente e harpista de Brethil. 358
*Glithui, Rio* *225, 229; *Gilthui* 229
*Glómund* Nome anterior de Glaurung. 147, 190, 222, 254, 294. (Substituiu *Glórund*.)
*Glóredhel* Filha de Hador, esposa de Haldir de Brethil. 286-8, 290, 327, 329, 371. (Substituiu *Glorwendil*.)
*Glorfindel* Um senhor de Gondolin. 383, 397
*Glorindol* Nome de Hador, "Cabeça-dourada". 274, 276, 280, 285, 287-8; *Glórindol* 276; *Glorindal* 277, 288. Ver *Lorindol*.
*Glórund* Nome original de Glaurung, substituído por *Glómund*. 189
*Glorwendil*Filha de Hador, esposa de Hundor de Brethil. 68, 97, 154, 155, 165, 287, 327. (Substituído por Glóredhel, esposa de Haldir.)
*gnômico* (relacionado ao idioma) 240, 254, 258, 265, 394, 378
*Gnomo(s)* 130, 136, 159, 168, 216, 218, 220, 238, 240, 249-52, 254, 292-3, 300
*Gochressiel* As Montanhas Circundantes ao redor de Gondolin. 293. Ver *Echoriad*.
*Gódhel*, plurais *Gódhil*, Gódhellim (Sindarin) Os Noldor Exilados. 441, 457. Ver Ódhel.
*Goldo* (Telerin) = *Noldo*. 462. *Goldorin*, *goldolambë*, nomes telerin do quenya. 453
*Golodh*, plurais *Goelydh*, *Golodhrim* Forma sindarin de *Noldo*. 391, 441, 457, 462
*Gondolin* 17, 31, 35-7, 39, 41-3, 50, 55, 59-61, 63-4, 70, 72, 74, 86-7, 90-2, 94, 103, 110-1, 133, 140-1, 143, 145-9, 152-4, 163-4, 166-7, 169, 179, 205, 209, 219, 221-2, 239, 245-8, 251, 254, 263, 293, 295, 299-301, 311-3, 315, 318-9, 332, 360, 363-5, 376, 378, 380-2, 385, 391, 395, 397, 399, 403, 417-9, 421-3, 425-6, 429, 476, 490; traduzido *a Rocha Oculta* 246, 248; *a Cidade Protegida, Reino Protegido* 70, 74, *a Cidade Oculta, Reino Oculto* 72, 74, 110, 153, 200, 318. *Balada da Queda de Gondolin* 147; a língua de Gondolin 36-7, 39-43, e sua população 39-42, 55, 59-60, 72, 145, 153; etimologia 248. Ver *Ondolindë*.
*Gondor* 233, 377, 384, 470
*Gonnhirrim* "Mestres da pedra", os Anãos. 254, 258
*Gorgûn* Nome dos Orques no idioma dos Druedain. 470
*Gorlim, o Infeliz* Companheiro e traidor de Barahir. 73, *226
*Gorothress(?)* Ver *226, 231
*Gorsodh* Nome de Sauron "em Beleriand". 71
*Gorthaur* Nome sindarin de Sauron. 294, 302; em substituição a *Gorthú* (nome noldorin) 293-4
*Gothmog* 31 ("Senhor dos Balrogs"), 208 ("Alto-capitão de Angband"), 208
*Grande Batalha* (ao final dos Dias Antigos) 303. Ver Última Batalha.
*Grande Fortaleza* 129, 249, 257-8. Ver *Belegost, Magnoforte*.
*Grande Golfo* 18, 125-6, 131
*Grande Mar* 18-9, 21, 110, 124-8, 134, 148. Ver *(O) Mar, Mar do Oeste*.
*Grande Marcha* (dos Eldar) 148; *a Marcha* 459-61, 463; *a Marcha para o Oeste* 371; *Marchadores* 452; *Grande Jornada* 214
*Grande Rio* 26, 132, 214; *Vale do* - 26. Ver *Anduin*.
*Grandes Contos* 377
*Grandes, Os* 262. Ver *Aratar*.
*Grodnof* Variante de *Novrod* (Nogrod). 495
*Grond* "O martelo de Angband". 72
*Guerra(s), As* Também *as Guerras de Beleriand*. 27-8, 30, 36, 38, 41, 51-2, 135, 141, 162, 415, 455, 465, 476, 490, 492
*Guilin* Pai de Gelmir (1) e Gwindor. 91, 100

*Gumlin* Nome original do pai de Húrin (ver *Galion*, *Galdor*). 149, 249-50, 281, 285, 294-5, 302

*Gundor* Filho de Hador. 65, 69, 149, 150, 274, 285, 287, 296

*Gurthang* "Ferro da Morte", a espada de Túrin. 102, 105, 111, 118, 119, 121, 122, 123, 169, 367. Nomes anteriores *Gurtholfin*, *Gurtholf* 169, 198. Ver *Anglachel*.

*Gwaihir* A águia, vassalo de Thorondor. 86, 160

*Gwanwen*, plural *Gwenwin* "Os que partiram", nome sindarin dos Elfos que foram para Aman; também *Gwanwel*, plural *Gwenwil*. 457

*Gwendelin* Antigo nome de Melian. 420

*Gwerin* Outro nome para Hunthor (Torbarth), parente de Brandir. 117, 192, 201, 203; sua esposa 201

*Gwerth-i-guinar* A Terra dos Mortos que Vivem. 88; formas anteriores *Gwerth-i-cuina*, *Gyrth-i-Guinar* 161

*Gwindor* Elfo de Nargothrond. 91, 100-2, 104, 163, 169-73, 208, 222, 313, 362, 374, 427. Ver *Flinding*.

*Hadhod*, *Hadhodrim* Nome sindarin dos Anãos (derivado de *Khazâd*). 467

*Hadhodrond* "Domanano", cidade dos Anãos nas Montanhas Nevoentas (substituiu *Nornhabar*). 468, 496 (etimologia), 501; forma rejeitada *Hadhodrûd* 501. Ver *Khazad-dûm*; *Casarrondo*; *Nornhabar*; *Covanana*.

*Hador* Senhor de Dor-lómin; chamado "o de Cabelos Dourados" e, mais tarde, "Cabeça-dourada" (ver *Glorindol*, *Lorindol*). 64-9, 73, 93-7, 109, 149-51, 154-6, 164, 173, 250, 254, 274, 276-7, 279-80, 284-5, 287-90, 296, 324, 326-8; *Casa de Hador* 69-70, 74, 77, 79, 82, 204, 275, 280, 285, 288-9, 316, 321-2, 325-8, 337, 359, 364, 371-2, 374, 376; *Povo*, *Gente*, *Homens de Hador* 66-7, 93-5, 97, 150-1, *225. Para a genealogia alterada da Casa de Hador, ver 285-9.

*Halabor* Ver *Angbor*.

*Halad* "Guardião", título do Chefe de Brethil (ver 321, 329, e *Haladin* (2)). 321, 329, 331, 335-40, 343-51, 353-4, 366. Ver *Brethil*; *Obel Halad*; *Halbar*.

*Haladin* (1) O Povo de (da Senhora) Haleth. 268-9, 272-3, 278-9, 285, 289-91, 295, 320-1, 324, 326-30, 339, 358-9, 362, 365-6, 368, 372; antiga língua dos 289-91, 366; tabela genealógica 290. Ver o verbete seguinte.

*Haladin* (2) (Sentido tardio) A família da Senhora Haleth, descendentes de Haldad; "guardiões" (ver 321, 329, 339, e *Halad*). 320-1, 326, 329, 355, 358-9, 365, 366, 368, 372

*Halbar* Substituição proposta do termo *Halad* e do nome *Haldar*. 291-2, 372

*Haldad* Pai da Senhora Haleth, morto por Orques em Thargelion. 272, 274, 289-90, 324, 329, 339, 365 (nome traduzido "defensor" 329).

*Haldan* Substituição proposta de *Hardan*. 279, 291

*Haldar* Filho de Haldad, morto com ele em Thargelion; irmão da Senhora Haleth. 272-4, 279, 290-2, 339, 365, 371-2. Ver *Halbar*.

*Haldir* (1), *de Nargothrond* Filho de Orodreth. 100, 168. Ver *Halmir* (1).

*Haldir* (2), *de Brethil* Filho de Halmir e esposo de Glóredhel; quarto chefe dos Haladin, morto nas Nírnaeth. 163, 288-9, 291, 325, 327-9, 341, 366. Ver *Hundor*.

*Haleth* (1), *o Caçador* 64, 65, 162, 207, 254, 280, 287-9, 295, 327; *Casa*, *Gente*, *Povo de Haleth* 162, *225, 273, 287, 289, 295, 327, 328, 365, 366; e ver *Halethrim*.

*Haleth* (2), *a Senhora* 272–4, 279-80, 289–91, 321, 329, 339, 365, 371–2; *Povo*, *Gente de Haleth* 162, 273–5, 288–90, 295, 328, 366, 370; *Casa de Haleth* 350, 357, 359, 370; *Nothlir Haletha* 290; e ver *Haladin* (1).

*Halethrim* O Povo de Haleth. 202, 311

*Halmir* (1), *de Nargothrond* Nome anterior de Haldir, filho de Orodreth. 168

*Halmir* (2), *de Brethil* Terceiro chefe dos Haladin, pai de Haldir e avô de Húrin. 207, 288-91, 295, 327-9, 350

*Hamfast Gamgi* 327

*Handir* (Antiga genealogia) Filho de Hundor, filho de Haleth, o Caçador. 68-70, 103-4, 108, 112, 151, 154, 169-70, 173, 177, 178, 180-1, 187, 194, 247-8. (Genealogia posterior) Filho de Haldir, filho de Halmir; quinto chefe dos Haladin. 283, 290-1, 295-6, 313, 327, 329, 361

*Harathor* (1) Substituição proposta de *Hardan*. 291. (2) Chefe dos Haladin quando Húrin chegou a Brethil (substituído por *Hardang*). 290-1, 324-8, 330-1, 339, 365-9, 371, 373

*Harathrad* O "Vau do Sul", Sarn Athrad. 406-7. Ver *Athrad Daer, Sarn Athrad; Vau Setentrional.*

*Hardan* Filho de Haldar e pai de Halmir; segundo chefe dos Haladin. 273, 279, 290-1. Ver *Haldan, Harathor* (1).

*Hardang* Chefe *(Halad)* dos Haladin quando Húrin chegou a Brethil (substituiu *Harathor* (2)). 313, 315, 321-4, 328-31, 334-42, 344-6, 348-57, 359, 361-2, 364-5, 367, 370-2

*Hareth* Filha de Halmir, esposa de Galdor e mãe de Húrin. 288, 290-1, 327-9, 341, 350, 371. Ver *Hiriel.*

*Harfalas* *227, 230, 234; *Falas Sul* *227, 230

*Hathaldir* Companheiro de Barahir. 73

*Hathol* Pai de Hador na genealogia revisada. 274, 276-7, 285, 288 ("o Machado"), 288; posteriormente, filho de Hador 277, (286)

*Haudh-en-Arwen* O túmulo da Senhora Haleth. 274. Ver *Tûr Haretha.*

*Haudh-en-Elleth* O túmulo de Finduilas. 115, 181, 313, 326, 361-2; anteriormente *Haudh-en-Ellas* 111, 115, 121, 181; *Teso da Donzela-élfica* 182

*Haudh-en-Ndengin* O Monte dos Mortos em Anfauglith. 208; *Haudh-na-Dengin* 89, 162; outras variantes 89; *Haudh-en-Nirnaeth* 208. Ver *Monte dos Mortos.*

*Hecelloi, Heculbar* Ver *Hekeldi, Hekelmar.*

*Hekeldi* Nome quenya dos Eldar que permaneceram em Beleriand. 442, 448, 452, 454, 457; singular *Hekel* 442. Telerin *Hecello*, plural *Hecelloi*, 454, 457

*Hekelmar* Nome quenya de Beleriand. 442; também *Hekeldamar* 442, 452. Telerin *Heculbar* e *Hecellubar* 442, 454

*Helevorn* Lago em Thargelion. 49, 61, 147, *226

*Helkar* O Mar Interior. 214

*Helkaraxë* 18, 44, 236, 390; *Helkaraksë* 236. Ver *Gelo Pungente.*

*Hildor* "Os Seguidores", os Homens. 269, 465-6; forma anterior *Hildi* 45, 215, 269. Ver *Aphadon, Echil.*

*Hildórien* A região onde os Homens despertaram. 45, 138, (localização de) 214-5

*Himlad* "Planície-fria", terra entre as águas a montante do Celon e do Aros. *226, 232, 385, 394, 402-3, 407, 410; para o nome, ver 410.

*Himring, Monte de* 49, 69, 76, 85, 87, 95, 270, 384, 388, 391, 402, 405-6, 408-9, *226; forma anterior *Himling* 155

*Hiriel* Nome anterior de Hareth. 288, 328

*Hiril* (1) Filha de Barahir. 232. (2) Filha de Halmir de Brethil, irmã de Hareth. 284, 322, 325, 328-30, 341, 350, 371-2

*Hirwen* Irmã de Barahir. 283

*Hísilómë* Nome noldorin exílico = sindarin setentrional *Hithlum*. 236

*Hithaeglir* As Montanhas Nevoentas. 389, 463-5, 468

*Hithliniath* "Lagoas de Bruma". 240. Ver *Aelin-uial, Umboth Muilin.*

*Hithlum* 18, 30, 44, 46-7, 53-4, 62, 66, 68-9, 71-2, 76-7, 87, 89-90, 94-100, 104, 125, 146, 150, 153, 155-6, 163, 165-7, 170, 200, 205, 207, 217, 236-7, 250, 269-70, 279, 288, 293, 307-11, 313-5, 317-8, 321-2, 324, 335, 337, 356, 376, 480; *o Reino-do-Norte* 348. Ver *Hísilómë.*

*Hobbit, O* 256-7

*Homem-selvagem das Matas* Nome assumido por Túrin em Brethil. 111, 181

*Homens* Referências selecionadas. Despertar, vinda dos Homens 45, 52, 65-6, 267; seu destino, sina 68, 276, 303, 466; idiomas 54, 77, 143, 156, 253, 257, 482 (e ver *Bëor*, *Haladin* (1), *Marach*); em relação aos Elfos 54, 65-6, 95, 150, 156, 270-2, 275, 465–6; nomes élficos para os Homens 269-70, 465–6; corrupção por Morgoth e rebelião 52, 55, 143, 268; Homens de Eriador 77. 81

*Homens Tisnados* 77, (descritos), 78, 81, 92, 155. Ver *Lestenses*, *Lestistas*.

*Homens-da-floresta* (de Brethil) 111, 116, 123, 173, 201, 295, 313-4, 322, 329, 352, 368-70, *Gente da floresta* 117, e ver *Brethil*; (das matas ao sul do Taiglin) 369-70

*Hravani* Homens que não os Edain, "os Selvagens". 269; sindarin *Rhevain* 269

*Húan* O Mastim de Valinor. 80-1, 84-6, 157, 159-60

*Hundad* Filho de Hundar e pai de Hardang. 290, 321, 328-9, 345, 350, 371

*Hundar* (1) Nome intermediário entre *Hundor* e *Haldir* (de Brethil). 205, 207, 288-9. (2) Irmão de Haldir de Brethil, morto com ele nas Nírnaeth; avô de Hardang. 163, 288-91, 328-9, 341, 366, 371

*Hundor* (Antiga genealogia) Filho de Haleth, o Caçador. 65, 68, 88, 90-1, 154-5, 162-3, 165, 194, 207, 287-9, 291, 327. (Genealogia posterior) Nome mantido como filho de Halmir, 288-9; substituído por *Hundar* (1), e finalmente por *Haldir*, q.v.

*Hunleth* Filha de Hundar (2). 290-1

*Hunthor* Companheiro de Túrin no ataque a Glaurung. 187, 192, 203, 291, 313-4, 322, 324-6, 328-30, 359, 361-2, 365, 371. Ver *Albarth*, *Gwerin*, *Torbarth* e, para o desenvolvimento de sua história e genealogia, ver 192, 326, 328–9.

*Huor* 68, 74, 89, 93-4, 97, 100, 108, 110, 154, 162, 164, 205, 208-9, 247-8, 274, 283, 285, 295-6, 364, 378

*Húrin* (incluindo *Húrin Thalion*, "o Resoluto") 68-70, 74-5, 77, 79-80, 82, 89-90, 92-8, 102-9, 111-2, 116, 119-21, 123, 151, 152, 154-5, 158, 163-5, 167, 169, 174, 176-9, 181, 186, 197-8, 200, 202, 204-9, 224, 247, 266, 274, 283, 285, 288, 290-1, 295-6, 299-301, 307-12, 314-20, 322-44, 347-71, 373-4, 376-8, 419, 421, 423, 425-8, 430-1, 483, 490; *Húrin Hadorion* 356. Ver *Thalion*.

*Os filhos de Húrin* (não como título) 123, 202, 204, 308, 311, (315, 334), 352, 364, 483; *Hîn Húrin* 483. Ver *Balada dos Filhos de Húrin*, *Narn i Chîn Húrin*.

*Húrinien*, *iChúrinien* "Os Filhos de Húrin" (título). 374, 377. Ver *Narn i Chîn Húrin*.

*Iant Iaur* "A Ponte Antiga". 232, 403, 410. Ver *Esgalduin*, *Esgaliant*.

*Iarwaeth* Nome assumido por Túrin em Nargothrond. 102-3, 169, 174, 312, 361. (Substituído por *Agarwaen*.)

*Iathrim* Elfos de Doriath *(Dôr lâth)*. 456

*Idril (Celebrindal)* Filha de Turgon, mãe de Eärendil. 247, 288 *(Iðril)*, 247, 288, 315, 363, 365, 392, 418-9, 421-2, 425-6, 429; *Irildë* 288

*Ilha Solitária* 301, 376, 378. Ver *Tol Eressëa*.

*Ilkorins* Antigo nome dos Sindar e dos Nandor. 36, 129, 215; *Ilkorindi* 36. *ilkorin* (idioma) 37, 238

*Ilúvatar* 251-2, 259-63, 275, 412, 483. Ver *Filhos de Eru*.

*Imbar* A Terra. 501. Ver *Amhar*.

*Imin* "Um", o mais velho dos Pais dos Elfos. 459, 500, 502-5; *Companheiros de Imin* 506. Ver *Minyar*.

*Iminyë* Esposa de Imin. 504, 505

*Imlach* Filho de Marach. 271, 287; forma anterior *Imrach* 287

*Indis* Segunda esposa de Finwë. 395, 461

*Indrafangs* Antigo nome dos Anãos Barbas-longas. 130, 256. Ver *Anfangrim*, *Enfeng*.

*Ingildon* Torre no cabo a oeste de Eglarest. 55, 98, 143, 234, 242, 244. (Substituiu *Tindobel*; substituído por *Barad Nimras*.)
*inglês* 375, 446, 450, 461, 472; *inglês (antigo)* 372, 375-8, 471. Ver *anglo-saxão*.
*inglês antigo* Ver *inglês*; *anglo-saxão*.
*Inglor* Nome anterior de Finrod (2); referências incluem *Inglor Felagund*. 46-7, 49-50, 53-4, 58, 60, 65-6, 69, 71, 79, 82-4, 140, 142-3, 158-9, 220-1, 244-5, 280, 292, 294, 297-8, 415. Ver *Felagund*.
*Ingwë* Rei dos Vanyar. 19, 302
*Ingwil* Afluente do Narog. *227, 234, 243. (Substituído por *Ringwil*.)
*Ingwion* Filho de Ingwë. 302; *Ingwiel* 302
*Inimigo Sombrio* Morgoth. 27; *Rei Sombrio* 271, 279; *Senhor Sombrio* 308, 317, *Senhor do Escuro* 270; *Poder Sombrio* 39; *Trono Sombrio* 332
*Inimigo, O* 27, 31, 44, 46, 66, 72, 76, 143, 205, 310, 313, 361
*Iôn* Primeiro nome de Eöl para Maeglin ("Filho"). 409
*Irildë* Ver *Idril*.
Írith Irmã de Turgon. 383, 490, 502. Ver *Isfin*, *Aredhel*, *Feiniel*.
*Irmo* "O Que Deseja", verdadeiro nome do Vala Lórien. 483
*Isfin* Chamada *a Branca*; nome original da irmã de Turgon. 63, 64, 89, 103, 147-9, 154, 169-70, 380-5, 389, 391-2, 402, 407, 502. Quanto ao nome, ver 382; e ver Írith, *Aredhel*, *Feiniel*, *Rodwen*.
*islandês* 366
*Ithil* A Lua. 482
*Iule* 426
*Ivrin* 101, 107, 109-10, 170-1, 178-9; *as Lagoas de Ivrin* 49, 101, 107, 109. Ver *Eithil Ivrin*.
*Ivrineithel* Ver *Eithil Ivrin*.

*Joia(s)*, *A(s)* A(s) Silmaril(s). 81, 82, 86, 310, 425-6, 429
*Kalakiryan* "A Fenda de Luz". 144, 483
*Kalaquendi* "Elfos-d-luz", Elfos de Aman. 33, 215, 438, 451, 453-4; telerin *Calapendi* 438, 453. Ver *Calben*.
*Kasari* Nome quenya dos Anãos (derivado de *Khazâd*); singular *Kasar*. 467; *Kasalliё* 467. Cf. *Casarrondo*.
*Kay, Guy G.* 431
*kelvar* Animais, seres vivos que se movem. 412-3. Ver *olvar*.
*Kementári* Nome de Yavanna. 302. (Substituiu *Palúrien*.)
*Khazâd* Os Anãos. 253-4, 258-9, 264-5; forma anterior *Khuzûd* 253-4, 258-9, 264. Ver *Hadhod*, *Kasari*.
*Khazad-dûm* 249, 252, 255-8, 468, 476, 501; originalmente nome de Nogrod 108, 201, 209. Ver *Casarrondo*, *Hadhodrond*, *Nornhabar*; *Covanana*.
*Kilby, Clyde S.* 373
*Kirith Ninniach* Ver *Cirith Ninniach*.
*Koiviё-néni* Forma original de *Kuiviénen*. 506
*Kôr* Nome original da cidade dos Elfos em Valinor. 37, 215, 233, 302. Ver *Tûn*, Túna, *Tirion*.
*Koreldar* Os Elfos de Kôr. 129
*kornoldorin*, *korolambë* A antiga língua noldorin de Kôr. 36-7
*Korollaire*, *Koron Oiolairë* O Teso Verdejante das Árvores. 481. Ver *Ezellohar*.
*Kuiviénen* Ver *Cuiviénen*.

*Lachend*, plural *Lechind* "De olhos flamejantes", um nome sindarin dos Noldor. 463
*Ladros* Terra no leste de Dorthonion. *226, 231, 274, 280-1
*Laegel*, plurais *Laegil*, *Laegrim*, *Laegel(d)rim* (Sindarin) Os Elfos-verdes; daí o quenya *Laiquendi*. 464
*Laiquendi* Ver *Laegel*.
*Lalaeth* Ver *Urwen*.
*Lambe Valarinwa* O valarin. 477
*Lambengolmor* "Mestres-do-saber das Línguas". 476-8
*Lammas* O "Relato de Línguas", de Pengolodh. 253-4, 257, 473, 477, 498; forma mais antiga *Lhammas* (a obra como publicada em *A Estrada Perdida*) 15, 35-7, 129, 132, 143, 257, 501; *Lammasethen* 36

*Lammoth* Região ao norte do Estreito de Drengist. 217-8, *225

*Lamparinas, As* 127

*latim* 449, 470. Ver *latim-élfico.*

*latim-élfico* O quenya. 36-7

*Laurelin* 247, 482

*Legolin, Rio* Em Ossiriand. 26, *228

*Lembi* Os Elfos-escuros. 143

*Lenwë* Primeiro líder dos Nandor (substituiu *Dân).* 463. Ver *Denweg.*

*Leste, O* 22, 52, 54, 63, 77, 87, 134, 141-3, 149, 155, 180, 194, 214, 237, 244, 249, 266, 270, 277, 331, 384-5, 391-3, 402-4, 406, 465; *as Terras-do-Leste* 54

*Lestense(s)* 192, 100, 107, 109-10, 156, 167-8, 206, 253, 255, 257, 309, 363, 455. Ver *Lestistas, Homens Tisnados.*

*Lestistas* Lestenses. 309, 313, 320, 322, 324, 361, 363

*Levain tad-dail* "Animais de duas patas" (ver 467), nome sindarin original dos Anãos-Miúdos. 467; *Tad-dail* 467

*Lhammas* Ver *Lammas.*

*Lhandroval* A águia, vassalo de Thorondor. 86, 160

*Limclaro, Rio* 408

*Limhir, Rio* Substituição tardia de *Celon.* 385, 394, 408.

*Linaewen, Lago* Em Nivrost (Nevrast). *225, 229, 237

*Lindai* Ver *Lindar.*

*lindalambë* O idioma dos Lindar (Teleri). 453. Ver *lindarin.*

*Lindar* O "Terceiro Clã" (anteriormente o nome do "Primeiro Clã", os Vanyar, 302, 461). 456, 458, 460-1, 491-2, 500, 506; significado do nome 461. Forma original e telerin *Lindai* 460, 464; nandorin *Lindi* 464; sindarin *Lindil, Lindedhil* 464. Ver *Glinnel, Nendili*; *Teleri.*

*lindarin* (1) O idioma dos Lindar = Vanyar. 36. (2) O idioma dos Lindar = Teleri. 454-5, 460; como adjetivo de *Lindar* 454-5, 460, 464

*Lindis de Ossiriand* Esposa de Dior. 314, 362. Ver *Elulin, Nimloth.*

*Lindon* Ossiriand. 238, 241, 464; *Dor Lindon* 464; *Lindóne* 464

*língua negra* 469

*List Melian* *226, 231, 273, 276, 280, 403-4; *Lest Melian* 276, 280. Cf. *Aran Lestanórëo* "Rei de Doriath" 446; e ver *Cinturão de Melian.*

*Lithir, Rio* Afluente do Sirion ao norte de Brethil. 224, *225, 319, 364

*Livro dos Contos Perdidos, O* 147, 300, 506; *os Contos Perdidos* 158. *Conto de Gilfanon* 506; *Turambar e o Foalókë* 147, 172, 177, 186, 190, 196-7, 307, 362, 378, 426, 430; *A Queda de Gondolin* 146-7, 248, 364, 386, 417-8, 422, 432; *O Nauglafring* 130, 249, 256, 258, 420, 423, 430

*Lobisomens* 30, 71, 84. Cf. *Tol-in-Gaurhoth.*

*Lóminórë* 178. Ver *Dor-lómin.*

*Lómion* "Filho do Crepúsculo", nome dado a Maeglin por sua mãe. 390, 409

*Longa Paz, A* 50, 62, 75, 254, 266, 399

*Lorgan* Chefe dos Lestenses de Hithlum. 100, 110, 167, 179, 309-10, 313, 318-9, 361

*Lórien* (também *Lorien*) A morada do Vala Irmo, mas também usada como o seu nome. 130, 483, 485. Ver *Irmo.*

*Lorindol* Nome de Hador, "Cabeça-dourada". 280, 284, 287-8. Ver *Glorindol.*

*Losgar* O lugar onde os navios dos Teleri foram queimados. 30, 46, 53, 59, 138, 142, 145, 217, 398

*Lothlann* Grande planície ao leste de Dorthonion. 77-8, 156; *Lhothlann* 156; *Lothland* 156, *226, 231

*Lothlórien* 132

*Lua, A* 30, 34, 44, 138, 217. Ver *Ithil.*

*Luindirien* "As Torres Azuis". 238. Ver *Montanhas Azuis.*

*Lúthien* 22, 27, 78-88, 157-8, 160-1, *228, 241, 275, 280, 283, 297-8, 419-23, 425, 428. Ver *Tinúviel.*

*Luz, (A)* (e ~ *de Aman, das Árvores, no Oeste* etc.) 19–20, 30, 55, 57, 268, 270, 276, 279, 451, 483

*Mablung* Elfo de Doriath, principal capitão de Thingol. 49, 81, 90, 112-4,

122-3, 140, 162, 182, 185, 199-203, 314, 341, 366, 374

*Maedros, Maedhros* Ver *Maidros.*

*Maeglin* 64, 75, 94, 149, 154, 170, 180, 209, 364-5, 381-2, 388-91, 393-5, 398-400, 402-10, 417, 422, 426, 429, 490, 502; também como o nome do metal de Eöl 64, 148, 389-90; posteriormente traduzido "Olhar Aguçado" 390 (etimologia 408). Ver *Iôn*, Lómion. Para nomes do metal de Eöl, ver *Galvorn*; para nomes rejeitados de Maeglin, ver *Meglin, Morleg, Morlîn, Targlîn, Glindûr.*

*Maglor* Filho de Fëanor. 49, 63, 65, 69, 81, 92, 140, 159, 164, 266, 303, 418, 426

*Magnoforte* Belegost. 254, 258, 468. Ver *Grande Fortaleza.*

*Magor* Filho de Malach Aradan, filho de Marach; "a Espada" (287-8). 270, 274, 276-7, 285; chamado *Dagorlind* "Cantor na batalha" 277, 288. Para o lugar alterado de Magor na genealogia, ver 276–7, 288.

*Mahal* Nome anânico de Aulë. 23, 130

*Máhanaxar* O Círculo-do-julgamento dos Valar. 479, 481. Ver *Rithil-Anamo.*

*Máhani* Os principais Valar, os Aratar; singular *Máhan*. 479, 482

*Maiar* (e singular *Maia*) 22-3, 412, 450, 451, 477-8, 481, 485-7, 497; *idioma dos Valar e dos Maiar* 477

*Maidros* Filho de Fëanor. 31, 44-9, 51, 53, 61, 65, 69, 76-8, 81, 87-90, 92, 138-40, 142, 146, 156, 159, 161, 163, 206-8, 218-9, 231, 303, 418, 422-3, 426, 429; formas tardias *Maiðros* 46, 139, 231, *Maedhros, Maeðros* 139, 218, *226, 231, *Maedros* 204-8, 218, *226, 231, 266, 270, 272. Ver *Marca de Maidros, União de Maidros.*

*Malach* (também junto com o nome élfico *Aradan*, ou apenas *Aradan*, ver 270, 286) Filho de Marach. 269-70, 274, 276-7, 283-5, 287-8; *o povo de Aradan* 270, 287

*Malduin, Rio* *225, 229

*Mandos* A morada do Vala Námo, mas também usado como o seu nome. 32, 48, 52-3, 59, 84, 87, 145, 158, 219, 252, 255-6, 303-4, 344, 357, 466, 483; *a Maldição, Sentença de Mandos* 32, 52, 59, 60, 416, *a sombra de ~* 59; chamado *o Justo* 357. Ver *Námo.*

*Manthor* Um senhor dos Haladin, irmão de Hunthor; "Mestre da Marca-norte" de Brethil (321). 315, 321-3, 325-6, 328-30, 335-43, 345, 347-59, 365-72

*Manto-gris* Tradução de *Sindikollo, Singollo,* Thingol (Elwë). 20, 22; *Capa-gris* 492

*Manwë* 56, 88, 302, 344, 348, 412, 413, 418, 485; *filho de, arauto de, Manwë* 302; *Mánwë*, Mánwen, e origem do nome 479. Ver *Rei Antigo.*

*Mapas* (1) O primeiro mapa do *Silmarillion*. 183, 234, 249, 404-5. (2) O segundo mapa. 134–37, 142, 170–1, 177-8, 183, 193, 196, 222–40, 244, 249, 278, 280, 292, 361, 364, 400-10, 416-7, 428, 500; escala desse mapa 134, 400; fotocópia usada em relação a *Maeglin* 399-410. (3) Mapa que acompanha o *Silmarillion* publicado. 135, 196, 230, 232, 235, 403, 407, 409

*Mar de Dentro* Ver 214

*Mar de Fora* 216

*Mar do Leste* 214

*Mar do Oeste* 81, 216, 251; *Oceano do Oeste* 167

*Mar Interior* Ver *Helkar, Rhûn.*

*Mar, O* 19-21, 24-6, 29-30, 33, 35, 38, 53-6, 60-1, 81, 110-1, 124, 127, 131-2, 135, 144, 202, 214, 216-7, 237-8, 242, 244, 246-7, 251, 267-8, 270-1, 279, 358, 416, 418-9, 422, 429, 442, 461, 480, 484. Ver *Grande Mar, Mar do Oeste.*

*Marach* 268-70, 278-80, 284-5, 287, 296, 405, 482. *O Povo, Gente, de Marach* 268, 278, 286; *os Filhos de Marach* 482; *Nothlir Maracha* 286; antiga língua do 66, 150, 269, 275, 278, 286, 482; tabela genealógica 286

*Marca de Maidros* 49, 53-4, 69, 95, 156; *Marcas ~* *226, 231; *a Marca* 49, 78

*Marcha, A* (1) Dos Eldar. Ver *Grande Marcha.* (2) Dos Edain. 268, 358
*Meglin* Nome original de Maeglin. 103, 110-1, 147-9, 169, 180, 254, 365, 380-1, 389-90. Ver *Maeglin.*
*Meio-Elfo* 89, 297, 314, 421, 425
*Meldis* Nome élfico de Zimrahin, esposa de Malach Aradan. 286
*Meleth* Filha de Hiril (2) e mãe de Manthor. 329-30, (350)
*Melian* 18-24, 27-30, 35, 39, 50, 56-7, 59, 66, 75, 78, 82-3, 88, 101, 109, 112, 114, 125-6, 128-30, 133-4, 136, 138, 144, 150, 158-9, 161, 215, 219-20, 231, 239, 308, 317, 373, 375, 387, 403-4, 418-21, 424-5, 427-8, 431. Ver *Cinturão de Melian*; *Gwendelin.*
*Melkor* 18, 25, 27, 30, 52, 60, 97, 125, 126, 131, 141, 163, 185, 218, 236, 242-3, 247, 251, 256, 259-61, 420, 426, 451, 462-3, 465, 483, 500; *"Aquele que se alevanta em Poder"* 483; *o Acorrentamento de Melkor* 22-3. Forma anterior *Melko* 134, 147, 236, 241. *Guerra dos Valar com Melkor* 451
*Menegroth* 23-4, 27-30, 32, 34-5, 37, 47, 50, 59, 80-3, 85-6, 88, 99, 101, 114, 130, 133-4, 136, 161, 165, 168, 171, 183, 220, 299, 405, 420-1, 425-6, 428, 431, 496, 500; Menegroth descrita 24, 496; etimologia 496. Ver *Mil Cavernas.*
*Menel* Os céus. 493, 505
*Menelmakil* Órion. 493. Ver *Telumehtar.*
*Mengas Dûr* Ver *Cabed-en-Aras.*
*Mereth Aderthad* 49, 138, 140. Ver *Festa da Reunião.*
*Meril* Esposa de Felagund. 296-7. Ver *Felagund.*
*Mestre(s)-do-saber* 23, 40, 415, 420-1, 436, 442, 452, 456, 463-5, 470, 472-6, 485, 488-91, 498-9; com referência a Dairon 27, 34, 132
*Methiriad* Beleriand Central. *227, 230, 234
*Mil Cavernas* 24, 130, 134, 168, *226, 404, 427, 430, 496. Ver *Menegroth.*
*Mîm* 222, 230, 312, 314-5, 362, 373-5, 377, 430-1, 468
*Mina-anânica* Nogrod. 129, 248-9, 257
*Mindeb, Rio* 99, *226, 232, 239, 404
*Miniel*, plural *Mínil* Nome sindarin dos Vanyar. 462
*Minnas-tirith* A fortaleza em Tol Sirion. 54, 71, 152
*Minnónar* "Os Primogênitos", Elfos. 483
*Minyar* Elfos do Primeiro Clã (Vanyar). 459, 461, 503. Ver *Imin.*
*Míriel* Primeira esposa de Finwë, mãe de Fëanor. 395, 466, 501
*miruvórë* O licor dos Valar. 501
*Mithrim* Os Elfos de Mithrim (significado primário do nome). 456, 491-2, 502; nome do seu dialeto de sindarin 480. Lago Mithrim (originalmente = "Lago dos Mithrim", 491) 30, 46, 98, 217, *225, 456, 491; a terra de Mithrim 30-1, 45-7, 49, 97-8, 100, 108, 110, 137, 155, 165, 167, 179, 217, 292, 319, 321, 456, 491-2, 502, *225, (idioma); *as Montanhas de Mithrim* 30, 224, *225
*Montanhas Azuis* 18, 22, 61, 124-5, 130, 132, 146, 150, 156, 221, 223, 238, 249, 251, 257-8, 281, 285, 464; *as montanhas* 18, 22, 26-7, 60-1, 65, 69, 73, 95, 97, 129, 132, 147, 153, 221, 224, 245, 251, 260, 265, 318, 403, 407, 425. Ver *Eryd Lindon, Eryd Luin.*
*Montanhas Brancas* 26, 132. Ver *Eryd Nimrais.*
*Montanhas Circundantes* (ao redor de Gondolin) 50, 221, (245, 247), 332, 364. Ver *Echoriad, Gochressiel.*
*Montanhas de Aman, - de Valinor* Ver *Aman, Valinor, Pelóri*; *- de Névoa*, ver *Montanhas Nevoentas*; *- de Mithrim*, ver *Mithrim*; *- de Ossiriand*, ver *Ossiriand.*
*Montanhas de Ferro* 18, 28, 46, 51, 77, 124-5, 135, 156. Ver *Eryd Engrin.*
*Montanhas de Sombra* 332; *Montanhas Sombrias* 156, 179; *as montanhas* 46, 69, 91, 94-5, 97, 111, 314, 318-9. Ver *Eryd Wethrin.*
*Montanhas de Terror* 28, 133, 273, 402. Ver *Eryd Gorgoroth.*

*Montanhas Nevoentas* 249; *Montanhas de Névoa* 26, 249, 254. Ver *Hithaeglir*.

*Montanhas Ressoantes* 217, 242; *Montes Ressoantes* 30. Ver *Eryd Lómin*.

*Montanhas Sombrias* Ver *Montanhas de Sombra*.

*Monte dos Espiões* 183, 184; *o Monte-dos-Espiões* 183; origem do 183. Ver *Amon Ethir*.

*Monte dos Mortos* 162, 165, 208. Ver *Haudh-en-Ndengin*.

*Moors of the Neweglu* [Charnecas dos Neweglu] (Anãos-Miúdos) *225, 230. Ver *Neweg*.

*Morben*, plural *Moerbin (Morbin)* Nome sindarin derivado de *Moriquendi* (para o significado, ver 454-5, 490). 438-9, 454-5, 458, 489-90, 502

*Mordor* 447, 470

*Morgoth* 27-33, 36, 43-6, 48, 50-8, 61-2, 66, 68-9, 71-2, 75-6, 78-83, 85-92, 94-8, 101-4, 108, 110, 119, 126, 131, 133, 137-9, 141-4, 146, 147, 155, 156, 163, 165, 168, 173-4, 177, 180, 183-4, 196, 205-9, 218-9, 241, 247, 250, 252, 270, 272, 274, 293-4, 296, 303, 307-17, 319, 322, 324, 331-2, 335, 342, 358, 360-5, 369, 373, 386-7, 396, 403-4, 415-8, 420, 422, 428-9, 431, 435, 455, 460, 462-5, 468, 470, 476, 489-90, 492, 497, 500-1; o Olho de Morgoth 317. Ver *Bauglir, Inimigo Sombrio*.

*Moria* 249, 254, 258

*Moriquendi* "Elfos-escuros", "Elfos da Escuridão" 21-2, 33, 438, 451, 454-5, 458-9, 463; telerin *Moripendi* 438, 453. Ver *Morben*.

*Morleg* Nome rejeitado de Maeglin. 391-2, 402. Ver *Maeglin*.

*Morlîn* Nome rejeitado de (1) Maeglin, 390-1; (2) o metal de Eöl, 388 (ver *Galvorn)*.

*Mormegil* Nome de Túrin em Nargothrond. 102-3, 108, 111-2, 169, 180-1, 312-3; *Mormael, Mormaglir* 169. Ver *(O) Espada Negra*.

*Mornedhel* "Elfo-escuro". 455, 458, 490, 502

*Morros dos Caçadores* 140, 233; *Descampado dos Caçadores* 140. Ver *Altos Faroth, Taur-en-Faroth*.

*Morwë* Líder de uma gente dos Avari. 500

*Morwen* 68, 73, 79, 82, 96-8, 100, 103, 106-7, 109, 112-4, 122, 151, 153, 158, 167, 175, 178, 182-5, 198-201, 203, 224, *225, 275, 282-3, 308, 311, 313-6, 327, 332, 334, 352, 356-8, 360-4, 368, 490, 502; *a Dama Cinzenta* 358. Ver *Edhelwen*; *Tol Morwen*.

*Mulheres sábias* (dos Edain) 287

*Mundo, O* 23, 28, 36, 45, 57, 66, 80, 88, 133, 214, 218, 245, 262, 271, 275, 279, 297, 303, 359, 477, 482 (= *Arda*), 506; *o mundo antigo* 316; *a Mudança do Mundo* (ao final dos Dias Antigos) 126; *o Mundo Tornado Redondo* 126; e ver *Círculos do Mundo, (O) Fim*.

*Música (dos Ainur), A* 413

*Nahar* O cavalo de Oromë. 27, 481 (etimologia).

*Namárië* 501

*Námo* "Juiz", verdadeiro nome do Vala Mandos. 483

*Nan Dungortheb* 133, 223, *226, 243, 385, 403, *Dungortheb* 398; anteriormente *Nan Dungorthin* 63, 78, 82, 133, 149, 223, 239, 243, *Dungorthin* 385, 397-8

*Nan Elmoth* 19-21, 35, 63, 64, 127, 149, *226, 269, 387-9, 394, 396-7, 399, 403-7; *Elmoth* 396-7, 402, 405, 407. Ver *Gladuial*.

*Nan Tathren* A Terra dos Salgueiros. 98, 140, 223, *227; anteriormente *Nan Tathrin* 110, 223

*Nandor* O povo de Lenwë (Dân), que abandonou a Grande Marcha; os Elfos-verdes de Ossiriand. 26, 49, 132, 135-6, 154, 241, 268-9, 455, 459-60, 463-5, 490, 493, 500-1; origem do nome 132, 493. Ver *Danwaith*.

*nandorin* (relacionado ao idioma) 469, 488, 492-3; (com outra referência) 412

*Nardol* (1) Colina-do-farol em Anórien. 230. (2) *Nardol* e *Amon Narðol*, ver *Amon Rûdh*.

*Nargothrond* 17, 50, 54, 59, 69, 71, 79-80, 83-5, 87, 90-1, 95, 100-1, 103-5, 108, 111-3, 117, 119, 122, 140, 142, 145, 152, 157, 159, 162-3, 168-76, 178-83, 185, 187, 193, 200, 205, 207, 219-22, *227, 229, 233-4, 239, 243-5, 251, 273, 297, 301, 307, 310, 312-5, 317, 360-3, 369-70, 373-4, 376-7, 421, 425-6, 430-1, 496, 500 (etimologia), 500; *Reino de Nargothrond* 104, *225, *227, 239. Ver *Nuluk-khizdīn*.

*Narn i Chîn Húrin* 123, 124, 307, 312, 374, 376-8; *Glaer nia* ~ 198, 307; *(o Conto dos) Filhos de Húrin* 177, 197, 204, 377; o *Narn* (excluindo referências detalhadas à última seção "FN", ver 177) 135, 170–8, 182, 192, 203-4, 206-9, 215, 223, 230, 291, 296, 307, 326, 329, 366, 370, 372, 376–8, 429; o nome e a forma poética 374, 376–8. Ver *Húrinien* e "*Saga de Túrin*" no verbete *Túrin*.

*Narog, Rio* 29, 49-50, 54, 103-4, 107, 113, 140, 169-71, 184, 220, *225, *227, 239, 240, 243, 280, 458, 496; *Cavernas do Narog* 50, 140

*Nascidos-depois, Os* Os Homens. 465-6, 48. Ver *Apanónar, Atani*.

*Nauglamîr* 299, 360, 419-21, 425, 428, 431. Ver *Colar dos Anãos*.

*Nauglath, Nauglar, Nauglir* Ver *Naugrim*.

*Naugrim* "A Gente Mirrada", os Anãos. 22-7, 29, 34, 61, 77, 87, 93, 129, 131, 154, 164, 206, 250-4, 258-9, 264-5, 388, 391, 467, 475, 489; anteriormente *Nauglath* 43, 129-30, 258, *Nauglar*, *Nauglir* 258; *Naug* 230, 248, 253, 256, 258-9, 264, 495; *Naug-neben* (Anão-Miúdo), 230 ver *Nibinnoeg*.

*Nauko* (Quenya) Anão; *Naukalië*, o povo dos Anãos. 467. Ver *Naugrim*.

*Návarot* (Quenya) Nogrod. 468

*Neben-naug, Nebinnog* Ver *Nibinnoeg*.

*Neldoreth* A floresta setentrional de Doriath. 19, 22, 24, 28, 29, 79, 82, 127, 133, *226, 404, 431

*Nelyar* Elfos do Terceiro Clã (Lindar). 459-60, 503. Ver *Enel*.

*Nen Girith* "Água do Estremecer", nome dado às quedas no rio Celebros. 115, 117-20, 186, 192-6, 201-2, 357-8, 368, 371. Ver *Dimrost*.

*Nen Lalaith* O riacho que corria próximo à casa de Húrin em Dor-lómin. 224

*Nendili* "Amantes-da-Água", os Lindar. 492

*Nenning, Rio* 54, 98, 103, 142, 144, *225, 230. Ver *Eglor, Eglahir*.

*Nessa* Esposa do Vala Tulkas. 484, 498 (etimologia).

*Nevrast* A região ao sul de Drengist. 128, 222, *225, 229, 243, 248, 383, 476; *Nevrost* 383; traduzido "Costa de Cá" 243. Forma anterior *Nivrost* 43, 50, 53, 55, 60-1, 98-9, 110, 125, 128, 145-6, 179, 221-2, 229, 237, 241, 243, 245-8, 313, 383; traduzido "Vale Oeste" 243. *As Marcas de Nevrast (Nivrost)* *225, 229

*Neweg* Os Anãos. 230, 258; *Neweglîn*, Anãos-Miúdos, 230, *Neweglu* *225, 230

*Nibin-noeg* Anãos-Miúdos. 230, 502; *Nibennog, Nibinnogrim, Nebinnog, Neben-naug, Naug-neben, Niwennog* 230. Ver *Nogoth*.

*Niënor* 98, 100, 103, 106, 107, 109, 112-4, 120-2, 167, 175, 182-5, 200-3, 313-4, 352, 357, 361-2. Ver *Níniel*.

*Nimbrethil* Matas de bétulas em Arvernien. *227, 234

*Nimîr* Os Elfos (adunaico). 465; singular *Nimir* 501

*Nimloth* Esposa de Dior. 424. Ver *Elulin, Lindis*. (*Nimloth* era um nome de Telperion e o nome da Árvore Branca de Númenor.)

*Nimphelos* Uma grande pérola dada por Thingol ao Senhor de Belegost. 24, 130

*Nimras* Ver *Barad Nimras*.

*Nimras*, 244

*Níniel* "Donzela-das-lágrimas", nome de Niënor. 115-7, 119-21, 185-6, 187, 192-8, 201-3, 314, 362

*niphredil* Uma flor branca em Doriath. 22, 129

*Nírnaeth Arnoediad* (incluindo referências às palavras *as Nírnaeth* usadas sozinhas e às grafias *Nírnaith* e *Arnediad*; o elemento *Nír-* frequentemente sem acento) 89, 91, 95, 162, 204, 206, 291, 311, 322, 324, 328, 341, 348, 366, 370, 376, 378, 455; *Dagor Arnediad* 35, 43; e cf. *Haudh-en-Nirnaeth* 208. Ver *Batalha das Lágrimas Inumeráveis.*

*Nivrim* 185, *225, 230; *a Marca-oeste de Doriath* 185; *Doriath beyond Sirion* [Doriath além do Sirion] *225. Cf. *Radhrim.*

*Nivrost* Ver *Nevrast.*

*Niwennog* Anãos-Miúdos. Ver *Nibin-noeg.*

*Noad, Charles* 193, 197

*Nognith* Anãos-Miúdos. 230

*Nogoth*, plurais *Noegyth, Nogothrim* "Mirrado"; Anão, Anãos. 467, 494, 501. *Nogoth niben*, Anão-Miúdo, 467, plural *Noegyth nibin* 467, 489, 501; *Nogotheg* 467. Ver *Athrad i-Nogoth.*

*Nogrod* "Casacava", cidade dos Anãos nas Montanhas Azuis (para as diferentes aplicações e relações do nome, ver 249, 258). 23, 25, 61, 93, 129-31, 164, 248-9, 254, 256-8, 265, 388, 391, 394, 396, 398, 405-7, 421, 425, 427-8, 468, 489, 495 (etimologia). Ver *Tumunzahar*; Návarot; *Novrod, Grodnof, Bar-goll*; *Casacava.*

*Noldoli* Ver *Noldor.*

*Noldor* (e singular *Noldo*) 17, 19, 20, 22, 25, 28, 30, 32-44, 46-62, 64, 66-8, 70-2, 76-8, 80, 87-8, 90-4, 96-7, 101, 110, 127, 129, 136-40, 144-8, 150, 152-3, 166, 205-7, 216-8, 224, 233, 237-41, 244, 247, 251-6, 259, 264-6, 269-70, 275, 293-4, 298-9, 302, 382-3, 387, 391, 396, 404-5, 409, 415-6; significado do nome 462; forma mais antiga *Noldoli* 300. Ver *Gódhel, Golodh, Goldo*; Nómin, *Samûri*; *Exilados*; *Segundo Clã.*

*noldorin* (relacionado ao idioma) 33, 34, 35, 36, 37, 38, 39, 40, 41, 42, 43, 140, 145, 166, 172, 232, 235, 248, 294, 379, 390; (com outras referências) 41-3, 145, 166, 172, 232, 451, 457, 460, 464, 470, 474-7, 484, 487, 493, 498-9

*Nóm* "Sabedoria", nome dado a Felagund no idioma do povo de Bëor. 267. Ver *Sômar, Vidri.*

*Nómin* "Os Sábios", nome dado aos Noldor no idioma do povo de Bëor (forma rejeitada *Nómil*). 267. Ver *Samûri.*

*nórdica* 366

*Nornhabar* "Covanana", cidade dos Anãos nas Montanhas Nevoentas (substituído por *Hadhodrond*). 254, 258, 265, 501. Ver *Khazad-dûm*; *Casarrondo*; *Hadhodrond*; *Covanana.*

*Norno* (Quenya) Anão; *Nornalië*, o povo dos Anãos. 467, 495. Ver *Gente-Norn, Nornwaith, Nym.*

*Nornwaith* Os Anãos. 129, 258, 391. Ver *Norno, Gente-Norn.*

*Norte, O* 18, 25-6, 28, 44-6, 49, 51, 62, 66, 73-4, 97, 107, 109, 112, 125, 132, 134-5, 150, 217, 220, 237, 247, 266, 270-1, 279, 321, 332, 359, 455, 484, 491-2; *as terras do norte* 48, 72; *o Reino-do-Norte* (Hithlum) 348

*Novrod* "Casacava", o nome original posteriormente transformado em *Nogrod*: ver 468, 495-6. Ver *Bar-goll, Grodnof.*

*Núath, The Woods of* [Os Bosques de Núath] Floresta a oeste de Ivrin. *225, 229

*Nulukkhizdīn* Nome anânico de Nargothrond; também *Nulukhizidûn.* 222

*Númenor* 274, 275, 298, 299; *Númenórë* 465; *Submersão de Númenor* 126; *Númenóreanos* 465; *númenóreano(s)* (língua, contos) 277, 377

*Núnatani* (Quenya) Os Dúnedain. 465

*Nurwë* Líder de uma gente dos Avari. 500

*Nyrn* "Os rígidos", os Anãos. 254, 258, 264-5. Ver *Norno, Gente-Norn.*

*Oäreldi*, Oäzeldi Elfos que partiram da Terra-média rumo a Aman (= *Aureldi, Auzeldi*); singular *Oärel*, Oäzel. 440, 442-3

*Obel Halad* O local fortificado no qual ficava o Salão dos Chefes de Brethil. 182, 315, 321, 323-4, 326, 331, 336, 363-4, 369; *o Obel* 354, 358-9. Ver *Brethil, Halad.*

Ódhel, plurais Ódhil, Ódhellim Os Noldor Exilados (= *Gódhel*). 441, 444, 457

*Oeste, O* (do outro lado do Grande Mar) 17-8, (21), 30, 32, 34, 36, 41-2, 44, 47, 87, 90-1, 95, 99, 143, 179, 218, 238, 243, 254, 263, 265-7, 270-1, 275-6, 278-9, 281, 285, 294-7, 376, 402-5, 418, 426, 429, 449, 456-7, 461, 465, 492, 502, e ver *Senhores do Oeste*; (o Oeste da Terra-média) 64, 90-1, 94, 143, 254, 270, 276, 279, 285, 297, (355), 404, 457, 461, 465, *as Terras do Oeste* 26, 269, 492

*Oestenses* Homens do Oeste. 309

*Oiolossë (Oron Oiolossë)* "(Monte) Semprebranco", "Sempreneve". 484. Ver *Amon Uilos.*

*olvar* Seres vivos que crescem na terra. 412-3. Ver *kelvar.*

*Olwë* Irmão de Elwë (Thingol), senhor de Alqualondë. 20-1, 26, 32, 56, 139, 219, 416. Ver *Elwë* (1).

*Ondolindë* "Rocha da Música da Água", nome quenya de Gondolin. 248

*Orchal* Nome de Galdor. 367

*Orgof* Nome anterior de Saeros. 99, 165, 168, 299; *Orgoph, Orgol* 135-6

Órion 493. Ver *Menelmakil, Telumehtar.*

*Ornil* Elfo de Nargothrond. 104

*Orodreth* Filho de Finarfin (= Finrod (1)); segundo rei de Nargothrond. 53-4, 71, 80, 83, 85, 91, 100-1, 103-4, 111, 152, 159, 162-3, 168-70, 172, 174, 183, *226, 231, 292, 294, 297, 313

*Oromë* 518, 19, 24, 27, 71, 126, 128, 131-2, 357, 416, 437-8, 446, 451, 501. Ver *Araw.*

*Orque(s)* (incluindo muitas palavras compostas como *acampamento-órquico, hoste-órquica, legião-órquica* etc.) 28-31, 48, 51, 53, 62, 69, 73-7, 83, 88, 90–5, 97–101, 103–8, 111–6, 126, 131, 134-7, 143, 147, 152, 155, 161, 169–77, 180, 185, 200, 208, 217, 241, 251-2, 254-5, 261, 266, 271-3, 289, 292, 299, 313, 320, 335-6, 346, 370, 387, 399, 435, 450, 455, 465, 4368-70, 489-90, 500. Origem dos Orques 25, 131, 241

Sindarin *Orch,* plurais *Yrch,* 469. Quenya *Orko,* plural *Orqui* 469, também *Orkor* 25, 51-2, 469; e ver *Urko.* Etimologia 468-70

*Ossë* 17, 20, 21, 99, 124, 125, 128, 135, 237. Ver *Balar, Gaerys, Yssion.*

*Ossir* Ossiriand. 426, 429; *os Sete Rios de Ossir* 428

*Ossiriand* 26, 29, 36, 38, 43, 49, 54, 65, 88, 98, 132-6, 238, 240-1, 266, 268, 420, 424-5, 428-9, 464, 487; *as Montanhas de Ossiriand* 238. Ver *Terra dos Sete Rios, Lindon.*

*Pai(s) de Homens* 55, 64, 93, 205, 279, 285, 296, 418, 419; *- dos Homens do Oeste* 64, 254, 285. Ver *Atanatári.*

*Pais dos Anãos* 255-6, 257, 259-60

*Pais-élficos* 459, 502-3

*Palúrien* Nome de Yavanna. 302. (Substituído por *Kementári.*)

*Pântano do Rivil,* Pântano de Serech Ver *Rivil, Serech.*

*Pedra dos Desafortunados, Pedra Alta* Ver *Talbor.*

*Pedra Verde* Ver *Elessar.*

*Pelóri* As Montanhas de Aman. 45, 483-4

*Pendi* (Telerin) = *Quendi.* 438, 453, 488

*Pengolodh* 236, 248, 250, 251, 254, 473, 476-82, 484-7, 498, 501; chamado *Mestre-do-saber de Eressëa* 473; sua origem e história 476. Forma anterior *Pengolod* 133 ("o Sábio, de Gondolin"), 236, 248, 250, 251, 254, 259, 416. Ver *Thingódhel.*

*Pennas* O *Quenta Silmarillion.* 236, 254

*Pequeno Vau* (sobre o Gelion) Ver *Vau Setentrional.*

*Pikinaukor, Pitya-naukor* (Quenya) Anãos-Miúdos. 468

*Planície Protegida* Ao norte de Nargothrond. 104, 170-1, 183, 280. Ver *Talath Dirnen.*

*Poderes, Os* 18, 55, 483; *Poderes de Luz,* 55; *Guerra dos Poderes* 18, 127; *o Poder (Sombrio)* 55
Portos (1) Da Falas (ver *Brithombar, Eglarest*). 17, 21, 30, 49, 72, 95, 98, 108, 125, 128, 142, 165, 244, 297-8. (2) Os *Ship-havens* [Portos-dos-navios] no Cabo Balar. *227, 234. (3) Do Sirion: ver *Sirion.*
*Primeira Batalha de Beleriand* 133. (Anteriormente a Batalha-sob-as-Estrelas.)
*Primeira Era* 415, 418, 420, 423
*Primeiro Clã* Os Vanyar. 461-2; *Primeira Gente* 500. Ver *Minyar.*
*Primeiros Elfos, Os* 503, 505
*Primogênitos, Os* Os Elfos. 82, 412, 483
*Prisão de Ferro* Ver *Angband.*

*Quarta Batalha de Beleriand* 146. Ver *Batalha da Chama Repentina* (anteriormente a Terceira Batalha).
*Quedas do Gelion* Ver *Gelion.*
*Quenderin* "Dos Quendi". 488
*Quendi* Elfos (ver 450). 18,-9, 42, 52, 126, 141, 233-4, 252-3, 267, 383, 435, 438, 450-3, 460, 465, 470, 472-3, 481, 483, 486-7, 502-6; singular *Quende* 450, 452. Ver *Despertar dos Elfos*; *Pendi.*
*quendiano* "Dos Quendi". 460; com referência ao idioma 34, 384, 451, 493; *quendiano primitivo* (abreviado quend. prim.) 436–7, 440–2, 445, 453–4, 458-9, 461-3, 470, 490, 493
*Quendil, Quendendil* "Amigo-dos-Elfos". 491; plural *Quendili* 493
*Quennar (i) Onótimo* Mestre-do-saber eldarin. 415-6
*Quenta (Noldorinwa)* O *Quenta Silmarillion* (referências apenas nos textos). 42-3, 53, 141, 299, 300-1, 360
*Quentalë Ardanómion* Obra de saber desconhecida mencionada por Ælfwine. 254
*quenya* (= *quenya lambë* 407) 35-7, 178, 248, 409, 435-6, 438-56, 458-62, 464, 466-73, 475-80, 484, 485, 486-8, 491-2, 497; forma original e vanyarin *quendya* 438, 451, 453, 473

*Quinta Batalha de Beleriand* 89, 162. Ver *Batalha das Lágrimas Inumeráveis* (anteriormente a Quarta Batalha).

*Radhrim* "Marca-leste", Doriath além do Aros. *226, 232. Cf. *Nivrim.*
*Radhrost* "Vale Leste", Thargelion. 240, 243-4, 269, 272, 276, 278. Cf. *Nivrost* "Vale Oeste" (verbete *Nevrast),* e ver *Talath Rhúnen.*
*Radhruin* Companheiro de Barahir. 153. Nome anterior *Radros* 153
*Ragnir* (1) Serviçal de Morwen. 364. (2) Companheiro de Asgon. 320, 323, 364
*Ragnor* Companheiro de Barahir. 73
*Ramdal* Ver *Rhamdal.*
*Ras Mewrim* Cabo a sudoeste de Eglarest. *227, 234, 500. Ver *Bar-in-Mŷl.*
*Ras-Arphain* Nome sindarin de Taniquetil. 484. Ver *Arfanyarassë*; *Amon Uilos.*
*Rathlóriel, Rio* (também *Rathloriel*) Nome dado ao Ascar: "Leito de Ouro". 223, *228, 235; nome anterior *Rathlorion* 223, 235; nomes posteriores *Rathmalad, Rathmallen* *228, 235, 428
*Region* A floresta meridional de Doriath 19, 24, 29, 127, 135, *226, 387, 405, 431; *Region através do Aros* 135
*Rei Antigo* Manwë. 302
*Reino Abençoado, O* 19, 21, 127, 158, 215, 469; *Reinos Abençoados* 55
*Rerir, Monte* Nascente do Grande Gelion. 49, *226, 232
*Rhamdal* "Fim da Muralha" em Beleriand Leste. *228, 235; *Ramdal* 235. Ver *Andram.*
*Rhevain* Ver *Hravani.*
*Rhûn, Mar de* 214
*Rían* Mãe de Tuor. 68, 73, 89, 97, 153, 162, 165, 275, 283
*Ringil* A espada de Fingolfin. 71-2
*Ringwil, Rio* Afluente do Narog. 234, 243-4. (Substituiu *Ingwil.*)
*Rio Seco* A entrada de Gondolin. *225, 331, 392
*Rithil-Anamo* O Círculo-do-julgamento dos Valar. 481. Ver *Máhanaxar.*
*Rivil* Afluente do Sirion. 90, 137, 224, *226; *Poço do Rivil* 76, 137, *226;

*Pântano do Rivil* 137, 224, 292 (ver *Serech*).
*Road Goes Ever On, The* 501
*Rochallor* O cavalo de Fingolfin. 71-2, 153
*Rodëol* O metal de Eöl. 388-9. Ver *Galvorn*.
*Rodwen* Nome proposto para substituir *Isfin*. 382
*Rohan, Rochan(d)* 125; e ver *Desfiladeiro (de Rohan)*.
*Rúkhs*, plural *Rakhās* Nome anânico para os Orques. 470
*Rúmil* "O sábio ancestral de Tirion" (477). 416, 477-9, 481-2, 487; *I Equessi Rúmilo* "os Dizeres de Rúmil" 477; *letras rúmilianas* 475
*Runas* (todas as referências são às Runas de Dairon ou "de Doriath") 27, 34, 40, 43, 123, 133. Ver *Cirth*.

*Sabedoria* Nome de Felagund entre o povo de Bëor. 267, 277. Ver *Nóm*, Sómar, *Vidri*.
*Sábios, Os* (em Valinor) 130, 251; nome dos Noldor 267, 277
*Sador Labadal* Serviçal de Húrin. (109), 178, 314, 362, 378
*Saelin* Nome de Andreth. 284, 287; *Saelind* 287; *Saelon* 287
*Saeros* Elfo nandorin de Doriath, inimigo de Túrin. 135-6, 490, 502. Ver *Orgof*.
*Sagroth* Homem de Brethil. 334-5, 338, 365
*Samûri* "Os Sábios" (os Noldor), nome substituído por *Nómin*. 277
*Sarn Athrad* O Vau Pedregoso que atravessa o Gelion. *228, 235, 404, 406, 407, 410, 422, 431. Ver *Athrad Daer*, *Harathrad*.
*Sauron* 52, 71, 73, 76, 79, 80, 83-4, 101, 152, 159, 164, 243, 293-4, 303, 426, 469, 476; *Ilha de Sauron* (Tol-in-Gaurhoth) 80, 84, 159. Ver *Gorsodh*, *Gorthaur*.
*Seguidores* Os Homens. 45, 269, 465. Ver *Aphadon*, *Echil*, *Hildor*.
*Segunda Batalha de Beleriand* 30, 133. Ver *Batalha-sob-as-Estrelas* (anteriormente a Primeira Batalha).
*Segunda Era* 78, 81, 156, 423, 476
*Segundo Clã* Os Noldor (e os Avari desse clã, ver 459). 462, 490, 502. Ver *Tatyar*.
*Senhor dos Anéis, O* (título) 315-6, 129, 132-3, 156, 159, 174, 177, 213-4, 216, 219, 249, 255-7, 297, 300, 304, 311, 360, 377, 408, 414, 418, 427, 429, 501-2; *A Sociedade do Anel* 499, 501; *O Retorno do Rei* 502
*Senhores do Oeste* 348, 482
*Separação, A* Entre os Eldar e os Avari. 437, 450, 453-4, 458-9, 461, 471-2, 488, 491, 503
*Serech*, Pântano de 31, 69, 76, 137, 208, 224, *225-6, 230, 292, 332. Ver *Rivil*.
*Sete Rios* Ver *Terra dos Sete Rios*, *Ossir*.
*Silmaril(s)* 79-83, 86-7, 158-60, 419-23, 425-6, 428, 431. Ver *(A(s)) Joia(s)*.
*Silmarillion, O* (1) = *Quenta Silmarillion*. 146, 157, 298-301, 382, 393, 405. (2) "A tradição do Silmarillion" 127, 136, 162. (3) O *Silmarillion* publicado. 15-6, 127, 134-5, 139-40, 146, 149, 153, 157-62, 164-6, 168-9, 171, 176-7, 182-3, 186, 192, 196, 204, 207-9, 213, 215, 218, 221-2, 229-30, 233, 235, 242, 246, 249, 256-7, 259, 261, 263, 265, 278-80, 289, 291, 294, 297-301, 304, 360, 364-5, 372, 377, 381-3, 387, 389-90, 393, 404, 409-11, 424, 429-32, 501; e ver *Mapas* (3).
*Sindar* 17, 22, 25-7, 33-5, 37-43, 50-1, 53, 55, 57-9, 61-2, 124, 128-9, 131, 137, 140, 146, 154, 215-6, 222, 229, 233, 237, 241, 244, 269, 294, 395-6, 409, 416, 442, 446, 450-1, 453-7, 459-68, 480, 484, 489-91, 502; origem do nome 22, 463, 491-2. Ver *Eglath*, *Elfos-cinzentos*, *Sindel*.
*sindarin* (relacionado ao idioma) 33-5, 37-43, 59, 125, 140, 153, 233, 237, 243, 248, 269, 274, 294, 436, 439, 441-3, 445, 447, 449-50, 455-8, 464, 466-70, 476, 480, 484-5, 488, 491-2, 494-5, 497-8, 501; *sindarin setentrional* 480 (ver *Mithrim*); (com outras referências) 17, 33-5, 37, 125, 153, 237, 456, 458, 464, 476

*Sindel*, plural *Sindeldi* (Quenya) Sindar. 462, 491

*Sindikollo* "Capa-gris", Thingol. 492. Ver *Manto-gris, Singollo.*

*Singollo* "Manto-gris", Thingol. 19, 21. Ver *Elwë.*

*Sirion, Rio* 17-20, 29, 31-2, 53-4, 65, 69-71, 73-4, 76, 89-90, 93-5, 98-9, 103-4, 108-11, 125-7, 137, 155, 163, 166-7, 173, 179, 185, 220, 224, *226-7, 235, 238-40, 243-6, 266, 270, 279, 295, 319, 323, 326, 339, 364-5, 426, 429, 489; extensão do rio 238; sua nascente, ver *Eithel Sirion.*

*Passo do Sirion* 152, 163, 193, 361; *passo ocidental* 71, 152; *Passos do Sirion* 69, 89-90, 93, 104, 111, 173; ver *Terra Estreita. Vale do Sirion* 51, 60, 137, 154, 221; *Vales do Sirion* 31, 71, 319, *vales do norte* 104, 173. *Falls* [Quedas], *Fens* [Pântanos], *Gates of Sirion* [Portões do Sirion] *227

*Fozes do Sirion* 17, 37, 54, 99, 108, 166, 418, 419, 422, 476, *Foz do Sirion* 476; *Waters of Sirion* [Águas do Sirion] *227. *Delta do Sirion* 238.

*Portos (do Sirion)* 300, 376, 422, 423; *Porto do Sirion* 300; *os Novos Portos* 426

*Snaga* Nome de tipos menores de Orques. 470, 501

*Sol, O* 35, 40, 45, 63, 132, 138, 216, 218, 242, 412, 451, 499-500, 506; *a Estrela-do-dia* 45; *Anos do Sol* (21, 30), 33, 36, 38, 45, 254, 501. Ver *Anar.*

*Sômar* "Sabedoria" (Felagund), nome substituído por *Nóm.* 277. Ver *Samûri; Vidri.*

*Sombra, A* De Morgoth. 49, 292, 342, 358, 360, 373, 429; de Húrin, ou da Casa de Hador 311, 322, 325, 342, 356, 359-60, 371, 373; de Túrin 109; de Sauron 476; de Mandos 59; uma sombra sobre Aman 56; *as sombras* 341

*Sorontar* Rei das Águias. 331-2. Ver *Thorondor.*

*Sul, O* 28, 44, 69, 108, 131-4, 293, 455

*Tad-dail* Anãos-Miúdos. Ver *Levain tad-dail.*

*Taiglin, Rio* 12, *225, 313-4, 323-4, 326, 333-4, 358, 365, 369, 372. Formas posteriores *Teiglin* 180, 273, 280, 288, 372; *Taeglin* 313-4, 323-4, 326, 333-4, 358, 365, 369, 372, *Taeglind* (e etimologia) 372. Quanto às formas do nome, ver 372-3.

*Travessias do Taiglin (Teiglin, Taeglin),* também *as Travessias,* 111-2, 115, 119, 122, 181, 193, 196, 199, *225, 229-30, 273, 313, 323, 326, 330-1, 333, 365; *Vau do Taeglin* 334

*Talath Dirnen* 104, 171, *225, 229, 276, 280; forma anterior *Dalath Dirnen* 171, 229, 273, 276, 280. Ver *Planície Protegida.*

*Talath Rhúnen* Nome em substituição a *Radhrost* (Thargelion). 244

*Talbor* A pedra de Túrin e Niënor em Cabed Naeramarth. 314, 362, 372. *A Pedra Alta* 219, 344-5, 352-3, 356-8, 360, 372; *Pedra dos Desafortunados* 357; outras referências à Pedra 123, 307, 316, 333-4, 356-8, 360. Ver *Tol Morwen.*

*Tamar* Precursor de Brandir no *Conto de Turambar.* 197

*Taniquetil* "Alto Pico Nevado", propriamente o pico mais elevado da montanha Oiolossë. 479, 483-4, 498-9 (origem do nome). Ver *Arfanyarassë, Ras-Arphain.*

*Taras, Monte* 60, *225, 237, 243, 313, 458

*Targlîn* Nome rejeitado de (1) Maeglin, 390; (2) o metal de Eöl, 388 (ver *Galvorn*).

*Tata* "Dois", o segundo dos Pais dos Elfos. 459, 500, 502-5; *Companheiros de Tata* 506. Ver *Tatyar.*

*Tatië* Esposa de Tata. 504

*Tatyar* Elfos do Segundo Clã. 459-60, 503

*Taur-en-Faroth* Os planaltos a oeste do Narog. 243; forma anterior *Taur-na-Faroth* 140, *227, 233, 234, 243. Ver *Altos Faroth, Morros dos Caçadores.*

*Taur-i-Melegyrn* "Floresta das Grandes Árvores", um nome de *Taur-im-Duinath.* *228, 238

*Taur-im-Duinath* "Floresta entre os Rios" (Sirion e Gelion). 235, 238, 240, 243, 292. Ver verbetes seguintes.
*Taur-na-Chardhîn* "Floresta do Silêncio Meridional", um nome de *Taur-im-Duinath*. *228, 238
*Taur-na-Foen* Ver *Foen.*
*Taur-nu-Fuin* (anteriormente também *Taur-na-Fuin*) "A Floresta sob a Penumbra da Noite" (73), "Trevamata" (292), nome posterior de Dorthonion. 73, 84, 85, 101, 147, 153, 163, 171, 175, *226, 292, 294. Ver *Fuin (Montanhas de).*
*Tavrobel* Na Floresta de Brethil. 182, 193, 230
*Teiglin, Rio* Ver *Taiglin.*
*Telchar* Ferreiro Anão de Nogrod (anteriormente de Belegost). 25, 131
*Teleri* 19-21, 26, 30, 33, 39, 43, 125, 132, 136, 219, 389, 398, 416, 449, 451-3, 456, 457, 459-61, 463, 480, 485, 488, 500, 506; singular *Teler* 449; origem do nome 461, 492. Ver *Lindar.*
*teleriano* 32, 36-7, 222, 241
*telerin* (relacionado ao idioma) 35, 139, 436, 440-1, 444, 446-7, 449-50, 453-5, 458, 460, 463, 487-8, 490, 491-2; *telerin comum* 436, 453, 491; (com outras referências) 139, 453-4, 463, 491
*Telperion* 482
*Telumehtar* "Guerreiro do Céu", Órion. 493. Ver *Menelmakil,* e também I. 389-90
*Tempo, Registro do* 34, 38, 215, 415-6
*Terceira Batalha de Beleriand* 35, 40-1, 51, 53. Ver *Batalha Gloriosa* (anteriormente a Segunda Batalha).
*Terceira Casa dos Noldor* A Casa de Finarfin (= Finrod (1)). 139
*Terceira Era* 469
*Terra do Arco e do Elmo* 176, 377. Ver *Dor-Cúarthol.*
*Terra dos Mortos que Vivem* 88, 161, 420. Ver *Gwerth-i-guinar.*
*Terra dos Sete Rios* 26, 464. Ver *Ossir, Ossiriand.*
*Terra Estreita* O Passo do Sirion. 313, 315, 319, 361, 364. Ver *Sirion.*
*Terra-média* 511-2, 15, 18, 21-3, 26-7, 30, 32-4, 36-8, 40, 44-5, 48, 52, 54, 57, 61, 66, 79, 84, 87, 104, 124-8, 131, 138, 140, 142, 158, 198-9, 202, 214-7, 220, 223, 229, 237, 242-3, 251, 253-5, 259-60, 267, 270-1, 275, 309, 386-7, 412, 414, 416, 418-9, 425, 431, 437, 442, 451, 457, 459-60, 463, 465, 473, 476, 490, 493, 498. Ver *Endar.*
*Terra, (A)* 22, 54, 127, 215, 251, 259, 271, 422 *("sobre a terra")*, 482, 503. Ver *Ambar, Imbar*; *Arda.*
*Terras de Cá* A Terra-média. 36
*Teso Verdejante* (das Duas Árvores) 481. Ver *Ezellohar, Korollairë.*
*Thalion* Nome de Húrin, "Resoluto". 347, 360, 283, 286, 332, 335, 337, 342, 347-8, 360
*Thalos, Rio* Em Ossiriand. 26, *228, 266
*Thangorodrim* 28, 32, 44-5, 68, 85, 91, 96, 133-5, 137-8, 165, 205, 207, 224, 303, 309, 387, 398; *as Torres Tirânicas, Mountains of Oppression* 133
*Thargelion* A região entre as águas a montante do Gelion. 147, *226, 240, 243, 249, 251, 276, 278, 289, 385-6, 408; *Thargelian* 385-6, 408. Ver *Thorewilan.*
*Thingódhel* Proposta tardia de substituição de *Pengolodh.* 501
*Thingol* 17, 22-9, 32-3, 35-42, 47-50, 54, 56-9, 66, 73, 76, 79-90, 98-9, 101, 103, 108, 112, 114, 130-1, 133-6, 138-40, 145, 150, 153, 155, 157-62, 166, 168, 182-3, 200-1, 219-20, 241, 273, 275, 280, 283-4, 299, 308, 312, 317, 360, 362, 373, 375, 386-7, 389, 403, 418-9, 421, 423-5, 427-8, 430-1, 456-8, 490, 492, 500, 502; sua alta-realeza, soberania 33, 35, 37, 40, 139, 458, 491, 500; sua proibição do noldorin 37, 39-42. Para *Elu Thingol,* ver *Elwë,* e ver *Manto-gris, Sindikollo, Singollo*; *Tinwelint*; *Dior.*
*Thorewilan* = Thargelion; ver 407.
*Thorin (Escudo-de-carvalho)* 256-7
*Thorondor* Rei das Águias. 47, 70, 72, 745, 80, 86, 153, 216, 245, 293, 295,

364; anteriormente *Thorndor* 216, 423. Ver *Sorontar*.
*Thû* *225. Ver *Gorthaur*.
*Thurin* "O Secreto", nome de Finduilas para Túrin. 361
*Thuringud* "O Inimigo Oculto", nome de Túrin para si mesmo em Nargothrond. 313, 361
*Thuringwethil* A mensageira-morcego de Sauron. 85, 160
*Tilion* "Guardião da Lua". 45, 138
*Tindobel, Torre de* Do cabo a oeste de Eglarest. 143, 242, 244; *Tindabel* 143, 234, 244. Ver *Ingildon, Barad Nimras*.
*Tinúviel* "Rouxinol" (Lúthien). 79, 82, 87, 283, 396
*Tinwelint* Precursor de Thingol em *O Livro dos Contos Perdidos*. 430
*Tirion* 50, 57, 219, 220-2, 245, 247, 302, 477, 486; *a Árvore de Tirion* 220. Ver *Kôr*, Tûn, Túna.
*Tol Eressëa* e *Eressëa* 34, 37, 52, 128-9, 141, 236, 374, 376, 415, 476
*Tol Galen* "A Ilhota Verde" no Rio Adurant. *228, 235, 424
*Tol Morwen* Ilha no mar após a submersão de Beleriand sobre a qual se encontrava a Pedra dos Desafortunados. 357-8
*Tol Sirion* (53), 71, 84, 152, *225
*Tol-in-Gaurhoth* "Ilha dos Lobisomens". 71, 79, 83, 84, 85, 152, 160, 293; anteriormente *Tol-na-Gaurhoth* 152, 293. Ver *Ilha de Sauron* no verbete *Sauron*.
*Topo-do-Vento* 158-9
*Torbarth* Companheiro de Túrin no ataque a Glaurung (substituído por *Hunthor*). 117-8, 187, 192, 194, 203, 291, 326, 362
*Torhir Ifant* Autor da obra *Dorgannas Iaur*. 236
*Travessias do Taiglin* Ver *Taiglin*.
*Três Casas (dos Homens)* 67, 95, 156, 455, 457, 465; *Três Gentes* 269
*Três Clãs* (dos Elfos) 459, 502
*Trevamata* 132; tradução de *Taur-na-Fuin* 292
*Tulkas* 96, 479 (origem do nome), 484
*Tumhalad* O local (ver 170-1) da batalha antes da queda de Nargothrond. 170-1, 176, 181, 183, *225, 229, 291
*Tumladen* O vale de Gondolin. 74, 143, 221; *Tumladin* 70
*Tumunzahar* Nome anânico traduzido como *Nogrod (Novrod)*. 23, 129, 254, 258, 468
*Tûn* Nome em substituição a *Kôr*. 36, 141, 216, 219, 302. Ver *Túna*.
*Túna* Nome em substituição a *Tûn*. 215, 216, 219; subsequentemente a colina sobre a qual a cidade (Tirion) foi construída, 50, 219, 221, 222, 245, 302, mas ainda também usado para a cidade, 390
*Tuor* (68), 97, 100, 107-8, 110-1, (151), 165-8, 179-80, 217, 274-5, 283, 288, 313, 315, 361-3, 365, 382, 417-9, 421, 422, 425-6, 429; chamado *o Abençoado* 68, 151; e ver *Eladar, Ulmondil*.
O *Conto de Tuor* tardio 217, 222, 224, 229, 237, 247, 279, 300, 361-2, 364, 380, 382, 390, 417, 429
*Tûr Haretha* O túmulo da Senhora Haleth. 276, 280; anteriormente *Tûr Daretha* 274, 276, 280; *o Túmulo-da-Senhora* 274. Ver *Haudh-en-Arwen*.
*Turambar* "Mestre do Destino" (189), nome de Túrin em Brethil. 112, 115-22, 147, 176, 182, 185-93, 196-7, 201-3, 283, 303, 314, 378. Ver *Turumarth*.
*Turgon* 41, 43, 50, 53, 55, 60-1, 63-4, 70, 74-5, 88, 90-6, 98-9, 103, 110-1, 140, 143, 145-8, 152-4, 163-7, 179-80, 205, 207-9, 219-21, 237, 241, 245-8, 263, 299, 301, 311, 315, 318, 331-2, 363, 365, 381-3, 385, 390, 392, 395, 397-8, 418-9, 421-3, 425, 490; sua esposa 390
*Túrin* 17, 67, 79-80, 82, 98-9, 101-12, 116, 118-23, 151, 158, 160, 165-76, 178-81, 186, 192, 197-203, 222, *225, 231, 274-5, 283, 291, 295, 299-301, 303-4, 309, 311-4, 316-7, 321-2, 324, 326-9, 352, 361-2, 367-8, 371-5, 377-8, 417, 427, 429, 490, 502;

*"Saga de Túrin"* 299, 377, 387, 427. Ver *Turambar, Turumarth*; *Agarwaen, Iarwaeth, Mormegil, Thurin, Thuringud, Homem-selvagem das Matas.*

*Túrosto* (Quenya) Belegost. 468

*Turumarth* Forma sindarin de *Turambar.* 374, 378; *Turamarth* 165, 378; forma original *Turumart* 378

*Uinen* 20, 484

*Uldor, o Maldito* Filho de Ulfang. 78, 81, 90, 92, 164, 206, 208; *Gente de Uldor* *226

*Ulfang* Lestense; chamado "o Tisnado". 78, 81, 87, 92, 155

*Ulfast* Filho de Ulfang. 78, 81, 92

*Ulmo* 20-1, 50, 55-6, 60-1, 70, 74, 96, 99, 108, 110-1, 145-6, 165, 173, 179-80, 221, 237, 245-7, 288, 313, 363, 419, 421-2, 426, 458, 480 (etimologia); *Senhor das Águas* 70, 363

*Ulmondil* Nome de Tuor. 288

Última Batalha Ao final dos Dias Antigos. 41-2, 141; última guerra dos Dias Antigos 419; *a Grande Batalha* 418. A batalha final de Arda 252, 255

*Ulwarth* Filho de Ulfang. 78, 81, 92

Úmaneldi = Úmanyar. 451

Úmanyar (Eldar) que não são de Aman. 451; Úamanyar 448, 451

*Umboth Muilin* *228, 240. Ver *Aelin-uial, Alagados do Crepúsculo.*

*Ungoliantë* 27-8, 133, 239; *Ungoliant* 403

*União de Maidros* 87, 289

*Uno, O* Ver *Eru.*

*Urko*, plural *Urqui* (Quenya) Orque(s). 469. Para o quenya *Orko*, ver *Orques.*

*Urthel* Companheiro de Barahir. 73

*Uruk* (Língua negra) Orque. 501; *Uruk-hai* 501

*Urulókë* "Serpente-de-fogo", dragão. 104, 173 (referindo-se a Glaurung); plural *Urulóki* 62, 147

*Urwen* Irmã de Túrin que morreu na infância, também chamada *Lalaeth. Urwen Lalaeth* 288, *Lalaeth* 378. Ver *Nen Lalaith.*

*Utumno* 126, 133, 242-3, 417; *a Guerra de Utumno* 124-5

*Valar* (e singular *Vala*) 18-21, 24-5, 27, 30-3, 38, 42, 44, 52, 56-7, 70-1, 126-8, 134, 143-4, 214-5, 243, 251, 255, 293-4, 302, 358, 412-3, 418-9, 435, 450-1, 465, 477-83, 485-7, 495, 497, 500-1; etimologia 483; *idioma dos Valar* 143, 435, 477, 501, *~ e Maiar* 477, 497, e ver *valarin.*

*Anos dos Valar, Anos Valianos* 33, 38, 42, 127, 130-1, 417, 501; *Guerra dos Valar e Melkor* 451; *Filhos dos Valar* 27, 302, *hoste ~* 302, 418-9. Ver *Deuses.*

*Valarauko* "Demônio de Poder" (Balrog). 497

*valarin* 436, 477-87, 493, 501, e ver *Valar, lambë valarinwa* 477; palavras e nomes valarin 479-82, 492, 499; o idioma descrito 478, 482

*Valaróma* A trompa de Oromë. 27

*Valfenda* 234

*Valier* As Rainhas dos Valar; singular *Valie* 461

*Valinor* 18-24, 27, 30, 32-4, 36-8, 40, 44-6, 53, 56, 63, 70, 79-81, 84, 96, 124-5, 130-1, 134, 141-2, 144, 148, 158, 165, 213, 215, 218, 233, 242-3, 247, 251, 259, 261, 269, 293-4, 298, 303, 383, 390, 414-9, 421-2, 425, 428, 451, 478-9, 482-3, 485, 490, 495, 499; *Valinórë, Valandor* 495; *Montanhas de Valinor* 499 (ver *Aman, Pelóri*); *valinóreano* 414

*Vána* 461

*Vanyar* (e singular *Vanya*) 19-20, 42, 60, 127, 158, 298, 302, 390, 451-3, 458, 461-2, 473, 479, 485-6, 492, 499-00, 506; significado do nome 461. Telerin *Vaniai* 462. Ver *Lindar*; *Primeiro Clã.*

*vanyarin* (relacionado ao idioma) 438, 440, 499

*Varda* 18, 125, 447, 479, 483-4; *Varda Aratarya* 447; "*a Sublime*" 483; *a Abóbada de Varda* 479

*Vau Setentrional* (sobre o Gelion) 406; *Pequeno Vau* 405

*Vau(s) do Aros* Ver *Aros.*

*Via de Escape* O túnel debaixo das montanhas ao redor de Gondolin. 331, 364

*Vidri* "Sabedoria" (Felagund), nome substituído por *Sômar* (que substituiu a palavra original *Widris*, V. 397). 250

*Vingelot, Vingilot* O navio de Eärendil. 302

*Vinyamar* Morada de Turgon em Nevrast. 60, 145, 179, 221, *225, 237, 246

*Voronwë* Companheiro de Tuor. 99, 110, 167, 179, 313, 362, 426, 429. Ver *Bronwë*.

*Voz, A* (de Ilúvatar) 261

*Yavanna* 127, 259, 303, 411-3; *o Sono de Yavanna* 22, 34, 38, 42, 45, 126-9

*Yrch* Ver *Orques*.

*Yssion* Nome sindarin de Ossë. 480. Ver *Gaerys*.

*Zimrahin* Esposa de Malach Aradan. 286. Ver *Meldis*.

Este livro foi impresso em 2025, pela Ipsis, para a HarperCollins Brasil.
A fonte usada no miolo é Garamond corpo 10. O papel do miolo é
pólen natural 70 g/m² e o da capa é couchê 150 g/m².

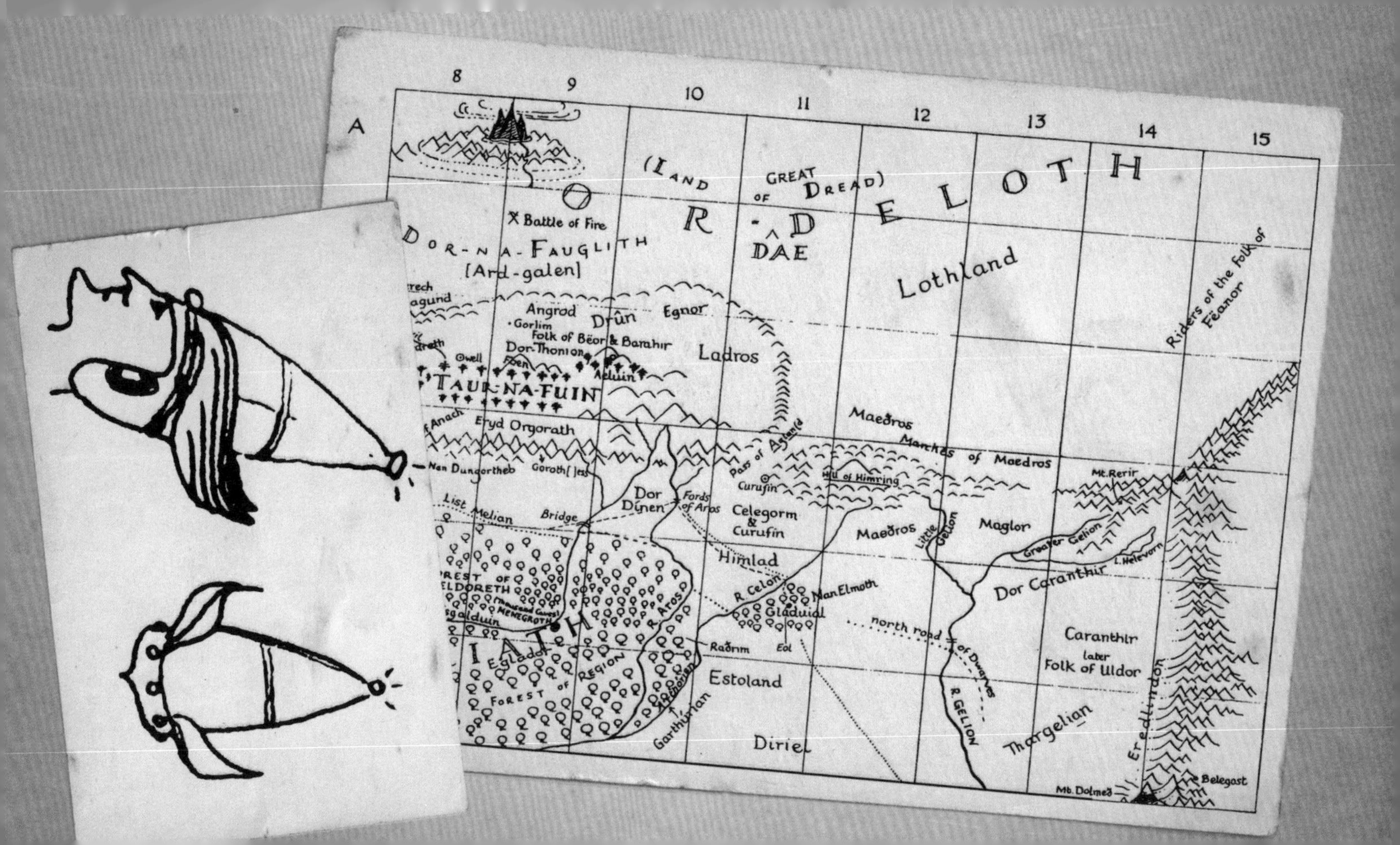
8
9
10
11
12
13
14
15
A
(Land of Great Dread)
O R - D E L O T H
DAE
X Battle of Fire
Dor-na-Fauglith
[Ard-galen]
Lothland
Riders of the Folk of Fëanor
Angrod
Drûn
Egnor
Gorlim
Folk of Bëor & Barahir
Dor-Thonion
Ladros
Aeluin
Taur-na-Fuin
Eryd Orgorath
Maedros
Marches of Maedros
Pass of Aglon
Hill of Himring
Mt. Rerir
Nan Dungortheb
Curufin
Dor Dinen
Fords of Aros
Celegorm & Curufin
Maedros
Little Gelion
Maglor
Greater Gelion
L. Helevorn
List Melian
Bridge
Himlad
Forest of Eldoreth
Menegroth
Thousand Caves
R. Aros
R. Celon
Nan Elmoth
Gladuial
Dor Caranthir
north road of Dwarves
Caranthir later Folk of Uldor
Eglador
Forest of Region
Radrim
Eol
Estoland
Garthurian
R. Gelion
Thargelian
Eredlindon
Diriel
Mt. Dolmed
Belegost

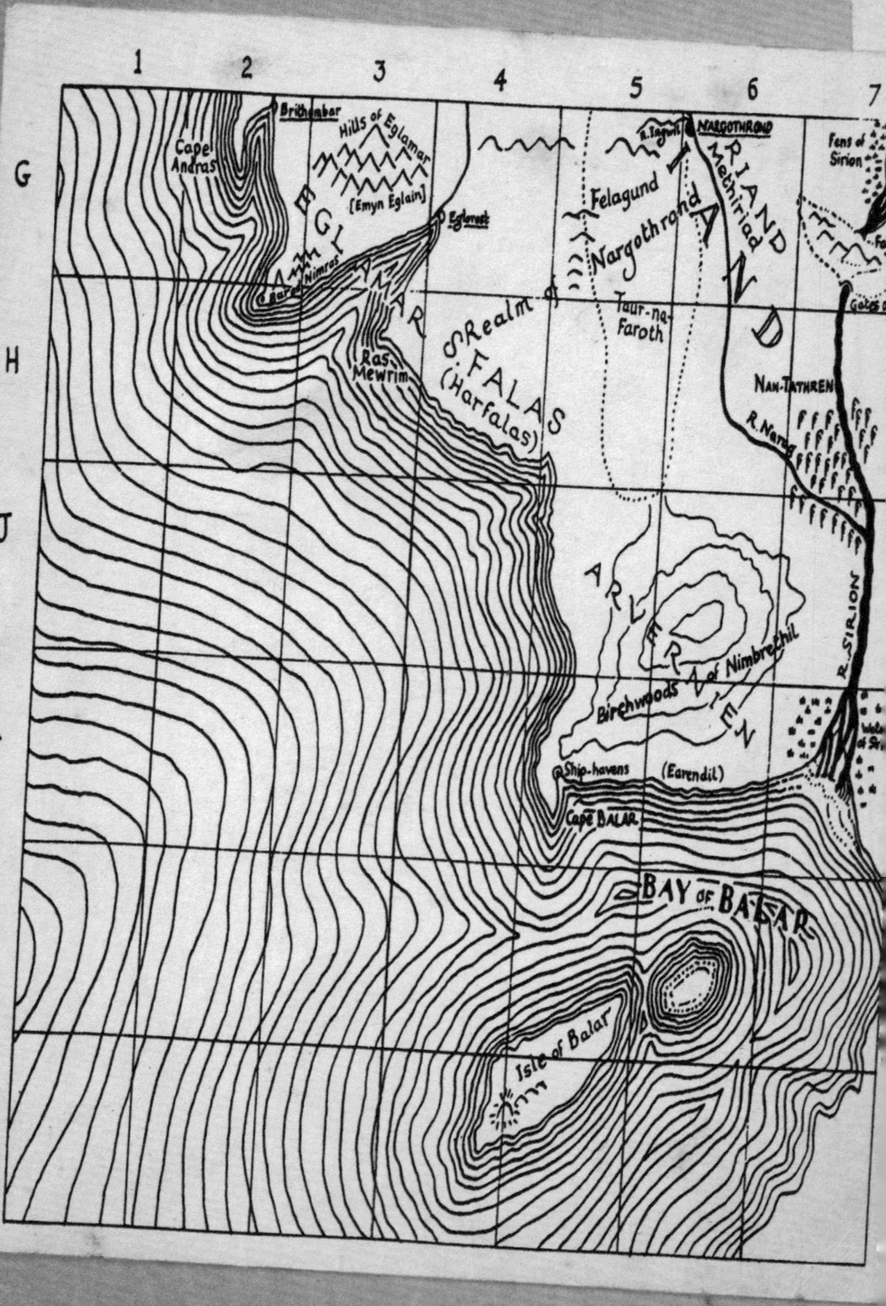

1
2
3
4
5
6
7
G
H
J
K
L
M
Brithombar
Cape Andras
Hills of Eglamar
[Emyn Eglain]
Eglarest
Barad Nimras
Ras Mewrim
Realm of Falas
(Harfalas)
R. Ingwil
NARGOTHROND
Felagund
Nargothrond
Taur-na-Faroth
Fens of Sirion
NAN-TATHREN
R. Narog
Birchwoods of Nimbrethil
Ship-havens
(Earendil)
Cape Balar
BAY OF BALAR
Isle of Balar
R. SIRION